柳鸣九文集

卷 4

法国文学史（上）

海天出版社（中国·深圳）

图书在版编目（CIP）数据

柳鸣九文集 . 4，法国文学史 . 上 / 柳鸣九主编 .
—深圳：海天出版社，2015.6
ISBN 978-7-5507-1319-2

Ⅰ . ①柳… Ⅱ . ①柳… Ⅲ . ①柳鸣九—文集②文学史
—法国 Ⅳ . ① I217.2 ② I565.09

中国版本图书馆 CIP 数据核字（2015）第 051178 号

柳鸣九文集 . 卷 4
LIUMINGJIU WENJI JUAN 4

出 品 人　陈新亮
项目负责人　于志斌
选题策划　林星海
责任编辑　陈　嫣
责任校对　叶　果　　陈少扬
责任技编　蔡梅琴
装帧设计　李松璋

出版发行　海天出版社
地　　　址　深圳市彩田南路海天综合大厦（518033）
网　　　址　www.htph.com.cn
订购电话　0755-83460202（批发）　0755-83460239（邮购）
设计制作　深圳市斯迈德设计企划有限公司（0755-83144228）
印　　　刷　深圳市新联美术印刷有限公司
开　　　本　787mm×1092mm　1/16
印　　　张　31
字　　　数　402 千
版　　　次　2015 年 6 月第 1 版
印　　　次　2015 年 6 月第 1 次
定　　　价　106.00 元

20世纪80年代，柳鸣九、朱虹夫妇与冯至先生在其书房

柳鸣九在蓬皮杜文化中心前的咖啡馆

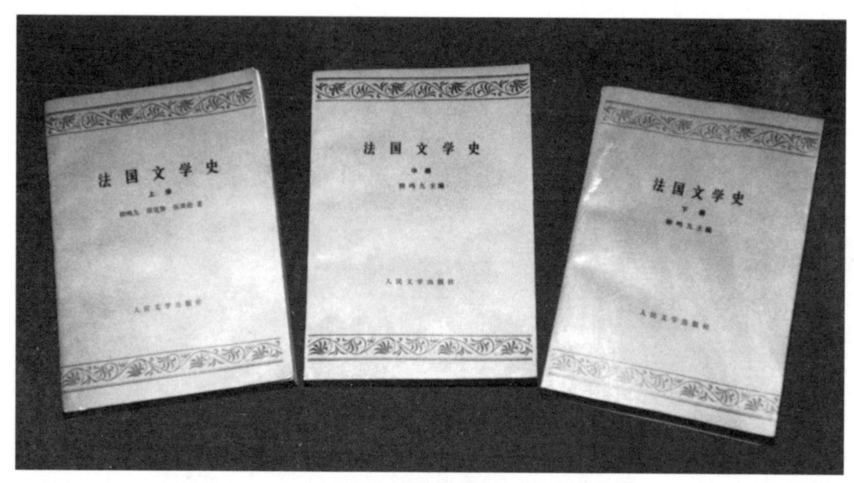

获第一届国家图书奖提名奖的《法国文学史》（三卷本）

柳鸣九在哈佛大学图书馆前

法国文学史（上）

柳鸣九　主编

本卷说明

修订本《法国文学史》上卷的执笔者有：柳鸣九、郑克鲁、张英伦。

具体分工如下：

修订本总序：柳鸣九执笔。

第一编：第一章柳鸣九执笔，张英伦参加；第二章郑克鲁执笔，张英伦参加；第三章、第四章张英伦执笔，郑克鲁参加。

第二编：第一章、第二章、第四章，柳鸣九执笔；第三章以及第二章的第五节与第四章的第四节，郑克鲁执笔。

第三编：第一章、第二章，柳鸣九执笔；第三章、第四章、第五章、第六章、第七章，郑克鲁执笔。

第四编共十章：柳鸣九执笔。

全书原来的学术组织工作与统一工作、此次的修改定稿工作，均由柳鸣九承当。

在本卷初稿编写过程中，金志平同志曾参加第三编部分章节工作。

修订本总序

一、原《法国文学史》的写作过程

原《法国文学史》上、中、下三卷，分别于 1979、1981、1991 年陆续出版问世，时间跨度长达 12 年。之所以如此，是因为三本书陆续写成，成书时间跨度很大，而且，适逢中国当代历史的非常时期，如第一卷于 1972 年开始动笔，那正是一个特殊的年代。

1972 年夏，作为中国社会科学院前身的哲学社会科学部，全体人马奉命从河南干校调回北京待命，当时的状况是"等候发落"：一是整个哲学社会科学部前途未卜，时有将被解散的传闻；二是数量惊人的一大批背负沉重政治包袱的中青年等候"平反"、"落实政策"，整个学部唯一的任务就是在军宣队领导下进行政治学习，学习内容除"毛选"四卷本外，就是当前的政策与党报社论，经军宣队同意，有时也可以适当扩大到《马克思恩格斯选集》。

就我个人而言，在那一场史无前例的浩劫中，被运动、被愚弄、被整肃了将近十年，已经是身心疲惫、伤痕累累、不胜其烦、心存厌恶了，只想离现实中"四人帮"的"无产阶级政治"与"革命路线"远远的，找一个逃避现实的隐蔽所，也想埋头做一点自己感兴趣的事，稍稍弥补已被耽误、被牺牲、被霸占了的十年时光（一个人一生有几个十年呢），这样，我就萌生了利用原来一点业务基础编写一本

《法国文学简史》的念头，并串联两三位志同道合的"搭档"：郑克鲁与张英伦以及金志平。

当时，学部是未完成"斗、批、改"政治任务的单位，做业务工作是"不合法的"。好在军宣队已在这个单位折腾得筋疲力尽了，加之处于待命阶段，整天无所事事，凡事睁一只眼，闭一只眼，放任自流，满足于充当"维持会"的角色。于是，我等也就有办"地下工厂"、偷偷搞点业务的可能。

为什么想到要编写《法国文学史》？最简单的原因就是，新中国成立后，国内一直没有人编写《法国文学史》。记得在"文化大革命"前的1958年，人民文学出版社出版过一本《法国文学简史》，薄薄的，不到12万字，是从苏联翻译过来的，原是《苏联大百科全书·法国卷》的"文学部分"，译者是我20世纪50年代在北大时的老师盛澄华教授。因为自新中国成立以来，我国文化界，一直将斯大林、日丹诺夫的文化论断奉为经典，这本苏制小册子也就一直享有某种权威性的地位。但经过了"文化大革命"，我辈过去尊崇的革命偶像与神祇都已失去神圣的面纱与光圈，苏式权威也就不在话下了。当时，我个人认定，以我们的知识积累、文学见识、鉴赏水平，要编写出一本规模上、篇幅上、丰富性上超过那本苏制小册子的文学史，是蛮有把握的，当然，也没敢产生特别好高骛远的念头，只打算写一本四五十万字的书而已。

说干就干，郁积了好几年的对文化学术的热情一下就爆发出来了。由于我比其他参与者痴长几岁，在学术阶梯上早爬了几年，策划、统筹、主持编写的工作重担自然就落在我的肩上。先是拟定了章节大纲，然后就要进入分工执笔的阶段。但是，不论从策划、统筹、拟定提纲、查阅资料到进入写作，都无不面对这样一个根本的问题：要把这本《法国文学史》写成一部什么样思想倾向、什么样文化态度的书，而这个问题，在当时的条件下是一个非常严峻的、足以影响个人命运的严肃问题。

谁都不能忘记，也不应该忘记"无产阶级文化大革命"在意识形态上的狂热性、暴烈性与荒诞性，就其"无微不至"的程度而言，那个时期要算是人类历史上思想钳制最为严酷的一个时代，从运动之初"暴风骤雨"开始，人类历史各个时代的思想文化就统统被"扫进历史垃圾堆"，如果只当作"历史垃圾"弃之不顾倒也罢了，偏偏领导当局老是顾忌这些思想文化遗产对无产阶级专政的"敌对性"、"颠覆性"，而不断把它们揪出来当作"封资修复辟的舆论工具"轮番猛批，经过 10 来年地毯式的轰炸，整个思想文化领域一片焦土，寸草不生，只存在"一曲国际歌，八个样板戏"的大一统、纯而又纯的秦始皇式局面。如果说"文化大革命"初期与中期还只是一些"无产阶级革命家"与"马列主义秀才"率领亿万人马在"思想阵地"上横冲直闯的话，那么到了后期，则有大大小小的"梁效"与权威的历史学家、哲学史家积极参加营建这种无产阶级学术文化大一统的局面了。

这就是我们开始编写《法国文学史》时所处的时代条件与社会环境。对这股炽热可怕的时代洪流，我辈小人物，也曾顺应过、跟随过，终究又轮到自己被冲击、被批斗，其受害之深较前届被冲击者、被批斗者实有过之而无不及。就我个人而言，正因为 10 来年的政治现实打开了自己的眼界，更因为自己受伤害后，伤口长期难以愈合，隐隐作痛，所以在写《法国文学史》之初，就怀着强烈逆反情绪，决意反当时的思想标准而行之，坚决破除"四人帮"对待文化遗产的"彻底批判论"。不过，我并没有走得"太远"，说有"出格"，不过是以马克思、恩格斯对古希腊时期与文艺复兴时期的艺术、启蒙主义文论、19 世纪现实主义文学的那些充满热情的评述为准绳，采取一种马克思主义经典的文化历史观的立场，这在当时就已经是很背离"无产阶级文化大革命"的宗旨了。因此，当时并不存在什么有朝一日可以出版问世的奢望，只不过是自己实现自己、对自己尽心尽力罢了。

到 1976 年"四人帮"垮台的时候，编写工作已完成了相当一部分，与原来仅一卷的计划相比，编写的规模大大地膨胀了，仅中世纪到 18 世纪，就已经达到了一卷的规模，因为，一进入编写后，我们才发现"文化大革命"以前的那些年没有虚度，的确读了不少书，积累了相当丰富的知识，也形成了不少见解，一写起来，就大大超出了原定的篇幅，于是决定按"略古详今"的原则，将后来的 19 世纪至 20 世纪再写成两卷。

"四人帮"垮台，全国欢腾，各个文化单位都急于走上正轨、恢复业务工作。报纸杂志要组织若干批"四人帮"、"拨乱反正"的文章，还不那么难，但出版社要出版一点像样的文化学术读物，却不容易，"梁效"式的理论大作、被"拉下水"的某些学术权威贯彻了"尊法批儒"精神的论著都无法出版了，深受他们影响的一些文章论著，也因为改不胜改，难以清除"梁效特色"与"尊法批儒"色彩，也都成了出版不了的废品。我们本来怀着自觉逆反意识写出来的《法国文学史》上卷，倒是恰逢其时，与出版社一拍即合，竟未做任何修改，未加任何修饰，在交稿后仅仅一年多的时间里顺利出版了。这在当时不能不说是罕见的"奇迹"。面对这样的结果，我不敢说自己有什么"先见之明"，有多少"理论勇气"，但我的确对"反潮流"一语有了切身体会，并发现"反潮流"带给当事者的并不一定就是灾难。我后来在 20 世纪 80 年代前期拒绝意识形态领域的长官要我就萨特评价问题写反思文章的指令，实与这次经验有关。

1979 年上卷出版后，中卷与下卷的写作大大放慢，经常一搁置就是一年半载，这是因为"四人帮"垮台后，有了一个外国文学的"春天"，各个方面约稿组稿很多，一些研究项目与翻译项目令人应接不暇，我自己如此，郑、张二位也是如此。但成书时间跨度拉长也有一定的好处，就我个人而言，在这个跨度里，我插进去了这样几件事：一是，我写了一系列批判与清算"四人帮"极"左"文艺思想的理论文章；二是，我发动与组织了对斯大林－日丹诺夫关于西方21世纪文化之论断的批判，并做了一系列工作对西方现当代文学进行重新评价；三是，涉及恩格斯对巴尔扎克与左拉的裁判，发动与组织了对自然主义的重新评价。这三件事都有较大的工作量，除了繁杂的学术组织工作外，更主要的是我自己要做先行研究，拿出"主打文章"、"主旨报告"，虽然这些事占用了不少时间，但更深化了我对文学发展历史的认识，也增加了学术上、理论上的"底气"，对把《法国文学史》中、下卷写成"成熟的文学史著作"，是大有裨益的。

时间跨度拉长，还带来一个结果，那就是参加编写人员的增添，除原来郑克鲁、张英伦、金志平外，最主要的是，在这期间我作为导师带过一批研究生，其中不乏多位才俊之士，我很自然就吸引他们参加若干编写工作，虽然每个人的工作量并不大，如施康强、郭宏安、吴岳添、金德全、孟明等，如今他们都已经是学术文化方面的名士了。由于写到19世纪末就达到三卷的规模，自然要求每一章都具有一定的分量与深度。于是，有的章节特邀对该专题有研究的同志承担，如罗新璋、黄晋凯。因此三卷本《法国文学史》实可谓汇集了本学界一代精英的劳动成果。

1991年，三卷出齐后，《法国文学史》于1993年获第一届国家图书奖提名奖。

二、对原三卷本的时评与自我再评估

《法国文学史》三卷陆续问世后，曾引出学术界、文化界的不少评论，这些评论在当时对鼓励我们的工作，事后对总结与思考文学史的编写、今天对修订这部论著，都是值得回顾、认真对待的。

上卷出版后，李健吾先生于1979年7月在报刊上发表了一篇书评，热情洋溢，把此书作为中国人以马列主义编写的"第一部法国文学史"而加以"庆贺"，并指出了三个可称道的特色。李先生是我辈的师长，学识远高出我们，他甚至以"雀跃"一词形容见此书后的喜悦，其奖掖提携后辈的热情与促进学科发展的无私精神令我极为感动，终生不忘，奉为自己效法的榜样。

中卷出版之前，为了心里有底，我将该卷关键性的一章即《概论》的校样请我辈所敬仰的钱锺书先生审阅。钱先生很快就审阅完，并正式给我写了一封信，诸多鼓励，称："叙述扼要，文笔清楚朴实"，"言之有物，语之有据，极见功力"，较前人已"有超越，可佩可喜"。钱先生的来书令我没齿难忘，极为珍视，把它视为我学术生涯中远比获得什么"特殊津贴"更为重大的事。

下卷出齐后，文化界、批评界有了一个整体的对象进行评论，好评甚多，溢美之词不少，三卷本被美誉为"完璧"，"自我国有外国文学史以来，规模最大的一部外国文学史"，被评为："史料翔实"，"论述深入细致"，"思想观点鲜明"，"可称'国人独步'"，特别是下卷更被称为"成熟的外国文学史"，评论者指出"编著者纵观作品与流派的嬗变，囊括社会历史背景，社会影响与思想艺术特点，潜心搜集、锐意探求，洞烛幽隐，不趋时尚，务去陈言，自出机杼"，"显示出我国学人在对待外国优秀文化遗产方面的恢弘气度与大家规范"。

三卷本之所以得到学术文化界的欢迎与好评，其主要的原因不外三点：一是因为这部文学史不仅是新中国成立后，而且也是19世纪末21世纪以来，中国人自己写的第一部多卷本的外国文学史。在整个外国文学领域，近一个多世纪以来，法国文学方面的译介评述应该说是最多的，即使在这样一个相对发达的学科里，国人所撰写的法国文学史也寥寥无几，仅有1923年李黄、1929年袁昌英、1930年徐霞村、1932年夏炎德、1933年穆木天的数本，均为篇幅甚小的简史，甚至只是简介，到20世纪下半叶，其阅读参考的价值已明显不足。颇有分量的是吴达元先生1946年在商务印书馆出版的两卷本《法国文学史》，其篇幅达到了 80 万字，对重要的作品都有一定介绍与论述，给国人的印象甚深，但不难看出，此部文学史的译述痕迹太明显，不难断定，是以某一部外国文学史为蓝本编译的。对于一个未发展成熟的学科来说，将一部国外的论著加以编译综述而成为新著，是一种常见的也很自然的现象。据称，吴著是以法国著名的文学史家朗松的权威论著《法国文学史》为蓝本的，但朗松论著的理论性与哲理性较强，即使做自由度较大的译述，也有一定的难度，事实上，吴著基本上只是另一个文学史家德·格朗日论著的中文译述本，而德·格朗日的文学史较朗松的论著则要简明通俗一些。虽然国人的这些法国文学史的著述在传播知识方面无疑起了不可磨灭的历史作用，但毕竟还处于以译介、转述为主的学科启蒙阶段。

根据人文历史学科发展的规律，要进行文学史编写，特别是规模较大的文学史编写是需要一定基础的，不论是学科发展的基础与个人学力的基础。李健吾先生在对我们的上卷作评的时候，就曾回忆了他那一辈人由于社会现实等条件的限制，而未能写出规模较大的文学史论著的经历，可见写文学史远非像写一篇文章那么容易。到我等写文学史的时候，虽然所处的年代是令人窒息的，但从一个多世纪的社会文化发展来看，法国文学在中国的译介经过老一辈学者的辛勤耕耘，毕竟已经有了相当的基础，像傅雷、李健吾这样杰出的翻译家与学者已经做出了不少创造性的贡献，使法国文学的译介与研究在整个外国文学学科中处于领先地位，没有这个基础，我辈是不可能写出《法国文学史》的。就个人条件而言，我们这一批写书者，当时也都是 40岁出头的学人了，在那场文化大毁灭来到之前多少已积累了一些资源，用李健吾先生的话来说："他们如果更年轻一些，则学力不够，要多吃些苦头，而老迈如我之流，则体力已衰，自恨光阴虚度，无能为力，而他们则胆大心细，把这份重担子挑起来。"受惠于学科的发展与前辈的开拓，再加上我辈的主观努力，就是这样一部《法国文学史》得以产生的条件。如果说在受压抑、被窒息、完全没有精神自由的年月，我们开"地下工厂"编写文学史是一种"胆大妄为"的自我选择、难能可贵的自为之举，那么我们按多卷本的规模来编写，则要算虽很费心费力，却确实为明智的抉择。因为古人说得好，"取法乎上则得乎中矣"，《法国文学史》问世后，受到普遍的重视与好评，首要的原因就在于这一"取法乎上"使得我们实现了中国的多卷本外国文学史的零的突破。

受欢迎、获好评的第二个原因是，历史叙述具有较大的繁详度、史料较为翔实、知识量与信息量较能满足当代文化读书界的要求。这个原因与前一个原因密切相关，多卷本的规模必然要求在历史叙述上较为完整详尽，但实际上，后者实为前者的基础与条件，有了较大的繁详度，才可能达到多卷本的规模，而较大的繁详度与较大的篇幅规模，则又必须以"言之有物"为硬件，这"物"就是丰富扎实的史料。

文学史是一种特定的读物，它不同于一般的历史，更不同于只谈几种社会形态、几种生产关系的社会发展史，它也不同于作家笔记、作家专论，不同于作品评析专著，不同于形式体裁论、思潮流派论，不同于文学概论，不同于文化史、文明史、艺术史，但所有这些种类著作与读物的成分，文学史都必须具有。它必须对某一个时期文学发展的历史事实做出全面而具体的叙述，如出现了哪些作家、哪些作品，形成了何种倾向，体现了何种思潮等等。而每个作家、每部作品也都是一个个完整的"小世界"，作家的生活经历、思想发展、创作过程、继承与独创，作品的题材、内容、思想意义、艺术价值等等，都是这一个个"小世界"中你必须面对、必须涉及、必须发言的实际对象。与此同时，文学史还必须对产生、包容这一切文学现象的社会现实条件、历史发展状况，以及影响、决定文化艺术的"纽带"或"渠道"做出必要的清晰的说明。因此，文学史要求知识面广、资料丰富，在这个意义上，它必须是全面的、综合性的知识读物，它的知识必须是搭配性的、均衡性的。当然不是等量搭配、等量均衡，而是符合一定比例的均衡，即符合文学史所要求的那种比例的均衡。

还应该看到，对文学史知识繁详度、资料丰富性的要求，在不同的历史条件下、不同的社会文化状况下，其程度、其多少是颇为不同的。林琴南时代或后林琴南时代，对法国文学的译介尚在伊始阶段，国人也就可以满足于基本上只提供作家名单与作品书目的简介式的法国文学史，对全面的历史叙述、完备的知识、丰富的资料尚未有自觉的要求。在闭关锁国、对外来文化充满警戒心理的历史年代，国人也不会对官方的文化意识形态渠道所提供的精神食粮配给存在其他奢望，一本苏式小册子已足以成为国内法国文学方面的权威"准文件"，其知识性、资料性的严重匮乏使它只不过是一份很不齐全的名单和书目。这种情况，早在"文化大革命"以前，就已经使得我们这一批毕竟见识过国外名家大部头文学史论著、精神文化上的"贰臣逆子"心存不满，也曾经做过起而效尤的梦，这种梦未能在别的时候去实施，倒是在逆反精神已形成，却看不到什么业务前景与个人出路的倒霉年代去实施了；在只想把自己所积累的与经过努力可增添的知识，整理得尽可能完全一些，以"躲进小楼成一统"，但求自我完成的意念驱使下付诸实施了。

正是基于以上的认识，出于上述的心境，我们在编写《法国文学史》时，首先向自己提出了掌握丰富资料、在知识性上力求有较大突破的要求，所幸在编写工作之初，我们还有些私人存书可以派上用场，而在研究所的业务工作恢复后，藏书颇丰的图书馆就对我们开放了，这里，各种中外文的专业书基本上应有尽有。

但是，且不要以为写文学史只需要阅读与参考国外同类的论著就够了。国外有些文学史著作尽管部头甚大，但有不少篇幅是不着边际、天马行空的高谈阔论，这是法国人不少理论学术著作的通病，恰恰不能满足国人对文学史知识的具体需要，而为国人所需要的关于作家的全面知识与对作品内容的具体介绍以及对历史社会背景的全面论述，那些文学史著作却往往简略甚至语焉不详。这既与法国学人夸夸其谈、爱发空论的文风有关，也与他们面对的是本土的读书界、文化界，无需普及这些方面的基础知识有关，而对我们来说，普及这些基础知识并将它们加以系统化、体例化，却是编写文学史中责无旁贷的任务。因此，为了对作家进行比较充分的介绍，我们就必须去多方查阅一个个作家的资料与传记；为了对每一部作品的内容与形式做出全面而准确的说明，就必须对一部又一部作品进行仔细的通读，要把某一个问题说清楚，连一个细小的情节也不能放过，即使为了对社会历史背景进行一般性的介绍，我们查阅的书籍与资料亦不在少数，并且力图在论述说明中注意知识的具体性与全面性。我记得在20世纪70年代末的一次学术会议上，朱光潜先生发表了这样一个意见，大意是：写文学史犹如提供一个旅游指南，必须把旅游路线与旅游点了解得很透彻，尽可能掌握"第一手资料"，尽可能向旅游者提供完备详尽的导游说明。当时我就把光潜老师的话视为对我们的要求，也视为对我们的鼓励。虽然，我辈在学识上与渊博精深、扎实雄厚的钱锺书、朱光潜、李健吾等前辈实不能相比，但也的确在自己的学养基础上为《法国文学史》的知识性做出了认真的、辛苦的努力，就其努力的程度而言，是问心无愧的。

受欢迎、获好评的第三个原因是，整部书有若干理论色彩，论述多少有点理论深度。

我们生活在一个理论强势的时代，看到理论在文化领域乃至整个社会所享有的至高地位，自然有重视理论的"潜意识"，对什么事情都想说出个"道道"、说出点"名堂"、发掘出点"规律性的东西"，马克思、恩格斯的《德意志意识形态》，以及论思想史与社会发展史的论著、篇章就是我们的最高理想。今天看来，这绝非坏事。这有助于人要求自己保持思想者的高度，但有两个必须：一是必须适可而止，不要由马克思、恩格斯一些科学的历史唯物主义经典文献进一步跨进列宁、斯大林无产阶级革命意识形态的炽热氛围，以求保证维持一种科学的理性状态，而不至于进入狂热的自我扩张、摩拳擦掌、气势逼人的斗争哲学境地。二是必须保持清醒的头脑，不要随波逐流，陷进汹涌澎湃的空论潮、教条潮之中，经历过20世纪下半叶历史的中国文化人，能否使自己的理论文字不至于朝生暮死、转瞬间即成过眼烟云，就看在这两点上的自持与作为了。

由于大学毕业后的初期阶段，我被分配在理论工作岗位上，自然养成了重视理论的习惯，但在那种岗位上耳濡目染，我也难免沾上教条主义的毛病，走过一点弯路。所幸，我很快就恢复了对事实的尊重、对历史的兴趣，我主动从理论研究的岗位转到历史与现状研究的岗位上，就是明显的标志；并且在理论问题上，自觉地、明确地形成了以上两块"反骨"：一是自觉地止于马克思、恩格斯；二是自觉地对空论与教条的逆背，而明确要求自己在文字工作中成为一个"思想者"，保持着对经典理论的向往。

有了这两方面的兴趣，因此，在文学史的编写中，我力求避免整部书成为资料的堆砌。窃以为，面对一堆材料而缺乏自己的思想观点、见解感受，不能不说是精神上的低能、文化上的弱智，我想尽可能做到论从史出，全书带有一定的理论含量、理论色彩，达到史论结合的境界。具体来说，我很重视每个时代文学的《概论》，全书五六个《概论》全是由我执笔，每一个《概论》都是各个不同时代文学的框架，是其全部思想内容与艺术形式特点的提纲，是整整一个时期文学的定调，是对其基本色调的把握。在这里，不仅要概括社会的、文学的全部有关历史事实、综述整个历史进程，而且要说明各种事实、各种内容之间的因果关系、内在关系，更重要的是要揭示带本质意义的与某些带规律性的东西，如17世纪古典主义文学的发展变化以及不同倾向与绝对王权的关系，19 世纪浪漫主义文学的社会根源与不同倾向的分野等等。

由于整部文学史的繁详度较大，较重要的作家都有专章加以论述，一般的作家也达到专节的规模，即使是较小的作家也有必要的说明，因此，对作家作品的评论与分析就必须达到一定的深度，如果对所有这些内容没有形成自己明确的思想观点与多少有点独特性的见解，做出不乏启示性的论述，那么，这种预期的深度是不可能达到的。

三、时代烙印之一：对于阶级斗争史观与阶级分析方法的思考

在精神文化领域里，几乎任何一个严肃的、创造性的成品，都不可能是十全十美、完整无缺的，金无足赤、人无完人，何况人的精神产品。这是因为人的精神创作活动既要受制于作者的水平、见识、才能、技艺等主观条件，也要受时代、社会、环境等诸多客观条件的制约，而精神文化产品一旦产生，它就面对着广大公众千差万别的趣味、标准、要求、理解力、鉴赏力与人向往尽善尽美的本性以及不免求全责备的习惯等等这些因素的考验。因此，任何一种精神文化产品都会有令人遗憾之感，"遗憾的艺术"远非只有电影这一个文化部类。《法国文学史》当然也不可能例外。应该说，我们制作这个成品的主观条件与客观条件均不理想。从主观条件来说，从事制作的人基本上属于"被耽误的一代"，虽然都出自名校名师，大学期间在"向科学进军"的热潮中也扎扎实实念了几年书，毕业后又有 10 来年的业务工作经验，但毕竟长期被禁闭在国门之内，学术见识有限，学术进程还经常受到各种运动的冲击，即使个个勤奋有加，但面对着浩如烟海的法国文学历史，再多的学养也不能说已充足、够用。而客观条件则是人所共知的："左"潮长期狂暴肆虐，即使是在 1979 年以后，"左"潮的余波仍此起彼伏，而遗毒污染则更是为害深远，即使我等

在最令人窒息的时期以自觉的逆反意识进行制作，但在这样一个高度意识形态化的现实环境下，我等实在没有拔着自己的头发离开地球的神奇力量，孙猴子"跳不出如来佛的掌心"。因此，《法国文学史》不可能不打上时代社会的烙印，这主要表现在上卷中，这一卷毕竟是写于一个"左"潮思维最厉害的时期。

其时代烙印主要就是对阶级斗争史观的强调与阶级分析方法的运用颇有些失衡。在 1978 年我为上卷写的《前言》中，有这样一段话："阶级社会的历史是阶级斗争的历史。法国文学作为社会的意识形态，本身就是社会阶级斗争的一部分，它的整个过程都表现了阶级的矛盾与冲突，充满了进步倾向与反动倾向的斗争。法兰西阶级斗争在世界历史中具有某些典型性，曾是马克思主义经典作家用来阐述历史唯物主义原理的典型例证，而法国文学作为反映历史、印证马克思主义历史唯物主义的思想材料，对于各国人民无疑也是非常宝贵的。"在今天看来，对于文学史的编写而言，这是明显的"理论失态"、是错误的"理论纲领"。在当时流行的这种阶级斗争史观套话中，至少表面上有两个逻辑上的阻隔与脱节：一是，作为意识形态的文学并不一定在任何时候都是"社会阶级斗争的一部分"；二是，文学史的过程不见得"都表现了阶级矛盾与冲突"，特别不见得"充满了进步倾向与反动倾向的斗争"，至于"阶级社会的历史"是不是都是"阶级斗争的历史"，更是整个人类发展史观中的一个有待探讨的重要问题。

所有以上这三个教条式的推理，在当时是通用的格式、常见的语式，它们并非我个人的创造与发明，而是来自一种最高哲学的"公理"，即"斗争哲学"。它早从新中国成立以后就已经享有至尊的地位，指导着国人的社会发展史观、中国历史观、世界历史观，而且其涵盖面远不止这些，而且直至今日，也仍然有巨大的影响，在理论上无人敢于质疑、商榷与探讨。如果说有什么"如来佛掌心"的话，这就是我在编写《法国文学史》，特别是该书上卷时所未能跳出的"如来佛掌心"。今天，为了使我们文学史的修订，在真正实事求是、理性科学的认识前提下进行，我们有必要对以阶级斗争论为基础的史观进行若干反思与检讨，需要强调的是，我个人的目的也仅仅是为了文学史的编写修订，并非有僭越其他领域的企图。

阶级社会的历史，是否都是阶级斗争的历史？如果对人类社会发展进程做了切实而理性的观察，而有意要把阶级斗争强调、夸大到无所不在的地位，那么，对上述问题的答案显然是否定的。其理由是多方面的：从人类历史发展的时序进程而言，在整个社会发展过程中，有的阶级社会虽然已经明确了不同的社会等级，但根本就不存在阶级斗争，如像被人用共产主义理论宝库中最美丽的一个词联系起来而称之的"原始共产主义社会"；即使是在阶级划分已经清晰明确的社会时代，阶级斗争也并非贯穿始终、无所不在。实际上，各阶级和平共处、互相渗透、相互补充的时候，阶级之间磨合、妥协的时候更为经常、更为持久、更作为一种历史过程的常态。而阶级斗争往往只是一时的激化失控、一时的局面失衡，这种非常的状态，整个社会是无法长期承受的，整个人群是无法执着投入的，法国大革命后的历史就清楚表明了这点。从人类社会活动内容的广度而言，阶级斗争远远不是社会历史活动内容的全部，人类的社会要生存、发展，有很多很多必不可少的活动内容：物质生产活动、发明创造活动、娱乐休闲活动、交往亲合活动等等，比起这些活动来，阶级斗争这种非常的活动对人类生存发展是最不需要、最带有敌对性的。因此，硬把阶级斗争提升到社会历史的首要地位，不仅不符合社会发展史的历史实际、而且是对历史实际的曲解，至于把阶级斗争说成是人类社会发展的动力，则更不符合历史实际。谁都知道，人类历史上每一次严重的阶级斗争无不在当时造成了巨大的破坏。

"文学作为社会的意识形态，本身就是社会阶级斗争的一部分"，这也是一个缺乏科学性、不符合历史实际的结论，它同样源于革命理论的唯斗争史观，当革命理论家、革命哲学家把阶级斗争视为达到一切目的、解决一切问题的途径与手段，因而对之无限尊崇、无限迷恋，须臾不可分离，犹如生命之不能脱离呼吸，自然看万事万物都满目皆阶级斗争了。然而，在历史过程中，在现实社会中，从事其他种种活动的人们绝大部分都并无这种特殊的职业癖好，并无这种狂热的兴趣，从事精神文化劳作、从事艺术创造的人，就其志趣与脾性而言，往往对阶级斗争唯恐避之不及，在无产阶级革命运动发生于人类历史上以前，阶级斗争使命感这种特殊的意识形态，也还未曾诞生，没有人会去自觉地加入某种阶级斗争。也许，在某个时期、某种社会条件下，社会纷争、阶级斗争可能会将一部分人卷入旋涡于一时，但这些人恐怕都是被动的、不得已的，而绝非主动的。应该看到，"拿起笔作刀枪"，这只是社会主义运动风起云涌之后，革命阵营中才有的事，而这种"革命文艺家"能以其精神劳作进入到文学艺术史范畴的，则实属罕见，他们往往只被视为"宣传家"。客观历史的实际状态如此，社会主义时代以前，人类精神文化、文学艺术发展的历史，何能成为阶级斗争的历史？

当然，由于任何文学作品都有一定的思想内涵、都有一定的倾向性，甚至社会政治色彩，因而在激烈、复杂的社会阶级斗争中完全可能被引用、被利用，但这种情况在文学史上为数极少。因为，文学作品的思想性与倾向性毕竟是深藏在艺术形象之中，被阶级政治斗争利用的可能性与有效性是有限的，何况被引用、被借用、被利用，仅仅是外力强加于主体的一种状况，而并非文学作品主体本身固有的性质。

至于说整个文学史过程"都表现了阶级的矛盾与冲突，充满了进步倾向与反动倾向的斗争"，也完全不符合史实，并非从文学史客观发展状况总结出来，而是把唯阶级斗争史观演绎于历史过程的教条结论。尽管文学史上存在不同的思潮流派与倾向，尽管在这个领域里也存在着"文人相轻"的现象，但所有这些，不论是"百家"还是"百花"，在绝大多数的时期里，都是并存与共处，甚至是相互借鉴、相互渗透；即使是"争鸣"与"斗艳"，甚至在某个特定的条件下还发生过尖锐对立与激烈碰撞，也与阶级斗争有本质的区别，所有这些不同的思潮、流派、倾向、风格，一般不存在正义与非正义、革命与反革命、进步与反动之分，当然也就不应该主观主义地想象它们之间必定存在不可调和的阶级斗争。

以上就是我当时未能跳出最高哲学、最高史观的"如来佛掌心"之所在，以及今天的初步反思。在根本理论上既然陷于误区，《法国文学史》的章节内容与实际论述，自然也就不可能不存在一些偏颇与缺点：如对于社会历史发展过程中阶级斗争内容失衡的论述与强调；如过于把文学发展过程与社会阶级斗争联系起来；如有时机械地过于强调作家身上的阶级倾向与作品中的阶级内容，机械地对作家作品进行阶级定性、夸大文学发展中不同倾向的对立，并不适当地将之上纲为具有阶级斗争性质，并进而做出正义与非正义、进步与反动的评判，力图把文学史过程描绘成充满了进步倾向与反动倾向的斗争的图景等等，虽然这些缺点还未发展到简单粗暴、武断偏激的地步，但的确是不同程度地、时有时无地存在着，不容忽视与否认，而所有这些偏颇与缺点，也正是这次修订本所要修改的一个主要内容。不过，毕竟只是"修改"，而不是"重写"，因此，实在不敢说做到了彻底根除。

不过，与此同时，也存在着另一个问题，而问题的存在，也与思想文化界近年来的情况有关：

近些年来，一方面由于中国的"左"潮根深蒂固，阶级斗争史观不仅仍得到一些革命传统方面的资深"近卫军"的信奉与宣扬，不时由他们发出声色俱厉、讨伐异端的檄文，而且又征集了一批知识结构全新全洋的新"左"支持者、声援者。另一方面，在文化读书界又相当普遍存在着一种对阶级斗争史观以至阶级论与阶级分析方法的恶感与厌弃，绝口不谈阶级论与阶级分析方法，与这种视角与方法截然划清界限，对运用这方面术语与方法的论著更表现出轻蔑与反感，正因为如此，《法国文学史》上卷就曾受到过全盘否定、一棍子打死的批评，甚至还祸及中卷与下卷。一位对文学史几乎毫无研究的人曾以权威的口吻当面对我说："《法国文学史》的观点完全过时了，得重来！"于是，这就提出了一个尖锐的问题：在文化研究与文化评价中，阶级论与阶级分析方法是否完全过时了？如果并非完全过时，那么在什么范围里、什么程度上加以运用尚属适宜？

这种对阶级斗争史观的恶感与厌弃出现在 20 世纪末期的中国文化读书界，是完全可以理解的，甚至可以说是一种自然的精神现象。从 20 世纪 50 年代初，直到 80 年代，中国人在人为的阶级斗争持续高温中被烘烤、煎熬了几十年，即使有最强的体能与最大的精神承受力，也早已不胜其烦、不堪其苦了，何况在被烘烤的过程中，还有种种遇尴尬、被凌辱、受残害的痛苦记忆，家破人亡、成为冤魂的惨剧亦层出不穷、屡见不鲜，社会的"臣民"，只求有生存权与创造权，甚至只要求过一辈子"平平常常的日子"，凭什么把他们推进以"阶级斗争为纲"的境地中去受折磨？于是，臣民最普遍的希望就是脱离这一片红彤彤的火焰，这就是上个世纪七八十年代的"人心思安"、"人心思定"，正是从这种普遍的要求中，才有识时务的俊杰舍阶级斗争路线而奉改革开放。在这种历史背景与社会环境下，文化读书界对阶级斗争史观的恶感与厌弃就是完全正常、完全可以理解的了。这是社会普遍心理在文化学术上的必然反映与结果。文化艺术本来就是人们寄寓精神、求知养性、意趣休闲的所在，如果来到这里也是一片阶级矛盾与阶级斗争，岂非大煞风景，人们有什么理由不表示厌弃呢？

当然，我们应该看到，文学艺术毕竟是人的主观精神产物，而制作者本人又无不是在一定的民族环境、历史条件、社会氛围中进行制作的，要对这些精神现象、精神产品的根由、性质、作用、影响做出必要的、切实的说明与评说，就不可避免地涉及当时各种历史、社会现实条件，这从来都是文学史家必须面对、必须解决的严肃课题。

在法国文化史上，我们至少可以从两个范例看到这种严肃的努力，即 19 世纪上半叶的斯达尔夫人与 19 世纪下半叶的泰纳。斯达尔夫人是 18 世纪启蒙主义在 19 世纪的第一代精神传人，法国浪漫主义文学先驱，以《论文学》与《德意志论》两部巨著奠定了她思想家、文艺批评家、文艺史家的地位，其突出贡献是继承了孟德斯鸠社会分析的方法，从社会环境、社会现实诸条件考察文学，具体就是考察宗教、风俗、法律等等对文学形成的影响。泰纳是 19 世纪下半叶一代文艺思潮的领袖人物，他同样也继承了唯物主义的哲学传统，建立了实证主义的文学理论史观体系，以文学发展的三因素论而闻名于世，即把种族、环境与时代视为决定文学的三大根本要素。他们两位构成了文学史观中强大的社会历史学的传统，其共同特点是不把作家个人的天才、灵感与心理视为文学发展的决定条件，而强调社会环境是文学发展的"终极决定者"，并且都以这种原则与方法对欧洲文学的发展，从希腊罗马直到 19 世纪的艺术史做出了十分真实贴切、细致入微、精彩纷呈、极具经典意义的论述。毫无疑问，他们的传统、方法、视角、见识对今天的文学史研究仍是一笔非常宝贵的文化遗产，对我们仍不失启迪、借鉴、参考的重要意义。不过，社会科学、人文学科在斯达尔夫人与泰纳之后，又有一百多年新的进程，如果我们要在他们的传统与方法之外，还补充一点什么东西的话，那就是社会考察中传统意义上的阶级观点与阶级分析方法，不言而喻，这里的阶级观点与阶级分析方法绝非"斗争哲学"所派生出来的"阶级斗争史观"与阶级论。

应该看到，阶级观点与阶级分析方法，本来是前人留下来的用于观察社会历史的一份科学遗产，它不是中国人发明的，也不是马克思、恩格斯发明的，而是法国 19 世纪社会历史学派的历史学家的创见，这些杰出的历史学家，梯叶里、米谢莱、基佐、米涅等，运用阶级观与阶级分析方法对法国及欧洲历史做出了十分精彩的论述，把历史学提高到了一个空前未有的高度。马克思、恩格斯继承了这种社会观与分析方法，创造性地加以运用、论述与分析了欧洲的社会历史、思想、文化、艺术的发展过程，留下了《路易·波拿巴的雾月十八日》《反杜林论》第三编、《社会主义从空想到科学的发展》《家庭、私有制和国家的起源》等等这些具有经典意义的论著与篇章，这就是我们所理解的传统意义上的阶级观与阶级分析方法，它构成了马克思主义的历史唯物主义的主体部分。到了列宁的时候，事情有了很大的变化：学术成分大大消退了，政治实用内容增加了；科学性减弱了，革命斗争性突显了；历史研究与历史评论的兴趣没有了，政治夺权的终极目的取而代之；思想家、哲学家、学者的姿态退隐了，革命家、策略家的身影笼罩了一切；科学的历史研究与历史叙述少见了，政治宣传的声响占了压倒性地位。在他笔下，甚至与俄国革命格格不入的托尔斯泰也成了"俄国革命的一面镜子"。到了斯大林手里，事情更有恶性的发展与膨胀，历史唯物主义的科学精神已被阉割，只沦落成斯大林主义任意利用的名词术语，阶级观与阶级分析被当作了"清洗"、"镇压"、"专政"的说辞与借口，发展为狂热、偏激、暴虐的"阶级斗争愈来愈尖锐"论。在意识形态上不仅造成了一个武断、僵化、实用主义、唯主观意志的阶段，而且在社会历史上造成了一个人人自危、充满了处决的恐怖时代，其酷烈较之历史上有名的"雅各宾专政"实大有过之。发生在 20 世纪六七十年代中国的"十年浩劫"，在基本理念上就是师承上述"阶级斗争愈来愈尖锐"论，并以"创造性发展"的"斗争哲学"、"阶级斗争史观"为最高指导，如果它有什么不同于"老大哥"的特色的话，那就是在思想文化上更显得愚昧、无知、野蛮、狂暴。不难看出，阶级论与阶级分析作为历史唯物主义中的一个重要内容，从列宁以后，有了一段特殊的、悲剧性的遭遇，在那以后的事情，实际上都带有扭曲、胁迫、施暴的性质，这就是一个多世纪以来历史所无情显示出来的真相。

因此，就有一个区别的问题，就有一个不要把孩子连同脏水一齐倒掉的问题，在舍弃"唯阶级斗争史观"的时候，实在不应该把传统的阶级观与阶级分析方法一并加以否定。社会的全体成员都是按在生产活动中的作用，与在生活关系中占有的地位，而形成不同利益群体的，这种客观的限定性相对地、大致地制约着和影响着不同人群的感受方式、思想方式与行为方式，这就是阶级观与阶级分析方法所揭示的最明白、最简单、最自然不过的客观真理，其自然合理性就如同按人的肤色把人区分为黄种人、白种人、黑种人、棕色人种一样。即使是在 21 世纪的今天，社会现实已变得纷纭复杂，各种新的历史学、社会学研究方法亦大行于世，但传统的阶级观与阶级分析方法仍不失为观察与分析人类社会的一种经典性的方法，而且，在某个特定的历史时期、某种特定的社会条件下，阶级矛盾激化到一定的程度时，阶级斗争论也会有它的"用武之地"，不能一概否定。

当然，在思想文化特别是文学艺术的领域里，由于这个部类的特殊性，运用阶级分析方法理应切忌机械主义与简单化。对于作家作品问题，往往还需要阶级分析方法与心理分析方法、艺术分析方法综合施用，但不论怎样，作家作品的阶级倾向、阶级因素是任何新的解构主义批评方法解析不掉的，任何新的叙述学方式无法将其叙述得烟消云散的。

这就是我今天对阶级论与阶级分析方法的检讨与思考，也是这次对《法国文学史》进行修订所依据的原则。

四、时代烙印之二：对批判继承的思考

文学史的基本任务，除了要对文学的历史发展过程做出准确如实的叙述外，最重要的就是对作家作品进行公正合理、令人信服、给人启迪的分析评价。但是，要做到这点谈何容易。且不说编写者自己是否形成了真知灼见与独特观点，仅传统与现实强加于身上的意识形态的重荷就够你去清理与辨析的了。

在文学评判问题上，有一个原则是非常著名、非常有权威性的，那就是政治标准第一，艺术标准第二。这个原则本身就是政治性的，提出此要求的主体本身，亦即标准的制定者，明确要求一切都要以革命的政治为转移，以是否符合这种政治利益为标准，其目的就是要求一切精神文化产品都应该成为革命政治的武器或工具，或者至少不具有任何与革命政治格格不入的、有消极作用的成分。这完全是一个现实的政治、政策要求，对于进行革命斗争与政治操作的人来说，有此要求是必然的，但这完全不是一个合理的学术文化的要求，它远非"放之四海而皆准"，甚至是不切实际的。因为，其一，从文化艺术产品的性质而言，绝大部分并不具有任何政治、政策内容，没有任何政治政策倾向，在实际社会生活中，也不产生任何政治政策的作用与效果；其二，即使某一文化艺术现象在性质上具有某种政治内容、政治倾向，但从时空而言，政治标准也具有相对性、变迁性，而每一种标准都具有当时的缘由，无法按现有的政治与政策意识形态对历史时代的意识形态进行律化。因此，在当代进行历史的、学术文化的研究与评判，实在不可能贯彻执行这样一条政治准则，我等在《法国文学史》的编写中自外于这条准则，也就完全是自然而正常的了。这多少免去了我们在作家作品评价问题上的简单化。

另一条同样著名、同样权威性的评判标准是，看"对人民的态度"。它既是在当代生活中实际操作的原则，也是用于衡量历史人物

的权威尺度，由于它比上一条较为具体，笼统的"政治"具体化为了一定的"对象"，也就在政治标准难以掌握的历史范畴里更适用，大大弥补了"政治第一"这条原则在历史文化问题上的局限性。在这里，"人民"看来是一个宽松的、包容性较大的概念，但形泛而实有所指，在当代，归根到底主要是指"革命阶级"、"工农兵"，以及其代表革命政党，对过去历史时代，则主要是指农民或无产阶级，特别是指起义的农民与进行革命斗争的无产阶级。不言而喻，这一评判标准同样具有十分浓厚的现实政治性，对于丰富多彩的文化来说，同样是一条适用性很有限、可操作性甚小的原则，对此，我个人不无所感、不无认识，因此，从未在对历史对象进行的研究与评判中，刻意加以套用。但是这样一条原则的权威性是无可争辩的，我不能完全无视它的存在、不能完全束之高阁，于是，碰到在"对待人民的态度"上颇有突出表现的作家作品，也就忘不了要特加褒奖，在评价上不无溢美倾向，如对梅里美描写中世纪农民起义的剧作《雅克团》就是如此。

如果说对待以上两条评判原则自己还觉得拥有一定的理论空间与辨析能力可以自主变通、灵活掌握的话，那么，另一条准则似乎就是"死规定"、"硬道理"了，必须贯彻执行，不容偏离、不容"打折扣"，那便是"批判继承"的原则，它包括这样一些内容：无产阶级是人类历史上一切优秀文化的继承者，人类的一切优秀文化也只能由无产阶级来继承；对人类历史上的一切文化，无产阶级必须进行清理与分析，区别精华与糟粕；取其精华，去其糟粕，批判继承，要继承则必须批判，有批判才能继承；没有批判的继承，说得客气点是"食古不化"，说得不客气则是"贩卖封资修糟粕"了等等。

这是一个强大的、有力量的、不可抗拒的原则，它是以一个高瞻远瞩的目标、气势磅礴的理论学说，史无前例的社会实践为后盾、为根据的。早在革命导师的时期，消灭几千年来就已存在的"私有制"的目标就已经提出来了，既然"共产主义革命就是同传统的所有制实行最彻底的决裂"；因此，"毫不奇怪，它在自己的发展进程中就要同传统的观念实行最彻底的决裂。"这就是"根本"，这就是理论根据。如果说，革命导师主要还只是给自己的革命子孙提出审查批判与决裂的使命与方向的话，到了革命实践家那里就进入到审查批判与决裂的实际运作阶段了。意识形态领域里的这一革命操作从列宁以后就一直持续不断，一直被提到议事日程的前列，以细致的操心、无微不至的关照得到了精心的贯彻与实施，斯大林、日丹诺夫的论断是一个高潮，而"无产阶级文化大革命"则达到了极致。

因此，至少有好几代人一开始接触传统文化就知道"批判继承"这条至高无上的原则，有这样一个直接从光焰万丈的理论体系派生出来的理论原则像不落的阳光一样，无时无刻不普照着众生，这也可以说是这几代人的一种"缘分"。对于革命性强的人来说，那是天大的幸福，真可谓"大树底下好乘凉"，面对着那些复杂的传统文化，只需突出一个"批"，一个"决裂"就行了，好在理论原则、招式套路、用词术语都是现成的，"放之四海而皆准"的，只需拿来一套用就完成了任务。但对于传统文化的真心研究者与"好这一口"的人来说，事情就难办得多，头上是必须贯彻执行的理论原则，身边是自己生怕亏待、生怕毁损的传统文化的"瓶瓶罐罐"，这种两难的尴尬境地，都曾经令这些人"苦不堪言"，他们中因稍出偏差而"有所闪失"，甚至"栽了跟头"、倒了大霉者大有人在，不过好在还有"一线天"，不是说批判继承吗，总还得继承继承吧；不是说"取其精华，去其糟粕"吗，总还需要去找点精华、保存点精华吧。获得了"继承"与"取其精华"的通融，承担了"批判"与"去其糟粕"的义务，这就是从事传统文化研究工作的人所面临的双重职责。当然，继承是以无产阶级的名义来继承，代表无产阶级来继承的，因此，继承什么、如何继承，自然就必须符合无产阶级认可的标准，但是，无产阶级最高的准则毕竟是"同传统观念实现最彻底的决裂"，这样，符合标准、被认为可继承的东西，也就为数很少很少了。总之，批判是主要的，占绝对优先地位的。有一句革命名言说得再直率不过，那就是"不破不立"，"破字当头"，"立也就在其中"。在这种情况下，即使能够"以无产阶级的名义"来整理与研究历史上留下来的优秀文化传统，首先一个重要的任务，就是发现其中的"历史局限性"、"阶级局限性"与"糟粕"。这就是这支队伍的"纪律"，是这种职业的"规矩"，是这个行当的"行规"。在编写《法国文学史》的整个过程中，这种"纪律"、这种"规矩"就一直制约着我们，其后果往往是打起灯笼到文化遗产中去找"糟粕"，拿起放大镜去查"阶级局限性"、"历史局限性"，这种为制作青史而强说疵瑕的悖谬，也就不可避免地在《法国文学史》中留下了若干痕迹。这不仅使我在这次修订工作中有必要抹去这些不应该有的痕迹，更重要的是，对总结精神行程的经验教训以利于文化学术的发展来说，有必要进行若干面对现实的反思。

应该看到，人类社会是一个渐进的发展过程，当代的历史与此前的历史是一脉相承的，即使有了巨变、突变，也仍存在千丝万缕、割舍不了的血肉联系，绝不可完全决裂，这就是历史的传统，它是永存不朽的脐带。而且，还应该看到，在漫长的历史中，人类的、民族的、自然条件的、社会习俗的状况与条件，是比较稳定、经久不变的基本因素。这些都极大地、绝对地决定着人的观念，塑造出人的特性及其稳定性；决定着传统观念相对的"永恒性"；决定着人的全人类性、民族性、历史阶段性相对的经久不变。这些因素的决定性力量是政体、政权、政治制度变化的影响力所不能比的，是任何激烈的"改朝换代"的影响力所不能比的，因此，断言"留辫子、剪辫子"之类暂时性的政治态度与政治观念的变化足以否定、勾销、抹杀漫长历史过程中相同相通的人性、民族性、历史阶段性，那只是一种阶级政治偏执癖的主观愿望。总之，人类社会迄今的全部历史都充分表明人类在思想、法理、道德、情感、心理、习俗等观念形态上，不同时代、不同社会阶段存在着传承关系，这是一种天然的血缘关系，既是人类文明的基本表征，也是人类文明不断进步的基础。当然，在不同民族、不同国度、不同地区之间，也存在着观念形态上的互相影响、互相渗透、互相交流，这也是世界文明繁荣的标志，也是世界文明进一步发展的重要条件，为什么一定要把自己从人类的文明传统中决裂出来，成为一个偏激狂热的另类而自我君临于整个人类传统文明之上，誓必加以"横扫"、"清除"与"灭除"？

具体到文学领域，众所周知，文学也有一个求生存的本能，那就是要得到认同、传诵、流传久远，不论中外，"文章千古事"从来都是文学追求的境界，而要文学作品获得这种不朽的存活力，在内容上，它所表现、所蕴含的必须是能广泛引起理解、感动与共鸣的思想感情、人物形象、社会事件、观念哲理，总之，就是具有普遍人性以及广泛民族性、社会性的观念形态内容；在文学形式上，必须具有较高的艺术含量；在艺术形式上，足以完满地表现出其内容，给人提供艺术的美感、欣赏的愉悦，并且能经受漫长时间的考验而为历代读者所喜爱。在文学史上能够流传下来的作品，能为后世所传诵、所喜爱的作品，大多都具有上述这三个方面的优越性，而历史上那些不具有这三方面条件的作家作品则何止千千万万，都未能逃脱朝生暮死、过眼烟云的命运。这就自然形成了这样的事实，凡是在文学史上留传下来有待后人整理、研究、评说的，基本上都是佳品精品，都是有价值的文化遗产，它们得以入史就充分表明了它在过去时代的重要性、显著性。不妨说，文学史就像一个历史殿堂，留存在这里的都是有历史意义的文物，而不会是历史垃圾，因为漫长的时间已经担任了严格审查者的职责，它进行了无情的筛选与淘汰，它绝不会给任何劣品和庸人发给通往永恒的"硬币"。

因此，文学史从来都是"继承史"，而不是"批判史"，它的基本性质与基本目的，就是建构历史的文学珍藏馆，有系统地展出历史上那些优秀的文学珍品、有特定价值的文学佳作，它的基本任务就是整理、分类、发掘与说明这些文化遗产的美学价值，弘扬它们的意义。这项工作完全是建设性的，而不是清算性的，从事这项工作首先应该满腔热情、推崇赞美、鉴赏玩味甚至顶礼膜拜。当然，文学藏品也有高低文野之分，不妨加以品评、鉴别，但绝不是横眉冷对、怒目而视、吹毛求疵、"鸡蛋里挑骨头"，竭力挖掘其阶级局限性、时代局限性。什么叫有"阶级局限性"？那就是要求一个对象具有本来不属于它的特点特性，就像是指责一棵松树为什么不开出牡丹花，为什么不长出一种尚未出现、还只存于"理想"中的新品种牡丹花。什么叫有"时代局限性"？那就是要求一个对象具有超历史、超时空的神奇本能，这就如同指责文天祥没有参加抗日战争一样荒谬，这种指责、这种吹毛求疵，才真正是不折不扣地反历史唯物主义。

不言而喻，对于编写文学史的人来说，重要的不应该是"高屋建瓴"的批判能力，不应该是阶级（成分）定性的分析能力，而应该是对文化遗产亲和的理解力，对精神创作准确的品位感，对艺术品精微的鉴赏眼光。没有这些素质是难以做好文学史编写工作的。而反过来说，文学史也不是任何人都能编写，尤其是那些对文学艺术史缺乏热情与鉴赏力，只凭理论教条妄加评论的空头理论家难以胜任的。

应该指出，虽然马克思主义经典作家提出了与传统观念彻底决裂的主张，而且对历史上某些思想家与作品做过不免过于苛刻的评论，但他们对于欧洲文学艺术历史发展过程中的一些大师与精品也表露了鉴赏家巨大的热情与发自内心的喜爱，并且做出了十分深刻精彩的论述，如对古希腊的神话与雕塑、文艺复兴时期的人文主义文学艺术、19世纪现实主义文学等等，其宽阔的精神度量，准确的评判与独创性见解，给人以丰富的启迪，至今仍是我们研究欧洲文化中具有指导意义的经典篇章。

五、关于文学史写法的考虑

文学史编写中还有一个重要问题：写法问题。

任何一个国家的文学发展历史，都是客观存在的过程，在这个过程中有着各方面的内容与情况，一部文学史必然要涉及所有这些方面，但角度、重点、简繁程度必然会有所不同，这就构成了文学史在写法上的差异。而编写者采取不同的写法，当然与编写者不同的文学理念、编写目的、读者对象以及学科发展的客观实际有紧密的关系。

在《法国文学史》的编写上，虽然国内已出版的成果寥寥无几，但在国外，特别是在法国本国，却早已琳琅满目，难以计数，其基本类型倒不外是若干种：在内容重点上，有的类型是以作家论为主，有的是以文学类别与体裁为主，有的是以思潮发展为主，有的是以综合论述为主；在分期上，有的按世纪分，有的按文学发展期分，有的按流派分。当然，所有这些差异并不是绝对的，各种类型之间往往按一定的主从比例互相渗透交融。不过，国外这些文学史论著不论有哪些区别，也不论区别有多大，却都有一个共同点，那就是都带有综论性，而且论说性显然多于介绍性，也就是说理论性多于资料性，如对作家生平与创作道路的介绍、对作品具体内容的介绍显然较少等等。因此，如果中国人在编写文学史时也遵循这样一条路了，机械借鉴国外的文学史，那么势必会删除人家那些作为论著精华特色的综合论述，而只保留其对作家作品简单扼要的评语，同时又缺乏必要的资料性说明，于是读者面对的也就是一大册作家作品书目名单以及对作家作品三言两语的判词，难以了解文学史发展中真实、生动、具体的实际状态，势必给人以隔靴搔痒之感。

我们这部《法国文学史》的特色是，在对作家作品做出必要且较充分的介绍的基础上，进行有一定深度的分析论述，以说明作家作品的价值与意义以及与其相关的思潮流派等全局性、理论性的问题，尽可能使读者对文学史由具体到概括、由感性到理性、由局部到整体有一个比较全面、切实的把握，我之所以努力这样做，则是与我个人的文学理念与对中国国情的考虑有关。

从多年的研究工作中，我形成了这样一个简明的认识：文学史就是作家作品的出现史，如果我们把一个国家的文学发展过程比喻为一条河流的话，每个时代的重要作家作品就是这河道上的重要城镇、重要景点、重要景观。对于每个时期的文学来说，作家是一个个最显著的标志；对于作家来说，最显著的标志则是其重要作品了。离开了作品，就没有文学史上的大家，就没有文学史上的流派，就没有文学史上的方法与主义，就没有文学史上的阶段与分期。因此，对作品缺乏了解与感受，就谈不上对作家有认知，对一个个作家缺乏认知就谈不上对这个国家的文学发展历史有发言权，作品的研究是作家研究、流派思潮、主义方法研究、断代史研究、通史研究等一切研究的基础。如果对作家作品不做切实认真的研究，而硬要对文学史指手画脚，甚至充任主编，那就只能鹦鹉学舌，借用前人或他人已有的判词论断，另外自己再玩几手理论教条的游戏，虚张声势，故摆阵脚，以达到欺世盗名的目的。出于以上的文学理念，我在这次《法国文学史》的修订工作中，仍坚持原来以作家作品研究为基础的态度，而逆反了近十年来势不可挡的"理论风"。在这股风中，但见新术语、新词汇、新话语满天飞舞，充塞着不知所云，至少是令人费解的玄思，难见得到实实在在的历史内容与现实内容，我自认不适宜于此种"理论"，在文学史工作中，也不愿意去迎风尚赶时髦。因为，我始终认为，文学史的基本任务不是去堆砌新术语、新词汇、新话语与理论玄思，而是要传达基本的、确切的实际内容、历史内容与你对这些内容的独特见解。

关于对本国国情的考虑问题，文学史既然是写给国人看的，是向国人传播某一外国的文学知识，那么就应该考虑国内读者的状况，为他们着想。不言而喻，国内读者对外国文学一般是陌生的，因此，文学史的编写者首先就有把历史事实原原本本讲清楚的义务，如这个国家、这个时期历史发展的来龙去脉，这些作者的生平、作为、思想状况，这些作品的实际内容与思想艺术特点等等，把这些基本的事实讲清楚之后，才有权利去发表自己的见解、去阐释某种价值与意义、去引出某种道理与规律。这就是中国人编写法国文学史与法国人编写法国文学史的区别。对于法国编写者来说，叙述历史事实的义务远不那么突出、远不那么回避不了，因为他所面对的本国读者对本国文学的基本情况都早已有不同程度的认知，文学史家一上来也就可以径直大发议论，甚至天马行空，法国读者是不会怪罪他、抱怨他的，相反，倒可从他天马行空的高谈阔论中欣赏他睿智的独创与思辨的才华。如果中国的编写者也照此办理，势必把读者置于云里雾里，叫他们摸不着头脑，而自己也会暴露出基本步伐尚未掌握，却急于大跳华尔兹时所必然有的错步与尴尬。

为了国内读者的方便，《法国文学史》中所引的作品译文，均出自已出版的较有影响的中译本，必要时，编写者对译文有所修改，凡当时无中译本者，均由编写者自行译出。引文数目庞大，不一一标明具体出处。

以上就是我在这次修订《法国文学史》的过程中所想到的几个问题，也是我在修订工作中所依据的一些理念，或者说，是我过去没有做到、没有做好而这次想要加以弥补与完善的方面。当然，"知"与"行"的矛盾在人的身上是永恒的，认识到了，并不一定就完成得好，要达到绝对与完善几乎是不可能的事，文学史的编写本来就是一桩遗憾的学术工作，法国的大文学史家朗松的巨著《法国文学史》就是他与自己的一批高足不断修订而成的，但到头来仍面临"后浪推前浪"的局面，在它之后，陆续又有新的文学史论著不断问世，颇有挑战取代之势。我个人水平、能力有限，这部《法国文学史》的缺点、不足以致错误，肯定在所难免。

　　最后，说明一点：由于原来全书的大部分章节均由我执笔，全书的统一、修改、定稿工作都由我担负。也由于原来的合作者早已分散、各自忙于自己的功业，这次修订与一大部分章节的改写，均由我一人承担，其中的不当与失误，应由我一人负责，至于各卷中原来执笔分工情况，均已分别在各卷里标明，此处不再重复。

柳鸣九

2002 年 7 月 23 日

目 录

第二编　十六世纪文学

第三编　十七世纪文学

第一编

中世纪文学

第一章　中世纪法国的社会历史状况与文学发展

第一节　古代法国的社会发展与中世纪法国的社会历史状况

法兰西国家位于欧洲的西部，大西洋之滨，西隔英吉利海峡与英国相望，西南与西班牙以比利牛斯山为界，南临地中海，东南越过阿尔卑斯山与意大利接壤，东面和东北分别与瑞士、德国和比利时为邻。这片土地从远古时代就有人居住。关于这个地区居民的最早史料，见于公元前 5 世纪希腊人的记载。这时占据法国地区的有好几个民族，其中大部分地区是克尔特人，后来罗马人又把他们称为"高卢人"，由此古代法国又被称为"高卢"。

公元前 2 世纪末，奴隶制的罗马帝国开始入侵高卢。公元前 1 世纪中叶，罗马统帅恺撒完成了对高卢全境的征服。据恺撒的《高卢战纪》记载，当时的高卢还处于氏族社会阶段。大约又过了半个世纪，才出现氏族社会解体的征象。高卢被罗马人统治了 500 年，原来已经开始的氏族解体进一步发展为阶级分化，罗马的统治又带来了奴隶的使用。作为庞大的罗马帝国的一部分，高卢经历了从 3 世纪到 5 世纪罗马帝国奴隶制社会的危机。公元 5 世纪，罗马帝国在奴隶起义和蛮族入侵的打击下崩溃了。三个日耳曼部落——法兰克人、西哥特人和勃艮第人入主高卢，建立起一系列蛮族国家。5 世纪末，法兰克部落的克洛维几乎征服了整个高卢，建立了法兰克王国，开始了以他的家族为名的墨洛温王朝的统治。克洛维死后，墨洛温王朝在分裂和连续的战乱中只维持了两个多世纪（481～751），法兰克人的另一家族取代了它，号称加洛林王朝。新王朝经过查理·马泰尔和矮子丕平奠基，到查理大帝（768～814年在位）的时代达到了全盛。查理大帝通过多次征战大大扩张了国家的版图，形成了东至易北河、多瑙河，南面包括意大利的大部分，西南至厄布罗河，北面直达北海的几乎与西罗马帝国大小相等的帝国。查理大帝死后，帝国即趋于分裂。传至第三代，查理大帝的三个孙子之间发生了内战，最后在843年缔结《凡尔登和约》，将帝国一分为三，这就是近代西欧三个主要国家的由来。其中帝国的西部疆土成为法兰西王国，另外两部分是以后的德意志和意大利。帝国分裂后，加洛林王朝对法兰西王国的统治继续了一个多世纪，到987年为加佩王朝（987～1328）所取代。

蛮族入主高卢后，大约是在6世纪后半期，法兰克社会开始了封建化。经历了数百年之久，到8世纪末9世纪初，即查理大帝的时代，封建制度基本确立。这一过程，从经济基础来说，是从生产资料的奴隶主所有制改变为封建地主所有制，对农奴的地租剥削代替了对奴隶的强迫劳动和人身占有；而在上层建筑领域里，则是中央集权的民族国家的形成和以等级制度为基础的封建秩序的建立。封建制度较之于奴隶制度，是人类历史发展的一大进步，在此过程中，封建阶级是向上发展的。查理大帝是这进步的历史进程的代表。从这时开始到1789年资产阶级革命，法国封建社会持续了将近1000年。

法国中世纪封建社会的基本阶级关系是封建领主对农奴的统治和剥削。世俗的和教会的封建领主占有土地和森林，以庄园为基本的经济组织，驱使农奴生产一切生活必需品。领主拥有自己的堡垒和武装，在自己的领地范围内是为所欲为的统治者。中世纪的农奴是由奴隶社会的奴隶转化而来的，其中有一部分是在封建化过程中破了产的自由民。他们依附在封建领主的土地上，随土地而转让，他们领种份地，向封建领主缴纳地租，并需服各种劳役。较之奴隶，农奴的生存权虽得到较大保证——领主不得任意杀戮农奴，但仍对领主有一定的人身依附，如结婚须经领主允许，领主还享有初夜权。只有一小部分被称为"贱民"的农民还有人身自由，农民或农奴所受的封建剥削是沉重的，自然灾害、封建内乱更使他们的处境异常困苦，他们以各种方式进行反抗——有的逃亡，有的进行武装斗争。法国中世纪初期较著名的农民起义有 1024 年的布列塔尼起义，恩格斯曾称之为"真正的农民战争"。中世纪中期，则有 13 世纪的"牧人起义"，14 世纪的雅克团起义等。

中世纪法国的封建统治秩序是等级制度。早在查理大帝帝国建立之前，就已经有了采邑分封制，国王把土地分封给王室或公侯，他们又把土地作为采邑层层分封下去，这样就形成各级依次隶属的金字塔。国王是最大的封建主，高踞于塔顶，以下依次有公爵、侯爵、伯爵、子爵、男爵，最下是人数众多的骑士阶层，骑士是级别最低的封建主。在社会观念上，受封者隶属于赐封者乃是天经地义的事，并必须无条件服从。因此，效忠于主人便成为封建道德的最高准则，这也是中世纪骑士精神的核心，它在封建社会上升阶段的文学中得到了反映和歌颂。

中世纪法国的封建统治，从一开始就以世俗的封建领主与教会的联合为基础，教会是封建统治的一个重要支柱。基督教在公元 4 世纪罗马帝国时期输入高卢，逐渐深入各阶层。当时的主教不但是宗教团体的领袖，而且是民政的首脑。5 世纪末，克洛维征服高卢全境时就依靠了教会，墨洛温王朝的建立则是王权与教权的密切结合。在 6 世纪后半期开始的封建化过程中，国王更把无限辽阔的土地、森林据为己有，当作礼物大量赠送给他的廷臣、将军、主教和修道院院长们，这就构成了后世贵族和教会大规模占有的基础。教会不仅是最大的封建主，而且是对人民进行精神控制的统治机器。它借上帝的名义使封建制度蒙上了神赐的不可侵犯的光环，强迫信徒服从国王的权力，把违反封建秩序的一切斥为"异端"，加以摧残和打击；封建国家机器则强迫臣民向教会缴纳什一税并服从教规，正如恩格斯所指出的："教会教条同时就是政治信条，圣经词句在各法庭中都有法律的效力。"[1]国王的命令与宗教的戒律就这样互为补充，成为了人民头上的两套枷锁。封建统治的这一基本形式在查理大帝的时代就已经奠定，并一直持续了整个封建时代。

在中世纪，除封建阶级与农奴农民阶级的压迫与反压迫的斗争外，还存在着王权与教权的斗争、中央集权与地方领主分裂倾向的斗争。这是统治阶级内部的矛盾，它导致始终不息的内乱。占有自给自足的庄园和戒备森严的城堡的封建领主，独霸一方、各自为政，还彼此进行武装争斗，或者联合起来反对君主，造成诸侯混战的局面，对社会生产破坏极大，人民不堪其苦。因此，封建社会中王权与领主的斗争虽然终究不过是统治阶级内部对权力和利益的争夺，但在封建制度处于上升阶段、封建国家正在形成的过程中，力图实现国家统一和中央集权的王权，毕竟代表着历史的进步方面，符合当时人民的愿望，而在民族的史诗中，王权就成了被歌颂的对象。

11 世纪以后，历史进入了中世纪的中期，即封建制度巩固和发展的时期。这时期新的历史变化就是城市的产生。西欧的城市不是在原来罗马帝国时期城市的废墟上建立起来的，而是本地生产力发展的结果。由于生产力提高、农业与手工业分离，交换有了扩大，工商业有了发展，于是在交通要道、教堂附近的市集逐渐发展为城镇。城镇居民基本上是在他乡不能忍受领主压榨而逃亡出来的农奴或手工业者。城镇所辖地区的领主为了从城镇获得利益，对它提供一定的保护，而市民则向领主缴纳大量的税金。封建领主对市民的压榨是苛重的，因此，从 11 世纪起，就一直存在着市民反对领主的斗争，斗争的目的

---

① 恩格斯：《德国农民战争》，《马克思恩格斯全集》第七卷，第 400 页。

是为了争取城市自治。到 12 世纪，斗争已经发展得轰轰烈烈。在这一斗争中，市民往往寻求国王的支持，而国王为了打击割据的封建领主，也需要从城市得到金钱和武装，这就形成了城市与王权的联合。虽然"这一联盟往往因冲突而破裂"，但"破裂后又重新恢复，并且越发坚固、越发强大，直到这一联盟帮助王权取得最后胜利"[1]。从路易七世到菲利普四世，即 11 世纪上半叶到 14 世纪初，就是王权在城市的支持下不断加强从而使国家得到统一的过程，也是城市摆脱封建领主统治的过程。与此同时，城市内部也有了阶级分化。马克思、恩格斯指出："从中世纪的农奴中产生了初期城市的城关市民；从这个市民等级中发展出最初的资产阶级分子。"[2]这些有产者和富人形成城市贵族阶层。

中世纪中期，是法国封建社会内部矛盾进一步发展的时期。商品货币关系的发展，更刺激了封建主对财富的贪欲，他们在加紧剥削农民阶级的同时，还抱着掠夺财富的目的，参加了西欧各基督教国家从 11 世纪末到 13 世纪多次对东方国家的十字军东征，再加上 14 世纪到 15 世纪英法争夺领土的百年战争，更使法国饱受战争之苦。阶级矛盾更进一步激化，规模巨大的农民起义震动了封建的统治秩序，而市民阶级力量的发展，在不久的将来就迎来了作为资产阶级第一次起义的 16 世纪宗教改革运动与人文主义思潮。

第二节　法国语言文字的起源与中世纪文学的概况

人类原始的文学艺术是劳动生活的产物，法国土地上最古老的居民高卢人，在"生产物质生活本身"的"第一个历史活动"中，也创

---

[1]　恩格斯：《论封建制度的瓦解和民族国家的产生》，《马克思恩格斯全集》第二十一卷，第 453～454 页。

[2]　马克思、恩格斯：《共产党宣言》，《马克思恩格斯选集》第一卷，第 252 页。

造了自己的原始文化。从罗马人的记载中知道，他们在战斗之前歌唱"第一个勇敢的人"，他们从劳动生活中提炼出姿势优美的舞蹈，他们在祭祀活动中，咏唱着自古相传的歌词，他们已经有了自己的语言文字。但是，经过漫长的历史和巨大的社会变化，高卢文字基本上已经泯灭，除了少数的碑铭外，没有留下任何其他的文字记载。在法文里，只能从几百个地名和单词，看出高卢文字残留的痕迹。

罗马帝国占领高卢后，带来了希腊、罗马高度发展的文明，除建筑术、织染术、冶炼术、葡萄种植等各种生产技术外，还有数学、物理、天文、化学、哲学、修辞学、历史学等各种学问，以及关于文学各种类别如史诗、抒情诗、戏剧、悲剧、喜剧等方面的知识。语言也有了根本的变化，来到高卢的大量罗马士兵、教士、商人所使用的通俗拉丁语代替了高卢的语言。这种通俗的拉丁语是罗马人的口头语言，比罗马作家所使用的文言拉丁语简便、自由，正是以它为基础，演化成后来的古法语。

蛮族入主高卢后，逐渐被罗马帝国统治下文明程度较高的高卢居民同化，"奴隶成了主人，征服者很快就学会了被征服民族的语言，接受了他们的教育和风俗"[1]。不过，原来高卢居民所使用的通俗拉丁语，经过蛮族的改造更加简化了，并掺杂了一部分蛮族语言，终于形成了和原来高卢式的拉丁语相差很大的新语种，这就是罗曼语，即古法语。公元842年，查理大帝的三个孙子之间发生内战，占有日耳曼地区的路易和占有法兰西地区的秃头查理结盟反对他们的哥哥罗退尔，他们在斯特拉斯堡发表的誓词，有一份是用罗曼语书写的，这是最早的古法语文献。而迄今发现的最早的古法语文学作品《圣女欧拉丽赞歌》，则产生于同一世纪的90年代。因此，一般都把9世纪视为有文字记载的法语文学的开始。

由此算起，到16世纪资产阶级人文主义思潮出现，中世纪文学

----

[1] 马克思、恩格斯：《德意志意识形态》，《马克思恩格斯选集》第一卷，第81页。

包括 6 个多世纪。这是封建制度在法国形成、巩固和发展的时期。一定的文化是一定社会的现实生活在观念形态上的反映。中世纪文学就是在封建社会的历史条件下发生发展的，而这漫长的 6 个多世纪各个不同阶段的历史社会特点，又对各时期文学的面貌产生了深刻的影响。

在书面文学产生之前，民间就有了优美的诗歌。中世纪最早的口头文学就是广泛流传的民间抒情诗与民间叙事短歌。民间抒情诗如《春之歌》（*La Chanson du printemps*）、《伴舞歌》（*La Chanson de danse*）、《歌谣》（*Ballade*）、《纺织歌》（*La Chanson de toile*）等，产生于人民的劳动生活中、节日的舞蹈里。它们描写大自然的景色、农民的生活和劳动妇女的不幸。民间叙事短歌则咏唱民间的传说、英雄的故事。这些诗歌情感真挚，内容淳朴，形式优美、多样化，它们是后来书面文学借以发展起来的肥沃土壤。骑士抒情诗"普罗旺斯诗歌"在风格上就接受了民间抒情诗的影响并采用了它的一些形式，史诗文学则是在民间叙事短歌的基础上发展起来的。但是，中世纪的农民或农奴在沉重的封建压榨下，根本没有受教育的条件，他们的歌谣只能口口相传，极少数书写成文的，也遭到统治阶级的歧视和摧残，所以中世纪初期的民歌几乎都泯灭殆尽。在整个中世纪中，对文学做出重大贡献的，还有一些大都出身于劳动人民和下层教士的流浪歌者，他们的吟唱往往反映了人民的思想情感，他们的题材往往成为后来市民文学的源泉，但是，他们的创作自由却受到统治阶级的极大限制。查理大帝曾明令禁止讽刺性歌曲；1124 年，一位诺曼底民间诗人吕克·德·拉巴尔因在诗中讥讽了国王亨利一世而被挖掉双眼。13 世纪一份教会文件中规定，只允许"歌颂君王武功及圣徒生平"的民间诗人接受圣礼。对民间文学如此严酷的限制和摧残，正是封建统治阶级在上层建筑领域里对劳动人民实行专政的一个方面。这就充分说明了为什么在中世纪封建社会为数极多的民间文学作品，只保存下极少的断简残篇，而表现了宗教思想和封建意识的作品却得以大量产生并流传后世。

　　基督教是中世纪占绝对统治地位的思想体系，在意识形态领域里具有无上的权威，因而对文学产生了很大的影响。基督教的经典是《圣经》。《圣经》包括《旧约》与《新约》两部分。《旧约》是公元前13世纪至公元前3世纪间流传的希伯来人关于世界的起源、民族的形成的神话和传说。《新约》产生在基督教兴起后的公元一二世纪，内容是有关耶稣及其使徒的传说。教会把这两部分合为一书，作为自己的理论根据，宣传人类负有原罪，否定现实的世俗生活，提倡禁欲主义、安贫守贱、顺从现存秩序。中世纪教会的理论权威是奥古斯丁与阿奎那，他们所阐述的这种神学理论体系，由于投合了正在建立的封建秩序的需要，而得到统治阶级的提倡和推广。宗教思想成为统治思想，自然而然也就在一切意识形态包括各类文学艺术中打上自己的烙印。不仅如此，教会为了普及宗教宣传，还需要利用文艺的形式，于是逐渐产生以布道为宗旨的宗教文学。早在封建化过程之前，基督教已深入全国各个角落。所以宗教文学的产生也比其他文学来得早，法国文学仅存的最古老的几个文献，就有两部是宗教文学作品，即二十九行的诗歌《圣女欧拉丽赞歌》（880年前后）和二百四十行的诗歌《圣徒列瑞行传》（1040年前后）。

　　宗教文学的形式随中世纪历史的发展而有所发展。12世纪以前的宗教文学基本上是一些叙事的故事或传记，有"圣徒传"、"《圣经》故事"、"虔诚故事"三种。12世纪以后，随着城市的兴起，宗教宣传采用了市民喜闻乐见的戏剧形式，于是有了起源于宗教瞻礼仪式的宗教戏剧。其中较有影响的是14世纪的奇迹剧和15世纪的神秘剧。不论宗教文学在体裁样式上有什么不同，内容不外是宣传《圣经》故事、记叙"德行高超"的"圣徒"的生平事迹、描写因信仰的虔诚而感动上帝显灵的宗教奇迹，总之都是以鼓吹宗教热忱、宣传容忍哲学、劝导人们安于命运为目的。不过其中不少作品在宣传神学的同时，也对现实有所反映，具有一定的认识价值。在艺术上，宗教文学公式化、概念化，缺乏真实性，成就远不及世俗文学，但宗教戏剧对世俗戏剧的发展却起了促进作用。

中世纪文学的突出成就是英雄史诗。英雄史诗的出现是历史发展的结果。从文学形式来说，早在法兰克人的时代，就有专事歌唱部落首领武功的歌者，这种在民间广泛流传的口头诵唱文学被称为"短歌"。英雄史诗就是在这种原始的文学形式基础上发展起来的。在内容上，英雄史诗以历史上的帝王和诸侯为素材，但不拘于史实，其中有很大的虚构成分，对人物也加以理想化。这种虚构和理想化是在长期口头传诵和记载为文字的过程中逐渐完成的，所以，它就必然提出了这一历史发展阶段中人们普遍关心的社会问题，凝结了长期流传过程中参与这种传诵的广大人群共同的倾向和愿望。

迄今发现的最早的英雄史诗文献，是 1065 年前后的作品，当然还会有年代更远的作品，只不过在漫长的历史过程中散失了，未能保存下来。从史诗在成文前的口头流传情况来看，可以说，英雄史诗的孕育和产生是在 10 世纪前后，其繁荣是在 12 世纪，13 世纪后期渐趋衰落，14 世纪初即告结束。这几百年间法国社会经历了 9 至 11 世纪的封建割据和 12 至 14 世纪的王权渐趋巩固，英雄史诗便反映了这一过程的历史特征。

9 至 11 世纪的法国，名义上是一个统一的王国，实际上是一些大大小小各自独立的封建领地的总称。各级封建主在自己的领地上建起国中之国，他们的领地比王室领地大许多倍，他们承认国王是法兰西的最高宗主，却不受他的控制。他们不仅各行其政，而且彼此混战。封建割据和战乱严重影响了生产力的发展，也加深了人民的苦难。从 12 世纪起，随着社会经济生活的深刻变化，法兰西逐渐统一成中央集权的国家，收复了英国国王占有的大片法国土地，征服了一系列不听命的封建属国，进行了一些旨在加强王权的中央国家机器的改革。王权的加强标志着封建国家的进一步统一，它对全国生产力的发展产生了积极的影响，符合了人民群众的愿望。英雄史诗中经常出现的几个基本主题——谴责诸侯的叛乱、歌颂帝王的武功、宣扬忠臣的事迹，正是封建社会发展的上述历史要求和进程在文学中的反映。在历史上曾经一度建立起统一帝国的查理大帝成了一系列英雄史诗中的理想人物，史诗代表作《罗兰之歌》对"可爱的法兰西"的反复咏唱，正表达了人们要求建立有强大王权的统一的封建国家的愿望。英雄史诗提出了封建国家和中央集权政府的形成发展过程中人们普遍关心的问题，因而成为了具有较大的社会意义的文学类别。

对英雄史诗的创作有很大影响的还有十字军东征。这一系列战争以夺回基督教"主的坟墓"、拯救"圣地"为旗号，在两个世纪期间，对巴勒斯坦、叙利亚、埃及、突尼斯等国进行了大规模的掠夺。它们是西欧封建社会内部矛盾的产物。教俗封建主穷奢极欲的需要促使他们发动这场对东方国家的掠夺；享受不到长子继承权的骑士债台高筑，也热衷于战争冒险；商人则希望夺取东方市场。十字军东征具有一定的阶级基础，在英雄史诗中也有鲜明的反映。不少英雄史诗产生于十字军东征期间，其中弥漫着基督教精神和"圣战"的气氛，在某种程度上也适应了侵略战争的需要。

在英雄史诗形成的过程中，有两种人起了重要的作用。一种是鬻歌诗人，他们是史诗的咏唱者。他们出身低微，对封建领主有一定的依附性，因此，在对史诗的初步整理、加工和传诵中，不可能不服从统治阶级的思想。另一种人是最后对史诗做文字记载和编写工作的教士，他们顺应时代发展的潮流，保留了原来史诗在口头流传阶段中所反映的愿望和要求，另一方面在加工整理时也注入了封建观念和宗教思想，英雄史诗中的忠君观念、骑士荣誉观、宗教情绪，正是通过这些无名作者打上去的阶级烙印。

最充分表现了中世纪封建贵族阶级精神特征的是骑士文学。中世纪的法国是骑士制度的中心，11 世纪末骑士制度在这里形成起来。骑士在中世纪战争中起着重要作用。由于置办装备和维持骑士生活，需要优裕的经济条件，只有贵族中的武士才能成为骑士。他们既拥有领地，又掌握军事，便自然处于整个世俗封建统治阶级的中坚地位。12世纪时，他们为突出自己的社会地位，又组成骑士团，包括从国王到拥有各种爵号的大小骑士。中世纪的贵族骑士，除了用武力镇压人民的反抗外，还要进行绵延不断的宗教战争、封建割据和兼并战争、王权和教权的战争以及国际争夺疆土的战争，由此形成残酷无情的尚武精神。但是作为依靠领地和采邑上的劳动人民养活的世袭寄生者，他们又极端地好逸恶劳。从 12 世纪起，随着中央封建集权的逐步加强和战争活动相对减少，贵族骑士的尚武精神趋于衰颓，而腐化享乐之风则日盛一日。他们空虚无聊，经常在王宫和大贵族的宫廷里举行各种集会以消磨时光。他们讲究谈吐、服饰、仪态等等的"典雅"，"典雅"一词由古法语的"宫廷"一词派生而来，也就是所谓宫廷风尚。在宫廷生活中流行着骑士对贵妇人的种种矫揉造作的礼节，骑士们都争相取悦于贵妇人，他们标榜有献身的精神，表现得百依百顺，美其名曰"典雅爱情"。对于骑士阶层的基本属性，马克思和恩格斯曾经指出："在中世纪深受反动派称许的好勇斗狠，是以懒散怠惰作为它的相应的补充的。"[1]

　　与骑士阶层的社会存在相适应，12 世纪在国王和大贵族的宫廷里产生了一种贵族文学，就是以描写骑士爱情和多少与此有关的骑士冒险、宣扬和美化骑士道德为基本内容的骑士文学。它的体裁和种类多种多样。最早是 11 世纪末出现的通常被称为普罗旺斯抒情诗的创作，流行范围大抵是法国南部地区；12 世纪中叶，在普罗旺斯抒情诗的影响下，法兰西的北方抒情诗也迅速兴起；同时，北方还产生了一种长篇故事诗——骑士传奇。骑士文学的活跃时期到 13 世纪末基本结束。骑士文学的积极因素，主要在于它对统治着中世纪的宗教世界观有一定程度的叛离。骑士文学所表现的对尘世生活的欲望和向往，

---

[1]　马克思、恩格斯：《共产党宣言》，《马克思恩格斯选集》第一卷，第 254 页。

与宗教所主张的禁欲主义和出世思想是不相容的。中世纪初期，世俗世界观和宗教世界观的冲突一直在广泛的领域里存在，在这一斗争中世俗世界观具有一定的进步意义。马克思曾经对普罗旺斯文学中这两种世界观的斗争做过扼要的叙述，并指出在这一斗争中教会力图用宗教文学亦即"用圣经的诗来抵抗**世俗的**（**普罗旺斯的**）诗人的诗"[1]。骑士文学虽然仍有宗教成分，但与宗教文学有很大的差别。骑士文学中的英雄即使去参加十字军东征的"圣战"，也不单为表示对上帝的虔诚，主要是为博得情人的欢心，"圣战"的气氛被世俗的气氛大大冲淡了。但是，骑士文学所向往和赞美的世俗生活，只不过是封建统治阶级的生活，充分反映了这个阶级懒散怠惰、腐化享乐的本质，其中的"典雅爱情"少不了对贵族阶级淫乱生活有所美化。不过，在骑士文学中，也有少数作品的片断，较深刻地反映了某些社会现实，如劳动人民的贫困不幸、十字军战争的非正义性，以及人民的反抗斗争和封建统治阶级的残酷镇压，是骑士文学中富有社会意义和认识价值的部分。

在法国中世纪文学中，市民文学是最为生动和丰富的。中世纪城镇产生以后，市民们和封建统治者的矛盾斗争，不但在政治和经济领域，而且在意识形态领域里激烈地展开。市民阶级为其自身利益的需要，创办了不受教会监督的私立学校，以打破教会对教育的垄断；支持某些宗教异端学说，以对抗正统的基督教神学；推崇理性主义思想，以抵制唯心主义和神秘主义的经院哲学；在文学上，中世纪的市民文学，作为民间创作，正是城市居民的情绪、趣味、情感的反映。它包括讽刺小故事，表现了市民阶级对现实的种种不满，如列那狐故事诗表面上写的是动物故事，反映的却都是人间的现实。动物之间的争斗，反映了社会各阶层间的矛盾斗争，列那狐正是当时市民阶级的代表。著名的抒情长诗《玫瑰传奇》，无情揭露和鞭笞了封建教会、贵族和上层资产者，表达了中下层市民的社会政治观点。

---

[1] 马克思：《编年史稿》，《马克思恩格斯论艺术》第二卷，第101页。

强烈的讽刺性和尖锐的批判精神是市民文学的基本特色。宗教是封建制度的护法神，教会又是最有势力的封建主，"一般针对封建制度发出的一切攻击必然首先就是对教会的攻击。"[1]所以，被封建文学虔诚膜拜的教会，成为市民文学中首当其冲的批判对象。封建文学为之竭力歌功颂德的帝王、贵族以及法官等统治阶级的各色人物，也无不在市民文学的嘲弄之列。同样别开生面的是，被封建文学完全加以无视和排斥的平民形象，作为封建统治的受害者和反抗者出现在市民文学里，弱小而足智多谋的平民往往战胜强暴而昏庸愚蠢的统治者，使作品具有强烈的反封建意义。此外，由于阶级分化的不断加剧，市民阶级内部劳动人民和中产阶级即最初的资产阶级的矛盾日益尖锐，我们可以在市民文学中听到劳动人民谴责这个新的剥削阶级的贪婪与丑恶的呼声。但另一方面，市民阶级作为资产阶级的前身，它的世界观也必然要给市民文学深深地打上自己的烙印，例如对利己主义的宣扬、对尔虞我诈的欣赏、对劳动人民特别是农民的轻蔑，凡此种种，都是和下层劳动人民的思想意识格格不入的。

中世纪文学在整个法国文学发展过程中处于雏形的阶段，艺术形式和艺术技巧远不够成熟，叙事诗歌的风格还比较单调，戏剧的形式也比较简单，对现实生活的描绘和对人物的刻画都不充分。经常把抽象的品质或事物加以拟人化，人物流于概念化。矛盾的解决常求助于非人间的因素，宗教迷信色彩较浓。在艺术手法上，比较重要的是隐喻，即把现实生活的内容托于梦境或幻景来加以表现，《玫瑰传奇》就是这样的代表作。这种手法对后世文学颇有影响。在语言上，中世纪的文学除教士用拉丁文写作外，其他都是用通俗的罗曼语，这种语言又分为奥克语和奥依语。15 世纪后，由于构成法国领土主体部分的"法兰西岛"成为政治中心，这个地区的奥依语也为其他地区所接受，因而自然而然成为此后法国文学所使用的民族语言。

---

① 　恩格斯：《德国农民战争》，《马克思恩格斯全集》第七卷，第 401 页。

第二章　英雄史诗及其代表作《罗兰之歌》

第一节　英雄史诗的起源和系别

英雄史诗（les chansons de gestes）是大量保存下来的、法国最古老的文学。它被埋没了好几个世纪，直至 19 世纪初才陆续给发掘出来。目前发现的英雄史诗大约有一百部，说明它在历史上曾经一度繁荣。

英雄史诗是法国封建社会在特定发展时期的产物。它形成于加佩王朝（987～1328）建国之后，约 11 世纪期间。关于英雄史诗的起源，19 世纪的资产阶级评论家大都认为产生于墨洛温王朝（481～751），20 世纪才逐渐发现其形成于 11 世纪。

虽然英雄史诗绝大部分都以加洛林王朝（751～987），甚至以墨洛温王朝为背景，但要看到，英雄史诗所描写的"历史"并非史实，它或者与史实有很大的距离，或者根本就没有史实根据。这里，"历史事件"只不过是供人物活动的一个舞台罢了。就像罗马文学和古典主义文学那样，英雄史诗中的历史人物只是作者用以表现当时社会生活的文学形象而已。英雄史诗的真正内容乃是反映对建立统一的、中央集权的封建国家的憧憬和意愿，而这正是从加佩王朝开始，直至 14 世纪初法国四分五裂的封建王国逐渐向统一的等级制封建王国过渡的历史特征。英雄史诗就是在这样的土壤中产生的。至今发现的最早的英雄史诗手抄本都被确定在 11 世纪末。恩格斯指出，《罗兰之歌》出现于 11 世纪末，而当时发现的其他英雄史诗"都在 12 世纪就已经出现"。①

当然，在英雄史诗成文之前，还经历过口头传诵的阶段。可以认为，具有英雄史诗雏形的口头文学出现于 11 世纪前期。在这一时期，它无疑吸取了在民间流传的一些关于帝王和封臣的传说，在某些方面也从更古老的诗歌，如赞歌的内容和形式中汲取了营养。因而英雄史诗中可以找到远至墨洛温王朝的反响。但英雄史诗的口头文学还是与这些传说和赞歌有根本的不同，它经过了大量的加工，反映的是当时的社会现实。

英雄史诗的口头传诵者是鬻歌诗人。"鬻歌"一词是从拉丁文转来的，意思是创作。因此，鬻歌诗人其实是一群民间作家。他们在集市、教堂、修道院附近或宫堡之中，在朝圣者必经的道路旁弹奏着乐器咏唱。但他们并不识字，做的只是一些初步的搜集整理工作。正是在加佩王朝以后，为了适应社会的需要，鬻歌诗人的口头创作逐渐具有了史诗的形式。应该说，他们的创作仍保留了较多的民间文学色彩。

然而，英雄史诗的成文工作却是由另外一些人来完成的。他们大部分是圣职人员。首先，他们识字。其次，在 11 世纪末，作为书写工具的羊皮纸、墨水、鹅毛笔、蜡块等等都是十分昂贵和稀少的东西，所以记录和编写的工作也只能由他们去做。因此流传下来的英雄史诗毫无疑问深深打上了文字记录者的阶级烙印，英雄史诗反映的是符合历史发展趋势的统一封建王国的愿望，属于封建阶级上升期间的文学。因而它一出现就显示了很强的生命力。12、13 世纪英雄史诗达到繁荣阶段，它最先出现在法国北部，然后很快发展到法国南部。法国封建等级制确立以后，英雄史诗也就没落和衰败下去了。这就说明，英雄史诗是随着封建等级制的产生而产生，随着封建等级制的确立而迅速没落以致消失的。

------

① 恩格斯：《法德历史材料》，《马克思恩格斯论艺术》第二卷，第99页。

　　法国的英雄史诗按照题材被分成若干个系，其中主要有三个系。第一系是帝王系（la geste du Roi），描写查理大帝的武功和事迹，所以又称查理大帝系（la geste de Charlemagne）。这一系的重要作品有依据查理在西班牙作战的事迹写成的《罗兰之歌》，还有写查理赴耶路撒冷朝圣的《查理大帝朝圣记》（Le Pèlerinage de Charlemagne，12世纪初），写查理对莱茵河下游和易北河之间异教徒的征战的《赛斯纳人》（Les Saisnes，13世纪末）等。第二系是吉约姆·德·奥朗日系（la geste de Guillaume d'Orange），写吉约姆及其家族勤王御敌的事迹。其重要作品有写维护世袭王位制的《路易加冕》（12世纪），写封土制观念开始淡薄的《尼姆城的大车》（12世纪），写为国王征战异教徒的忠臣事迹的《艾默里·德·纳尔旁》（Aimeride Narbonne，13世纪初）等。第三系是敦·德·梅央斯系（la geste de Doon de Mayence），写封建王国内部的诸侯叛乱，所以又称叛逆者系。其重要作品有写封建忠诚等级观念的《拉乌尔·德·康布雷》（11世纪末），写要求平息内争、面向东征的《吉拉尔·德·维也纳》（13世纪初），写反叛的诸侯悔悟赎罪的《列诺·德·蒙多邦》（Renaud de Montauban，13世纪），写同异教徒勾结叛乱的诸侯最后悔过的《戈尔蒙和伊桑巴》（Gormond et Isembart，11世纪末）等。此外，英雄史诗还有洛林人系（la geste des Lorrains）和十字军系（le cycle de la Croisade），其中包括关于加佩国王的传说《白鹤骑士》（Le Chevalier au Cygne，12至13世纪）等。

　　英雄史诗都是长篇叙事诗。最短的也有一千行，长的达到几万行。它由十音节诗构成，押谐音，即押最后一个音节的元音的韵。诗歌分节，每节长短不齐。

第二节 《罗兰之歌》

英雄史诗的代表作品是《罗兰之歌》(*La Chanson de Roland*)。直至 1837 年它才被重新发掘出来。它最好的版本现藏英国牛津图书馆，是 12 世纪的手抄本。全诗长四千零二行，共二百九十一节。诗歌用罗曼方言写成，文字十分古老。编写者为图罗尔杜斯，他的名字在最后一行诗中被提到。从诗中描写的风俗、使用的武器和语言等等来看，《罗兰之歌》属于 11 世纪末的作品，产生的时间约在第一次十字军远征（1096）之前和收复英国人占领的诺曼底（1066）之后，一般的看法是在 1080 年。

全诗大致可分三个部分。第一部分写加奈隆投敌叛变的经过。查理大帝在西班牙打了 7 年仗，只有信奉伊斯兰教的马席勒国王还未被征服。马席勒遣使求和。查理大帝的妹夫加奈隆主张议和。查理大帝的侄子罗兰提出让他的继父加奈隆出使敌营，加奈隆因出使有生命之虞，便怀恨在心，立意报复。他向马席勒献计：送降礼和人质给查理大帝，求其罢兵，然后在归途中袭其后卫。查理大帝决定班师回朝，加奈隆按计提议让罗兰统率后卫部队。第二部分写罗兰率领的 2 万骑兵全军覆没的经过。马席勒率 10 万人截击罗兰的后卫部队于荆棘谷。罗兰的好友奥利维埃三次劝罗兰吹响号角，请查理回兵援救，被罗兰拒绝了。直至只剩下 60 人，罗兰才吹响号角，但为时已晚，查理大帝赶到，全军已殁。天色渐晚，在查理吁求下，上帝让太阳暂停西落。查理率军追击，马席勒的军队一部被歼，大部溺死河中。伊斯兰教大主教巴里刚率大军来支援，大败于查理手下。马席勒最后在城中急死。第三部分写审判加奈隆的经过。加奈隆的 30 个亲族为他喊冤。查理大帝的权威眼看受到威胁，这时有个骑士挺身而出，通过比武，加奈隆的亲信失败丧命，加奈隆被四马分尸，30 个亲族也被吊死。上帝又告知查理到别处同异教徒作战。

　　《罗兰之歌》反映了要求法兰西统一，建立一个封建等级制的君主专制王国的愿望。查理的形象完全体现了这一点。恩格斯指出："这个歌里歌唱了查理个人身上所体现的法兰西的统一——一个还不存在的、理想的封建王国。"[①]这个论断指出了《罗兰之歌》的思想意义。在《罗兰之歌》产生之前，法兰克王国在 9 世纪和 10 世纪由于封建诸侯的割据而处于四分五裂的状态，严重地妨碍着封建社会向前发展。从加佩王朝开始，新兴的贵族阶级和市民阶级一致要求结束封建割据局面，加强中央政权，实现国家的统一。于格·加佩即位不久，首先以全力控制境内各教会领地，其后继诸王则利用各大诸侯间的矛盾逐渐巩固自己的地位。12 世纪中叶，随着商业的兴起和农业的发展，封建诸侯的土地占有情况逐渐发生变化。有些诸侯由于穷奢极欲，入不敷出，不得不借贷或部分出售土地，或允许城市获得自治。与此同时，商人纷纷借钱给国王，以期换得交通和贸易上的种种便利。这样，王室渐富，逐渐将诸侯的土地购为己有，如 1239 年圣路易就购买了马孔伯爵的领地。12 世纪末，国王还采取联姻的办法吞并诸侯的领地。1183 年菲利普二世靠联姻掌握了弗朗德勒伯爵领地。1271 年国王以同样的办法掌握了图鲁兹伯爵领地，1285 年香槟领地也落入"美男菲利普"手中。国王的权力从 12 世纪开始也变得越来越大。王权竭力同"他的附庸的附庸不是他的附庸"这一旧的封建关系准则进行斗争，使权限能够达到封建社会的各个阶层。逐渐强盛的王权最后以赏赐年金的办法控制了不断被削弱的封建领主。至 1260 年，立法者明确提出："法国的国王是他的王国的皇帝。"意即国王处于封建金字塔的顶端，有极大的权力。王权的巩固和加强有利于法国封建社会的进一步发展，因此王权在当时是一个历史上进步的力量。《罗兰之歌》所歌颂的这种社会变革，要在几个世纪后才能最终完成。因而，史诗描写的是一个理想的封建王国——一个统一的法兰西。无疑的《罗兰之

---

① 　恩格斯：《法德历史材料》，《马克思恩格斯论艺术》第二卷，第98页。

歌》的思想内容适应了历史发展的趋势，具有积极的社会意义。

查理大帝是贯穿全诗的人物形象。查理成为英雄史诗的中心人物并非偶然。查理当政时间很长（768～814），经过几十年的征战，建立了庞大的帝国。在后世封建贵族阶级心目中，他成为封建王国统一和强盛的象征。查理的一个史官在830年左右曾记载过查理于777至778年应要求至西班牙同异教徒作战的史实，特别是在778年8月15日回师途中受到巴斯克人袭击的经过。但是，《罗兰之歌》所描写的不仅同史实有出入，而且具有了不同的意义。在史诗中的查理，不是当年只有36岁的查理，而是一个年高德劭的理想君主：他有200岁，胸前飘着一部白花花的胡子，他不仅勇武善战，而且深谋远虑。他同封建诸侯的关系是帝王和臣属的关系。他得到教会的支持，受到上帝的保护。但他的权威还不是至高无上的。他还不能独自决定叛徒加奈隆的死刑。加奈隆的30个亲族的反对意见对他构成很大的威胁。这反映了当时封建诸侯同国王的关系。结果是上帝出来维护查理，骑士才战胜了对方。这时，查理把他抱在怀里，为他擦去脸上的血迹。他的胜利具有象征意义，标志着封建王权对诸侯割据的胜利。

罗兰的形象同样体现了忠君观念。他热爱"可爱的法兰西"，忠于查理大帝、当敌人重兵就要袭击他的后卫部队时，他坚定地说：

> 我们要为国王坚守阵地。
> 为主上赴汤蹈火，
> 甘受烈日烤炙，
> 严寒侵袭，
> 抛尽血肉也在所不惜。

他还发誓"死总比屈辱强"。史诗竭力刻画罗兰具有"耿直"的性格，这种"耿直"就是忠于国王，而且是绝对地忠诚，直至献出自己的生命。在这里，史诗同样把罗兰理想化了。他不是被敌人杀死的，而是因吹号角用力过度，胀裂了太阳穴才死去的。最后上帝派天使把他的灵魂送上天堂。罗兰是一个理想的忠臣形象。

史诗的其他形象也围绕着主题而展开。叛徒加奈隆贪生怕死，为私怨而背叛国王，史诗特别指出他同查理、罗兰之间的亲戚关系，而这一点丝毫也不能减免查理和罗兰对他的憎恶以及查理对他严厉的判决。这些细节表明封建的忠君观念是凌驾于亲族观念之上的。此外，马席勒国王是查理的反衬，他不是身先士卒，战死沙场，而是抛弃溃败的军队，独自逃回宫里。奥里维埃和大主教图尔班则是另外两个忠臣形象。

《罗兰之歌》在艺术上也高于其他英雄史诗。首先是它成功地塑造了几个相当鲜明的艺术形象。简洁明快则是它的另一个特色。史诗无论是刻画人物性格，或是描写景色，都只用一个准确的形容词，如"罗兰英勇，奥里维埃明智"，"山峦高耸，号角声悠长"。叙事有条不紊，善用重叠法和对比法，这些都是民间文学留下的痕迹。

《罗兰之歌》有明显的时代烙印。整部作品完全建立在唯基督教的正统观上，全诗自始至终贯穿着基督教和异教之间的争斗，充满了对基督教的赞颂言辞。当时，排斥异教乃是封建统治阶级用以抵御东方民族和外来势力的有效手段，后来则演变为十字军东征的口号，同时这也有利于强化对人民的精神奴役，王权和教会从 8 世纪起进一步互相勾结和利用，以巩固自身的统治基础。史诗的描写反映了当时占统治地位的这种思想意识。《罗兰之歌》中多处出现梦中预兆、上帝显灵、天使下凡的场面。史诗的编写者显然是个圣职人员，熟悉基督教的礼仪，并热衷于这方面的描写，更使作品充满宗教气息。

此外，作品缺乏风俗的描写。战斗场面千篇一律，语言也不够丰富多彩。描写有多处前后矛盾之处。

第三节　其他英雄史诗

除了《罗兰之歌》以外，较有代表性的英雄史诗是：《路易加冕》《拉乌尔·德·康布雷》和《尼姆城的大车》。

《路易加冕》（*Le Couronnement de Louis*，12 世纪）可以代表那些维护王权的史诗作品。史诗叙述查理大帝感到死亡将至，要把王位传给儿子路易。因路易年幼，有个诸侯想要摄政。这时吉约姆·德·奥朗日果断地打倒了他，把王冠戴在路易头上，声称是路易的保护者。后来，吉约姆在打退异教徒的战斗中鼻子受了伤，得了"弯鼻子吉约姆"的绰号。这时传来叛逆者企图抢夺王位的消息，他赶回来粉碎了叛乱，救出路易。以后吉约姆又把路易立为意大利国王，并再次粉碎诸侯叛乱。他还把自己的妹妹嫁给路易。

《路易加冕》的主题是王位世袭问题。世袭制是加佩王朝确立的巩固王权的制度。于格·加佩即位不久，就预备为儿子加冕，以保证王位世袭，这个制度一直保持到菲利普二世时期（1180～1223 年在位），国王选立的原则从此被废。《路易加冕》的内容反映的是 11 和 12 世纪的社会现实。查理为路易加冕之前的赠言最鲜明地表达了作品的思想。查理要求路易能够统率军队、对异教徒作战和开疆辟土，"你对任何人不要有背叛行为。不要挥霍奢侈，也不要犯罪……把孤儿送回他所在的封地，多少也给寡妇一些钱使她快活……对穷人你要降尊纡贵，他要诉苦，你也不要厌烦，而要帮助和劝说他敬爱上帝和洗涤他的过错。"史诗这样描绘"贤明"君主的形象，目的是为了歌颂王位世袭制。但是，由于王位世袭制的观念在当时并不牢固，史诗在结尾流露出忧虑的情绪。

《尼姆城的大车》（*Le Charroi de Nimes*，12 世纪）和《拉乌尔·德·康布雷》（*Raoul de Cambrai*，11 世纪末）则可代表描写封建等级观念的英雄史诗。《尼姆城的大车》叙述国王路易封赏功臣，却遗漏了吉约姆。但吉约姆仍然对他表示忠诚，不要他的赏赐，却要求去攻占被异教徒占领的尼姆城。路上他看到一个农民赶着大车进城，由此得到启发。他打扮成商人，把兵士藏在盐桶内，让一辆辆牛车拉进城去，一举攻占了这座城市。显然，《尼姆城的大车》力图赞颂的是忠于国王、不计较国王封赏的忠臣。《拉乌尔·德·康布雷》的主角则是叛逆者。由于国王剥夺了拉乌尔的继承权，他便同他的附庸伯尔尼埃的家族发生摩擦，打了起来。伯尔尼埃对他十分忠诚，直至他烧死伯尔尼埃当修道院长的母亲和其他修女，伯尔尼埃才劝他停止作恶，但反而被他殴打一顿。伯尔尼埃愤然离开了他，站在自己家族一边，杀死了拉乌尔。后来伯尔尼埃在拉乌尔丧身之处被拉乌尔的亲族杀死了。史诗对封建等级观念的叛逆者采取了谴责的态度。

这一类英雄史诗所描写的是封主同封臣之间所谓忠诚的封建关系。封建的忠诚观念乃是封建等级制的思想基础。这一观念在 11 世纪初获得发展的机会。1020 年一个有地位的主教在一封有名的致某公爵的信中说："凡曾向他的主子宣誓效忠的人，应当时刻记住：不得损害他的主子，也不得损害他的财富、宫堡、司法权、地位、特权、产业和领地。"11 世纪下半叶教会进行了改革，采用了封建的教阶制，使封建等级制更加巩固。12 世纪初，国王对封建诸侯提出效忠的要求。同时，国王以封赏年金的方式来代替封地，以进一步控制诸侯。这就是《尼姆城的大车》反映的社会现实。封建忠诚观念在《拉乌尔·德·康布雷》中表现得最为清楚。伯尔尼埃一旦成了拉乌尔的附庸，便对他说："拉乌尔老爷，我曾经是您的朋友，我现在成了您的人；今后我对您只有忠心耿耿。我向上帝起誓，无论何时何地都不辱没您和违拗您。"他的母亲谴责他跟着拉乌尔去打自己的父亲和叔父，他说："我的老爷拉乌尔即便比犹大更忘恩负义，仍然是我的老爷。"史诗认为这种绝对忠诚是符合封建等级制要求的。同时，史诗对于拉乌尔不遵从国王旨意则进行了谴责，写他在这之后干尽了坏事，以致丧生；对伯尔尼埃的背叛也同样加以否定，恩格斯曾经指出，英雄史诗关于埃蒙的 4 个儿子史迹的叙事诗写的是"地方英雄以及他们对中央政权的抵抗"[①]。地方诸侯的抵抗最终失败了，这是历史发展的必然结果。显而易见，英雄史诗为建立封建等级制的封建王国起过推动作用。

英雄史诗既反映了封建阶级的意识形态，因而它的阶级烙印就极其鲜明。13 世纪初的《吉拉尔・德・维也纳》（*Girard de Vienne*）写道："在富足的法兰西，只有三类英雄史诗：最尊贵的乃是法兰西的帝王；紧接着要说到的，是银白胡须的敦；应当为人看重的第三类，是骄傲的卡兰・德・蒙格拉纳。"这就是说，都是帝王显贵。英雄史诗的作者们认为，只有他们才是"英雄"，少数封建统治阶级代表人物的活动决定着社稷的兴亡、历史的发展。这是封建阶级的英雄史观——因而在英雄史诗中看不到人民群众的活动，他们被看做下贱的群氓，例如《罗兰之歌》中"农奴的儿子"是一个辱骂敌人的词。在这种英雄史观的支配下，英雄史诗所描写的就只能局限于上层统治阶级的明争暗斗、战场上的刀光剑影，而其他社会阶层和广阔的社会生活则被忽略了。这是英雄史诗的重大缺陷。

英雄史诗还受到十字军东征的深刻影响。据统计，纯以基督教对异教的战争为题材的史诗作品约达 40 部，此外还有许多描写十字军活动的作品。在史诗作品中，异教徒被写成法兰西的敌人，罗兰宣称的"异教徒没有理，基督教徒是对的"几乎成了绝对观念。当时教会宣传："虔诚的查理奔走全球，不惜殉国殉教。遇有反叛上帝者，他就鞭挞；如不听他善言劝导，他就用剑令他们信奉我主。"很多英雄史诗正是这样描绘这个人物。《吉拉尔・德・维也纳》的结局是上帝派天使令双方停战，去攻打异教徒，集中反映了统治阶级要求停止诸侯内争、合力东征的意愿。

---

① 恩格斯：《法德历史材料》，《马克思恩格斯论艺术》第二卷，第 98 页。

英雄史诗在艺术上比较有成就的作品是不多的。愈发展到后来，愈是大量出现粗制滥造的作品。它们的故事千篇一律、人物浮光掠影，其中往往充斥着离奇荒诞的情节：男主角总是被公主一类贵妇所追求。后来竟演变成农民代替贵族去守卫女王，查理与小偷结伙，国王把士兵乔装成带角魔鬼去攻城，城堡主在墙内安上机关派人来守卫，如此等等，不一而足，英雄史诗最后走进了死胡同。它完成了自己的历史使命以后，生命力也就告终了。

第三章　宗教文学与骑士文学

第一节　宗教文学

法国中世纪宗教文学，是人类历史上一种最典型、最严酷的说教文学，作为特定历史阶段中教会与宗教的直接派生物，它几乎不具备任何一种文学一般都有的某种动人之处。

中世纪的教会是封建社会中最大的土地占有者，也是进行精神统治的专横酷烈的权力机构；宗教则不仅是精神与道德的是非标准，而且几乎就是社会与政治生活的唯一准则。这两者都带有超精神的威胁性、强制性与酷烈性，远不像近代的宗教与教会在一定程度上作为社会生活的协调者，作为世人精神选择的寄托所而具有人道性、温情性与润滑性。中世纪宗教文学既然为此二者的宣教手段，其性质与社会功能可想而知，不能用现代眼光加以美化，而只能按其历史的本来面目如实加以看待。

法国基督教文学传世的最早作品，是 9 世纪末产生于庇卡底地区阿芒修道院的《圣女欧拉丽赞歌》（*La Cantilène de Sainte Eulalie*），这首二十五行的短诗也是仅次于《斯特拉斯堡誓约》（*Les Serments de Strasbourg*，842）的古法语最早文献之一。此后，又有 10 世纪的表彰主教列瑞殉道事迹的《圣徒列瑞行传》（*La Vie de Saint Léger*），10

世纪末的描写耶稣故事的《受难曲》（*La Passion*），以及 11 世纪中叶的《圣徒尼古拉行传》。仅就这后一部作品而言，也比英雄史诗传世的最早作品《罗兰之歌》要早数十年。这反映了 11 世纪以前法兰西文化处于基督教会严密控制之下的状况。但是，除上述少数作品外，可以说宗教文学和英雄史诗一样，是从 12 世纪起开始成批产生，同时存在了数百年，直到 15 世纪才告衰落。

宗教文学的作者，以基督教教会教士为主，也有少数民间诗人。宗教文学作品按形式可分两大类：叙事诗和戏剧。叙事诗中包括《圣经》和《福音》故事、圣徒行传以及奇迹故事。宗教戏剧最初是从教堂里的宗教瞻礼仪式演化出来的，即 10 至 12 世纪中叶在教堂里表演《圣经》《福音》故事为主的所谓瞻礼式戏剧。以后逐步由教堂里解放出来，经过丰富和发展，先后产生了 12 至 13 世纪的表演圣徒行传的半瞻礼式戏剧、14 世纪达到高峰的奇迹剧和 15 世纪的表现耶稣受难故事的大型神秘剧。由此可以看出，宗教文学中的叙事诗和戏剧虽然形式不同，但它们所反映的题材大致一样。

宗教文学首先是致力于宣扬：上帝是真实存在的；上帝是万能的；上帝创造万物，包括人类世界。既然人类世界是上帝一手创造的，那么无论既存现实如何不公，都是天经地义和不可更改的。产生于东方的基督教经典——《圣经》和《福音》早已编造好了虚幻的神话，宗教文学只需把其中的材料取来加以渲染。叙事诗中的《圣经》和《福音》故事（les récits bibliques ou évangéliques），瞻礼式戏剧（le théâtre liturgique）中的复活节系和圣诞节系剧目，以及 15 世纪的大型耶稣受难神秘剧等，都属于这一类。格雷邦（Arnoul Gréban）所作的《受难神秘剧》（*Le Mystère de la Passion*），在演出耶稣降生的场面时，让众天使唱道："您的伟大获得了证明，您的力量经受了考验，我们侍奉您，惧怕您。"一语道出了这些剧目所企求的效果，即要使观众惧怕上帝，因而不敢对据称是上帝安排的现存秩序稍存疑窦。《旧约》中亚当偷吃禁果而遭上帝惩罚的故事，是这一类宗教文学所偏爱的题材之一，叙事诗《亚当的滔天大罪》（*Le Grand péchéd'Adam*）和戏剧《亚当的故事》（*Le Jeu d'Adam*）是较为突出的两部作品。上帝造了极乐园，命亚当管理看守这果园，但禁止他吃那棵分别善恶之树上的果子。亚当违抗上帝的意志，吃了那果子。于是恼怒的上帝诅咒他"必终身劳苦，才能从地里得吃的"，在这里，亚当就是劳动人民的化身。这些作品还企图使世人相信，他们终身劳苦是为了赎免"原始的罪恶"，而这"原罪"正是"人的祖先"亚当偷吃禁果时犯下的。《亚当的故事》一剧更把亚当被打入地狱后的种种惨状表演得淋漓尽致。这无非是通过对反抗上帝的造反者亚当的惩罚，对世人进行告诫与恐吓。

宗教文学不但大力宣扬上帝至高无上的形象，供人们崇拜，而且着力塑造种种基督教"英雄人物"，供人们效仿。于是产生了大批用叙事诗和戏剧形式写成的圣徒行传（les vies des sainis）。这里的圣徒，主要是指人世间笃信基督教而有特殊事迹的人物。10 世纪时，用拉丁文写成的圣徒行传从东方传入法国。很多修道院都开始编写自己的圣徒行传，声称持有该圣徒的遗骨和遗物，以招徕信徒。中世纪法国的圣徒行传有三种：第一种是写墨洛温王朝和加洛林王朝的本民族圣徒，如《圣徒列瑞行传》《圣女列奥卡迪行传》（*La Vie de sainte Léocadie*），大多写殉教者的故事；第二种写外国的、东方民族的圣徒，如《圣徒阿列克西斯行传》（*La Vie de Saint Alexis*），苦行隐修是其中心主题；第三种写克尔特族圣徒，他们喜爱游历进香，寻求世外桃源。影响最大的是第二种，从叙事诗《圣徒阿列克西斯行传》可略见一斑。这部作品有 11 世纪中叶的原本，又有 12 至 14 世纪多种改写本。富有的罗马伯爵欧菲米安的儿子阿列克西斯与一贵族女子结婚，由于阿列克西斯已全身心地献给上帝，故在新婚之夜离家出走。他来到叙利亚，散尽所带的金钱，自己过起乞丐的生涯。他的"美德"逐渐传开，他只得离开叙利亚。在海上，暴风雨把他冲回家乡，父母出于怜悯收留了他，却没发现他是自己的儿子。他寄居家中17年，千百次见母亲妻子为他的失踪而哭泣，不为所动；遭受自家仆役的辱骂，却庆幸是上帝的"慈爱"。他的一生是"赎罪"的一生。死后，他的灵魂升入"天国"，他的事迹传扬四方，他的遗体被奉为圣物。现存的50余部圣徒行传，无论是写殉教、献身、节欲或是对世外桃源的追求，共同前提是视现实社会为不可逃脱的"人间苦海"，大旨皆在于劝说人民忍受现实生活的贫困苦难，诱导他们寄幻想于死后的"荣耀"和"来世"的"幸福"。

宗教文学大肆利用基督教神话，宣扬虚妄的宗教"奇迹"。据《圣经》和《福音》记载，上帝不但能医百病，使哑能言，聋能听，瞽能视，而且能变水为酒，使鱼口生钱，使数千人得食。宗教文学以此编造出许多世人因虔诚而遇奇迹的故事来。从传世作品的数量来看（仅叙事诗就有一百余部，14世纪的奇迹剧就有40余出），奇迹故事（les miracles）是宗教文学中最常见的题材。不过，由于在中世纪法国对圣母的崇拜盛极一时，文学作品中的奇迹制造者主要是圣母。奇迹故事花样繁多，而万变不离其宗；人是渺小无能的，但只要笃信基督教，圣母、上帝或其十二使徒就会显灵，造出奇迹，降福人类。在故事诗《圣母像前的艺人》（*Le Tombeur de Notre-Dame*）中，可以看到穷艺人在圣母像前翻斤斗直到精疲力竭，深受感动的圣母为他降福。在戏剧《泰奥菲勒的奇迹》（*Le Miracle de Théophile*）中，圣母使教士摆脱了恶魔的影响，使其改变对穷人的凶残态度。在不少作品里，被坏人诬告的无辜者由于圣母等的干预而得到昭雪。奇迹故事作品并不完全隐讳劳动人民的苦难和世道的不公，但它反对人民为改善自己的命运而起来抗争，却要他们寄希望于并不存在的救世主，以对虚幻幸福的迷信代替对真实幸福的追求。

宗教文学的上述几个基本类别，或讴歌上帝，或诅咒叛逆，或表彰安贫，或散布对宗教奇迹的幻想，相辅相成，异曲同工，构成抑制、束缚、麻痹人民的思想醉剂，在中世纪曾经发挥过它特定的社会功能。

但是，历史总会前进的。"废除作为人民幻想的幸福的宗教，也就是要求实现人民的**现实**的幸福……因此对宗教的批判就是对**苦难世界**——宗教是它的**灵光圈**——的**批判的胚胎**。"[1]中世纪农民起义首先是把矛头针对封建制度最顽固的堡垒基督教教会，新兴市民阶级甚至支持封建王权反对教权，而市民阶级的哲学、历史、法律、文学等一切意识形态也都把对宗教的批判放在首位。随着中世纪教会丑恶面目的日益暴露，人们对基督教的信仰削弱，宗教文学不可避免地走向衰落。

第二节　骑士文学

1. 骑士抒情诗

骑士文学最早的成就，是 12 世纪初在南方宫廷里问世的抒情诗。法兰西虽然从 9 世纪就成为独立的国家，但是"中世纪的南方法兰西民族和北方法兰西民族，不比现在的波兰民族和俄罗斯民族有更多的亲属关系"。[2]大体以罗亚尔河为分界，南方和北方存在着明显的差异。南方法兰西"在近代一切民族中第一个创造了标准语言。它的诗当时对拉丁语系各民族，甚至对德国人和英国人都是望尘莫及的范例"。[3]马克思、恩格斯这里所说的堪称范例的诗歌，就是中世纪南方法兰西的骑士抒情诗，俗称"普罗旺斯抒情诗"。

普罗旺斯抒情诗深深植根于民间诗歌的传统之中。远自墨洛温王

---

[1]　马克思：《黑格尔法哲学批判导言》，《马克思恩格斯全集》第一卷，第453页。

[2]　恩格斯：《法兰克福关于波兰问题的辩论》，《马克思恩格斯全集》第五卷，第420页。

[3]　同上。

朝开始，民间诗歌就从广大劳动群众的生活中不断涌现。当骑士抒情诗出现之际，民间已流传着在节日里边舞边唱的《伴舞歌》，织布女工在织布机旁边劳动边吟唱的《纺织歌》等。民间诗歌大都涉及爱情题材，但发出的往往是妇女对爱情和婚姻不幸的哀叹。普罗旺斯抒情诗在诗法、曲调、表现技巧方面受民间诗歌的直接影响，并且承袭了民间诗歌的一些样式。但由于普罗旺斯抒情诗中渗透了骑士的"典雅爱情"，便鲜明地表现出自己的特色。

在一个半世纪的发展中，普罗旺斯抒情诗经营过近一千种诗歌格律，其中许多格律诗都有其相应的曲调。行吟诗人至少在初期是用七弦琴自弹自唱他们的诗作的。最常见的普罗旺斯抒情诗的种类有：写骑士在乡间百般追求牧羊女的牧歌（pastorela），写骑士与贵妇幽会黎明时依依惜别的破晓歌（alba），以两诗人对话方式写的关于"典雅爱情"问题的辩论诗（tenso）以及情歌（canzo）、夜歌（serena）、怨歌（planh）等。非爱情题材的抒情诗主要有对时事多讥讽之词的感兴诗和激发骑士战争热忱的十字军歌。

讴歌骑士之爱，是骑士抒情诗最普遍的主题，也是其最突出的特色。这使它不同于宣扬禁欲主义的宗教文学，不同于主张男子在两性关系中主宰一切的英雄史诗，也不同于后来资本主义时代文学中金钱功利动因渗入了、主宰了爱情—婚姻关系的故事。中世纪的贵族阶级，把骑士之爱美其名曰"典雅爱情"，实即流行于宫廷社会的爱情观念。这种观念认为，爱情不像以前那样是女子对男子的献身和屈从，而是男子对女子的献身和屈从。女子有决定爱情的权利，而她们注重的是男子"典雅的品德"，男子博取爱情的过程，就是"典雅的品德日臻完善"的过程。这种爱情观念是封建阶级关于自己的美好幻想，用来美化宫廷中婚外的男女关系，并为贵族骑士的享乐生活服务。骑士抒情诗正是应这种阶级需要而生的文学作品，诗歌的作者有些是贵族，大部分是依附宫廷的职业诗人，他们寄人篱下，以诗歌创作为贵族效劳，正如当时一个诗人在自己作品里所承认的："伯爵夫人给他材料和主题，克雷蒂安的任务仅在执笔，但求他忠心耿耿竭尽全力。"

第一个知名的南方抒情诗人是普瓦图的伯爵兼阿基坦的公爵吉约姆九世（Guillaume IX，1086～1127）。他在12世纪初首先唱起了"典雅爱情"的色情调子：什么"贵妇诱惑和考验"、什么"不管考验如何严酷"都要履行"爱情的服役"等等，他把自己这种表白贵族追逐异性心理的诗美其名曰"新的歌"。12世纪40年代的重要抒情诗人中，若夫雷·德·吕代尔（Geoffre de Rudel）进一步扩大了骑士抒情诗的题材，描写所谓可望而不可即的"遥远的爱情"，表现了封建贵族空虚的心灵。另一个诗人马卡勃卢（Marcabru）的创作倾向有所不同，他主要是写讽刺性的感兴诗和牧歌，他的一首牧歌的结局是牧羊女拒绝了封建骑士的追求，摆脱了流行的骑士抒情诗的俗套。12世纪后半叶较突出的骑士抒情诗人，就其特长来说，有破晓歌作者贝特朗·德·阿拉玛农（Bertand d'Alamanon）和兰波·德·瓦克拉（Raimbaut de Vaqueyras），情歌作者贝尔纳·马蒂（Bernard Marti）和女诗人德·迪伯爵夫人（la Comtesse de Die），怨歌作者加伏当（Gavaudan）以及兼写多种抒情歌样式的贝尔纳·德·汪达杜尔（Bernard de Ventadour）。贝特兰·德·波恩（Bertrand de Born）是热衷于十字军战争的骑士的代言人，他在战歌中号召骑士们典卖自己的城堡，和他一起出征，并鼓吹在侵略战争中"打死一个胜过俘虏一名"。

总的来看，前期普罗旺斯抒情诗在民间诗歌影响下，风格比较明快。但从12世纪末开始，追求奇特韵律和形式主义的倾向日益严重，出现了所谓"隐晦的风格"（trobar obscur）。其代表人物纪洛·德·波尔奈（Girautde de Borneil）和兰波·德·奥朗日（Raimbaut d'Orange）在一首关于风格问题的辩论诗中得出的一致结论是："诗歌的价值就是如此，食盐总也比不上金子"，因此他们宁愿让大众看不懂自己的作品。13 世纪初的阿尔诺·达尼埃尔（Arnaut Daniel）的诗不仅形式雕琢，而且内容怪诞，他在诗中自称喜爱"收集暴风雨，顶着激流游泳，骑在牛背捉兔子"。贝尔·维达尔（Peire Vidal）则费尽心机地在自己的诗中堆砌互相矛盾的思想和事物。隐晦风格的泛滥，是普罗旺斯抒情诗进入末期的征兆，反映了骑士精神的衰颓。13 世纪的前 30 年中，法兰西北方的封建主阶级以讨伐阿尔比宗教异端为名，对南方发动了两次掠夺性战争，使南方的经济和文化受到严重破坏，普罗旺斯抒情诗也从此中落。

北方的骑士抒情诗从 12 世纪中叶才逐渐发展起来；13 世纪的前 40 年，当普罗旺斯抒情诗逐渐没落时，它却达到了高潮。北方骑士抒情诗的创作一直延续到 14 世纪中叶，保存下来的北方抒情诗稿约有 2100 首。我们从中可以看到北方特有的一些抒情诗样式，例如：踏舞歌（estampies），一种诗句短、节奏快而活跃的伴舞歌；短歌（lai），它的诗句参差不齐，以此表示思想的扑朔迷离；赞歌（odes），是由宗教歌曲转化而来的世俗抒情诗歌。影响较大的北方抒情诗人柯农·德·贝图纳（Conon de Béthune）、勒夏特兰·德·古西（le Chatelain de Coucy）、迪波·德·香槟（Thibaut de Champagne）等有一个共同特点：他们的诗都把"典雅爱情"和战争冒险结合起来，认为骑士爱情的最高表现，莫过于出生入死地去建立武功。这和南方骑士抒情诗把爱情和战争严格分开有明显的不同。不过总起来说，北方抒情诗在内容和形式上都不过是普罗旺斯抒情诗的重复和继续。

2. 骑士故事诗

北方骑士诗歌的主要作品，是骑士故事诗。这是一种长篇叙事体诗歌，一般长约数千行，也有逾万行的；最常见的是八音节诗体，每两行押一韵。"典雅爱情"和骑士冒险故事相结合，构成其基本题材，既把"骑士之爱"描写得更具体，又把骑士以掠夺为主要内容的征战和游侠美化为冒险。骑士故事诗自 12 世纪中叶在北方出现，直到 13 世纪中叶，曾兴盛一时，产生了不少名著，不但在法国普遍为人所知，而且影响遍及欧洲许多地区。骑士故事诗作品可分三系：古代系、不列颠系和拜占庭系。

古代系（les romans antiques）是由史诗向骑士故事诗过渡的产物。这一系的作品大都作于 1130 年至 1160 年间，根据拉丁文的古代希腊罗马故事改写而成。古代传说中的英雄人物被改写成为中世纪的封建骑士，"典雅爱情"因素也不同程度地注入人物的性格。最著名的作品是勃诺阿·德·圣摩尔（Benoît de Saint-Maure）的《特洛亚的故事》（*Le Roman de Toie*，约 1165），现存二十七部手稿以及后世译本和改写本之多，说明它曾脍炙人口。另一部是悖理的朗贝尔（Lambert le tort）和伯尔尼的亚历山大（Alexandre de Berney）合写的《亚历山大的故事》（*Le Roman d'Alexandre*），采用十二音节诗句，法国诗歌中常见的"亚历山大诗体"（alexandrin）便因它而得名，虽然最早使用这种诗体的是史诗《查理大帝朝圣记》。此外还有佚名作者的《忒拜的故事》（*Le Roman de Thèbes*）和《埃涅阿斯的故事》（*Le Roman d'Enéas*）。

发展得最充分、最典型的骑士叙事诗，是不列颠系故事诗（les romans bretons）。该系中有一个贯串始终的人物，即传说中的大不列颠国王亚瑟；作品多以其 12 名骑士围坐在圆桌旁叙述爱情和冒险经历的形式展开，因此又称"亚瑟王故事诗"（les romans arthuriens）或"圆桌故事诗"（les romans de la Table ronde），在这类故事诗中，通过借用的人物和背景，法兰西封建统治阶级理想中的"典雅爱情"和骑士精神被渲染得淋漓尽致。

不列颠系故事诗中最重要的作品是《特里斯当和伊瑟》（*Tristan et Yseult*）。故事写国王马克的侄儿特里斯当和爱尔兰公主伊瑟误饮魔水以致相爱不舍，但伊瑟被父亲许配给马克不能负约，这样就构成了封建婚姻与爱情的矛盾。故事以青年恋人的自杀，对封建婚姻提出抗议、对爱情自由表示赞扬。

圆桌骑士故事的最多产的诗人是克雷蒂安·德·特罗亚（Chrétien de Troyes）。他在 1160 年左右写过一部《特里斯当》（*Tristan*），今已失传。此后他又先后写了《艾莱克和艾尼德》（*Erec et Enide*，约 1160 年）、《克里赛》（*Cligès*，约 1165 年）、《朗斯洛，或坐囚车的骑士》（*Lancelot, ou le Chevalier de la charrette*，约 1168 年）、《伊万，或带狮子的骑士》（*Ivain, ou le Chevalier au lion*，约 1170 年）以及未完成的《伯斯华，或圣杯的故事》（*Perceval, ou le conte du Graal*，约 1182 ~ 1190 年）。他笔下塑造的伊万和朗斯洛，是体现骑士精神理想的典型形象：为博得贵妇人的垂爱，伊万历尽艰险，而朗斯洛甘愿坐在牛车上当众受辱。

与克雷蒂安差不多同时代的女诗人法兰西的玛丽（Marie de France），也以写不列颠骑士爱情故事著称，但不同的是，她采用精悍的短篇故事诗（les lais）形式。她的 12 首短篇故事诗中，最出名的是写骑士朗斯洛恋爱故事的《金银花》（*Le Chèvrefeuile*）。

拜占庭系故事诗（les romans byzantins）的内容多少与拜占庭的历史和传说有关。田园故事诗（les romans idylliques）是该系突出的一个分支，它是"典雅爱情"故事诗的一个变种，大都具有悲喜剧的性质，不外写两青年相爱遭到亲属反对而终于达到"圆满"结局。代表作有《弗洛阿和白朗希芙勒》（*Floire et Blanchefleur*，约 1170 年）和 13 世纪初的《奥卡森与尼柯莱特》（*Aucassin et Nicolette*）。后者别具一格的特色，是对骑士风尚进行了滑稽化的讽刺描写，例如：骑士奥卡森以粪便作炮弹轰击敌手，所向披靡；在托累洛尔王国，男人卧床分娩，而女人冲锋陷阵，这显然是受了市民文学的影响，借骑士文学形式对骑士风尚加以嘲弄，是崛起的市民文学常用的手法。《奥卡森与尼柯莱特》的另一特点，是以散文道白和七音节诗相交替，创造了新颖的说唱体（le chantefable），颇似我国的弹词。

骑士故事诗没有历史事实作根据，故事完全是虚构的。它比英雄史诗的情节戏剧性稍强，注重人物内心刻画，技巧也更为纯熟。但是，骑士故事诗的人物，特别是主要人物骑士和贵妇，举止矫揉造作、情感虚伪夸张；许多作品的同类人物从性格到外貌如出一辙，心理状态千篇一律。不是揭露封建统治阶级的丑恶真相，而是极力给它披上自命典雅的外衣，必然导致艺术上的这种种缺陷。

从 13 世纪初开始，散文骑士小说竞相出现，它们大都是根据已有的骑士故事诗改写的，到 14 世纪几乎完全取代了骑士故事诗。古法语中的"长篇故事诗"（le roman）一词，也逐渐转而具有"小说"的含义。这是小说发源的一个重要阶段。

恩格斯曾经指出：中世纪的骑士之爱，是"第一个出现在历史上的性爱形式"。[①]在当时，作为世俗世界观的一个组成部分，骑士之爱是和宗教世界观中的禁欲主义相对立的。不言而喻，歌颂骑士之爱的骑士文学，对宗教世界观构成某种威胁。当南方骑士抒情诗出现不久，教会就连忙翻译宗教诗篇，进行抵制。这说明骑士文学和宗教世界观相冲突的一面。

但是，恩格斯又指出："在一切历史上主动的阶级中间，即在一切统治阶级中间，婚姻的缔结，仍然和对偶婚以来的做法相同——即仍然是一种由父母安排的、权衡利害的事情。"[②]从骑士文学中我们可以充分看出，对中世纪的封建统治阶级来说，性爱和婚姻处于完全冲突的状况。骑士之爱根本不是夫妇之爱，恰好相反，它是要极力破坏夫妻的忠实。不管是夜歌还是破晓歌，不管是南方的抒情诗还是北方的故事诗，都把骑士与贵妇人的通奸关系当作美德加以歌颂。有的

---

① 恩格斯：《家庭、私有制和国家的起源》，《马克思恩格斯选集》第四卷，第 66 页。
② 同上书，第 65~66 页。

作品虽然写骑士与出身微贱的少女的爱情，但最后总因发现她原是王公的女儿，才结成"美满姻缘"。这只能说明："列于骑士或男爵，以及对于王公本身，结婚是一种政治的行为，是一种借新的联姻来扩大自己势力的机会；起决定作用的是家世的利益，而绝不是个人的意愿。"[1]总之，骑士文学通过对骑士之爱的讴歌，除了公开地鼓吹通奸之风，就是大力主张政治的联姻，是为美化封建贵族统治阶级的淫乱和维护该阶级的政治利益服务的。

3. 骑士文学中反映劳动人民苦难和斗争的片段

骑士文学作为宫廷文学，虽然客观上反映了贵族阶级懒散怠惰和荒淫糜烂的生活，但对这种生活赖以维持的阶级剥削和阶级压迫的社会条件并不触及，骑士和贵妇们似乎是生活在亘古以来即为他们所特有的乐园里，生来就高贵和富有。这种粉饰现实、掩盖矛盾、美化统治阶级的创作倾向，在骑士文学中居主导地位。至于骑士文学作品中偶尔出现的所谓农夫，总是传统地被写成形貌丑陋、精神愚昧，只能说是对劳动人民的鄙夷和偏见。不过，在骑士故事诗中，也有极少数作品对中世纪法国封建社会的阶级、阶级矛盾和阶级斗争在不同程度上，做了现实主义的反映。

克雷蒂安·德·特罗亚的《伊万，或带狮子的骑士》，描写亚瑟王宫廷骑士伊万前往神秘池探险，杀死该地领主，博得其寡妻的爱情以及其他种种冒险经历，题材结构都不脱骑士故事诗的俗套，但在伊万途经绝险堡的时候，插入了一段真实动人的现实生活场景，使读者看到一群被压在中世纪封建社会底层的织布女工的形象：

　　她们的情景令人悲戚，
　　褴褛的衣裳不能蔽体，

---

[1]　恩格斯：《家庭、私有制和国家的起源》，《马克思恩格斯选集》第四卷，第74页。

　　破旧的上衣撕得稀烂，
　　胸部和双肘裸露无遗。
　　衬衣领口也肮脏无比。
　　长期饥饿愁苦的折磨，
　　直弄得她们面黄颈细。

　　女工们向伊万叙述自己的来历：她们原住在贞女岛，岛上的国王有一次途经绝险堡被俘，为了逃生，答应每年进贡 30 个少女，她们就这样被送来做工。她们接着哭诉自己作为女工的苦况：

　　我们不停地织着丝绸，
　　自己却不能穿得稍好。
　　我们永远是一贫如洗，
　　永远得不到衣温食饱。
　　我们做工的所得甚微，
　　因而也不能吃得稍好。
　　面包奇缺，难充饥肠，
　　早晨一片，晚上更少。
　　……
　　我们为之做工的主人，
　　用我们的工资发了财，
　　才陷我们于极端贫困。
　　为了维持一天的生计，
　　我们干了白日熬半夜，
　　四肢从不敢片刻停歇，
　　否则就会要惨遭车裂。

《伊万，或带狮子的骑士》中这段插曲形象地表现了中世纪劳动人民所遭受的残酷剥削和压榨，反映出骑士贵族"典雅"的爱情生活和游侠生涯，正是建筑在劳动人民生活的人间地狱之上。

在反映封建社会的阶级矛盾与阶级斗争方面，更为突出的是与克雷蒂安·德·特罗亚差不多同时代的诗人罗贝尔·华斯（Robert Wace，约 1120～1183 年）。华斯出生在与法国诺曼底近在咫尺的英属杰赛岛，长期在法国就学、漫游，并用罗曼语写作，后来依附英王亨利二世。他于 1155 年写成的长篇故事诗《勃鲁特的故事》（*Le Roman de Brut*）中，首先把不列颠人关于亚瑟王及其圆桌骑士的传奇介绍到法国，成为法国骑士故事诗的一个重要题材。他从 1160 年起写作长篇故事诗《卢的故事》（*Le Roman de Rou*），又名《诺曼底王公史》（*Histoire des ducs de Normandie*），在这部主要描写封建王公骑士的征战故事的长篇叙事诗中，他用相当大的篇幅，真实生动地、鲜明精细地刻画了一次大规模人民起义的全过程，是有助于我们认识中世纪封建社会阶级矛盾和阶级斗争的形象的史料。

诗人从起义的舆论酝酿阶段开始描写：

> 农奴和农民，
>
> 山里人和乡里人，
>
> 不知着了什么迷，
>
> 什么人首先发起，
>
> 三十一伙，五十一群，
>
> 举行了多起秘密会议。
>
> 他们宣传自己的口号，
>
> 不错过任何时机；
>
> 朋友间更大声宣称：
>
> "高贵者皆是仇敌。"

　　接着，起义的农民对他们身受的经济剥削和政治压迫，一桩桩地详加叙述：他们终年像牛马一般劳累，生活却穷困不堪。他们的牲畜经常被人牵走，因为完不了徭役和租赋。旧税没有交清，新税又逼上门。为了水源、树木、债务、打猎等各种原因，他们的官司吃不完，往往无端获罪，而无法伸张正义，有时被逼得只好离乡背井。封建领主和官吏的倒行逆施，使农民得出结论："跟他们，绝不可调和。"

　　诗人通过起义者炽烈的豪言壮语，抒发了劳动人民的革命激情，表现出他们对自己力量的信念，他们团结一致用武力对封建统治阶级进行斗争的决心，以及他们的大智大勇，从而塑造出中世纪法国文学中最高大、最丰满的劳动人民的英雄群像。

> 我们为何任人糟践？
> 要摆脱他们的危害；
> 我们都同样是人类，
> 都生有手臂和双肩；
> 莫说我们目不识丁，
> 我们一向勤劳能干。
> 快发下联合的誓言，
> 一旦我们共同行动，
> 就能保卫生命财产。
> 如果他们胆敢交战，
> 我们对付一个骑士，
> 是有三四十个农夫，
> 既听指挥又很善战。
> 从前我们不能自卫，
> 而今二三十条壮汉，
> 团结起来进行斗争，

> 领主老爷惶恐不安。
>
> 拿起木棒或者木桩，
>
> 拿起棍箭或者猎杆，
>
> 还有斧头、梭枪、弓箭，
>
> 没有武器就用石片；
>
> 由于我们人多势众，
>
> 管教骑士失魂丧胆。

起义者发誓团结战斗，并派代表走遍各地，传播斗争火种。劳动群众的反抗行动吓坏了国王理查："理查很快得知消息，农奴正在搞起公社"，他召来他的叔父拉乌尔——镇压人民革命的刽子手。不久，这场轰轰烈烈的革命斗争被残酷镇压下去，无数起义者惨遭杀害。作品表现了拉乌尔等为代表的封建统治者对人民进行阶级报复时的极端野蛮和残酷，他们不仅向起义农民施以惨无人道的酷刑，而且对和农民结盟反对封建统治的市民也大肆迫害："人们对之大加勒索"，"倾尽钱财方得免诉"。最后，诗人结束这段描写时讽刺道："爵爷们处理的案件，确实堪称绝妙空前。"

华斯对于现实的阶级斗争，不只是客观反映，他在字里行间表现出对劳动人民的真诚同情，对其反抗斗争的正义性的深刻理解，诗中的劳动人民形象具有朴素而明确的阶级意识，意气风发，相当丰满和高大；另一方面，诗人对封建统治阶级则屡表不满和谴责。这在当时是难能可贵的。诗人明知这样做的严重后果，他在诗中就提到一些诗人触怒王公而遭杀害的先例，但他依然坚持："不混淆真理和谎言，也绝不把事实隐瞒。"作者这种坚持真实地反映现实的创作态度是与他同情起义人民的立场密不可分的。

《卢的故事》是英王亨利二世为表彰其家族的"勋业"而指定华斯写作的，由于他不能容忍华斯作品的进步倾向，于1174年决定由他人续写，这标志着华斯和封建统治阶级以及为其服务的宫廷文学的决裂。

13 世纪初无名氏的《奥卡森与尼柯莱特》中也有反映现实阶级压迫的片段，故事诗描写伯爵的儿子奥卡森爱上了女俘尼柯莱特，伯爵极力反对，把他们囚禁起来。尼柯莱特逃跑后，奥卡森获释，到处寻找尼柯莱特，最后发现她原来是迦太基国王的公主，二人终成夫妻。总的来说，故事是荒诞离奇的。但其中却有一个出色的、充满生活气息的插曲：奥卡森啼哭着在森林里寻找尼柯莱特，遇见一个衣衫破烂的农夫，他不敢吐露失去恋人的痛苦，便谎称失去了猎犬。农夫大不以为然："你竟为一只肮脏的狗儿哭泣？……而我，我才有权哭泣呢！"于是农夫述说起自己的苦难来：

> 我是富农的雇工，赶着四头牛，为他扶犁耕地。我丢失了鲁瑞，最好的耕牛；我不停地找呀，三天来没吃又没喝。我不敢回庄园，因为赔不起牛钱，就要坐监。除了身上的破衣，我在世上一无所有。我可怜的老母，她仅有的一条垫褥，也被人从身底抽去，只得以干草作席。她的不幸使我尤为悲伤……而你，竟为一只肮脏的狗儿哭泣！谁再尊敬你，才见鬼哩！

这里，作者不仅把农民的苦情表达得真切动人，而且意味深长地把两个阶级的思想感情加以对比。

上述这些作品的片段，对统治阶级进行了指责和讽刺，对劳动人民的苦难和斗争抱有深切的同情，是中世纪文学中可贵的部分，在今天也仍有一定的认识价值。

第三节　纪事散文

中古时期的纪事散文经历了一个发展阶段。最早的史书是用拉丁文写成的。现在所知的是，格雷古瓦·德·图尔（Grégoire de Tours，544～595）用拉丁文叙述 397 至 591 年事件的《法兰克史》（*Historia Francorum*），此书由后人续写至 768 年。从 8 世纪到 11 世纪，出现了一批用拉丁文记叙圣徒、诸侯和十字军东征的历史纪事和编年史。这是第一阶段。随着英雄史诗的产生，更注重史实真实性的历史著作又从中演化和独立出来，出现了用诗体叙述十字军东征的史籍。然而，由于地方贵族也想把自己写进史书，这些"史书"到后来便变得面目全非了。从 12 世纪起，在盎格鲁－诺曼底诸王时期产生了一批长篇诗史，如罗贝尔·华斯的作品，伯努瓦·德·圣莫尔（Benoît de Sainte-More）的《诺曼底诸公爵纪事》（*Chronique des ducs de Normandie*），匿名作者的《吉约姆元帅传》（*Guillaume le Maréchal*）等。这是第二阶段。用诗体写史有许多限制，因而用散文记叙史实便应运而生了。纪事散文最先出现于 13 世纪初或稍早一些的法国北部的庇卡底和弗朗德勒地区。当时的弗朗德勒伯爵博杜安六世曾下令编纂领地史，但此书未能保存下来。第一个重要的纪事散文家维尔阿杜安的著作就写在 13 世纪初。13 世纪末，圣德尼神甫（abbé de Saint-Denis）让僧侣普里玛（Primat）把所有的拉丁文史书都译成法文，编成一部大编年史，形成一部官方史书，名为《圣德尼大编年史》（*Grandes Chroniques de Saint-Denis*）。从查理五世（1364～1380 年在位）起，又专设史官一职，继续从事这一工作，此书的编纂直至路易十一时代才告结束。

从 13 世纪初至 15 世纪末这 300 年间的纪事散文有四个代表作家：维尔阿杜安、儒安维尔、付华萨和科米纳。他们生活的年代基本上是衔接的，他们的著述也有一定的连续性，并在一定的程度上反映出中古时期封建社会的面貌。

若弗鲁瓦·德·维尔阿杜安（Geoffroy de Villehardouin）出身贵族，生于 1150 年至 1164 年间，死于 1213 年，1191 年成为香槟元帅。他是第四次十字军东征的组织者之一，1198 年被派往威尼斯商谈十字军从那里开往东方的问题。后来他获得罗马尼亚大元帅的称号，一直留在当地。他约于 1207 年至 1212 年间撰写回忆录《君士坦丁堡征服记》（*La Conquête de Constantinople*），于 1657 年印行。

《君士坦丁堡征服记》记叙了第四次十字军东征的前后经过。回忆录描写十字军从威尼斯出发后，如何在被废黜的君士坦丁堡皇帝之子阿历克西斯四世的撺掇下，改变路线，去攻打君士坦丁堡。阿历克西斯答应成功后给他们 20 万马克银币，并派一万人帮他们远征巴勒斯坦。但事后阿历克西斯食言了，于是十字军再度攻打君士坦丁堡。十字军还曾攻打希腊和保加利亚，结果败退。十字军留守君士坦丁堡，维尔阿杜安得到封邑。在回忆录中，作者颂扬封建荣誉观念，认为遵守领主与附庸之间的约束关系是判别一切行动的准则。这一思想符合当时正在发展中的封建社会的正统思想。后世认为作者写此书是为自己辩护，说明攻打君士坦丁堡不是预谋的。维尔阿杜安尽管力图粉饰和掩盖十字军东征的掠夺性质，可是字里行间仍不免有所透露。他不厌其烦地罗列十字军的战利品：马匹、盔甲、金银、家畜、城市、乡村，而得益者首先是大贵族。作者这样描写十字军第一次看到君士坦丁堡："他们不能相信世界上竟然存在着这样一个富有的城市……须知，最坚强的人也不会不为之战栗。"在对这个城市的赞叹之中流露出掠夺者的贪婪。

让·德·儒安维尔（Jean de Joinville，1224～1317）出身贵族，世袭香槟的司法官一职。8 岁丧父，来到香槟伯爵的宫廷。1245 年当了骑士，1248 年跟随路易九世参加十字军东征，先到埃及，后到叙利亚，1254 年返回法国。晚年他在宫廷享有很高威望。他应王后的请求写作《圣路易史》（*Histoire de Saint Louis*），1309 年写成，而作为主干部分叙述十字军东征的，用的是他于 1272 年左右写的回忆录底稿，全书于 1547 年印行。1315 年他还跟随路易十世（1289～1316）征战弗朗德勒。

《圣路易史》其实是路易九世的一部传记。13 世纪是法国封建社会获得发展的时期，路易九世（1226～1270 年在位）死后，封建王朝把他尊奉为圣人。和路易九世有密切关系，且年高"德劭"的儒安维尔便受命为他树碑立传。为了美化路易九世，作者不惜以传说代替事实。如他描写路易九世被俘虏时仍然镇定自若，写他拒绝离开被撞碎的战船，以表明他要同臣下共命运的决心，写他亲自背走士兵尸体时"不掩着鼻子，而其他人却掩鼻"，写他从不过问饭菜的安排等等。儒安维尔本人在传记中占有突出位置，他是一个虔诚的信徒：他给渎神者以耳光，鞭笞做弥撒时讲闲话的人等等。他不掩饰自己的弱点：嗜酒、爱财、惧怕麻风病，厌恶给穷人洗脚，并以此衬托路易九世的"圣明"。儒安维尔的思想恰好反映了 13 世纪骑士和贵族的情感志趣。因而《圣路易史》也是 13 世纪封建阶级的言行录。

付华萨（Froissart，1337～1410？）出身平民。1361 年他的女保护人成为英国王后，他便随同王后去英国。以后，又去过苏格兰、法国西部、意大利等地。1373 年当了神甫。1378 年开始写《史记》（*Les Chroniques*）第一卷，而第四卷直至 15 世纪初才完成。全书于 15 世纪末印行。他所用的是庇卡底方言。

《史记》记录了 1325 年至 1400 年间的历史事件。第一卷中部分内容是根据让·勒贝尔（Jean Lebel，1290～1370）的《实录》（*Vrayes Chroniques*，1326～1361）写出的。较重要的部分则是关于百年战争初期的记述。第二卷叙述 1378 年至 1385 年间发生的弗朗德勒暴动，英国的瓦特·勒尔起义和雅克团起义等事件。第三、四两卷记录了骑士的武功和传记。《史记》提供了百年战争期间一些重大事件的描述，如加来陷于英军手中时几个市民的献身行动等。付华萨在搜集材料的方法上比前人进了一步，他不仅利用文献记录，而且亲自游历当地，想方设法从事件目击者或参与者那里获得材料。然而付华萨是站在衰落的骑士精神的立场上去描写历史事件的，他的著作是一曲骑士制度的挽歌。他竭力提倡"骁勇"，说什么"如果缺乏骁勇，就犹如木柴没有火而不能燃烧一样，贵族也不能得到完美的荣誉"。付华萨力图复活骑士精神。他把骑士和市民、农民区分开来，尊敬前者，蔑视后者。他甚至否认自己出身平民。他站在贵族统治阶级的立场上写道："处死这伙雅克！"意即要处死起义的农民。总之，他是旧制度的维护者。

菲利普•德•科米纳（Philippe de Commines，生于 1445～1447 年之间，死于 1511 年）出生在一个 14 世纪贵族化的市民家庭里，父亲是大法官，他的教父是勃艮第公爵。他懂意、西、德等国语言。1464 年当了盾士，后成为大胆查理（1433～1477）的亲信、顾问和侍从长，参加过几次战役。他奉命周游英国和西班牙，以联合它们反对法王路易十一（1461～1483 年在位）。但路易十一却于 1474 年把他争取了过去。他身为国王的顾问和侍从长，并由于封赐和婚姻，成了最富有的贵族。1483 年国王死后，他一度入狱，并被流放到他的封地。1490 年重又成为新王查理八世（1483～1498 年在位）的顾问，还曾出使意大利。1488 年至 1494 年他撰写《回忆录》（Les Mémoires），第一部分印行于 1524 年，晚年写出第二部分，印行于 1528 年。

《回忆录》是路易十一和查理八世时代的一部政治史。它共分八卷，从 1464 年写到 1507 年。前六卷写大胆查理和路易十一的事迹，后两卷写出征意大利，最后提到路易十二（1498～1515 年在位）的加冕。科米纳顺应历史潮流，主张中央政权的统一；正是出于这个原因，他才归附路易十一。他认为"利益在那里，荣誉就在那里"，所谓"利益"，意指统一。他是把统一的愿望置于封建割据、封建骑士狭隘的荣誉观念之上的。为了巩固中央政权，他提出司法改革，收买民心。他主张召开三级会议，扶植宗教，以阻止形成绝对君权，他的主张反映出当时建立绝对君权的社会条件尚未成熟。他不着重于战斗的描述，而认为更重要的是叙述结果和达到目的所使用的外交手腕。夹叙夹议是《回忆录》的特色。他的著作被译成欧洲许多国家的文字，被当作培养封建阶级政治家的教材。作为一个大贵族，他对市民阶级是抱嘲笑态度的。

从以上所述可以看出，中古时期的纪事散文有如下几个特点：其一，这四个纪事散文家记录的都是亲身经历的事件，或根据目击者和参与者提供的材料写成，因而史料比较丰富，对认识当时的社会有一定的参考价值。其二，他们采用的基本上是纪实性的叙述方法，描写较为生动，有一定的文学价值。其三，他们毫无例外都站在贵族阶级的立场上，其著述无不是给国王和贵族阶级树碑立传，而对市民和农民则采取蔑视的态度。他们的历史观是唯心主义的英雄史观，因而他们的叙述不能完全反映历史的真实面貌，甚至往往歪曲了历史。

第四章　市民文学

第一节　讽刺小故事

小故事（les fabliaux）是一种短小的故事诗，内容都是滑稽逗笑的故事，故又称笑话（les contes à rire）。篇幅不长，平均约数百行，通用八音节诗句，表现手法比较简练，描写逼真。大约在 12 世纪末发展起来，直到 14 世纪初年，盛行了两个世纪。从现存的 150 多首作品看来，绝大部分产生于法国北部地区。

一些西方文学史家认为小故事来源于古代和东方异国，完全抹杀了这种体裁产生的现实生活根源。小故事的那些佚名作者多是中世纪城市街头的演唱者，他们的题材来自社会生活中的逸闻趣事，他们的唱词又要迎合市民听众的趣味，因此，小故事通过对现实生活的戏说，不仅反映出一定的社会生活，且在讽刺和嘲笑中表现了市民阶级对现实的不满。

小故事产生流传在中世纪中期城市向封建贵族特别是教会进行斗争以争取自治地位的时期。它以强烈的讽刺表现了市民们反教会的情绪，圣徒和教士是它经常嘲笑的对象。《圣徒彼得和游方艺人》（*Saint Pierreet le jongleur*）写一个游方艺人在地狱中负责看守在油锅里受煎熬的灵魂，他用那些灵魂与圣徒彼得赌博；圣徒赢了，他就赖圣徒作弊，拔掉圣徒的胡子。宗教的"神威"在这里被糟蹋殆尽。《驴子的遗嘱》（*Le Testament de l'âne*）是市民诗人吕特博夫所作，写一教区主教控告某教士把一头死驴葬在教会领地，侵犯圣产，亵渎神灵。教士急中生智，声称那驴生前十分节俭，积攒下 20 个银币，并立遗嘱捐赠给主教。主教乐不可支，于是"主教说：'愿上帝开恩，饶恕他的种种恶行，以及他的一切罪过！'"20 个银币买通了上帝，这是对不择手段进行敲诈勒索的基督教教会的尖刻讽刺。《修士丹尼丝》（*Frère Denise*）写一草索僧骗一世俗女子入戒，并闯入民家大吃大喝，弄得人倾家荡产。《吃桑椹的教士》（*Le Curé qui mangeait des mûres*）则描写了教士口腹之欲的贪婪丑态：一教士见桑树果实累累，垂涎三尺，便站在驴背上摘食桑椹。他说了声："上帝，可别有人喊'吁'！"不料驴儿听得一声"吁"，便疾步前行，教士倒在荆棘丛中头破血流。还有一些小故事把教士写成骗子，不是引诱妇女就是骗取财物，吃亏的往往是老实的市民。这些故事虽限于讽刺取笑，但反映出教会的恶迹已引起强烈的不满，是城市反对教会领主的斗争在文学上的反映。

中世纪城市产生后，阶级分化的过程也随之开始，逐渐产生了行东、富裕商人和高利贷者组成的城市上层市民。小故事是民间创作，它更接近下层市民，因此它讽刺的矛头也指向了这一部分城市贵族。《撕开的鞍褥》（*La Housse partie*）描写一个富有的市民，倾其所有，给儿子攀了一门有利的亲事。后来儿子却把他赶出家门。他饥寒交迫，只求儿子给他一条被褥御寒。儿子叫孙子去拿一条马鞍的垫褥。不料孙子把鞍褥撕成两半拿来。问其故，答曰：一半给祖父，一半留给父亲。这故事生动地表明，中世纪虽然尚未产生独立的资产阶级，但在其前身上层城关市民中，"罩在家庭关系上的温情脉脉的面纱"也已经撕下，而"变成了纯粹的金钱关系"。在《康边的三盲人》等故事中，商人也成了被取笑的对象。而《高利贷者的祷文》（*Le Patenôtre de l'usurier*）则活画出高利贷者贪婪与悭吝的丑态。他天不亮起床，先查看每个锁头。去教堂前，吩咐妻子："若有人前来借钱，火速派人找我回还；须知有时差之一瞬，利润损失不可胜算。"走出家门，他就开始胡乱祈祷：他祈求上帝让他成为"天下最富有的放债人"；他惋惜有一次上教堂错过了一个借钱的主顾；他念叨一个骑士借他50金币才只还了一半；他羡慕巧于放债的犹太人；他埋怨国王经常提高人头税，害得他好苦。来到教堂，牧师刚刚登上讲坛，他喊声"阿门"，转身回家，因为他知道：牧师说教"为的掏尽我们腰包"。

在中世纪那些"不是从过去历史中现成地继承下来的，而是由获得自由的农奴重新建立起来的城市里"[1]，下层市民原来都来自农村，在某些思想感情方面还与农民有天然的联系，反映在小故事中，有不少是以农民为主人公的，作者也是以赞赏的态度讲述农民主人公的机智，其中著名的是《农民医生》（*Vilain mire*）：一个农民经常打妻子，时值国王访求名医为公主治病，妻子就向国王使者推荐其夫，说只有他能治公主的病，但他不挨打是不会献出医术的。农民挨打，只得进宫。他玩各种滑稽把戏，使公主破涕为笑，病痛全消。农民的医术誉满四方，求医者蜂拥而至，国王也要再考验他的本领。农民宣称：将病势最重者烧成灰制药，可使所有病人痊愈。众病人怕被焚，皆称无病。这故事对农民形象不无歪曲，但总的倾向是表现劳动人民的聪明机智。《农民舌战天堂》（*Vilain qui conquitparadis par plaid*）写一农民死去，天使不接他升天堂，他就径自到天堂门口，先后同彼得、多玛、保罗三位圣徒辩论，揭露他们的恶行，赞扬农民的美德，证明劳动人民比天神的品德高尚得多，驳得圣徒们理屈词穷。上帝不得不答应农民进入天堂。被封建统治阶级称为卑贱者的农民，在故事中被表彰为高尚的人，这是对传统的社会偏见的有力挑战。《阿麦尔的贡斯当》（*Constant du Hamel*）写农村里的三个暴君——司法吏、牧师和领主管家企图污辱一农民的妻子，遭到坚决的反抗，他们就合

---

[1] 马克思、恩格斯：《德意志意识形态》，《马克思恩格斯选集》第一卷，第57页。

谋用各种手段迫使她屈服。牧师把她的丈夫革出教门，司法吏让他坐牢，领主管家抢走他的耕牛。但农民终于报了仇：他挥舞木棍沿街追打他们，还把三个坏蛋关在盛羽毛的木桶里，放火焚烧；结尾写道："上帝，我们不再受辱！"这故事以代表不同阶级的人物形象，反映了中世纪农村的阶级关系——农民和教会、封建贵族、司法官吏等主要统治势力的矛盾和斗争，歌颂了劳动人民不畏强暴的反抗精神，是富有社会意义的好作品。

小故事虽然短小，却对后世的法国和欧洲文学产生过不小的影响：意大利作家薄伽丘、英国诗人乔叟、法国寓言家拉封丹、戏剧家莫里哀、小说家巴尔扎克等，都曾采用中世纪法国小故事的题材。但由于封建统治阶级的思想影响，小故事中也有一些糟粕，有一批所谓妇女题材的作品，表现出对妇女的极大轻蔑和污辱，宣扬妇女本性邪恶。还有个别作品，充满宗教迷信观念。

中世纪市民文学中的短篇故事诗，除小故事外，比较突出的还有法兰西的玛丽的动物寓言。玛丽是宫廷女诗人，但她的社会观点中含有同情市民阶级和劳动人民的健康因素。她对封建社会的丑恶现实不满。她把自己对现实的认识和见解用寓言形式表达出来。狮、狼和鹰等贪婪而凶残的动物代表封建统治者——封建贵族领主、地方行政官、司法官等，作者称之为"富有的盗贼"。而惨遭欺凌、只知哀求、不敢反抗的绵羊则是人民的象征。在一则寓言中，善良的绵羊被恶狗提审，由狼和鹰作假证人，被无辜地判罪。为了付诉讼费，它被迫在严冬里卖掉自己的毛。但狼和鹰仍不满足，终于把羊吃掉。玛丽同情人民的苦难，不过她一般只限于劝强者节制，只偶尔流露出愤怒的反抗意向。在另一则寓言里，老鹰叼去狐狸的儿子，狐狸苦苦哀求无济于事，怒不可遏，放火烧那老鹰筑巢的大树，老鹰连忙求饶。作者在寓言的结尾富有哲理性地写道：

任凭你发出多少怨言和呼声，
富有的坏蛋对穷人毫不怜悯。
可是如果穷人起来复仇，
富人就会立刻装作温顺。

第二节　列那狐故事诗

中世纪市民文学最突出的成就，是大量以列那狐为共同主人公的故事诗，俗称列那狐故事诗。关于动物题材的外国文学作品，诸如伊索寓言和拉丁童话，早已通过教士的介绍在法国流传。但是列那狐故事诗并不是对这些作品的简单模仿。它主要是在法国民间动物故事的基础上发展起来的。它的思想内容与中世纪的法国社会生活紧密相连。它所描写的宏大场景和包含的丰富寓意，大大开拓了动物故事的深度和广度。它最鲜明地体现了法国中世纪市民文学普遍具有的喜剧性和讽刺性。这一切使列那狐故事诗在思想上和艺术上都呈现出独特的色彩。

流传至今的中世纪列那狐故事诗主要有四部：《列那狐传奇》《列那狐加冕》《新列那狐》和《冒充的列那狐》。它们产生于 12 到 14 世纪的漫长年代，这正是法国封建社会在经济上和政治上发生深刻变化的时期，产生于这一历史时期的不同历史阶段的几部列那狐故事诗也明显地具有不同的特色。

《列那狐传奇》（*Le Roman de Renart*）产生于 12 世纪 70 年代到 13 世纪中叶，由 27 组故事诗构成，每组诗又往往包含几个小故事，全诗长达三万余行。这些诗大都可以独立成篇。由于它们都以狐狸列那为故事中的主角，又贯穿着同一条主线——列那狐与狼伊桑干的斗争，从 13 世纪起就被汇编成一部大体统一的完整作品。它的作者中，能够确知的只有彼尔·德·圣克卢（Pierre de Saint-Cloud）（第二组诗）、理查·德·利松（Rlchard de Lison）（第十二组诗）和一位神甫（第九组诗），可见这是一部产生于民间的集体之作。

《列那狐传奇》假托动物世界的故事，实际上搬演的却是人类社会的活剧。故事中的飞禽走兽，不仅会操人的语言，而且被赋予封建社会中人的基本社会属性。在故事所描绘的"禽兽之国"中，狮王诺勃勒（Noble 即法文"高贵"、"贵族"之意）是最高封建统治者，雄狼伊桑干和狗熊勃朗等宫廷重臣构成封建统治阶级的中坚，而鸡、猫、乌鸦、麻雀、白鹅等弱小动物则是广大被压迫阶级。狐狸列那就其在这个世界的地位来说，像是个小贵族，它的阶级本性决定了它必然欺凌和残害弱小者；但在统治阶级内部，它又必须与狼和熊那样的大权贵进行斗争以保存和发展自己。故事以列那狐为主要角色，就便于展示中世纪法国封建社会各种力量对立和斗争的错综复杂的状况。

列那狐对伊桑干狼的斗争是贯穿始终的主线。值得注意的是，相对弱小的列那狐总能战胜强有力的狼伊桑干：它以剃发入戒可以吃到美味的烤鱼为诱饵，用开水把伊桑干狼烫得焦头烂额；它授意伊桑干狼把吊桶拴在尾巴上伸入河中钓鱼，河水结冰使狼无法脱身，被人痛打一顿；它还以为狮王治病为名，建议狮王把狼皮剥下裹在身上……伊桑干狼虽有暴力可恃，却敌不过列那狐的狡猾。计谋胜过暴力，谋士击败武士，这是市民文学经常宣扬的观念。狡猾和诡诈正是当时处于弱势地位的市民阶级挑战封建统治阶级的权力和武力的一种武器。由此可见列那狐具有新兴资产者的精神特征。列那狐不仅敢于和伊桑干狼、勃朗熊和白里士梅鹿之流抗争，而且敢于蔑视狮王诺勃勒的最高权威，对之屡加嘲弄：它趁狮王酣睡，把它捆在树干上；它诡称某处藏有珍宝，骗狮王徒劳跋涉。在封建时代不可一世的王公贵胄，在这里成了被揭露、嘲弄和抨击的对象，这就突出地表现出市民，也生动地反映了12世纪以来市民阶级越来越激烈地反对封建领主的斗争。

作者还通过列那狐的形象揭露了封建社会中弱肉强食的现实。列那狐虽然要对付强者狮王和狼，但它对那些更为弱小的动物却犯下累累罪行，残酷之极：它甜言蜜语骗去乌鸦吉失灵口中的奶酪，还差点儿要了乌鸦的性命；它装死躺下，乘小鸟爱尔蒙特不备扑而食之；它假装给麻雀特鲁恩的子女治病把它们吞进肚里，还厚颜无耻地宣称解除了它们的痛苦。这是中世纪法国广大劳动人民惨受剥削和迫害的真实写照。然而，当嗜血成性的列那狐丧命时，国王却下令给它隆重安葬，教会司祭长贝尔纳驴在祷告中说："我的双眼从没有见过，哪位王公有如此美德。"这是对封建统治阶级的莫大讽刺。

《列那狐传奇》在中世纪法国家喻户晓，"列那"这一名字甚至代替普通名词成为"狐狸"的同义语。后来，不仅在法国续作纷起，在欧洲一些国家也有不少译本和仿作，19 世纪德国名诗人歌德的《列那狐》就是根据它改写而成。

《列那狐加冕》（*Le Couronnement de Renart*）产生于 13 世纪中叶，作者不详。在这首三千四百行的作品里，列那狐的形象开始有明显的演化。它的行动不再是仅为获取食物和图报私仇，而是具有了政治目的。它处心积虑谋取王位，扮成修道院住持，敦促病危的狮王指定继承人；狮王想要菲拉培尔豹继位，它申辩道王国应属于最善计谋者，而不属于最强大者，并且不指名地赞颂列那。最后列那如愿以偿，继承了王位。登极后，它首先革去拥戴它的刺猬和绵羊的官职，显示自己的"大公无私"；它拒纳贡品，却让妻子背地里收下。从此在它治下，富人得意，穷人遭殃。它到处游历传经，罗马教皇也请它去传授成功秘诀。

《新列那狐》（*Renart le Nouveau*）长八千余行，作于 13 世纪末，作者是雅克马尔·谢列（Jacquemart Gelée）。故事叙述列那狐杀死伊桑干狼之子，狼起诉，狮王兴兵围攻列那狐的城堡，两攻不克。狮王无钱开支军饷，士兵倒戈。列那狐以实力为后盾与狮王修好。它又因拐骗狮王和豹、狼的妻子出逃，与狮王重开战端。这是一场血腥的海战。列那狐的战舰"邪恶作底，背叛是舷，钉满卑劣，涂满耻辱，桅杆叫舞弊"，各教派的僧侣教士当水手，教皇掌舵，整个教会在"狡诈"的大旗下前进。国王的战舰则由各种美德构成。国王虽然获胜，但他的战舰神秘地失踪了，所有的人都登上列那狐的邪恶之船。最后，罗马教皇树列那狐为"世界之王"。

《列那狐加冕》和《新列那狐》都把攻击的矛头指向罗马教皇为首的整个教会，这反映了13世纪政治斗争形势的一个重要特点。13世纪在法兰西王权的巩固上是一个重要阶段，路易九世（1215～1270）通过司法改革限制地方法院的作用，加强王室司法权，通过军事改革以国王的军队代替封建主的自卫军，通过货币改革发行全国流通的统一货币。菲利普四世（1285～1314年在位）继续这方面的努力。但是在实行中央集权化过程中，除了地方封建主以外，罗马教皇是最顽固的敌对势力，他甚至以革除菲利普四世的教籍相报复。这场斗争以王权的胜利告终。王权的加强、国家的统一，有利于社会的进步，因此也得到市民阶级的支持。上述两部作品，表现了市民阶级的这种政治倾向。

但是，随着教会势力的削弱，市民阶级与封建贵族阶级的矛盾突出起来，在14世纪的列那狐故事诗中，后者就首当其冲了。

《冒充的列那狐》（*Renart le Contrefait*）产生于14世纪上半叶，并非出自一人的手笔，仅知作者之一是个杂货商。这部作品有两个互有异同的版本，长达五万余行诗。它在艺术上比较粗糙，而且经常插入包罗万象的长篇学术论述，使故事显得松散。不过这些都不能埋没它的思想光辉：在揭示阶级矛盾、抨击现存制度、表达新兴市民阶级的政治观点方面，它比以往的列那狐故事直接、有力得多。作者以传统的动物寓言穿针引线，而其用心则集中于现实。猫儿梯拜被一帮贵绅追赶到树上，它就以大树为讲坛发表反贵族的檄文，预言他们死后下地狱，而农夫们则升天堂。母狮患病须吃一个善良人才能痊愈，可是到处找不到一个不傲慢的贵族、不勒索的领主或是灵魂纯洁的僧侣。列那更是现存封建制度的彻底叛逆者：它激烈攻击贵族和教会，对他们强加于人民的什一税、人头税、徭役等等表示异议；它毫不后悔地偷盗贵绅和僧侣，甚至想弄死他们，因为他们以人民的血汗自肥；它对教会财产的神圣性和封建所有权的合理性提出根本的怀疑。列那狐教训贵族道：

> 按照你们武断的说法，
> 你们生来有财宝珍珠。
> 但是上帝没有选你们，
> 作他的圣徒或者使徒。
> 他在人世羁留的时日，
> 以平民和渔夫为伙伴，
> 又认木匠为他的义父。

在这里，作者以中世纪民众普遍信服的方式，批判了以"天命论"为依据的封建等级制度，也表现了倾向劳苦人民的立场。这种立场通过列那狐和农夫的故事看得更清楚：列那狐劝一个为生活所迫的农夫不要寻死，向他说明不应以"农夫"（vilain）这个名字为耻，因为它不是由"卑贱"（vilenie），而是由"领地"（villa）一词派生而来的。为了激励农夫起而反抗封建剥削和压迫，列那狐讲了一个悲惨的传说：一个贫穷女子死去，入葬时身裹15尺麻布。领主得知后，声称穷人不应死得如此"体面"，扒开坟墓，把尸体抛到荒野，用那15尺布披盖领主的马匹。这传说是现实生活中阶级压迫的真实反映。从14世纪30年代开始的英法百年战争（1337～1453）给法国经济造成极大破坏，使阶级矛盾日趋尖锐，城市和农村的反封建斗争频频发生，1358年的雅克团农民大起义是其中声势最为浩大的一次。可以说，

《冒充的列那狐》正反映了这场革命风暴前夕尖锐的社会矛盾和激烈对抗的阶级情绪。

第三节 《玫瑰传奇》

在中世纪市民文学中，《玫瑰传奇》（*Le Roman de la Rose*）是一部规模较大且具有独特风格的作品。这部长篇故事诗包括两个部分，由两位作者写于不同的年代，两部分具有不同的阶级倾向，作为市民文学一部分的《玫瑰传奇》，其实指的是故事诗的第二部分。

第一部分写于 13 世纪 20 年代，长约四千三百行，作者吉约姆·德·洛里斯（Guillaume de Lorris）相传是一个教士。他的诗以自己的一段爱情遭遇为题材，采用隐喻的手法，用"玫瑰"代表心目中的少女，以"情人"对"玫瑰"的追求比喻自己对少女的爱情，还把各种促进爱情的因素如"美貌"、"坦率"、"优雅"、"慷慨"和阻挠爱情的因素如"吝啬"、"嫉妒"、"坏嘴"、"胆怯"等都加以拟人化，还把整个故事假托在梦境中。吉约姆的故事尽管在表现手法上有新颖之处，但最终不过是日渐过时的贵族"典雅爱情"作品的翻版。

吉约姆没有写完自己的作品就去世了。大约过了 40 年，一个生在罗亚尔河上墨恩地方的巴黎有产者让·克洛比奈尔，又名让·德·墨恩（Jean Clopinel 或 Jean de Meun），接着吉约姆的故事写下去："情人"经过种种努力，包括借助"财富"去博取欢心，直到最后"爱情"战胜了"嫉妒"、"坏嘴"和"危险"，"情人"获得了"玫瑰"。让·德·墨恩的续作问世后，一直和吉约姆的作品结成一体，统称《玫瑰传奇》。但两部分的思想倾向、社会意义都完全相反，这不仅因为他们关于"爱的艺术"观点截然不同：吉约姆宣扬虚伪的贵族"典雅爱情"，而墨恩的续作则表现出爱情和婚姻的日益扩大的买卖性质；更主要的是因为，长达一万七千余行的续作远远越出纯粹爱情故事的狭隘题材，涉及现实的许多重大问题，广泛地表达了市民阶级的社会政治观点。为此，让·德·墨恩创造性地设置了两个角色——"自然"和"伪善"，并大大提高了第一部分中一闪即过的"理性"的地位。它们在故事进行当中，经常发表似乎脱离本题的议论，实际是作者社会政治观点的代言人。

让·德·墨恩的作品和产生于同一世纪的《列那狐加冕》《新列那狐》等一样，首先把攻击矛头直指教会。它对教会的揭露尤其侧重于经济的和道德的方面。教会和封建贵族一样，许多世纪以来一直占有巨大的社会财富。13 世纪，教会在宣扬清贫的美德的同时，更加剧了攫取社会财富的活动。法朗西斯教派是其典型代表，该派教士托钵乞食，又称托钵僧；用草绳系住粗布长袍，又称草索僧。他们本来就拥有教会财产，又通过"乞食"敛取大量布施，变得愈加富有。圣庙骑士团的僧侣还以高利贷者的面目出现。社会财富不断流入教堂和修道院，积压起来，不但使国王感到财政困难，更加深了人民的贫困。《玫瑰传奇》反映了市民阶级对教会的经济扩张和道德堕落的强烈愤懑。

在解救"玫瑰"的战斗中，"伪善"请求加入"爱情"的部队，"爱情"要它先作忏悔。"伪善"承认自己就是教会的化身：

> 欲认识"伪善"的诸君，
> 可往尘世、寺院找寻；
> 我不会在别处居住，
> 但更爱在教会安身。

它接着对僧侣教士痛加揭露：

> 他们装出穷酸假相，
> 却享受美肴和佳酿。

　　他们劝人安于贫困，
　　却径自去中饱私囊。

　　对耕种我意懒心伤，
　　劳动使我辛苦难当。
　　我宁愿去乞求布施，
　　用虔诚把狡猾伪装。

　　"自然"也加入对教会的声讨。它认为，既然教会霸占着文化教育的特权，教士们能够通过书本明了善恶，他们的道德堕落就尤其不可饶恕：

　　那缺乏美德的教士，
　　比俗人更一钱不值。
　　他们知善拒而不为，
　　却蓄意做邪恶之事。

　　让·德·墨恩对另一个寄生阶级——封建贵族，也毫不留情。贵族封建主作为新的生产方式代表者取代奴隶主阶级的进程早已结束，它正日益转变为社会发展的阻力。但由于他们的出身，贵族在封建制度下仍保持着政治特权。上层市民代表从1301年起成为参加三级会议的第三等级，政治地位有了改善，可是仍屈居僧侣、贵族之下。随着它经济实力的增长，它对自己的政治地位愈发不满。《玫瑰传奇》批判以出身决定贵贱的血统论，表达了市民阶级要求取消封建贵族的政治特权的强烈意愿。

　　当"爱情"率领所部为解救"玫瑰"酣战之际，"自然"及其司祭进行了学识广博的长谈。论及所谓彗星出现便预示某王公死亡的迷信时，"自然"说道：

> 王公并非那么尊贵，
> 须劳星辰为其报丧。
> 比之农民、文书、马夫，
> 他们身价并无两样。
> 尽管强弱胖瘦有别，
> 落地一般赤裸精光。

"自然"对因出身而自命高贵的封建贵族痛加嘲骂：

> 本人无功又无价值，
> 借他人高贵做装饰，
> 此辈有何高贵可言？
> 否，他们才堪称"维蓝"[①]，
> 比无赖之子更卑贱。
> 对他们我决不吹拍，
> 纵是亚历山大后代。

"自然"反复强调的是，以人们实际表现出的品质作为分别贵贱的标准：

> 缺乏美德即非高贵，
> 没有恶习即非"维蓝"。

> 若无优良道德品质，

[①] 法语"贱民"的音译，中世纪对农民的蔑称。

门第高贵分文不值。

可以说，后世的资产阶级人文主义思想因素，在这里已见端倪。

《玫瑰传奇》也没有放过富有的上层市民阶级。"自然"指出：

商人生活不会幸福，

贪欲折磨使他痛苦。

"自然"认为财富应该周转分散，以救助穷人，所以它特别诅咒高利贷者：

财富使用三把利剑，

直插在他们的心间：

第一是攫财的艰难，

第二是被盗的恐惧，

第三是破产的心酸。

以让·德·墨恩的续作为主体的《玫瑰传奇》在中世纪有广泛的影响。它是法文抄本最多的一部中世纪文学作品。它的不同文字译本从 13 世纪末陆续出现。15 世纪初，围绕《玫瑰传奇》爆发了一场持续三年的论战。以巴黎大学主事瑞松为首的教会势力攻击《玫瑰传奇》第二部分"不道德"、"不敬神"，叫嚷"与其加以桂冠，莫如付之一炬"。而人文主义者们则坚决维护让·德·墨恩的续作。

在《玫瑰传奇》的成功影响之下，隐喻手法和写梦手法被后世的文学创作广为应用。

第四节　市民戏剧

　　法国中世纪的世俗戏剧，是伴随着城市的发展和市民阶级的壮大而成长起来的。它的创作和演出都以城市为中心。市民阶级积极参与戏剧活动，并且构成基本观众。世俗戏剧的内容也侧重表现城市生活，反映市民阶级的观点和趣味。所以，世俗戏剧是市民文学的一部分。

　　世俗戏剧与宗教戏剧的明显区别，首先是其内容的世俗性，再者是其普遍的喜剧性。基督教教义认为，人生而负有"原罪"，人生在世即为"赎罪"，因而宗教文学从根本上排斥喜剧因素。新兴市民阶级则富有乐观精神和愉快的活力，它倾向于把现存的封建秩序及统治阶级表现得荒唐可笑，加以冷嘲热讽，喜剧正是它得心应手的思想工具。

　　庇卡底的阿拉斯城是法国喜剧的摇篮，最早的中世纪市民喜剧，是在13世纪由阿拉斯人创作并在阿拉斯城上演的。当时那里是呢绒和地毯的织造中心，市民阶级在文化生活中和经济生活中一样发挥着重要作用。最早的市民喜剧作家是阿拉斯人亚当·德·拉阿勒（Adam de la Halle，1235～1285），他写了两部喜剧。《罗班和玛丽蓉的故事》（*Le Jeu de Robin et Marion*）是戏剧形式的牧歌，写牧羊女玛丽蓉挫败骑士的诡计和暴力，维护了自己和牧羊人罗班的爱情。诗体说白中插入唱段，具有喜歌剧的特色。在《叶棚剧》（*Le Jeu de la Feuillée*）中，亚当把包括他的父亲、朋友和他本人在内的阿拉斯城各种人物都展现于舞台。父亲是商人，他不肯出钱让儿子去巴黎游历。医生给他把脉，发现他患有吝啬病。医生指名道姓地说，阿拉斯城的有钱人都患有此病。一个僧侣自称身带圣物，可驱魔除病，然而一个狂人求医，却毫不灵验，结果遭一场痛骂。作为喜剧，亚当的作品只是一次尝试，性格塑造不完整，风俗描写也欠深刻。但其中的一些人物，特别是诙谐角色狂人（le fou），却发展成为中世纪喜剧中传统的典型人物。狂人的言论不受约束，是喜剧作者借以进行暴露和谴责的理想代言人。同一时期的市民喜剧作品还有吕特博夫的《草药》（*Le Dit de l'herberie*）和佚名作者的《童子与盲人》（*Le Garcon et l'aveugle*），前者揭穿江湖郎中的骗术，后者描写领路童子对盲人的恶作剧，反映出市民阶级的庸俗趣味。总的来说，13 世纪的市民戏剧数量不多，思想上和艺术上都很不成熟，还处于雏形阶段。

市民戏剧在 14 世纪也没有多大建树。法国在英法百年战争前一阶段的惨败给社会经济和文化造成严重破坏，是其原因之一。在为数不多的剧作中，值得一提的是戴尚（Eustache Deschamps，约 1346～1406）的一出小戏《特鲁贝律师和安特瓦纳》（*Le Maître Trubert et Antroignart*），其中的特鲁贝律师公然宣称："我把诚实人打成骗子，又把作恶多端的家伙，说成万古流芳的君子。"这个昧良心、惯于颠倒是非的讼师形象是后来市民喜剧中著名的巴特兰律师的前身。

进入 15 世纪以后，市民戏剧才得到充分发展。戏剧行会组织纷纷出现。"无忧少年"（Les Enfants sans souci）是经国王查理六世钦准的戏剧组织，遍布法国各城市，其成员多是市民阶级中比较闲适的青年，自称"愚人"（le sot）。另一个戏剧组织"拉巴索施"（la Basoche）产生于 14 世纪，但到 15 世纪才积极参加戏剧活动，其成员以司法机构中的低级职员为主。这些组织对市民戏剧的发展起了推动作用。15 世纪确立的世俗戏剧的样式主要有戏剧独白、道德剧、笑剧、愚人剧，它们的发展延续到 16 世纪前期。

戏剧独白（le monologue dramatique）又称"愉快的说教"（le sermonjoyeux），原是对传教士布道的滑稽的模仿，后来完全摆脱宗教内容，成为一种世俗的独脚喜剧。最出名的一出是《巴纽莱的自由射手》（*Le Franc-Archer de Bagnolet*），一说是维永所作。它描写一个自夸勇猛无畏实则贪生怕死的军人。这军人自吹自擂说："我简直急得发疯，欲显身手却愁找不到仇敌"，可是，遇见一个戴法军白十字徽号的军人，他生怕对方误会，浑身发抖："啊！老爷，看在上帝面上，高抬贵手，留我一条活命。您胸前挂着白色的十字，显然我们属于同一阵营。"但是那人的背后却又戴着英军的黑十字标志，他马上改呼英军将领"神圣的丹尼斯万岁"，以此求饶。见对方毫无反应，他以为难逃一死，便写下墓志："这里长眠着射手倍尔尼，他曾毫不退缩从容就义。"这时对方忽然倒下，他才发现其实是个稻草人。于是他勇气倍增，挟着这"战俘"，向观众告别，声言要继续建立功勋。这是对百年战争中表现怯懦的军人的辛辣讽刺，表现了鲜明的爱国主义立场。

道德剧（la moralité）是所谓劝善惩恶的戏剧，人物通常是隐喻的，或是拟人化的抽象事物，篇幅比较冗长。流传至今的道德剧约有 65 部。15 世纪的市民阶级还不成熟，在道德伦理方面还没有形成自己的思想体系，封建统治阶级的道德标准仍然占统治地位，因而早期的道德剧普遍把宗教迷信、封建礼教、安贫守困当作"美德"加以宣扬，结局不外是"好人"升天堂，"坏人"下地狱。《正道与斜道》（*Bien avisé, mal avisé*）、《渎神者》（*Les Blasphémateurs*）、《罪人》（*L'Homme pécheur*）等皆属这一类。《农村的穷姑娘》（*La Pauvre fille villageoise*）写一个贫苦农家女宁愿父亲把自己杀死，以抗拒领主的兽行，但结果是领主大发慈悲，放弃邪念，并解放了她的父亲，让他替自己管理领地，以虚构的"阶级友善"抹杀现实的阶级矛盾。

笑剧（la farce）以表现所谓人情世态为特色，情节诙谐，风格泼辣，反映市民阶级的思想趣味，深受市民喜爱。现存 150 部，最重要的是《巴特兰律师》（*Le Maître Pathelin*）。主人公巴特兰是个行骗有术的人物，他假装受骗上当高价买下布商的布，但伪称身无现金，要布商到家中取款，并请布商到家中宴饮。布商贪财如命，从不赊卖，因不肯错过有利可图的交易和免费的美餐，只得应允。但当他前往取款赴宴时，巴特兰却装作久病未起，对赊布等事全不认账。布商的牧童不得温饱，杀了布商的羊充饥，布商起诉，牧童请巴特兰辩护。巴特兰替牧童出谋，使布商败诉，事后向牧童索取报酬，牧童即以其人之道还治其人之身，使巴特兰一无所获。这出笑剧客观上暴露了剥削阶级间的尔虞我诈，商人的贪婪和法律的腐败；也触及了劳动人民的困境，他们早已在教会和贵族的压榨下难以活命，而今又加上城市上层有产者的剥削，面临着新的阶级矛盾和阶级抗争。但剧作者对剥削阶级间勾心斗角所不可缺少的骗术不是否定和批判，而是当作天经地义的人生哲学津津乐道，正反映了城市资产者的本性。剧本同情牧童，希望他战胜所有的对手，于是把牧童写成最"高明"的骗子。笑剧《两盲人》（*Deux aveugles*）和《蛋糕与馅饼》（*La Farce du pâtéet de la tarte*）对下层人民的贫困有所反映，但逗乐的成分大大冲淡了对封建社会现实的谴责。《洗衣桶》（*Le Cuvier*）和《鞋匠柯尔班》（*La Farcedu Savetier Corbain*）宣扬夫权思想，趣味庸俗。

愚人剧是由"无忧少年"戏剧组织的愚人们演出的喜剧，内容常涉及时事和政治，对社会的揭露和讽刺也比较广泛和尖锐。保留至今的近30部，《衰老的世界》（*Le Vieux Monde*）是较有名的一出。"世界"是个衰朽的老人，趁他沉睡，"舞弊"招来众愚人，其中有教士、骑士、检察官、商人、人民和女狂人。他们要凑合起一个新世界。先由教士打基础，但他不配用"贞洁"做材料，因为"贞洁与教会人士，素来就毫不相识"，他只能用"虚伪"、"堕落"、"淫逸"和"盗卖圣物"；骑士不配用"高贵"和"豪爽"，只能用"怯懦"和"吝啬"；检察官不配用"公正"，只能用"贿赂"；商人只能用"暴利"和"小秤"。至于人民，别人劝他用"清白"、"单纯"、"顺从"，他却要用"牢骚"、"愤怒"、"反抗"。建筑完工，但众愚人却因争夺女狂人，你推我拥，挤垮了新世界，旧世界又重新出现。这出戏历数剥削阶级的种种弊端，表现了人民的不满，但作者看不到改变现实的希望。

皮埃尔·格兰哥尔（Pierre Gringore，约1475~？）是巴黎"愚

人组织"的领袖，其作品反映市民阶级思想，也迎合国王的政治需要。他主张"一个国王，一个法律"，表达了新兴市民阶级对国家统一和稳定的要求。他的代表作《愚人王子》（*Le Prince des sots*）有力地支持法王路易十二对罗马教皇于勒二世的斗争。剧中，愚人开会纷纷赞扬国王的教会改革措施，拥护国王抵御教皇的武装进攻。当教皇登场挑唆法国僧侣反对国王时，愚人们齐声呼吁："王子呀，你可以保卫自己，这是正义的，也符合教义。"既是对犹豫不决的路易十二的敦促，也是为国王的立场伸张正义。剧本还通过"意大利人民"之口为法国国王唱赞歌。当"法国人民"抱怨战争加重了负担时，"意大利人民"说："法国人民，你怨尤何其多！你实该满意上帝的安排，你的君主仁慈，专惩邪恶。"这实际上也是劝说市民分担战争费用，支持国王的行动。

第五节　市民抒情诗

市民文学的另一重要部分是抒情诗。市民抒情诗同民间诗歌，特别是谣曲有较多的联系，同时也受到骑士抒情诗的影响。到 13 世纪，市民抒情诗获得了较大的发展，出现了吕特博夫这样的反映下层人民困苦生活、抨击僧侣贵族的诗人。但 14 世纪由于百年战争的影响，市民抒情诗的发展遭到了挫折。15 世纪中叶，百年战争结束以后，市民阶级受到很大打击。从战争浩劫中逐渐恢复过来的城市仍然处在混乱之中。在这样的社会状况下产生的抒情诗人维永，他的创作就呈现出复杂与颓唐的思想内容。15 世纪末，抒情诗创作更走向了死胡同，这就是"修辞学派"诗人的诗歌活动。中古时期抒情诗的发展也就到此结束。

1. 吕特博夫

吕特博夫（Rutebeuf ？ ~1280）是市民抒情诗的真正代表。他是一个穷歌手，从小就来到巴黎。他生活和创作的年代正是市民阶级获得发展的时期。他的家乡香槟的市集十分繁荣，吸引着全欧洲的商人。当时封建社会的发展与贫富两极分化的现象同时并行，十字军东征的热潮还未消失，并且得到市民阶级的支持。吕特博夫的作品就反映了这样的社会面貌。他善写抒情诗和故事诗，如《吕特博夫的穷困》（*La pauvreté Rutebeuf*）、《吕特博夫的婚姻》（*Le Mariage Rutebeuf*）、《圣职》（*Des ordres*）《驴子的遗嘱》等，还写过一出独角戏《草药》（*Le Dit de l'herberie*）和一出奇迹剧《戴奥菲尔的奇迹》（*Miracle de Théophile*）。

吕特博夫的作品反映了下层人民的困苦生活。在他所描绘的家庭生活画面中，集中了城市贫民的窘困境况。诗中写道，他十分贫穷，满身是债，由于食品昂贵而身无分文，连典当的东西都没有，"我没有被子，也没有床……我的床就是稻草"，经常缺吃少穿，家里四壁空空，付不出房租。他为工人鸣不平："他们希望得到好报酬和减轻重活。"他指出世道腐败，法官、主教掠夺穷人，商人高价出售劣等商品，各种圣职都得到王朝的保护，僧侣既有特权，又有充裕的收入，那些托钵僧其实也是富翁，他愤怒地喊道："这大富大贵是哪里来的呢？"他对教皇在法国享有极大权力表示不满，并反对多米尼克等教徒在巴黎大学讲学。他的诗歌韵律自然，在抒情之中夹带着讽刺。

然而，吕特博夫的思想也有消极的一面。他贪图贵族保护人的施舍。他沾染了喝酒、赌博的癖好。他是一个虔诚的教徒，对教会保持着尊敬。他赞成路易九世进行十字军征战，在国王身上寄托着他的"一切希望"，这更表现了他消极的市民阶级意识：企图通过掠夺来获得发展。

与吕特博夫同时代、同倾向的抒情诗人还有科兰·缪泽（Colin Muset，约 13 世纪末）。这是香槟的一个鬻歌诗人。出身同吕特博夫一样贫苦。他的诗描绘了行吟诗人的苦难生活。与吕特博夫不同的是，他反对征战，憎恶骑士的厮杀和掠夺战利品："劫掠是十分疯狂的职业。"但他在艺术上的成就不如吕特博夫。

2．维永及其他

弗朗索瓦·维永（François Villon，1431～1463）的声誉比吕特博夫高，被普遍认为是中古时期最优秀的抒情诗人。

维永出身平民，父亲早故，他从小被颇有地位的教士吉约姆－德·维永收养，并得以受教育、上大学，1452 年，他从巴黎大学毕业，获文学学士学位。生逢乱世，时局不安，民生凋敝，社会动乱，城市里打斗盗劫成风。他大学时代即沾上了酗酒闹事、偷摸盗窃的恶习。甚至在胡闹之中打死了一个教士，犯下了命案，不得不逃亡。重返巴黎后，仍与职业小偷为伍，盗窃集团的活跃、猖獗，正是当时百年战争期间法国社会一种特有的现象。不久，他又犯了盗窃大案，再次逃离巴黎，临行前写下一首长诗，名为《小遗言集》（le Petit Testament，1456）。此时的维永早已颇有诗名了。

《小遗言集》共四十节。这在当时是一种流行的形式。维永即将逃难远行，不知能否返回，于是写此"遗言"以解嘲，他把自己的名誉赠给养父，把他的心赠给憎恶他的爱人，把提灯赠给巡夜的兵士，把装满钱的空蛋壳赠给三个赤裸的"一无所有"的小孩，其实是三个高利贷者等等，全诗于放诞洒脱、玩世不恭之中，透出无可奈何的悲凉。

1457 年至 1461 年，他流落外省，曾被一个名分为奥尔良公爵的诗人收留，他一生入狱有五六次之多，皆以其诗名而得达官贵人的救助，1461 年被关入墨恩的监狱后，恰逢路易十一路过此地，这位刚加冕的国王下诏开释了他。出狱后，他于 1462 年写出了他的代表作

《大遗言集》，作品共一百七十二节，其间插入了一些谣曲。全诗熔个人抒情、社会讽刺、人生哲理于一炉，内容丰富、寓意深邃。

《大遗言集》回顾了诗人已过 30 岁的生涯，惋惜过去"我比旁人更纵情玩乐"，"岁月在漂泊中消逝"，"直到暮年终于来访"，自己仍一事无成，"连最微贱的亲友都不把我认，都不回头看我"，"一提起往事，我就禁不住心碎"，全诗自述部分颇有失落与忏悔的悲哀。这种悲哀瞬息又与对世事人生荣辱得失的超脱虚无情绪融为一体，他表示对一切都已经漠然，因为"无论是什么身份，不论是头上顶着瓦罐还是佩戴珍珠，都毫不例外躲不过死神"，这既是个人感叹也是人生哲理的主题，在《大遗言集》里无疑是一个主要的基调，它变奏成了若干不同的旋律：面对历史，他列举以往时代那些人间难觅的美人、权势无边的王后、英名显赫的巾帼、博学多闻的才女，发问道："如今安在？"他感叹她们都已像去年的雪一样消融得无影无踪了；面对坟墓，他这样沉思，贵为至尊的天子与充当奴仆的下人，富翁与穷汉，主教与教士，如今不都"尸体横陈"、"乱糟糟挤在一团吗"？"一切人都处于死亡的屠刀之下"，最后，"他们的欢笑烟消云散"，"他们的尸骨都化为尘土"；昔日貌若天仙的制盔女，如今只剩下了一身衰老枯槁的皮肉，引发他人生苦短、岁月无情、青春与美貌难驻的感叹，留下了千古绝唱《美丽的制盔女》；他自己提着脑袋走江湖的玩火生涯，为王法与社会所不容。两次被判处死刑，眼见即将走上绞架的险恶处境，使他不禁发出求世人宽恕怜悯的哀号，写下了凄凉悲怆的《绞刑架上之歌》。1463 年，已被判处绞刑的维永，又获释出狱，改判为逐出巴黎，十年内不得返回。从此，他便完全消失，杳无音讯。1489 年，他的诗集第一次印行出版。

维永为诗，感情真挚坦诚，本色自然。他的抒情诗是他生存状态的如实反映、精神世界的深层展现、内心呼声的直接抒发，构成了一个极为复杂的反规范诗人的自我形象。在这里，他的玩世不恭、愤世嫉俗折射出社会的贫富对立与贵贱不平，他对自身生涯的回顾，反映出他身陷卑污现实难以自拔，他的痛惜懊悔，表明他良知尚存，犹在挣扎，他的倾诉与求恕，流露出对善的向往，他四大皆空的遗言正是强烈求生欲的表现，他对一切世事的玩世不恭正反衬出他作为化外狂徒注定丧失一切后的痛感，他在自己特定的生死临界点上对死亡的黑色沉思，未尝不是他用来缓解自己痛楚的镇静剂，他对人生、青春与美瞬息即逝的咏唱，可以说就是人类面对生存有限性的一种永恒的叹息。维永抒情诗的复杂成分，充分体现了人性的复杂性与悲剧性，它以无拘无束、不加矫饰的洒脱风格抒写出来，也就上升到了艺术的境界而具有了一种悲怆的力度与打动人的魅力，奠定了维永在法国诗歌中不可磨灭的重要地位。

维永是法国文学史上懂得化腐朽为神奇、变现实中的丑为艺术美的第一人，他的《美丽的制盔女》一诗就是示范性的杰作，它直接引发了后来的罗丹创作出不朽的雕塑《曾美艳一时的老妇》，成为一种美学创造的源头，这是维永在现代文学批评中愈来愈受到推崇的原因。

修辞学派（Les grands rhétoriqueurs）反映了市民抒情诗的另一种不良倾向，这就是对形式的极度追求。这一流派的代表是乔治·夏斯特兰（Georges Chastelain，1403~1475），让·莫利内（Jean Molinet，1435~1507）、让·梅希诺（Jean Meschinot，1420~1490）等。夏斯特兰著有《赫克托和阿喀琉斯的墓志铭》（*Les Epitaphes d'Hector et d'Achille avec le jugement d'Alexandre le Grand*）、《十二个讲究修辞的贵妇》（*Les Douzedames de rhétorique*）。莫利内的诗作有《修辞的技艺》（*L'Art et Science derhétorique*）等。梅希诺著有《王爷们的眼镜》（*Les Lunettes des Princes*）。他们的诗歌充满晦涩难懂的寓意和假科学的术语，或者玩弄文字游戏：追求每行诗的中间停顿处也要押韵，每行诗结尾的两个字声音重复，像回声一样等等。修辞学派的出现表明市民抒情诗走入了绝境。

第二编

十六世纪文学

第一章　16 世纪法国的社会历史状况与人文主义文学

第一节　16 世纪法国的社会历史状况

在法国历史上，16 世纪可谓是真正意义上的第一个春天，这春天既与本土内部条件的运作有关，更是两三个世纪以来西欧暖风不断吹拂的结果，它本身就属于西欧近代伊始的这个著名的暖季，是新时代历史进程中一个重要组成部分。

马克思曾经指出："资本主义生产的最初萌芽，在 14 世纪、15 世纪，已经稀疏地可以在地中海沿岸的若干城市看到。"[1]家庭手工业进一步发展为受商业资本控制的手工工场。生产力逐渐发展到了新的水平。动力技术的革新，使得纺织、矿业与冶金等行业都有了相当大的改观。造船业与航海业突飞猛进，出现了上千吨的船只。从 15 世纪末开始，哥伦布、亨利、迪亚士、达伽马、麦哲伦先后纷纷完成了各自的地理大发现的壮举，为环球的世界性市场的出现奠定了基础。商品经济得以达到空前的规模，资本主义原始积累加速进行，新兴资本主义关系使得大城市如雨后春笋般出现，佛罗伦萨、威尼斯、热那亚，伦敦、安特卫普、阿姆斯特丹、里斯本都发展成为当时著名的国际商业都会。

---

[1]　马克思:《资本论》第一卷，第 904 页。

在物质生活发生了如此巨大变化的基础上，欧洲的意识形态、精神文化领域里出现了两股强劲的暖流，那就是文艺复兴与宗教改革。

文艺复兴发轫于 13 世纪的意大利。它初始的表现是对古希腊文化的重新发现与热情向往。毫无疑问，对一种多神教的、带有浓厚世俗气息的文化的肯定与赞赏，其本质就是对中世纪以来禁锢世人头脑的天主教世界观与人生观的背离与逆反，事实上，它很快就突现出了反对神学世界观、宗教经院哲学、僧侣主义与禁欲主义的特征以及重视人性、肯定世俗生活、标榜理性的倾向，这种新的思潮强烈而集中地体现在文学艺术的发展中。在意大利，从 13 世纪到十五六世纪，涌现出了但丁、彼特拉克、薄伽丘、阿里奥斯托等一批杰出的文学家；在英国，16 世纪之前的则有乔叟与托马斯·莫尔等，所有这些作家都不同程度地热衷于表现新的人生观与人文热情。文艺复兴在意大利的绘画中更是带来了巨大的繁荣与色彩绚烂的辉煌，从 13 世纪的乔托、14 世纪的玛萨乔一直到 15 世纪的达·芬奇（1452～1519），终于达到了空前的艺术高峰。

宗教改革则对天主教教义与一直占统治地位的封建教会进行了直接的挑战与冲击。它首先发生在德国，这个思想运动的领袖人物马丁·路德（1483～1546）于 1517 年宣布了宗教改革纲领，他在其论著与一系列活动中，宣扬宗教信仰纯粹是个人的事情，不应受制于教士与教会的干预与统治，主张免除宗教生活中的繁文缛礼与不必要的仪式，实际上是要求建立以信仰为本的廉俭教会，而且他明确反对教皇王权，呼吁民族国家的教会摆脱罗马教会的控制，组织自己的新教。在路德之后，托马斯·闵采尔（1493～1525）更为激进，他否定基督教的一切立论与《圣经》的权威性，主张信仰并不在于宗教，人的神性就在自身的理性，天堂就在此生而非在彼岸。这些主张达到了彻底否定宗教的地步，这种激进思想进一步与农民运动相结合，就导致了德国著名的农民战争。

16 世纪的法国，就是处于这样一个转暖与变革的欧洲环境中，其内部机制就在这种暖和的气候中运转而推动着这个民族的历史进程。

16 世纪的法国是资本主义因素在封建经济的躯体内孕育而出并艰难成长的时代。在好些行业里，资本主义手工工场已经成批出现，以纺织业为例，有的城市就达到了拥有织机 8000 部的生产规模。对外贸易也有所发展，资本原始积累已经开始以相当的规模在进行。当然，封建经济仍占统治地位，在这样的背景下，资本主义关系的发展不能不带有一定的曲折性。

最初的资产阶级产生了，但显然势单力薄，他们需要依附王权，寻求王权的保护，其常见的方式就是贷款给封建朝廷，作为回报，朝廷把几项主要的税收包给商人高利贷者，他们则在王权的保护伞下超额地征税以饱私囊。另一种方式则是通过捐官获得法官、税吏、财政官的职位。此外，富有的资产者还可以凭其财力购买破落贵族的产业与爵号。所有这些渠道，都使得法国历史上出现了一种其经济方式截然不同、但在社会地位与身份等级上接近世袭贵族的阶层，是为"穿袍贵族"，它与世袭的"佩剑贵族"皆为社会的上层。

全国的政治统治权仍集中在国王与他周围的少数宫廷贵族的手里。从 15 世纪 80 年代起，三级会议一直没有召开，专制王权形成与加强的过程仍在进行，并朝接近完成的阶段前进。虽然地方上的大贵族仍有不小的权势，但拥兵自重、割据称霸的情况已经没有了，弗兰西斯一世（1494～1547）即位后，大兴土木，修饰宫殿，讲究华贵，倡导文艺，一时歌舞升平，巴黎的宫廷成为全国贵族心仪趋附的对象，形成了王权鼎盛的盛世景象。1516 年，弗兰西斯一世又成功地与教皇利奥十世签订条约，规定法国教会大部分收入归国王所有，法国的大主教与主教以及高级僧侣都由国王任命，国王实际上成为本国教会的首脑。弗兰西斯一世的工商业政策很符合资产者的利益，因而在抑制国内贵族势力与对外进行扩张这两个方面，都得到了资产阶级的支持。如果不是意大利战争与国内宗教战争大伤了法国的元气，打乱了王权不断强化的过程，路易十四式的"太阳王"本可以提前一个世纪出现。

意大利战争是法国封建王权走向兴盛后自我膨胀所致，完全是出于侵略扩张的目的，早在路易十二时期即已开始（1498～1515）。到弗兰西斯一世时期更为频繁，战争虽互有胜负，但遭到失败的基本上是法国：1521年法军被逐出意大利；1525年弗兰西斯一世被俘，后以重金赎身；1544年查理五世攻入法国，逼法求和。弗兰西斯一世去世后，其子亨利二世（1547～1559）又重燃战火，直至1559年才与哈布斯堡皇室签约缔和。整个意大利战争延绵达65年之久，使得法兰西国力凋敝，王权削弱，而不久后，整个国家又陷于宗教战争的深渊。

法国16世纪的宗教战争，实质上是不同的贵族势力争夺全国政治统治权的斗争，只不过是借宗教信仰来动员和号令群众罢了。其中交织的矛盾十分错综复杂。

在德国发生宗教改革运动的同一时期，法国就有了人文主义者开始宣传新的宗教思想，勒菲弗尔·戴塔普尔在1512年发表的《保罗书简》就是这样一部著作，他阐明了带有人文主义色彩的信仰得救的思想观点。较大规模在法国传播新教的最初是路德派，后来出现了法兰西本土的大宗教思想家让·加尔文（Jean Calvin, 1509～1564）。

让·加尔文接受了人文主义思想家伊拉斯谟（Erasme, 1469～1536）与宗教改革先行者勒菲弗尔·戴塔普尔的影响，在其名著《基督教原理》（1536）与理论活动中，系统地总结并发表了宗教改革的理论学说，他既是路德的继承者，也是路德的扬弃者，他扬弃了路德体系中带有封建色彩与妥协精神的成分，其教义的核心是预定论，认为上帝根据自己的意向在世人生前即有所挑选，被选中的为"上帝的选民"，其余则为弃民，前者在世俗生活中上进有为、事业有成、热心公益、贤良有德，这实际是在宗教观念中注入了开拓进取、积极建树的精神，正符合处于上升期的资产阶级的需要。在教会组织上，加尔文主张教会应由信徒来治理，基层教会的长者应由信徒选举，教会最高机构的领导人选亦应由各教区推选产生。在宗教仪式上，加尔文主张大力简化，凡在《圣经》中无根据者，一律取消，仅保留洗礼与圣餐两项，所有这些都带有反封建的色彩与新时代潮流的气息。

虽然加尔文不为国内所容，长期避居瑞士日内瓦，但到16世纪五六十年代，他的宗教改革思想由于顺应了历史的发展，在法国境内有了迅速、广泛而深入的传播，日内瓦也成了法国新教徒的大本营。加尔文派甚至在日内瓦获取了权力。

新教的信奉者起初以城市各阶层的市民为主，后来农民与贵族中也有愈来愈多的人信奉新教，特别是南部的中小贵族，更是有意利用加尔文派在国外的力量来与王权对抗，以求恢复对王权的独立地位。而王权，从弗兰西斯一世到亨利二世，出于政治利害考虑，都对新教采取了严厉的镇压政策，1540年成立了宗教裁判所，1549年又专设惩治加尔文教徒的特别法庭，即"火焰法庭"。但到16世纪50年代，地方上很多大贵族也改奉加尔文教派，新教势力更大，法国实际上已形成了与王权为核心的天主教贵族集团相对抗的新教贵族势力，这些新教的信奉者在法国被称为"胡格诺教徒"，其声势愈来愈大，席卷了诺曼底、多菲内、圣东日、塞文山区等地区与大部分大中城市，而在其行列里也有很多在知识文化界享有盛名的人物，如雕塑家、建筑家让－古容，诗人阿格里帕·多比涅，农学家奥利维埃·德·塞尔，外科医生昂布鲁瓦兹·帕雷等等，至于一些"穿袍贵族"、担任公职的资产者，更是其中的活动分子。拥有巨大实力的胡格诺派，已对王权与天主教贵族集团构成了明显的威胁，宗教信仰的对立与冲突愈来愈带有不同贵族集团争夺政治统治权的性质，代表新教势力走上政治斗争前台充当领袖人物的是纳瓦拉王、波旁家族的安托万及其兄弟路易·德·孔代与海军大将加斯巴尔·德·科利尼等。

亨利二世（1547~1559）逝世后，查理九世于1560年继位时年仅15岁，由母后卡特琳娜·梅迪契摄政，以东北部贵族吉斯为首的天主教贵族集团与卡特琳娜·梅迪契联合，跟新教贵族集团的矛盾愈演愈烈，终于爆发了30多年的宗教战争（1562~1594），战争时断时续，两种势力时而有所妥协，不久又兵戎相见，其间最为惨烈的事件是1572年8月24日的"圣巴托罗缪之夜"。在这次惨案中，天主教贵族集团串通王室发动突然袭击，屠杀了两千多胡格诺派人士，此后战争进行得更为酷烈，由于宗教战争是在广大的地区进行，而且几乎触及每个村落，其破坏性也就更大，远远超过"百年战争"。

1584年，亨利三世的兄弟安茹公爵病死，由此产生王位继承权的问题，宗教战争又进一步演化为争夺王位的战争，史称"三亨利之战"。争夺战在亨利三世、代表天主教贵族集团核心力量的亨利·吉斯与代表新教势力的波旁家族的亨利之间进行，伴随着这场旷日持久之战，各地又发生了一些农民起义，整个法国陷于四分五裂。亨利三世剪灭亨利·吉斯后，与亨利联合，但不久他又被人刺死，因此，代表胡格诺派势力的波旁家的亨利继承王位，是为亨利四世，从此，法国开始了由波旁王朝统治的时代。

亨利四世于1589年登基，为结束国内纷争的局面，他决心放弃新教信仰，重新皈依天主教，因此，他进入巴黎，成为全国公认的国王，接着他于1598年4月13日颁布南特赦令，推行宗教容忍政策，对宗教纷争做了妥协平衡的处理，一方面宣布天主教为法国国教，在全国恢复天主教的宗教仪式，把没收的土地与财产归还给天主教会；另一方面规定胡格诺教徒亦有信仰自由与本派的宗教生活自由，在担任官职上，与天主教徒拥有平等的权利，甚至允许胡格诺教派仍保留一百多个据点堡垒，作为国王履行赦令的担保。南特赦令作为欧洲第一个宗教宽容的政策，固然是以血与火的代价换来的，但应算是宗教改革运动一个最实际的成果，它在法国奠定了国内和平的基础，在这个基础上，才迎来了 17 世纪路易十四的盛世。

第二节　人文主义新文化潮流

16 世纪是法国在文化上有了飞跃发展的时代，近代法国文化可说是从 16 世纪形成自己的雏形、规模与风采。物质生产方式的发展、新的社会关系的萌芽是内因动力，欧洲的文艺复兴是环境气候，而法兰西新文化潮流的发轫则明显与以下两个基本历史事实有关。

一是印刷术的兴旺发达。这是当时的一种泛欧现象，源于德国哥德堡的印刷技术传播到整个西欧与北欧，法国当然身受其惠。15 世纪中叶，在阿维尼翁已开始有了印刷书籍；15 世纪末，仅里昂就有印刷作坊 50 多家；16 世纪，印刷业已在法国全境得到推广。印刷业的兴旺使思想与知识的传播有了方便的载体，由此，意大利文艺复兴发掘出来的经典著作得以在法国迅速翻译出版，伊拉斯谟的文章、评论与作品也能够迅速在全欧传播。

二是意大利战争导致意大利文艺复兴文化较大规模输入了法国，古希腊罗马丰富的文化遗产，意大利辉煌的绘画与造型艺术，意大利豪华的城市文明、富丽堂皇的建筑都使得法国人的眼睛为之一亮，并很快成为他们心仪倾慕的对象，从最高层就出现了热心的倡导者、仿效者。国王弗兰西斯一世聘请了多位学者翻译古希腊罗马时代荷马、普鲁塔克、修昔底德与色诺芬的史诗、历史论著等作品，在枫丹白露开设图书馆，收藏典籍，扩建卢浮宫，大量搜求艺术珍品，包括从意大利购来达·芬奇的《蒙娜丽莎》以及大量的金银制品，这些极品珍藏至今仍在卢浮宫里熠熠生辉，他还于 1516 年把达·芬奇邀到宫中，让他在法国度过了最后的三年，受他优待的艺术家、作家远不止此例，他的热情倡导影响极为巨大深远，由此，他被称为"文艺之父"。他的姐姐玛格丽特·德·纳瓦拉（1492～1549）也是新文化艺术热情的倡导者。她不仅在自己的宫廷里收容、供养了一些被迫害的人文主义者与加尔文教徒，还模仿意大利人文主义作家薄伽丘的《十日谈》，创作了一部类似的小说集《七日谈》。此外，在有权势者与富有者之中，热衷于新文化并对人文学者与作家进行资助、加以保护的不乏其人，如曾经保护并供养过拉伯雷的红衣主教让·杜贝莱就是一例。

天时、地利、人和各方面的条件，使得新文化的潮流滋润着粗硬干涸的高卢大地，带来了人文主义的盎然生机。求知与学习在社会中上层蔚然成风，希腊罗马文化的典籍不断译介成法文，装订成精装本，出版业与书业相当繁荣，购书成为富裕者的时尚，仅拉伯雷的作品在这个世纪就出了四十二版，每版均发行一两千册，其总发行量已相当可观。皇家讲座学院于 1529 年建立起来（即后来的法兰西学院），它是科学文化发展的标志与象征。意大利的建筑家、艺术家被招聘而来，一些颇有意大利文艺复兴风格的建筑如雨后春笋般拔地而起，既巍峨壮观，又雅致绮丽，最先是在卢瓦河域出现了如尚堡尔、舍侬索、阿惹勒黎多等一批堪称建筑艺术精品的宫堡。而后又有了枫丹白露（1528）与卢浮宫庭院（1547）这样气势宏大、富丽堂皇的宫殿，文艺复兴时期这些建筑遗产，至今仍像璀璨的明珠在法兰西国土上闪闪发亮。

在文艺复兴人文主义暖风的吹拂下，人们对现世生活的重视与投入、对物质享乐的追求、对文学艺术的热衷都油然而生，并广泛地表现在社会物质生活、文化风习的各个方面。包括饮食的品种与质量，都有明显的扩大与提高，并开始生发出了真正意义上的饮食文化，主食除了小麦，又新添了土豆与玉米，酒类也打破了葡萄酒一统天下的局面，而有了啤酒、苹果酒与烧酒，烹调术臻于成熟讲究，法国的"金字塔"式的大菜或大盘闻名遐迩，珍贵山禽与美味海鲜是常见的佳肴，在中小资产者的餐桌上亦不少见，暴食豪饮几乎成为全社会的风尚，并且披上了文明化的外衣，过去弗兰西斯一世用手取食，后来改用银器餐具，刀叉各司其职。其他物质生活方面也有了明显的发展，现今巴黎不少有文物意义的建筑都是始建于 16 世纪，当时人们的居住条件也大为改善，大厅与客厅分开，餐室与厨房分开，居室与店铺分开，已成为城市住宅普遍的格局，室内装饰的质量大有提高，色彩更为丰富，雕琢更为精细，舒适与优雅是人们普遍追求的目标，所有这些都透出以人为本的思想实质，这正是文艺复兴思潮的精神崇尚。

更为深刻、影响也更为深远的变化，则是科学的发展与语言的演变。

在科学方面，整个大环境就是科学世界观的大发展与大突破，波兰的哥白尼与意大利的布鲁诺关于宇宙天体与地球自身的学说颠覆了宗教的迷信妄说，起了破冰的作用，奠定了近代天文学的基础。在这种科学精神的推动下，16 世纪的法国在诸多科学领域都有了开拓性的进展。在医学上，帕雷（Paré，1510～1590）以其专著《人体解剖学概论》（1561）与先进的医学实践，开创了近代的外科科学；在博物学方面，生物学家贝隆（Belon，1517～1564）以其海洋鱼类自然史与鸟类自然史的论著，成为近代博物学的一位奠基人；在数学方面，维埃特（Viète，1540～1603）被誉为"近代代数符号学之父"。文艺复兴时期才气非凡的"知识巨人"，在法国亦不乏其例，如帕利西（Palissy，1510～1589）就兼而为地质学家、自然史家、化学家、作家，同时还是具有高超技艺的工匠，他大大提高了法国陶瓷制作的工艺水平，显著地促进了这个行业的飞跃发展。

与文学发展有密切关系的是语言，在这个领域，更是发生了深刻而有深远意义的变化。众所周知，民族文学形成的先决条件是民族语言的统一与规范化，成熟的民族文学的出现，又有赖于民族语言的丰富与提高。在 16 世纪，法兰西民族语言竟一举完成了这两个过程，为法国文学的第一次辉煌准备了最基本的条件。

从 15 世纪路易十一时代起，法国疆土已大致形成当今的格局，国家统一的过程，既是对统一的民族语言提出迫切要求的过程，也是统一的民族语言形成与发展的过程。这个过程的实质内容，其一是民族的法语进一步代替了原来在高卢流行的通俗拉丁语，新语种罗曼语即古法语，也逐渐相应发生了变化；其二是本土语言从地方性向全民性发展。具体来说，就是由奥依语演变而来的官方法语首先在西部地区扎下了根，而 16 世纪法国的几乎所有大作家，从拉伯雷、龙萨、杜倍雷到蒙田无一不是来自这个地区，尔后，这种语言又推广到全境成为了全民的语言。当然，在规范法语的形成过程中，借鉴希腊语、拉丁语亦在所难免，而 16 世纪研究与译介希腊罗马文化典籍的热潮无疑又有助于这种借鉴。

拉丁文既是滋养法语的母乳，也是法国人在精神上的一种挑战对象。这种挑战直接与文学有关，那就是认为在文学中用法语足以表达一切复杂的思想感情，阐述任何艰深的哲理，因而主张用法语进行写作，而反对崇拜拉丁文、用拉丁文写作。但事实是当时法语的语法词汇还没有成熟到完全胜任高级文学表现的程度，于是丰富与发展法兰西语言的要求也就同时应运而生，其中包括从各种语言吸取有用的部分，创造新的词汇，制定语言规则等等，这是文化上民族主义的要求，它直接为创造辉煌的民族文学服务。

第三节　16 世纪的文学概况与人文主义文学的发展

16 世纪法国文学，即使不说它在某种意义上是法兰西民族文学的开始，至少可以说它是法兰西文学真正辉煌的第一章。它第一次构成了法国文学全面开花的繁荣局面，第一次展示了法兰西民族的精神风采，第一次产生了从今天的标准来说仍值得咀嚼、回味无穷的精神佳品，第一次推出了时至 21 世纪仍具有存活力与不朽文化品位的大作家。总而言之，从这个世纪开始，法兰西文学就风度翩翩、魅力十足了，历经好几个世纪至今不衰，已在世界文化中独树一帜，鲜明突出，甚至卓尔不群，可以说 16 世纪文学给整个法国文学历史开了个好头，是灿烂辉煌的法兰西文学有声有色的开篇。

法国 16 世纪文学的昌盛首先与西部省份有莫大的关系，这个地区似乎是一块通灵宝地，几乎所有登上本世纪文学舞台、展示自己的艺术才情、参与世纪文学塑造、创建时代文学业绩的人物，几乎都来自这个地区，究其原因，显而易见西部地区正是统一的民族语言形成并已广泛使用的地区，这个基本事实说明了 16 世纪法国文学与规范的民族语言的紧密关系，它是在统一的民族语言形成这一基础上产生的。

实际意义上的文学发展史，就是重要作家诞生、重要作品涌现的历史。16 世纪的法国文学盛况最早出现在这个世纪的上半叶，首先登上文学舞台、开辟了文学新局面的人物是拉伯雷（约 1494～1553）。他是法国文学史上空前的奇迹，法国文学发展到他这里，如同一马平川至此奇峰突起。作为一个文学奇观，他气象万千，雄浑不可一世，内涵丰厚，寓意隽永，几乎具有永恒的价值，他证明了精神创造上的一个至理，即一个作家只需完成一件真正意义上的杰作，就足以不朽于世。拉伯雷的长篇小说《巨人传》，就是这样一部不朽之作，它经历了好几个世纪的考验，至今仍见其辉煌，它的思想力量主要来自人文主义潮流那种思想解放的气魄、勇气与执着以及对新世界观新知识体系的渴求，它致力于表述一个凝练、深刻、极富启迪性的哲理与精神格言，并找到了最清晰明朗、鲜活生动，最具有精神冲击力的形象图景：漫漫修远的上下求索，装有世界人生真谛的神瓶，"喝吧、喝吧"的人生态势。正因为它非常成功地以丰富的形象，集中而深层次且多方面地表述了一个在人类精神史上隽永不朽的寓意哲理，提供了这方面的第一个辉煌的范例，从而开创了法国文学史上哲理文学的传统，这个传统在后来被伏尔泰、狄德罗、马尔罗、萨特、加缪所继承并发扬光大，成为了法国文学中一条强旺不衰的灵脉。毫无疑问，拉伯雷的《巨人传》以其厚重的内容与奔放的活力，构成了 16 世纪最醒目的文学景观，是这个时代文学首屈一指的骄傲。

拉伯雷及其《巨人传》，是放在整个文艺复兴时期全欧背景上，也能崭露峥嵘的文学丰碑，它所体现的充沛旺盛的文艺复兴精神，对社会现实进行揭露批判的勇气与针砭的深度，它的形象与哲理水乳交融式的结合及其震撼力，与同一个时代其他欧洲国家的文学相比，显得更突出。可以说，它具有人类精神发展史上特定时期的典型代表作的性质，是名副其实的世界文学经典名著。它在时代矛盾冲突与历史发展中的显著性与重要性，从它问世后两度被封建统治机构列为禁书即可看出，也可以说，它的战斗性也开了法国文学史上"放逐"文学的先例。

当拉伯雷进入中年，他的杰作《巨人传》已经问世、但几乎立即就被列为禁书的 16 世纪 30 年代中期，一批不久将崭露头角的诗人正处于少年时期，他们日后被称为"七星诗派"，他们先后登上文学舞台是在 16 世纪 50 年代，正当拉伯雷完成《巨人传》最后两卷后淡出文学领域并于 1553 年去世之际，正可以说是 16 世纪文学前期的告终与中期的开始。七星诗社诗人虽然为数甚多，但与如奇峰突起的拉伯雷实不能相比，只不过是遍地开花、景色宜人的一块幽谷。也许是因为眼见《巨人传》出版后就被禁，更主要的则是因为都出身于贵族或接近贵族的阶层，并且与宫廷、与上层有或多或少的关系，七星诗派并没有继承与靠拢拉伯雷的思想传统与现实关注，而显示了截然不同的精神倾向与风格特色，与拉伯雷生龙活虎般的平民性、民间性相左，他们致力于追求高雅的风致与上层社会的趣味，因而具有明显的贵族性，虽然这里存在一个文学种类与体裁不同的问题，他们毕竟是诗人而不是小说家，但他们咏唱的不外是青春爱情、欢宴行乐、伤时感怀、离愁别恨以及帝王将相的功德业绩，几乎都与贵族生活或准贵族生活密切相关。七星诗社所根植的贵族阶级生活，使它未能充分体现出文艺复兴的开创精神与磅礴气派，甚至在有的方面还颇有抵触，其首席诗人龙萨就是新教的反对者。如果说它也映照了文艺复兴时代的曙光，那就是它对希腊、罗马古典文学的向往、崇尚与学习，使得它的诗作在一定程度上尚有古典遗风，当然它对法国文学的巨大贡献，还在于它保卫与发扬法兰西民族语言的主张与促使法语成为成熟而有效的文学语言的巨大努力，这对法国文学的发展具有一定的奠基意义，也反映了文艺复兴时期深层次的民族化的进程与要求；另外，它以一定的文学主张，相近的文学倾向而组成一定形态的文学团体进行活动的方式，也在法国文学史上开创了最早的先例。

本来，在封建时代，贵族上层生活从来都是文学的温床，悠闲的生活条件，应酬交际中的吟诗作赋，形成了上层社会特定的文学传统，并导致文学社团的产生。七星诗社是最早也最著名的一个，事实上，在它之前，16 世纪上半叶诗歌领域中就已经有了"里昂派"，而比"里昂派"更早，在 15 世纪则有"辞藻派"，但由于它们创作内容上的褊狭苍白，早已成为过眼烟云，只在文学史上留下了结社的记录。当然，在 16 世纪以后，每个时代直至 20 世纪，法国文学中的流派与社团可谓前后呼应、络绎不绝。虽然时代社会的条件有了改变，但先例都可能造成传统，而传统自有其遗传性与惯性，因此，从 16 世纪开始，与其他国家的文学相比，文学结社在法国文学中显得更为明显。

16 世纪的历史进入 80 年代，当七星诗社的诗人相继一个个隐没之时，文学的上空升腾起了一颗明亮的巨星：蒙田。他也像拉伯雷一样，仅仅以一部作品就成为了 16 世纪文学的另一大骄傲。如果说拉伯雷如奇峰突起的话，蒙田则如横空出世，他的《随笔集》不仅在 16 世纪大获任何时代的作家都难以获得的完全圆满的成功，而且成为以后几个世纪有文化品位的读者的必读作品，一部关于人生哲理、人心机制、人情世态的百科全书式的启示录，每个时代那些力图在思想精神领域有所作为的精英，从 17 世纪的帕斯卡尔、拉罗什富科、拉布吕耶尔，18 世纪的孟德斯鸠、伏尔泰，19 世纪的夏多布里昂、司汤达、勒南，直到 20 世纪的纪德、普鲁斯特，都分析它、采撷它、借鉴它、议论它、褒贬它，总之，不论对它是什么态度，但都不能无视它、不能绕过它，就像它是横在自家门口的一座大山。

蒙田著述与拉伯雷创作一样，同为文艺复兴精神人文思潮结出的硕果，只不过拉伯雷是以粗犷象征的形式表达了对新世界观的渴求与对新人文理想的热烈向往，是大轮廓、大手笔的写意；蒙田则以娓娓道来的平实风格剖析自我、思辨哲理、抒发见识、阐释人生态度与处事方式，一切都以自我为中心，致力于表现自我的主体精神、主体意识。这是文艺复兴精神更深入、更细致的发展，已经从社会的层面渗透到了个人的人生与内心，表现于人的行为细节，这种境界是不可能出现在 16 世纪之初人文思潮发轫之际的，在这个意义上，蒙田的感受境界比拉伯雷又深化了一步，而他以自我为本，对基本人性做切实的探索，自有其亲切、自然、真诚、具象的魅力，开辟了法国文学中自我人文主义之先河，由于人性的关注与自省毕竟是人类精神生活的一大基本内容，这种自我人文主义的作品也就更易于引起人群的同感与共鸣，这种精神取向成为领头的范例，在法国文学中也就长传不衰，形成一个强大的传统。

同为文艺复兴时期人文主义参天巨树上结出的硕果，蒙田的《随笔集》在立论视角与思想形态上与拉伯雷的《巨人传》都大相径庭。不同于拉伯雷正面地大声疾呼人文理想，蒙田把他全部的思想见解体系都概括在"我知道什么呢？"这一言简意赅的哲理命题中，以怀疑的眼光审视既有的文化、宗教、习俗、教育、世道以及人的思维模式与行为准则，虽然只是质疑，却同样颇有针砭旧体系、旧成规的锋芒，也渗透着新的文艺复兴精神，其在人文社会领域中的作用，与自然领域中布鲁诺、伽利略对宗教世界观的质疑与挑战，颇有相似之处，不过，他毕竟较拉伯雷正面的大声疾呼少了若干冲刺的锐气，这不能不说是与 16 世纪法国的历史变故甚为有关。因为蒙田所处的 16 世纪后期，法国已经因为宗教信仰、意识形态的冲突与新旧现实利益的矛盾而战祸频仍，国家陷于四分五裂，民不聊生，法兰西已经难以承受尖锐的意识形态冲突及其带来的纷争，温和与妥协逐渐成为普遍的思想趋向；在政治上，有 16 世纪 90 年代亨利四世的改宗与南特赦令的颁布，因此 16 世纪 80 年代有蒙田《随笔集》这种具有温和妥协形态的作品问世，也就是很自然的了，它必然打上了时代的烙印，是时代的产物。正因为它带有温和妥协的倾向而又不失新思潮的实质，问世之后就得到不同政治派别、不同思想倾向、不同宗教信仰的人士的接受与欢迎。

上述法国 16 世纪文学的发展，相当明显地形成了一种"驼峰"态势——前与后双峰耸立，中间低回。而前后两高恰巧都与整个欧洲文艺复兴时期人文主义暖流密切相关，只有中低与时代主流有所游离淡化，这种游离淡化，也许正是之所以中低的根本原因。不妨可以说，16 世纪文学的起伏实际源于文艺复兴时代精神在法国所起的作用以及这种精神在法国的际遇，这既是 16 世纪社会历史与阶级关系发展变化的反映，也是这种发展变化的重要组成部分。从 16 世纪之初至 16 世纪上半叶，由于新社会生产力与新生产关系萌芽所形成的社会倾向、社会趋势，也由于中世纪宗教神学长达数世纪的高压思想统治所郁积的渴求人性自由与精神解放的巨大爆炸量，泛欧的文艺复兴思潮在法兰西整个社会所产生的激情与赞赏已经到了几乎忘我、倾倒、失衡的地步，即使是纳瓦拉公主这样在封建庙堂居高位的人物，对意大利作家亦有东施效颦之举，正是在这种热烈、奔放、迅猛、大气的精神反应中，才有了拉伯雷与他的《巨人传》。然而"一石激起千层浪"，何况如此的精神突变、精神飞跃是发生在一个古老、顽固、坚硬、带有全欧整体背景的宗教、政治框架中，必然引起精神领域里激烈的抗拒、排斥、反应与社会政治生活中深层次的复杂矛盾与势不两立的斗争。《巨人传》被代表宗教神学权威势力的机构列为禁书，拉伯雷也不止一次被迫避难，以及"圣巴托罗缪之夜"残酷的大屠杀，都是 16 世纪极富有标志性的历史事件，在使得法国四分五裂、残破不堪的长期宗教战争中，新的强旺的文艺复兴精神在文学中偃旗息鼓，文学不再是高昂磅礴，而陷于低回，也就是必然的事。不过，在此低回之中，仍还有对民族文学语言的追求与对古希腊罗马文学风格的向往作为对时代主流高潮的一种和声。当然，激烈矛盾总需解决，时代仍需进步，回头倒退是没有出路的，文艺复兴精神一旦来临就不可能归于消退泯灭，问题在于要找到合适的道路与方式，于是，在整个时代、社会都倾向于妥协、折中、调和的大环境中，文学上出现了顺应这种潮流的天才人物蒙田，他以著名的"怀疑论"与《随笔集》，恢复了文艺复兴人文主义的势头而又减缓其进逼的姿势与锐利的锋芒，他获得了各种政治立场与宗教观点的人士普遍认可与欢迎，简直就是一个奇迹。退一步，进两步，新的时代精神以螺旋形的方式前进，法国文学的 16 世纪到头来仍是一个文艺复兴的世纪。

在社会矛盾如此尖锐激烈的时代里，法国 16 世纪文学中不可避免存在着不同的阶级倾向，只不过，当时文学批评、文学论争尚不发达，文学领域中尚未爆发出相应的"宗教战争"。显而易见，对这个时代文化学术包括文学起了充实、建设与推动作用的阶层，是来自新兴的资本主义方面，首先是中小资产阶级在文化上的代表，包括律师、学者教授、医生、艺术家，拉伯雷就是出自这样一个群体，他们在经济状况上不愁衣食，其中一些人还属于有家产的"穿袍贵族"，因而有条件受良好完备的教育，进行文化研习与广泛的游学考察，而他们与世俗政权、宗教神权均无关联的在野地位，则使他们具有开创求新的精神，勇于探索的锐气与敢于冲刺的锋芒，拉伯雷正是这种阶级倾向最杰出、最泼辣的代表。与他并驾齐驱的蒙田则代表了上层资产阶级，这个阶层与王权、教权多了些许关系，思想上也多了若干沟通渠道，因而在社会政治、精神文化各方面的立场态度较为温和，好在这种温和正符合社会经受了重创重伤之后的需要，而且，人文主义就其本质来说也是对人性人情体贴入微的意识形态，温和比狂飙更能散发其光辉与魅力，更能适应各种需要而经受磨损。

对于封建阶级来说，16世纪不再是产生《罗兰之歌》的时代了，法兰西民族形成与上升的时期已经过去，而中央封建专制王权鼎盛的时期又还没有来到，这个阶级正处于在精神上缺乏自己强有力的方面与特殊风采的阶段，没有新的思潮与新的诗情，在创作内容上就只可能从奢华而狭窄的宫廷生活与贵族生活中得到题材与灵感，就只可能出现七星诗社式的吟风咏月，但这种君临天下的族群在精神上的弱势倒成就了16世纪人文主义色彩的文学的壮大发展。要知道，即使是冲刺力特别强的拉伯雷与《巨人传》都不止一次受到一些封建权贵大人物的庇护，何况几乎整个贵族阶层都沉湎于对文艺复兴华美艺术的享受与对希腊罗马古典风致的崇尚，最高层的封建主还热衷于文艺复兴文艺的移植与仿制。这一历史条件，正是16世纪法国人文主义文学得以昌盛的重要原因。

法国16世纪人文主义文学主流，作为在泛欧文艺复兴潮流背景上产生的文化意识形态，与其他欧洲国家的人文主义文学相比，显得思想观点成分、哲理论说内容更全面、充实。可以说，欧洲文艺复兴思潮中的关于社会、关于人的全部观念形态、思维定论几乎都在这里有所表述、有所反映、有所触及，从政治、法律、战争、和平、宗教、信仰、科学、教育、知识到个性、自由、生活、享乐以至文艺、情趣等等，特别值得注意的是法国人文主义文学在反对宗教禁欲主义、批判对人性的压抑、对科学知识的否定，讽刺战祸暴行以及不合理的社会秩序，表述对美好社会生活的理想，提倡人文修养等方面都贡献出很大的篇幅，显示出充分的力度，也正因为要表达的观念与思想过多，法国作家也就较多地求助于论说、剖析与寓意、象征，而不追求反映客观现实的生活形象与人物性格，因而，在法国 16 世纪文学中尽管有写意性的巨人与理想社会的图解——德廉美修道院，但却没有像堂·吉诃德、哈姆雷特这样有性格深度的人物典型。

16 世纪对法国文学而言，不仅是精神气质、思想内容特有新意的时代，而且也是文学形式、类别体裁大有发展的时代。

首先，具有划时代意义的是长篇小说在 16 世纪的出现与定型，作为一种叙事类的新文学形式，长篇小说与其说是从中世纪讽刺小故事发展而来，不如说更应溯源于中世纪作为叙事体的英雄史诗与长篇叙事作品《玫瑰传奇》，因为这两者都已经初步具备了日后长篇小说较完整的叙事形态与较充分的人物描写。由于法兰西民族语言的形成与印刷术的巨大发展，书籍达到前所未有的流通规模，在 16 世纪的社会文化生活中，大众也就从听故事愈来愈多地变成读故事，文学形式中韵文也就愈来愈让位于散文，在这种历史条件下，长篇小说的文学形式也就应运而生。只不过令人惊奇的是，法国长篇小说是以《巨人传》这样具有宏大规模、思想力度与创作水平的杰作来宣告其诞生与定型的，这似乎预示着将来长篇小说在法国文学中的昌盛以及法国长篇小说在世界文学中举足轻重的地位。比起长篇小说的成熟出现，叙事类中短篇小说在 16 世纪的发展就显得微不足道了。虽然，它从新思潮汲取了精神营养而面目一新，在艺术上也比中世纪的小故事提高了一步，多少脱离了完全不值得现今读者一顾的粗糙程度。

其次，在法国文学史上开始崭露头角并奠定了重要地位的是散文。由于 16 世纪法国社会矛盾极为尖锐，不同思想的碰撞与交锋甚是激烈，而对表述观点、阐发思想最为方便直接的要数散文，因此，这种文学形式在 16 世纪空前发达，从事散文写作者比比皆是，蒙田则是庞大基座上的一个尖顶，这就构成了一个强大的源头，使散文创作在以后诸世纪传承不衰，名家辈出，成为法国文学的一大优势。

16 世纪文学中，诗歌类别与戏剧类别的创作成就虽然远比不上小说与散文，但诗歌领域中民族语言地位的确立与诗歌理论的初建，戏剧领域里出现了悲剧与喜剧的区别，都要算文学发展进程中向前迈进的步伐，对于一个民族的早期文学来说，其重要性是不言而喻的。

第二章　拉伯雷以及短篇小说中的两种倾向

第一节　拉伯雷的生平

拉伯雷生于卢瓦河流域的小城希隆，生年有三说：一为 1483 年，一为 1493 年，一为 1494 年。从其青少年时代的经历来看，1493 年可能性较大。

他祖上是富裕的农民，其父发迹之后成为了希隆城一个有名望、有地位的律师，并在城外的瑟伊乡拥有一个田庄。鉴于《巨人传》有若干自传性的成分，从其中对卡冈都亚幼时生活的描绘，可以看出拉伯雷是在乡下的田庄度过了少年时光的，无拘无束的乡野生活无疑有助于养成自由自在、开朗活泼、粗犷奔放的个性与特点。

他从小就有受完备教育的条件，很早开始学习当时作为文化与学术的语言拉丁文，但在本笃会修士与方济各会修士主持的学堂里被迫学习的经院教育课程却给他留下了痛苦回忆，蹩脚老师强行灌输的烦琐哲学、形式主义演绎论都使得他不胜其烦，其逆反心理后来在《巨人传》中对主人公早年教育的描写中有充分的反映。1520 年左右他进了方济各会教派的修道院当修士，此举可能是为了摆脱自己的家庭，也可能是为了便于进修学问与将来外出闯世界。在修道院期间他钻研希腊文化典籍与当时著名的人文主义学者纪约姆·比代进行学术通信，与著名法学家第拉科交往，由于对古代异教文化的醉心向往与对宗教神学的逆反倾向，他在本修道院里颇受虐待与迫害，不得不一再辗转入其他由比较重视学术研究的教派所管辖、而其主持人又比较开明的修道院，这些经历更磨练他反宗教神学的意志，更培养了他的人文主义精神。

从他日后在长篇小说中借用了大量附近乡村的名字、运用了大量本区的方言俚语来看，拉伯雷在修道院期间曾多次陪同主持者巡视过所在的教区，约在1524年至1527年之间，拉伯雷写作并发表了他的处女作，这首百来行的长诗是用普通的法语写成的，这在通行以拉丁文进行写作的当时，对于一个高级的人文主义学者来说，是一件很不寻常的事，颇具开创意义。大约也是在这个时期，拉伯雷还到著名的普瓦捷大学钻研考察法律与司法，他听了有关的法律课程，掌握并熟悉了种种法律条款与清规戒律，观察过司法人员形形色色的执法现象，充分认识了法律只不过是统治机器的部件，与人情正义格格不入，贫穷人是无缘得到司法公正的，他积蓄下来的对司法黑幕的愤怒，日后显然都表现在他的长篇小说里。

此后，拉伯雷离开修道院，作为在俗修士云游四方，似有求知求索之志，他途经波尔多、图卢兹、布尔热、奥尔良、巴黎等地，足迹遍布半个法国，此行使他广识社会黑暗、世间不平、民生疾苦、人性窒息，无疑给他提供了日后创作《巨人传》的丰富素材，有助于他形成现实批判的自觉意识与深刻力度。

1530年，他结束游历，来到蒙彼利埃，这时，三十六七岁的他，已经是一个人文主义学者、法学家，却在蒙彼利埃医学院注册入学。6个星期后，他获得了毕业文凭，看来，他在医学方面早已具备一定的基础与相当丰富的知识。在医学院里，他扎实研习过人体解剖学，这对于培养他的唯物精神与科学习惯大有帮助，从日后《巨人传》中可以看出，他那种神聊漫扯的风格中确实透出了严谨科学的真髓，而且，对当时种种反科学的偏见、迷信以及巫术进行了辛辣的讽刺。

　　从医学院毕业后不久，他定居在里昂行医，这个当时已规模甚大的城市不论在经济上还是思想意识上都极为活跃，充满了大众化的气氛与科学精神，正是拉伯雷感到惬意的所在，在这里，行医生涯显然又扩大与加深了他对世道人情的了解。他继续自己的精神求索的行程，仍然接受人文主义大思想家伊拉斯谟的影响，很可能就是在这个时期，他开始写自己的长篇小说。1532 年秋，他在里昂出版了《庞大固埃传奇》，即为他巨著《巨人传》的第二部，其大胆的精神，敏锐的思想，泼辣的讽刺颇有振聋发聩的效应，小说很快被抢购一空。一年后，他出版了与上一部相关的《卡冈都亚》，因其中的主人公是庞大固埃之父，故后来反倒成为《巨人传》的第一部。这一部同样引起社会轰动，据说，两个月的销售量超过了《圣经》在 9 年之中的销售总和。这样两部大有叛逆精神的书当然引起了教会当局与贵族势力的敌视：1533 年 10 月 23 日，宗教神学意识形态的中心巴黎大学的索邦神学院宣布此小说为禁书，所幸拉伯雷有预见性，出版小说均未署真名，而是把自己的名字的字母拆散后另行组合为一假名"那西埃"（Alcofribas Nasier），加之他是红衣主教杜贝莱的私人医生，因而躲过了追究与迫害。

　　1534 年，他离开里昂，随红衣主教杜贝莱去到罗马，暂住意大利的几个月里，他钻研了古代文化的典籍与古代建筑术，回国后又继续行医，并再次到蒙彼利埃大学进修医学，获得了硕士与博士头衔。1535 年，法王弗兰西斯一世倒向天主教，对新教采取镇压的方针，政治气氛紧张，拉伯雷有一段时间为避风头而隐退到自己的故乡，不久，他继续得到红衣主教杜贝莱的保护，并又跟随他到了罗马，利用居留在罗马的时间，他调整修补了自己与教会的关系，正式获得了义务行医的特许，在与政府当局的关系有所缓解后，拉伯雷回到了里昂，后又随杜贝莱主教来到巴黎，在他的帮助下，进入了本笃会的圣莫尔修道院。他又继续行医，其医术上的声誉足以与他作为人文主义学者、作家的名声媲美，他的生活也还算安定，不是居留在蒙彼利埃就是在里昂，还曾得到过宫廷的差遣，正是在这段相对安定的时期，他又继续写他的《巨人传》。

《巨人传》第三部于 1546 年出版，在卷首，有作者写给国王的妹妹玛格丽特·纳瓦拉王后的献词，与王权的关系有了调整，拉伯雷在这一部也就署上了自己的真名。1550 年他又获得了国王恩准该书公开出版的"御诏"，不过，"御诏"所准许的只是《巨人传》的删节本而已。1548 年，《巨人传》第四部出版，不久，由于其内容而被禁，但拉伯雷又做了大量增补后于 1552 年重新出版，很快即被巴黎议会宣布为禁书；出版商、拉伯雷的好友埃季艾姆被烧死并陈尸示众，拉伯雷只得逃往国外，直到法王亨利二世得子，拉伯雷趁机以献词祝贺的方式，得到了王室准许他回法国的"恩准"。

拉伯雷晚年为生活所迫，又回教会担任教职，做两个小教堂的本堂神甫。他逝世于 1553 年 4 月 9 日。他去世后，《巨人传》第五部于 1562 年出版了删节本。1564 年，《巨人传》五卷全本得以问世。

第二节　拉伯雷《巨人传》的传奇内容

《巨人传》共分五部：第一部《庞大固埃的父亲、巨人卡冈都亚骇人听闻的传记》，第二部《渴人国国王庞大固埃传，还其本来面目并附惊人英勇事迹》，第三部《善良的庞大固埃英勇言行录之一》，第四部《善良的庞大固埃英勇言行录之二》，第五部《善良的庞大固埃英勇言行录卷末》。第一、二部均用化名发表，从第三部起，一直署拉伯雷的真名。从写作与出版的时间顺序而言，第二部成书出版最早，第一部次之，后来才按故事内容的先后，重新排列。

第一部主要写的是巨人卡冈都亚的教育与德廉美修道院的建立。

卡冈都亚的家世的谱系，源远流长，一言难尽。其父大肚量，是一个乐天的、爱喝酒、酒到杯干、世无敌手的国王。卡冈都亚的母亲在一次狂欢酒宴中临产，因暴食豪饮而脱了肠，男孩被逼得从母亲的左耳钻了出来，一出世就高喊："喝呀！喝呀！"他每天要喝 17000 多头奶牛挤出来的奶，外加母乳 1400 多桶，其父惊叹其喉咙之大，他因此得"卡冈都亚"之名。他身躯极为硕壮，一件上装用了近 1500 米的缎子，一条裤子用了近 2000 米的毛呢，一顶帽子用了 500 多米白色丝绒。他性情开朗，乐天欢快，纯洁朴实，爱好自由。他小时候过得无拘无束，一天到晚在泥坑里打滚，脸上脏乎乎的，用袖子擤鼻涕，用筐子蹭肚皮，成天只想玩与吃，还跟神灵开玩笑，不遵守规矩，把早课与晚课的经文颠倒着念，总之，放任本性、背离文明规范，过的是一种自然的、野性的生活。

但是，到了受教育的年龄，卡冈都亚先碰见了一位诡辩学大博士，他竟用了 5 年零 3 个月的工夫教卡冈都亚读方块字，用了 18 年零 11 个月教卡冈都亚读《词义大全》之类的书，要求他读得滚瓜烂熟、倒背如流，而卡冈都亚要带的文具盒足有 7000 多公担之重，里面的墨水瓶容量为一吨。然后，又来了一个生痨病的大师，教的仍是一些咬文嚼字的烦琐学问。经这么一番荒诞的教育，一个生性聪慧的卡冈都亚，反倒成为了一个木讷痴呆的人。后来，他又到巴黎游学，所遇见的均为迂腐低能的学究、可憎可笑的"神学大师"以及半死不活的"文艺大师"，他在这里受的教育，使他更加浑浑噩噩，生活懒散，沉湎在酒、肉与无聊的游戏之中。最后，他总算碰见了良师巴诺克拉忒，他首先用清泻的办法，把卡冈都亚在旧教育积下来的种种恶习与毛病统统除掉，然后，启发他的才智，激励他的进取心，教他各种有用的科学文化，如：数学、几何、天文以及有益的生活知识，如：医药卫生、饮食起居等等，要求他锻炼身体，从事各种各样的体育运动，引导他欣赏文学与音乐，弹奏种种乐器，练习工艺技术，从冶金、铸炮到制药、雕刻，从事各种社会活动，参加人文聚会与友情交往，以陶冶性情、增补心智，于是，卡冈都亚日渐进步，成长为一个知识丰富、兴趣广泛、修养全面、百艺俱能、头脑健全、体魄强壮的有为青年。

大肚量国王所辖的葡萄农与邻国霹雳火国王手下的烧饼商贩因鸡毛蒜皮的事而打群架，引发了两国的战争，大肚量的国土惨遭践踏、掠夺、蹂躏，幸亏出了一个勇猛的隐修士约翰，率众抗敌，守护家园。大肚量国王把在巴黎游学的儿子卡冈都亚召回，由他主持抗敌，卡冈都亚得约翰修士的协助，在奇袭中大败霹雳火，取得了整个战争的胜利，卡冈都亚继位为王，为答谢约翰修士，给他建造了一所"德廉美修道院"，这个修道院是历史上从没有过的、新型的修道院，条件优越，安排合理，在这里可以过着理想的和谐幸福的生活。

《巨人传》第二部，由于写作与出版最早，难免要从卡冈都亚、庞大固埃父子久远的家族历史讲起，而且，讲得比后成书的第一部更为详细，据说，44 天也讲不完，其粗俗不雅，滑稽突梯，亦更有过之。且说卡冈都亚在他"480 再加 44 岁"的那一年，他的妻子生下了儿子庞大固埃，其临盆生产可谓巍巍壮观，从她肚子里出来的先是"60 个骡夫各赶一匹骡子"，接着是"9 只单峰骆驼，驮着火腿与熏牛舌"，再就是"7 只双峰骆驼，驮着鳗鱼"，后面还有 25 车韭菜、大蒜、葱，最后才是"全身是毛"，"像一只大熊"的婴孩，婴孩肥大无比，母亲因难产而"殉职"。那时正赶上大旱，有 3 年零 3 星期又 4 天没有下过雨，因此，博学的卡冈都亚根据希腊文与非洲毛里塔尼亚文加以组合，给儿子取为"庞大固埃"，意含"全世界万物皆在干渴"之意。巨人自有巨量，仅每顿他就需要喝 4600 头奶牛的奶，其他衣食住行可想而知。

少年庞大固埃有其父得法的教育，心智体能均得正常发展，他求知若渴，四方游历，所到之处，但见弊端丛生，社会现实尽不合理，无不与贵族显要、教会与司法机构有关。在游历中，他得遇一个名叫巴汝奇的年轻人，两人结成莫逆之交。庞大固埃继卡冈都亚之后，努力建立功业，深得巴汝奇之助，战胜了渴人国人与巨人，从乌托邦向渴人国大规模移民，整治国土、调理百姓、繁荣经济，极见成效，而巴汝奇则被任命为渴人国的总督。至此，庞大固埃的精神仍不满足，他又与巴汝奇共议，并联合约翰修士，决定不惜跋涉万里前去寻找神瓶，因为据说神瓶中装有世上最最宝贵的东西：智慧源泉。

第三部从故事内容而言，可谓横生枝节之作，它没有紧接着第二部写取神瓶之旅，而是写巴汝奇为了要结婚去听取各种人士的意见，他遍访了女巫、诗人、神学家、哲学家、医生以及癫疯者，众说纷纭，莫衷一是，最后无果而终。

第四部是写庞大固埃、约翰修士、巴汝奇一行寻找神瓶的漫长旅程，他们万里跋涉，历经了种种艰辛困苦与惊险磨难，但也见识了广阔的世界，增添了一些乐事趣闻，也干出一些不平常的业绩。他们在美当乌提岛购得大量珍奇物品；在海上捉弄与惩治了无礼的羊商；在无鼻岛考察了当地奇特的家庭婚姻习俗；在诉讼国看到了一些为了钱什么事都愿意干的执达吏；在混沌岛与空虚岛，听到人之脆弱、死于种种鸡毛蒜皮小事的情形；在海上遇暴风雨承受了生死的考验；来到长寿岛与老寿星就人的英雄生活与死亡进行对话；在鬼祟岛上，对统治者封斋教主加以嘲弄；在荒岛附近与巨鲸进行奋战；在香肠岛上，与"喜欢搞阴谋"的香肠人做了较量与斗争；在"反教皇岛"上，他们见到了在"教皇派"的统治下，种种惨无人道的情况。

在第五部中，庞大固埃一行来到骗人岛，将那些充当法官、以贿赂为生的"穿皮袍的猫"全部消灭；在钟鸣岛，他们见到了这里鸟类形形色色的毛病与丑态竟与人间的教会如出一辙；来到皮桶岛，看到了饕餮者可怕的恶果与下场；在"第五元素"岛，他们开了眼界，见到了种种不可思议的奇事；在木屐岛，他们目睹了"半音修士"荒淫无耻、纵欲无度；过了丝绸国与灯笼国之后，最后，他们终于来到了神瓶所在的地方。存放神瓶的殿堂气象万千，殿内有奇异之水，通过若干程序与仪式，他们接近了神瓶，获得了神瓶所藏的谕示，原来那只是一个简单的字："喝！"他们一行三人喝了三瓶神水，登上船只，将取道气候温和适宜、物产丰饶多产、风光赏心悦目的路线，扬帆而归。

第三节 《巨人传》中的寓意哲理

从内容性质来说，《巨人传》基本上是一部寓意小说，它全部的寓意虽然极为丰富，但几乎全都围绕着"人"这个中心，而其关注的焦点则不外这样几个方面：人的本性、人的教育、人的社会现实处境与人应到哪里去找出路。毫无疑问，这几个方面主要都是针对现实社会中宗教神学观、宗教经院哲学以及教会神权对人的压抑、专制、压迫与蹂躏。

不论对上一代的卡冈都亚，还是下一代的庞大固埃，作者都是从他们的诞生写起，并且同样夸张突出地描写他们诞生时的生理性与自然性。一个伴随着母亲因暴食而发生的脱肠才生出来，一个是与大车大车的食物同时从母体而出，无一不带有热乎乎的血气与臭烘烘的粪便气，完全是一个医生眼里的临盆生产，与宗教神话中充满神秘灵光的人降临世间的故事形成尖锐、强烈的反讽，而这两个婴孩一出生又都贪吃贪喝，食量惊人，他们之"巨"之"奇"，最先就是表现在这种非凡的饥渴上、神奇的体能上，小说前两部如出一辙的重点描写，充分地表明了拉伯雷首先急于向读者传达一种对于人的基本认识，即人的自然本性、生理本性的观念。在这里，主人公之所以生机勃勃，正在于他们来自母体的强旺生命力与原始的自然性，人是作为物质的、自然之子来到世界上的，除了生命的本能，并无其他任何背负，不是出于神意的安排、背负着逆神的原罪而来的。拉伯雷以极其夸张粗犷的描写表述了如此坦露唯物的人学观、树立起人的唯物自然形象，显然是尖锐地针对了宗教不承认人的自然本性、加罪人的自然本性的神学观。仅此一点，即显示了拉伯雷基本立场与神权教权的对立性。

人的自然本性如何才能正常地健全发育、优化提升，而不是愚化蜕变、扭曲变形？拉伯雷认为重要的是教育方式、精神规范、人文环境，他力求在这个方面对自己的时代社会陈述自己的新思维并进行人文精神的启蒙，这是他在《巨人传》中用了很大篇幅描写两个巨人受教育过程与成长经历的原因。

在树立自己新教育思想的时候，拉伯雷面对的是强大的旧教育体系在全社会的统治，这是中世纪以来宗教神权意识形态统治的一个重要的组成部分，除了宗教经文对人的思想禁锢外，烦琐的经院哲学、玩弄词汇的形式主义、流于荒诞的诡辩术，都对人进行精神毒害，把人引向愚昧、木讷、谬误。拉伯雷无情地嘲弄了宗教经院教育的这些愚民的方式，用夸张的描写突出了这种教育体制的荒唐可笑，如学生要用将近20年的时间去把一部无实用价值的词书背得滚瓜烂熟，每天早晨要念一厚本重"11公担零6斤"的经文，在这种束缚与毒化下，一个充满生命活力，强健硕壮的卡冈都亚，竟然成了一个呆头呆脑的低能小傻瓜。拉伯雷在针砭了反面教育体系的荒唐与弊害后，紧接着就安排了一位高明的老师来挽救卡冈都亚这个惨遭糟蹋的巨人胚子，对他实施一整套新的教育方式，实际上是拉伯雷通过这个人物提出了他自己一系列的教育主张与教育方法：尊重个性、谆谆善导、开发智力、丰富知识、崇尚科学、欣赏艺文、广泛交往、从事工艺以及合理安排饮食起居、全面锻炼体能等等。这样才培养出卡冈都亚这样一个健康正常、能文能武、全面发展、建功立业的人才。拉伯雷的这一套主张与方法显然散发着浓烈的人文主义气息，构成了一个相当完整的新教育体系，其科学合理的程度达到了近代教育思想的水平，在法国，要算是卢梭的教育名著《爱弥儿》的先声。

拉伯雷在《巨人传》中，不仅提出了他理想的教育方式，而且设计勾画出了他理想的生活图景，那就是德廉美修道院。它与中世纪教会修道院的阴暗、局促、压抑的环境完全相反，是一片开阔、明亮、文明、优美的天地。这里"没有围墙"，没有"森严的门禁"，本身就是一座大厦，比起16世纪兴建起来的文艺复兴式的宫堡建筑，更要"华丽百倍"：有豪华的画廊、精美的雕塑与巨大的图书馆，其中藏有从希腊文、拉丁文、希伯来文，直到法文、西班牙文等等各种语言的图书与典籍；厅堂、房间、起居室无不宽敞明亮、布置优雅、设备齐全；修道院周围的环境则有如仙境：傍山依水，郁郁葱葱，美丽的花园，茂盛的草地，从事各种运动的操场、游泳池、跑马地、打靶场、养马房、养鹰室以及文艺舞台，无不应有尽有，真可谓人间天堂；生活在这里的人都享有高度的物质文明：穿着服饰均为上好质地、颜色五彩缤纷、款式百花齐放，妇女的首饰，男士的佩戴，均为名贵宝石制成，琳琅满目，足以令人眼花缭乱。显而易见，这是一幅华丽的物质享受的图景，虽然充满了想象与幻想的成分，却完全出自文艺复兴时期的人生享乐理念，对宗教教会的苦行苦修来说是一种明显的逆反背离。

对于宗教戒律与教会法纪而言，更带有挑战性与对抗性的是，德廉美修道院的生活信条与生活方式。这是一个精神充分解放、个性完全自由的"修道院"，其生活准则与箴言就是："做你愿意做的事，人人均可自行其是。"在这里，生活起居不是根据章程与法规，人们不受任何"卑劣的约束与压迫"，有冲破"桎梏的奴役"的自由；在这里，男女同院，规定"有男人的地方，必须有女人，有女人的地方，必须有男人"，男女之间，可以发展感情与友谊，还可以"光明正大地结婚"；在这里，"所有的工作都按照能力与需要来分配"，人们可以根据自己的意图，来去修道院悉由自便，还"可有自己的生活方式"，甚至"可以自由地发财"。如果拉伯雷只是把这种精神解放、个性自由的生活放在卡冈都亚巨人国的框架里，那它只是一般的乌托邦理想，但他却是把这种生活填进了"修道院"的名下，这不仅具有莫大的讽刺与嘲弄的意味，而且对于当时宗教神学、教会神权酷烈严厉的精神统治带有颠覆性。这些描写从根本上冲击了、否定了宗教教会的基本理论、基本生活准则与道德准则，作者怀着对新理想、新生活的热烈向往，表示了一种对旧意识形态、旧宗教法规不屑一顾的傲气，其立场已经大大超越了那个时代从路德到加尔文等等一些宗教改革思想家的立场。

拉伯雷在畅想自己的理想的"修道院"时，同时特别关注了一个重要的问题，那就是，在他所构设的随心所欲、为所欲为、个性绝对自由的环境里，如果忽视人的道德素质，那将是一个主观恣意、大胆妄为、过失丛生、罪行泛滥的场所。因此，他的德廉美修道院一成立就严格规定了入内者的人品与德行，禁止"假冒为善的人"、"伪君子"、"老滑头"、"假正经"、"貌似规矩者"、"贪得无厌的讼棍"、"吃人的人"、"腐化的审判官"、"敛财的歹徒"等等这些人类渣滓入内，显示出他社会理想的道德标准。显而易见，拉伯雷对德廉美修道院的构设愈是细致入微，就愈显示出它十足的空想性，不过《巨人传》中由新教育方式培养出来的卡冈都亚及其伙伴来实施新"修道院"的创建，倒符合由教育启蒙而至社会改造的发展进程，具有一定的现实意义。

在《巨人传》中，闪出诗意的理想光辉的，除了德廉美修道院的图景外，还有庞大固埃一行万里求索、寻觅神瓶的构思。经历了千辛万苦，他们最后找到的神瓶中所装的真理箴言，不过是一个"喝"字，在最后的这一卷里，拉伯雷花了好几章的篇幅烘托、铺垫、阐释神瓶的谕示，答案却是如此简单，然而这一个字的简单答案，却具有丰富的哲理，就像任何简单的真理带有极大的浓缩性一样。特别是因为这一谕示与《巨人传》的前两部有着清晰的对称关系，是对前两部重要描写的鲜明回应。一是与庞大固埃出生时环境描写的回应，这个巨人出生时，正赶上整个地区大旱，"有 36 个月又 3 个星期零 4 天，再加上 13 个多钟头要多一点，没有下过雨，太阳热得像蒸笼"，"草都干了，河也枯了，水泉也枯竭了，不幸的鱼儿无水可游，干得在地上乱蹦乱跳，天空里因为没有水，鸟都自己摔下来，各种禽兽都张口伸舌地死在田地里。至于人呢，那就更可怜了……整个大地跟抛了锚似的静止不动，看到人类为应付可怕的干渴所做的事，那真是惨极了"，而"庞大固埃"这个名字，其意"是说他出生时全世界都在干渴"，而且《巨人传》第二卷的标题就把庞大固埃称为"渴人国国王"，无疑这一连串的描写都带有明显的影射性，指的就是经历了中世纪宗教教会漫长统治，并仍在承受这种统治的整个地区、整个国家"干涸"的现实与全体人群干渴的状态，由此，渴人国国王率人寻求神瓶神谕，就成为探求出路的壮举，而神瓶中的真理"喝吧"，就成为指示出路的一种良方，那就是畅饮新知识、畅饮新思想。在这里，拉伯雷达到了社会启蒙思想家的高度。

另一个与神瓶谕示相对应的则是卡冈都亚出生时的情景：这个巨人一出生就大喊："喝呀！喝呀！"喊声巨大惊人，"为了平息孩子的喊叫，人们给他喝了许多酒"，然后又是大量的牛奶。这一描写渗透着希腊文化中的酒神精神，是对人的生命本能，对人的生命需要与精神需要，对人物质享受本能的一种象征表述，客观地道出了人性的实际。如果说卡冈都亚的喊声"喝呀"是表现了人性本质、人性需求的话，那么《巨人传》最后神瓶谕示的"喝"则是对人这种自然需求、生命力需求的一种真理式的认定。于是，在这里，拉伯雷又显示出了自己人性解放论者、生命力发扬论者的立场，同样也带有针对宗教意识形态的社会启蒙的锋芒。

在思想内容上，《巨人传》除了哲理寓意外，另一重要的成分就是现实影射、社会针砭。

拉伯雷精通古希腊罗马文化，他当然熟知荷马的史诗《奥德赛》与维吉尔的史诗《埃涅阿斯记》，他的《巨人传》显然采取了这两部史诗相似的结构，把庞大固埃一行人的万里寻神瓶的长征过程，当作他进行现实影射与社会针砭的文本空间，这种灵活自由的方式使得他在《巨人传》中可以极其广泛地触及当时社会现实中的弊端。

在法国封建时代，教育一直被天主教会严密控制，神学教育、经院教育就是教会进行愚民精神统治的工具，其内容主要就是唯心主义、脱离实际、烦琐哲学、玩弄词语概念的形式主义与诡辩等，拉伯雷曾身受其苦、身遭其虐，他对此的揭批也就格外着力。他不仅在巨人的教育过程中，集中揭示了这种毒害教育的恶果，他还在其他很多地方揭示了这种教育荒诞可笑的特征，如诡辩哲学煞有介事研讨的问题是："山羊的毛是否是羊毛"；空洞的烦琐哲学的话题是："酒改变了身体的形状，因为它把一个不喝酒的人变成了一个喝酒的人"；至于脱离实际的唯心主义，竟可发展到如此荒诞的地步：在五元素王国中，女王可以不吃不喝，仅以"范畴"、"形式"、"抽象"、"概念"、"反映"为生，仅靠"抽象"与"数目"去解决一切难题，医治杂症百病。

天主教会是法国封建社会的支柱，权势极大，拉伯雷出自这样一个超强堡垒，最熟悉其中黑暗的内情与对社会世间的贻害。在他的笔下，教会人物大大小小、上上下下皆人品低劣、面目丑恶：有在侵略者的暴行面前退缩逃避，只念经祈祷的胆小鬼；有奢侈挥霍、腐化堕落的寄生虫；有迂腐不堪、节食戒斋、自戕人性的愚昧者；有像"可怕的猛禽"对异端者进行残酷迫害的教会打手杀手。在第五部中，拉伯雷用了足足六章的篇幅描写出钟鸣岛这幅漫画景象，来影射比喻教会这个特殊王国，他把宗教节日的万钟齐鸣形容为"大锅、小锅、盆子以及铙钹之类"的敲敲打打声；他嘲讽了这个王国里的种种习俗与法纪：男人要"不知疲劳"地唱颂歌颂诗，守斋日要执行"神仙制度"，"一连四天不吃东西"，饿得苦不堪言，谁要有不同意见"就是异端"，而"对付异端，就只有火刑"；他还展示出岛上的鸟完全像教会中各种教士教职一样，等级繁多、界限森严，在同类中最为霸道的那一种鸟"光会吃，光会破坏"，而繁殖力最强的鸟则是外覆柔毛、内藏利爪，"歪着脖子做出虔诚模样"的"伪善者"，这一"品种"每死一个，社会又"生出二十四个"，钟鸣岛鸟国中的"教皇哥"，就如同教会中的教皇一样是从一层层的教阶选举出来的，仅有一个，为了争当"教皇哥"，则"你抢我夺，你剥我的皮，我撕你的肉"，其他不同的品种、品性各有不同，有的"从来不唱，吃起来却吃双份"，有的"谁要是往坏处想，就立刻罚他吃粪"，有的"吃得像山老鼠一样肥壮"，所有这些无不与当时教会中的各种派别的特点完全吻合。

在《巨人传》中，拉伯雷影射、讽刺、抨击的另一个重点是封建政治法律的机构与代表人物，其着力集中、淋漓尽致的程度虽比对教会的稍有逊色，但也相当尖刻锐利、击中要害。对于司法机构，他把法官描写成"穿皮袍的猫"，身上挂着大口袋，专门用来收受贿赂，他们贪婪、愚蠢而又自以为是，滥用特权，玩忽职守，靠掷骰子来定案，草菅人命；而法律制度则像蜘蛛网，专门捕杀弱小的"苍蝇"与"蝴蝶"，残害善良，放纵强梁逍遥法外。对此，书中一个人物这样愤怒地指责道："把弊病叫作道德，把邪恶叫作善良，把叛逆名为忠贞，把偷窃称为慷慨"，总之，黑白颠倒，暗无天日。

由于拉伯雷给小说主人公安排了漫长而丰富的故事经历，他在《巨人传》里也就有了更多的机会触及极为广阔的社会现实层面与形形色色的各阶层人物，加之他带有非常自觉的讽喻意识，《巨人传》中的社会现实内容的含量也就格外高，影射讽喻几乎俯拾皆是：如通过妄想建立"世界帝国"而热衷进行侵略的国王毕可肖，影射了穷兵黩武的法国君主查理五世与弗兰西斯一世；如通过巴汝奇这个人物，表现当时新兴资产者进取冒险、足智多谋、贪婪狡诈、不择手段的原始积累特性。其他如整个第三卷，虽属横生的枝节，且调侃议论居多，但却全面而具体地反映了法国 16 世纪各种人物的婚姻状况，其中有关婚姻生理学的哲理至今仍不失现实的科学意义。

第四节 《巨人传》的艺术特色

《巨人传》是法国文学史上第一部长篇小说，它不仅在真正意义上开辟了法国长篇小说的创作道路，而且以恢弘的气势与划时代的艺术力量提供了第一个辉煌的范例，它熔法国本土的民间传说、希腊罗马文学的影响、人文学者广博精微的学问、生动丰富的民俗知识、中世纪文学中讽刺幽默的传统、语言学者庞大的词语量以及无拘无束的奇妙想象等种种成分于一炉，形成了一种独特的百川交汇、奔放不羁、雄浑有力的艺术景观。

在人物形象上，不论是卡冈都亚还是庞大固埃，都是法国民间传说与宗教神秘剧中早已有之的人物：卡冈都亚是一个农民英雄，庞大固埃则是一个代表了水这个元素的魔鬼，前者仅具有原始的力量，后者则完全笼罩着神秘主义的气氛。但拉伯雷却借用民间传说与宗教剧中的躯体，对之加以改造，填进了自己崭新的内容，他在巨人主人公出生与成长的过程中注入了人本理念与人性解放的理想，他又在主人公的所作所为的故事中，安排了奥德修斯式、埃涅阿斯式的"路漫漫其修远兮"，把法国民间传说成分与希腊、罗马史诗成分，巧妙地糅合起来，使主人公成为了寻求真理、建功立业、实现新的人文理想的形象。总之，原来法国本土原始的、迷信的人物模型到拉伯雷这里，不论在精神境界上与事业作为上都大大升华了、诗化了，他们都成为了具有崭新的人文观念、广博的学识、卓越的活动能力、非凡的坚毅执着的新时代理想人类的形象，在某种意义上就是欧洲文艺复兴时期那些知识巨人、能力巨人的写照，具有文艺复兴时代的典型性，即使他们是以粗线条勾画而成，但实在没有理由评定他们写得"不完整"，因为拉伯雷毕竟是在写意。

《巨人传》基调是讽刺，这是作品的寓意性与讽喻性所决定的特定语势，在这方面，拉伯雷充分展示了他大师级的才能，在这里，有泼辣的热讽，也有刻损的冷嘲，还有不动声色的影射暗指，特别因为拉伯雷具有广博精深的哲学、宗教、历史、民俗的知识，掌握了多种外国语以及本土俚语方言，他的联想与比喻也就格外丰富，由此而来的暗讽隐喻、旁敲侧击、影射针砭的空间与途程也就格外广阔、令人意想不到、妙趣横生。如他这样讽刺修道院里教会人物的贪淫："她就是丑得像地狱女人，也有人要，附近不是就有修道的么？一个好工匠不管什么机器都开得动，这些妇女要不一个个都肚子大起来，叫我长大疮！修道院钟楼的影子也会叫人生孩子"（第一部第四十五章）。其他，如用"神学院院子的门口"暗喻约翰修士的"肛门"（第四部第五十二章），把美色少女送上的"特别酒"戏指教皇所颁布的神圣的"特别赦令"（第四部第五十一章），用钟鸣岛上的鸟因"常和海水接触"而在脸上留下的麻子一事暗示教士在地中海战役中的道德败坏、无恶不作（第五部第五章）。所有这些借语言、语义的关联而做的冷讽，表面上温文尔雅，实际上辛辣之至。

　　《巨人传》的风格是豪放、恢弘、气象万千。首先，这种风格来自丰富的、自由不羁的想象，这种想象虽如天马行空，但作者对之又收放自如，而作为派生物附丽于这种想象的，还有大胆的、无拘无束的联想，有些联想即使流于粗俗不雅，作者亦不割爱。其次，这种粗放不羁的风格也来自巨量的语汇投放，在这里语源是多方面的，包括各种外国的语言，也包括多种本土的方言，作者在利用这些语源时，是无拘无束、毫无节制的，不求雅求文而避开粗鄙的词语，也不求为一个语段的平衡而控制词汇的使用量，因此，其语段往往就像汹涌澎湃、势不可挡的泥石流。一般说来，到了 16 世纪，法国的言语已经脱离了 15 世纪那种自由度较大的状态，言语准则变得较为严格，俗语言语与正式官方语言的界限已相当分明，但《巨人传》完全不在此规范之内，它成为法国语言自由时代的一个"遗老"，气象万千的"遗老"。最后，《巨人传》豪气十足的风格也来自它万里求索的故事构思，这一构思无疑给它带来了史诗般的恢弘气势。

　　《巨人传》毕竟是法国的第一部长篇小说，在艺术经验上，它是从零开始的，因而它不可能具有以后时代高度发展的长篇小说的完备形态，如对环境景物的描绘，对人物形貌与心理的刻画等等，当然豪气恣意，也不可能不带来某些粗疏，这既是时代所带来的局限，也是作者创作个性的结果。

第五节　短篇小说中的两种倾向

　　16 世纪的故事小说在前一世纪的基础上继续发展，但仍处于幼稚的阶段，在这个领域里，同样也存在新兴资产阶级和贵族阶级的分野。一部分故事作者继承了人文主义的进步传统：能够在作品中嘲讽现实，或对风俗逸事进行一些剖析，有一定程度的社会意义。这类作家的代表是德佩里埃和玛格丽特·德·纳瓦拉；另一种纯粹是美化现实、反映贵族观念的作品，这类作家的代表是迪法伊。

博纳旺蒂尔·德佩里埃（Bonaventure Despériers，约1510~1544）出身贵族，是位人文主义者。与别人合译过《圣经》。他于1536年当过玛格丽特·德·纳瓦拉的秘书。他用假名出版的《世界琴声》（*Cymbalum mundi*，1537）是部宗教论战集子，由四篇对话组成，因讽刺宗教，一出版就被查禁。他受到宗教裁判所的迫害，于1544年被迫自杀。《新鲜消遣与开心闲谈》（*Nouvelles récréations et joyeux devis*）是短篇故事集，在他死后于1558年出版，是他的代表作。作者描述了宫廷中从国王到大臣的狡猾毒辣，以及他们的堕落行径。此外，无知而狡猾的法官、村学究气的律师、施行江湖骗术的医生、大吃大喝的教士，都是作者嘲笑的对象，如他这样讽刺僧侣："你们到处许愿，对所有的人都吹得天花乱坠；但你们聚在一起开教务会时，却像你们喝的清汤一样乏味。"

玛格丽特·德·纳瓦拉（Marguerite de Navarre，1492~1549）是国王弗兰西斯一世的姐姐。她以保护人文主义者和新教徒而著称，就是在宗教裁判所猖獗的年月里，她的立场仍不改变。她写过诗歌，也写过戏剧，都未脱出俗套。她的有价值的作品是《七日谈》（*Heptaméron*，1559），这是一本短篇小说集。《七日谈》从内容到形式都模仿薄伽丘的《十日谈》。作品是这样连接起来的：五对贵族男女因洪水泛滥被隔一处，互相约定每人每日讲一个故事。小说未写完，只有七十二篇。其中较有意义的是关于当时宫廷和贵族的生活内幕的描写，现举两篇为例。《罗兰蒂娜》写一个贵族少女的恋爱故事。她敢于面对其父以至王后的干涉，表示对自己的恋爱行为"绝不后悔"，流露了一定的反对封建婚姻束缚、争取恋爱自由的思想。但到小说结尾作者还是让她妥协了。《奇异的忏悔》写一个贵族为了惩罚偷情的妻子，把她的情人杀死，让她长年用她情人的头盖骨做的碗进食。作者似乎要揭露贵族的残忍本性，然而并不尽然，在小说末尾女主人公居然认为自己罪有应得。《七日谈》的这一部分多少反映了当时宫廷和贵族的糜烂生活，但作者的阶级地位每每使这种揭露半途而废，甚至是非不分。她词汇较贫乏，语言也较呆板，小说人物喜欢长篇道白，作品仅以情节取胜。她晚年成了神秘主义者。

可以看出，这两个作家的作品价值在于多少揭露了一点社会黑暗面，但因揭露比较肤浅，艺术上也较粗糙，影响不是很大。

诺埃尔·迪法伊（Noël du Fail，约 1520～1591）出身贵族。在巴黎求学时吃喝玩乐，无所不为。他念过几所大学。定居莱纳城后，参与司法工作。1571 年任最高法院顾问。他的作品有《乡野闲谈》（*Les Proposrustiques*，1547）和《厄特拉佩尔故事集》（*Contes d'Eutrapel*，1585）。《乡野闲谈》是他过浪荡生活时的作品，从这里也可以看出作品的倾向所在。迪法伊的作品以农村为背景，在他笔下，农村被大大美化了，竟然出现一幅幅充满诗情画意、其乐融融的乡村生活景象，却丝毫不见残酷的剥削和内战的蹂躏给农村留下的惨景。贵族老爷被写成高人一等的"贤者"，他们陶醉在恬淡优雅的生活之中，固守着传统的封建思想：妻子服从丈夫可以保证家庭和睦，婚姻应当门当户对等等。显而易见，迪法伊作品的倾向是极其保守的，这是贵族阶级意识的产物。

第三章　七星诗社以及诗歌和戏剧创作中的两种倾向

第一节　七星诗社的语言改革主张和诗歌理论

16 世纪的诗歌以七星诗社（Pléiade）的声望最高，而七星诗社的主要建树却是它在语言改革和诗歌理论上的贡献。

语言的统一和改革是时代提出的要求。16 世纪中叶，封建制度进一步确立，但是，由于封建割据的影响，方言土语五花八门，各地语言差异极大。另一方面，由于教会垄断了教育，法语得不到重视而日渐贫乏。这样，语言统一和改革的任务便提上了日程。在诗歌创作方面，"辞藻派"和"里昂派"一味雕琢堆砌的形式主义诗歌，已经日暮途穷，同发展民族文化的要求相去甚远。在这种形势下，一群与王室有密切关系的人文主义作家便发起了一场改革运动。

由杜倍雷执笔的《保卫和发扬法兰西语》（*Défense et illustration de la langue francaise*，1549）是七星诗社的宣言书（全书分上下两卷，每卷分十二章）。这是法国文学史上第一部文艺批评论著，它在文学发展史上也占有一定的地位。以后，龙萨又在他的诗集序言和《诗艺简论》（*Abrégé de L'Art Poétique*，1565）中对诗歌理论做了进一步的阐述。

七星诗社在语言改革和诗歌理论方面的进步主张，是在人文主义思潮激发下提出来的。

在语言方面，七星诗社提出要统一民族语言。为此，就必须"保卫"它。首先要改变法语的贫乏、粗陋的状况，从而提高它的地位。法语同别的语言一样，只有细心培植，才会丰富起来。这就是说，要"发扬"它，办法是向希腊和拉丁语借用词汇，将旧字改成新字，加进约定俗成的某些方言、术语，创造新词（如动词名词化、形容词名词化、形容词动词化等），以丰富法语。在七星诗社的推动下，对法语的研究和语言规范化的工作受到了重视，法语作为民族语言终于取得了它应有的地位。

在诗歌创作方面，七星诗社提出要建立与希腊罗马文学相媲美的民族文学，特别是创作大型史诗。在形式上，它认为"自然足以使作品不朽"（《保卫和发扬法兰西语》），反对矫揉造作的浮华文风；要求韵律和谐、响亮而多变化。这是针对"辞藻派"、"里昂派"的诗歌而发的，有一定的积极意义。七星诗社的贡献还在于大力提倡亚历山大诗体（即每行诗有十二个音节的一种诗歌形式）。龙萨说："亚历山大诗体的诗歌在我们的语言中的地位，好比英雄史诗在希腊和拉丁语中的地位一样"（《诗艺简论》）。另一个七星诗社诗人贝罗在评论龙萨的《爱情集》时，认为亚历山大诗体"最法国化，最能表达我们的热情"。这种诗体是在中世纪出现的，14、15 世纪时被埋没了。自七星诗社提倡以后，便成为法国诗歌的主要形式之一。

然而，七星诗社在语言和诗歌理论上的贵族偏见也是十分明显的。他们推崇古希腊罗马文学的诗体和意大利十四行诗，却把法国民间诗歌贬为"败坏语言"而加以排斥；它要求作家"出身高贵"，把文学创作看成贵族阶级所专有。就这方面而言，七星诗社的主张是保守落后的。

七星诗社诗歌理论的消极方面还在于主张一味模拟古人。它要人们"日夜翻阅希腊罗马著作"（《保卫和发扬法兰西语》），认为"好的诗人总是把他的作品的基础建立在某些古代的古老编年史上"（《〈法兰西亚德〉序》)。七星诗社诗人把文学创作的流当作文学创作的源。他们的不少作品与其说是创作，不如说是对古人作品的意译。由于生搬硬套古人的文学形式，结果往往不是半途而废，就是写得毫无特色。这种注重形式忽略内容的偏向同诗人们所依附的宫廷的精神空虚是一脉相通的。七星诗社诗人的作品除个别作品外，都是迎合宫廷的需要和喜好创作出来的。随着时间的推移，这些作品虽名噪一时，但都昙花一现，被人们遗忘了。也正因为这个缘故，七星诗社远没有完成它自己提出的创造光辉的民族文学的任务。

七星诗社在语言和诗歌理论上所表现的贵族偏见，是诗人们的贵族阶级立场所决定的，也是封建王室对文艺施加影响的消极结果。

第二节　龙萨与杜倍雷

七星诗社在世纪中叶形成，包括龙萨、杜倍雷、若岱尔、雷米·贝罗（Rémy Belleau，1528～1577）、让·安东尼·德·巴依夫（Jean Antoine de Baïf，1532～1589）、蓬蒂斯·德·蒂亚尔（Pontus de Thyaid，1521～1605）和让·多拉（Jean Dorat，1508～1588）。其中龙萨和杜倍雷是诗歌方面的两个代表，而他们在思想倾向上又有所不同。

1. 龙萨

皮埃尔·德·龙萨（Pierre de Ronsard，1524～1585）是七星诗社的领袖，又是当时文坛的坛主。他的诗歌在英、德、意和波兰等国颇有影响，具有欧洲声誉。然而，他的实际成就与这种声誉很不相称。

他出身于旧贵族家庭，从10岁起就在王宫中陪伴王子们。后来随从出使，去过英国、苏格兰、丹麦、德国和意大利。因耳聋而转向写诗。他研读古希腊罗马作品，对之十分崇拜。晚年他因效力宫廷，得到多处财产封赠。

龙萨是个典型的宫廷诗人。《颂歌集》（*Odes*，1550～1552）仿效古希腊诗人品达罗斯（公元前约 518～前 438），企图写成英雄史诗；《爱情集》（*Les Amours*，1552～1556）先仿意大利诗人彼特拉克，后仿古希腊诗人阿那克里翁（公元前 560～前 478）。《颂歌集》有名的第十七首代表了龙萨这个时期的思想。他在诗中说，"自然这个后娘"让玫瑰"只从早上活到晚上"，他让爱人珍惜青春，因为"像这朵花儿一样，老年会使你的美丽憔悴"。人生易逝，青春不再，及时行乐，是这首诗的主题。《爱情集》中运用了亚历山大诗体，引起人们的注意。他的诗歌内容是如此卿卿我我，形式又很新颖，给听腻了"辞藻派"、"里昂派"诗歌的上层阶级提供了新的精神消遣品。在十年之内，他的声名大振。他接二连三地发表诗集，尝试过各种诗体，成为一个十足的宫廷诗人。他不是为君主歌功颂德，就是抒写"爱情、酒、欢宴、跳舞……"，他在反对禁欲主义的同时也表达了人生短促、郁悒虚无的消极思想。龙萨站在宫廷一边，反对新教。宗教战争爆发后，他写了《关于时代灾难的时论诗》两首（*Discours des misères de cetemps*，1562），攻击新教徒"像病人一般"烧杀抢掠，而且"不服从国王，聚集军队"，"难道你们管这叫做改革教会吗？"他咬牙切齿地把新教徒比作"毒蛇"、"瘟疫"。他的保守思想在诗中暴露无遗。查理九世（1560～1574 年在位）授意他创作为自己树碑立传的史诗式作品《法兰西亚德》（*Franciade*），1572 年只写出了四个诗章，因写不下去而搁笔。原因在于史诗这种描写宏伟壮丽题材的形式同当时战乱频繁的阴暗现实完全格格不入。这部作品的难产对龙萨一生的努力做了总结，对他的诗歌理论的保守倾向是一个有力的否定。

龙萨被称为法国第一个近代抒情诗人，他的诗很讲究技巧，然而思想内容忧郁低沉，渗透着贵族阶级的情趣爱好。如最有名的《致爱伦娜十四行诗》（*Sonnets pour Helénè*，1574）第四十三首："当你到了垂暮之年，夜晚，你在烛光之下，坐在炉火旁，边理线边纺纱……那时我已长眠地下，成了没有形骸的幽灵，休憩在姚金娘的阴影下；而你是一个蛰居家中的老妇人，怀念着我的爱情，悔恨自己的自大。要生活啊，信我的话，别等待明天，就在今天采摘生命的玫瑰吧。"这首诗虽以歌咏爱情的形式出现，却以凄凉哀怨、愁肠郁结的情调表达了贵族阶级的人生观。此类抒情诗特别符合有闲阶级的口味，故而深受他们欢迎。雨果曾反其意而写道："我现在可以对飞逝的年华说：流逝吧，一直流逝……在我心灵里有一朵采摘不去的花儿。"（《爱伦娜致龙萨》）可见雨果对龙萨虚无的人生观也是有所批判的。

2. 杜倍雷

若阿基姆·杜倍雷（Joachim Du Bellay，1522～1560）地位在龙萨之下，但他的实际成就却比龙萨要大。他出身贵族，自幼父母双亡，"受尽凌辱"，青年时期"在黑暗的年月里度过"。他学过法律。1547 年结识龙萨后，开始他的文学生涯。1553 年至 1557 年他作为随从，跟着他的亲戚红衣主教到罗马，回国后发表了他的主要作品。他于 1560 年病死。

杜倍雷的诗歌创作有一个转变过程。早期的《橄榄集》（*Olive*，1550）受七星诗社理论的影响、完全模仿彼特拉克。1553 年到罗马，是他创作上的一个转捩点。离开七星诗社的小圈子，这对他摆脱龙萨的影响、转而面向现实生活具有重要作用。首先，视野的扩大使思路产生了变化。《罗马怀古集》（*Les Antiquités de Rome*，1558）和《村戏集》（*Jeux Rustiques*，1558）标志着这种转变的过渡。在《罗马怀古集》中，他感世伤时，凭古吊今，从罗马的强盛说到现今的衰落，表达了社会和环境给他的窒息感。诗中写到自己的经历，记录了他不得已在主教府当总管的情形：钱粮事务，琐碎纷繁，"嘈杂吵嚷，使我头胀脑裂。"《村戏集》则表达了他对现实生活的厌恶，对乡村生活的向往。其中《扬麦农民的愿望》写农夫对轻风的絮语：

> 用你温柔的呼吸，
>
> 吹拂着这片平原，
>
> 使这儿凉风习习，
>
> 而我扬着麦子，
>
> 冒着这炎炎烈日。

节奏跳荡热烈，描写了劳动的情景。从这两部诗集都可以看到作者开始摆脱仿古的努力。

稍后写成但同在回国后发表的《憾然集》（*Les Regrets*，1558），是杜倍雷最重要的作品。错综复杂的时代矛盾，罗马教廷的腐败堕落，使他对早先梦寐以求的罗马产生了厌恶，理想破灭了，失望、苦闷和悔恨使他怀念祖国和故乡。他呼唤着祖国，但没有回答，"在平原上，我徘徊在恶狼之间，我感到好像冬天来临一样，恐惧使我不寒而栗"。他怀念故居，厌弃罗马宫殿；他更爱精细的石板，而不爱这些坚硬的大理石……思想的解放使形式也突破了模拟的框框，他明白晓畅地写道：

> 我热爱自由，事务却多得使我厌倦，
>
> 我不爱官廷，却不得不去供职，
>
> 我不爱装假，却不得不矫揉造作，
>
> 我喜欢朴实，却学会了狡黠，
>
> 我不爱财产，却为杏菁奔波……

诗人用对比的手法，抒发自己的不平遭遇。面对恶浊溷沌的现实，他情不自禁地抒发胸中的愤懑："我写不出温柔，因为只感到冷酷；我写不出欢乐，因为只感到痛苦；我写不出幸福，因为我感到不幸……我写不出正直，因为这儿没有；我写不出友谊，因为只感到伪善；我写不出美德，因为这里也没有；我写不出博学，在这些僧侣之中。"罗马的日常生活和各种人物纷纷走进诗里来。诗集中对教廷佞臣的讽刺辛辣犀利。诗人善于捕捉形象，能抓住特点，击中要害。如他写到教皇病危时，主教们觊觎他的宝座，希望他痰中带血，病入膏肓。他们急着凑过去看，"然后微微一笑，装作平静"。第八十六首写道：

> 步履庄重，忧思忡忡，
> 对每个人都露出微笑，
> 字斟句酌，点头摆脑，
> 或说声"是"，或说声"否"；
> ……

这是阿谀逢迎、耍弄权术的佞臣的写照。总之，《憾然集》从儿女情长、个人幽怨的狭小圈子中解脱出来，而具有一定的批判现实的内容。

诗人回国后所写的讽刺诗《宫廷诗人》(*Poère Courtisan*，1559)保持着同样的特色。此外，《时论诗》四首(*Discours*，1556~1559)大胆揭示了人民所受的痛苦，提出改革捐税、改革僧侣制度等要求，为政治诗开辟了道路。

当然，杜倍雷的诗歌也毫不例外地打上了阶级的烙印。杜倍雷毕竟出身贵族，他的诗歌的根本缺陷是带着贵族阶级公子哥儿的消闲情调：或者是向往乡村恬淡的生活，或者是发思古之幽情，有一种惆怅之感。即使他最好的作品之一《扬麦农民的愿望》，一望而知作者对劳动并无亲身体会，而是一个旁观者的有感之作，因而诗中看不到农民劳动的艰辛和受压迫的情景。杜倍雷的不得意、不畅快，一部分也是由于家庭败落、自己不能过大贵族的悠闲生活而引起的。这些都阻碍了他更深入地观察现实，不能写出更有分量的作品来。

尽管如此，杜倍雷的诗作因具有某种批判的色彩而有别于其他七星诗社诗人的作品。龙萨等人是为宫廷写作的，杜倍雷却对现实有所不满。这种差异反映了诗歌领域中的两种思潮：一种是保守的，作品消极无力；另一种是有所批判的，因而较有生气。

第三节　不同阶级流派的其他诗人

16 世纪其他诗人可以分成两类：一是以"里昂派"（Ecole lyonnaise）为代表的贵族诗人集团，一是反映新兴资产阶级思想的诗人。

贵族阶级在诗歌领域一向有强大势力，继 15 世纪"辞藻派"之后又出现了"里昂派"。这一派在 16 世纪上半叶基本上统治了上层阶级的文化领域。莫里斯·塞夫（Maurice Scève，1501～约 1560）和路易丝·拉贝（Louise Labé，约 1526～1565）是他们的代表。他们的作品大多以爱情为主题，矫揉造作，刻意雕琢，浮华艳丽，充斥着贵族情调。这些封建文化糟粕已被历史淘汰了。

随着新兴资产阶级的逐渐壮大和人文主义思想的广泛传播，在诗歌领域里开始出现了一些不满现实、抨击天主教会的诗人。他们的作品抛弃了贵族诗歌软绵绵的情调，摆脱了贵族诗歌玩弄文字的陈套。

克莱芒·马罗（Clément Marot，1496～1544）是第一个受到资产阶级人文主义思潮影响而稍有成就的诗人。他出身平民，曾在宫廷中任职。因在斋戒节吃肉等罪名，曾三次入狱，并亡命国外。在这期间，他开始翻译《赞美诗》（*Psaumes*，1541～1543），为新教徒所咏唱。巴黎大学给他判罪，马罗逃往日内瓦。1544 年客死异国。

马罗诗作中最有价值的是一些讽刺诗。马罗与新教接近，他的思想受到进步人文主义思潮的影响，他的讽刺诗渗透着这种精神。他在狱中写成的《地狱》（*Enfer*，1526）把专门维护宗教的陈规陋习、反对异教徒的夏特莱法院比作地狱：

> 那儿，没有钱的穷人就没有理；
>
> 那儿，多少好人家家破人亡；
>
> 那儿，钱财无缘无故就荡涤一空；
>
> 那儿，审理案件贿赂成风。

又如《重罪法庭法官和桑布朗赛》（*Du lieutenant criminel et de Samblançay*，1527）一诗，指斥法官为"地狱判官"，说他才该上绞刑。他用诗简形式写成的《讽刺诗》四首（1532）嘲讽僧侣"饱食终日，无所事事"，伤风败俗，腐化堕落，并指出教皇是"大土地所有者"。短诗《修女》把矛头直指教会："我询问她，她叫苦不迭，悔恨万分：这些我都明白，可怜的人儿多想过另一种生涯，走出这修道院吧。在这密密的面网下露出惨白的颜色和一副受尽煎熬的面容，而丝毫没有爱情的润泽。于是我说，我吃过这个苦，在那儿要失去多少东西啊，走出修道院吧！"作者通过对一个修女的刻画，谴责了天主教会的修道生活。讽刺诗最能代表马罗的风格：简练明晰，精巧而有剪裁，具有民歌节奏。他的诗常插入寓言。

但马罗的思想具有两重性。他在宫廷任职前后，以宫廷诗人的面目出现。这时他所写的歌咏王室的婚姻喜庆或对国王歌功颂德的诗歌，品格低下。

16世纪下半叶，与马罗的创作倾向相同的诗人吉约姆·德·萨吕斯特·杜巴尔塔斯（Guillaume de Salluste Du Bartas，1544～1590）在龙萨全盛时期登上诗坛。他出身贵族，倾向于新教。他的诗歌经新教徒翻印，广泛流传于法、德两国。纳瓦拉国王看重他的名声，派他到英国、苏格兰、丹麦去执行任务。他的诗篇《创世周》（*La Semaine*，1578～1584）没有写完，讲的是《圣经》所说的上帝在一周内创造天地万物的故事，宗教色彩十分浓厚，在这种形式之下，他表达了人本主义：

人是他的欢乐，人是他圣洁的形象，
他爱他的作品，是因为他热爱人类。

泰奥多尔·阿格里帕·多比涅（Théodore Aglippa d'Aubigné，1552～1630）是个新教徒诗人。他出身贵族，从小就学会了希腊、拉丁和希伯来语。他父亲教育他要为死去的新教徒复仇，长大后他进入新教徒的军队，先当步兵，后当骑兵，再后领导侦察兵分队。他曾说服纳瓦拉国王站到新教徒一边。纳瓦拉国王改宗后，他因不满而离去，在法国西南部组织新教活动。1620 年他到达日内瓦，受到隆重接待。1577 年他受重伤时开始口述《惨景集》（*Les Tragiques*，1616）。这是一部揭露性很强的作品，全诗分为七卷，第一卷描绘宗教战争蹂躏了法国，瘟疫和饥馑遍布各地；第二卷刻画了反对新教徒的国王和贵族的丑恶形象；第三卷揭露了王室和法院的腐败；第四、五卷写教会用烈火、酷刑和战争迫害新教徒；第六、七卷写恶有恶报，上帝惩恶扬善。多比涅写道：

啊，被蹂躏的法兰西……啊，血腥的土地，
这不是土地，而是灰烬。

这几句诗集中表现了作者对宗教战争的谴责。诗中还充满了对当时政治事件的影射。多比涅是七星诗社以后最重要的诗人。

上述三个诗人，他们的讽刺诗和叙事诗的成就在于揭露了丑恶的现实。然而他们也有共同的弱点：即作品带有宗教的、宿命的色彩。他们往往以宗教传说或宗教题材作为背景或情节，这虽然是当时反对天主教会的一种有效形式，但在这同时，诗人们想要表达的思想和揭露的锋芒却往往淹没在宗教说教之中，使诗歌显得冗长拖沓。

第四节　戏剧发展中的不同阶级倾向

戏剧在 16 世纪获得发展。首先，出现了悲剧和喜剧。与此同时，戏剧理论也逐步建立起来，从而促进了悲剧和喜剧的进一步发展。在戏剧创作中，同样可以看到贵族阶级和新兴资产阶级两种不同的思想倾向：贵族倾向以若岱尔为代表，反映新兴资产阶级进步倾向的戏剧以加尼埃为代表。

16 世纪初，希腊悲剧和喜剧陆续被译成法文，多拉等人文主义者开设了评论希腊悲、喜剧的课程，这为悲、喜剧在法国的发展准备了条件。1548 年神秘剧因触犯教会而被禁演，使悲、喜剧获得了发展机会。多拉认为悲剧要写"大人物，巨大的恐惧，动乱的开场，平静的结尾"，这一主张对法国悲剧起了影响。悲、喜剧得到《七星诗社宣言》的赞许，《宣言》提出要建立民族戏剧，主张悲剧要写王公贵族，喜剧则写地位低下的人物，反对"在笑中移风易俗"。

艾蒂安·若岱尔（Etienne Jodelle，1532～1573）根据这种理论进行创作。他出身小贵族，曾同新教徒有联系，但后来又写十四行诗反对胡格诺教徒，甚至维护圣巴托罗缪的屠杀者。《被俘的克娄帕特拉》（*Cléopâtre captive*，1552）是一出五幕悲剧，取材于普鲁塔克（46？～120？）的《希腊罗马名人传》：恺撒的大军占领了亚历山大城，杀死了国王，国王的鬼魂命令王后克娄帕特拉与他会合，王后表示"不愿生为俘虏，但愿死为自由人"，终于自尽。剧本缺乏戏剧性的冲突，情节过于简单，人物性格模糊。这部悲剧在主题和形式方面具有古典主义戏剧的基本因素，一向被看做法国第一部悲剧。但是，这部悲剧受七星诗社保守的戏剧理论影响，贵族意识很浓，特别是剧中合唱队歌咏人生易逝，情调低沉。《欧仁》（*Eugène*，1552）虽被看做法国第一部喜剧，但纯粹描写教士的多角恋爱关系，对教士的糜烂生活不是批判而是欣赏，最后写成完满的结局，充分暴露了贵族阶级腐朽的人生观。若岱尔进一步转向保守以后，创作也就更加等而下之了。

随着悲、喜剧的出现，戏剧理论也得到进一步的探讨。让·德·拉塔伊（Jean de la Taille，约 1533～1611）在《论悲剧艺术》（*De l'Art de la tragédie*，1572）中明确提出"必须把故事或剧情在同一天、同一时间和同一地点再现出来"。这一观点已明确提出古典主义的"三一律"原则，只是由于当时的历史条件未成熟，加之拉塔伊也没有进一步阐发，所以没有产生特别重大的影响。

16 世纪 80 年代，罗贝尔·加尼埃（Robert Garnier，1544～1590）适应时代要求，把悲剧提高到一个新的水平。加尼埃出身平民，当过最高法院的律师和芒斯的法官。他的剧本题材虽取自古代故事，并能看到古罗马作家塞内加（约 4～65）的影响，但内容往往影射现实生活，反映新兴资产阶级的思想情趣。这标志着他的剧本代表了与若岱尔不同的另一种倾向，反映了进步势力不满于旧的保守势力占据舞台，而企图加以变革的尝试。《安提戈涅》（*Antigone*，1580）一剧是值得注意的。剧情取材于希腊故事，其实是针对宗教内战。第二幕母后经安提戈涅的劝说，指责她的两个儿子"使祖国的心脏失去和平宁静，使我们的人民和美丽的城市遭受内战的浩劫"，小儿子回答说："我怎能四处流离，一生都不能定居？难道我得像流浪者那样老是到处乞食，没有土地，无法为生？"母后的意思是让他在王国中有一席之地，就是说让新教徒有立足之地。对于这场兄弟阋墙的争斗，观众都会明白指的是现实。安提戈涅和母后的态度表达了人民要求结束内战的愿望。《布拉达芒特》（*Bradamante*，1582）也是他的重要剧本之一。剧情是查理大帝时代的故事，却接触到金钱婚姻的主题。查理大帝为了酬谢罗歇，赐他与情人布拉达芒特结婚。布拉达芒特的父亲埃蒙公爵却看中希腊皇太子莱翁，他认为："今天，爱情没有不是追逐财富的。妖媚、美丽、美德、门第，都不过是细枝末节，人们只爱金钱，只要有钱可图，这门婚姻就是圣洁的，可办的，出色的。"他说："这是一个该诅咒的世纪。"他妻子回答说："不过，正像大家所说，这是一个黄金的世纪。有了这奇异的金属，就有了一切，就能做一切；有财产的人就得到颂扬，就有了尊严、职务和地位；反过来，没有它别人就瞧不起我们。"公爵感叹他年轻时不是这样的，那时看重的是"好名声"、"豪爽"、"勇敢"，他哀叹"管不住今天的孩子们了"。公爵夫人则赞成新型的"自由婚姻"。最后，罗歇当了保加利亚国王，在查理大帝的干预下，布拉达芒特终于遂其心愿。这是一出悲喜剧，它标志着资产阶级的婚姻形式对封建婚姻制度的胜利。《犹太女人》（*Les Juives*，1583）描述犹太国王反叛天神，受到惩罚的故事，也同样是讽喻现实的。加尼埃把反映重大现实题材作为戏剧的任务，同时在形式上也有突破，他的尝试是对贵族戏剧的冲击。当然，他还不能完全摆脱这类戏剧的消极影响。他的剧本还未脱尽贵族沙龙气息；有的地方残留着矫揉造作的痕迹；特别是他对封建贵族的态度比较含混，采取调和的立场；他未能创造出具有鲜明倾向、鲜明个性的人物典型。

受他影响的安东尼·德·蒙克雷蒂安（Antoine de Montchrétien，1575～1621）也写过不少剧本，他经过商，参加过新教徒的起义。《苏格兰女人》（*L'Ecossaire*，1605）是他的代表作，描写宫廷勾心斗角的内幕，但其思想锋芒远不如加尼埃犀利突出。这两个剧作家的活动表现了新兴资产阶级力图占领戏剧阵地的努力。

皮埃尔·德·拉里韦（Pierre de Larivey，1540～1619？）是个

喜剧家。他曾当过僧侣，写过 9 个喜剧。他最著名的剧本《群鬼》（*Les esprits*，1579）在罗马喜剧家普劳图斯（公元前 254 ？～前 184）等人作品的基础上，进一步刻画了吝啬鬼的形象。剧本写到财主塞弗兰被儿子偷走一袋钱后叫嚷说："啊，我毁了，我完了，我破产了。抓小偷！捉贼呀！逮住他！把所有过路的人都抓起来……告诉我谁剥夺了我的灵魂、我的生命、我的心和我所有的希望！给我一根绳子让我上吊，因为与其这样活着，还不如死去的好。"作者运用心理独白把吝啬鬼的拜金主义和盘托出。这部喜剧对莫里哀的《吝啬鬼》有直接影响。拉里韦的其他剧本都得之于意大利喜剧，全是爱情产生纠葛，最后是大团圆结局的俗套。这类喜剧在 16 世纪末很流行，虽然十分无聊，却反映了新兴资产阶级影响的扩大。

综上所述，16 世纪戏剧还处在发展阶段。但是，两种倾向的斗争却已相当激烈。新兴资产阶级在 16 世纪末叶加强了它在戏剧领域的影响。这种倾向的戏剧显出了反映现实重大问题、直接为社会服务的功能，在实践上和理论上为古典主义戏剧开了先声。

第四章　蒙田以及散文领域中的不同倾向

第一节　蒙田的生平

米歇尔·德·蒙田（Michel Eyquem de Montaigne，1533～1592），1533 年 2 月 28 日生于贝利哥尔的蒙田城堡，这是他祖父靠做酒与咸鱼生意发家致富后购置的产业，他父亲参加过意大利战争，写过一部旅行日记，担任过波尔多市的市长，在其手里，他家的城堡得以修缮一新。

蒙田是多子女家庭的孩子，兄弟姐妹共有 7 人之多，其父追求时尚，按意大利方式让蒙田从两岁起就在一位不懂法语的德籍学者的管教下学习拉丁文，这在当时是很讲究的教育方式，蒙田学习母语法文，倒是后来的事，因为当时法文正在定型的过程中，弗兰西斯一世刚把它规定为官方语言。6 岁，蒙田进入以名师济济而著称的居耶纳学校就读，在这里系统学习了古希腊罗马的文化典籍。由于战祸波及波尔多，蒙田后又转学到图卢兹学习法律。

1554 年，21 岁的蒙田被任命为贝里格最高法院的推事，三年后又进入波尔多最高法院。在这里，他结识了作家艾蒂安·德·拉博埃西（Etienne de La Boétie，1530～1563），两人结成了莫逆之交。从 1559 年至 1562 年，蒙田的仕途甚为坦荡，他因处理居耶纳省宗教冲突的事务，被波尔多最高法院多次派往巴黎，还曾陪同弗兰西斯二世巡视该城，1562 年他在巴黎最高法院宣誓效忠天主教。

1565 年，蒙田与一个富家小姐结婚，她给他带来了一大笔嫁妆。1568 年，其父去世，蒙田又继承了父亲的称号与产业，其家底之雄厚是不言而喻的。1569 年他从拉丁文翻译并出版了 15 世纪的神学家与医学教授雷蒙·塞邦赞的《自然神学》一书，此书力图对宗教的教义与神秘加以理性的剖析，其影响直到 17 世纪末仍甚为可观，蒙田后来又在自己的《随笔集》第二卷第十二章对这位学者进行了论述。1570 年，他辞去在波尔多最高法院的职务去到巴黎出版他的好友拉博埃西的文集，其中包括拉丁文诗歌、法文诗歌以及翻译作品，这是他真正意义上的第一个文学活动。同年，他喜得一子，后来，他又陆续添了 5 个孩子，但除了幸存一个女儿外，其他尽都夭折。

1571 年，38 岁的蒙田决定从仕途退隐，他自称"长期以来厌倦了在法院的职守与一切公务负担"，要去过闲适、宁静、纯朴的乡绅生活，他隐居在自己的城堡里潜心研读古希腊罗马典籍，并撰写读书心得与笔记，这就是他写作《随笔集》的开始。

1572 年"圣巴托罗缪之夜"大屠杀后，宗教战争进行得更为酷烈，查理九世的三支军队对新教徒展开了进攻，蒙田身不由己卷入了战争，他随着居耶纳省的天主教贵族乡绅参加了国王的一支军队，但他故去的好友拉博埃西的《甘愿受奴役》一书，却被编入了新教的小册子出版。1577 年，蒙田被国王封为侍臣。

1579 年，他完成了《随笔集》的第一卷，立即又投入第二卷的写作，1580 年，《随笔集》两卷本出版。为了医治他的肾结石症，蒙田去了巴黎与意大利。在巴黎，他向国王亨利三世赠送了他的新著，得到了赞许与好评；在罗马，他谒见了教皇并呈献了《随笔集》，同样也得到了教廷的认可。次年，他被授予"罗马市民"的称号，并当选为波尔多市市长，任期两年。1582 年，大受欢迎的《随笔集》经修订增补后再版。不久，蒙田即陷于繁多的政治事务之中，他于 1583 年第二次当选为波尔多市市长，任期为两年。在任期内，他颇为开明，曾为当时的第三等级的捐税负担鸣不平，他作为一个天主教的信奉者，却与新教势力及其政治上的代表纳瓦拉王关系甚密，曾经在自己的城堡接待过这位未来的亨利四世，因此，他在现任国王亨利三世与纳瓦拉王——波旁家族的亨利之间进行了斡旋，充当调停人的角色。他第二个市长任期的最后一个月，瘟疫大流行，他被迫离开了自己的城堡。

晚年，蒙田的影响更为扩大，声誉极高，崇拜者、追随者日益增加，德·古内小姐就是最重要的一个。从 1586 年起，蒙田又续写《随笔集》，1587 年，第三卷在巴黎出版。此后，《随笔集》又再版多次，每次再版，蒙田均做了大量的增补，内容更为丰富，特别是大大增添了关于他自己的生活习惯、兴趣爱好与心态情怀的章节，使《随笔集》成了一部具有人文精神的书。

蒙田逝世于纳瓦拉王上台成为亨利四世的三年之后，他终于盼到了他翘首以待的国内和平。他逝世后的第三年，德·古内小姐根据蒙田的修订增补的遗稿，整理出版了《随笔集》的第五版。

第二节 《随笔集》的思想内容

《随笔集》分三卷，上卷五十七章，中卷三十七章，下卷十三章，总共一百零七章。每章一个论题，各自独立，既不连贯，也不相关。论题则广涉历史、哲理、文化、艺术、人性、人情、处世行事、世态心理、趣味时尚、自我审视等各个领域，如：《论罗马帝国的强盛》《谈德勒战役》《评西塞罗》《论维吉尔的诗》《谈衣着习惯》《论想象力》《论友谊》《谈适度》《论忧伤》《论信仰自由》《谈三种交往》《论经验》《怯懦是暴虐的根由》《万事各有其时》等等。如果说，全书的论题已经极为广泛的话，那么各章的论说、陈述、分析，往往又枝叶蔓延，延伸发挥，触类旁通，引申开远，故其内容之丰富纷繁、茂密芜杂，实有如一片极目无垠、郁郁葱葱、气势宏大的大林莽。

《随笔集》与蒙田，应该可说是"文如其人"这一至理最典型最完全的一个范例了。蒙田自己在《随笔集》中曾经这样说过："我写这本书纯粹是为了我的家庭和我个人，我宁愿以一种朴实、自然、平平常常的姿态出现，我描绘的是我自己，我很乐意把自己完整地、赤裸裸地描绘出来，我自己是这本书的材料"，"我研究自己甚于研究其他科目。"事实上，蒙田在《随笔集》里不仅是描绘自己、勾画自己，而且也剖析自己、探究自己，更多地则是以自我为本、以自己的性情为参照来体察民情、贴近人性。当然，他对社会、现实、世态、习俗、历史、事物、学问、哲理等等广泛领域的见解、观点、议论、评析，无不渗透着他自我性灵的色彩。因此，不认知蒙田其人，就不可能充分理解《随笔集》，认知蒙田，是开启《随笔集》的入门钥匙。总而言之，蒙田的"自我"，既是《随笔集》的精魂，也是《随笔集》的"血肉"，即《随笔集》实实在在的具体内容。

在 16 世纪，蒙田其人能出现、存在并成为一种人生景观、精神景观，这本身就是一种奇迹，把《随笔集》中所展现出来的蒙田自我，放在当时的法国社会现实背景上，就不难看出其令人惊奇之处。在宗教战争的战火长期燃烧在他的家门口、村村为战、人人为战的环境里，他却艰难地坚持了不卷入主义，"在我周围，多少城堡都设了防，据我所知，在法国，像我这样地位的人，把城堡完全交付上苍保佑的人只有我一个"，并且还能够处变不惊、临危不乱："我不想吓得魂不附体，也没有半点逃跑的念头。"在全国都分裂为两大对立阵营、政派斗争酷烈的气氛下，他却保持了超然的调和主义的立场，"在这一派眼里，我是那一派的，而在那一派眼里，我又是这一派的"，而且他并非远离政治旋涡的"逍遥派"，倒是处在为政者敏感的、难以回避的地位上，但他却以淡然平和的方式把在波尔多市市长任期内的复杂矛盾处理得十分成功："到任后，我就忠实而认真地认识自己，完全如我所知的那样：没有记性，没有警觉，没有经验，没有魄力，也没有仇恨，没有野心，没有贪欲，没有激情"，终于在市长任期里深得民望。他存在于一个充满血腥气的乱世，自己的生活也常动荡不定，但他不仅没有参与杀戮与争斗，反而超乎混战之上，过得平静而安详，甚至营造出了自己的"世外桃源"："我们要保留一个完全属于我们自己的自由空间，犹如店铺的后间，建立起我们真正的自由和最最重要的隐逸与清静"。在自己的空间里，他过着完全潇洒的生活："我的大脑就像脱缰的野马，成天有想不完的事"，"我让自己的思想无所事事，自由地运转和休息"，以及"我想睡就睡，想学习就学习"，"若是右边的风景不美，我就走左边"等等。总之，这样超然的精神境界与洒脱的人生情致，在 16 世纪实为一种极为难得的景观，这是淡泊超脱的人生观、平和折中的思维方式、节制谨慎的处世态度，在一个酷烈时代里所能创造的最大奇迹，一种人格奇迹。

虽然《随笔集》是一部涉及面广、林林总总的鸿篇巨制，但对于蒙田这样一个具有上述精神倾向与生活态度的人来说，他不可能在其中致力于表述自己关于社会现实、政治历史、宗教信仰的全部思维，在他丰富广阔的精神世界里，在他所认知与思考的种种事物中，他必然有所取舍：有所表述，也有所不表述；有所涉及，也有所回避。因此，人们不能期望《随笔集》是一本那个时代所有重要领域中所有重要思维的"百科全书"，它只是一本经过了特定精神倾向与生活态度过滤过、筛选过的论题汇集，最为明显的是，虽然宗教战争是那个时代最大的灾难，无时无处不影响着法国人的生活，但《随笔集》却并没有正面地评论它；再如，他虽然对法国宫廷与法国政界有大量就近的观察与见闻，对当时的一些显赫政要均有具体的接触与感性认识，然而《随笔集》却并没有留下多少记载与观感。应该说《随笔集》涉及当代重大的社会政治问题还不如拉伯雷的《巨人传》那么多，因此，作者特定人格类型带给《随笔集》在题材范围上的首要特点，就是对尖锐的社会历史现实课题的疏离化。

就蒙田对希腊罗马人文传统的继承以及他对 16 世纪满目疮痍的法国社会现实的了解而言，他有条件成为一个观点鲜明、言论尖锐的政论家式的思想家，事实上，他也不乏慷慨的正义感与激越情怀，《随笔集》中有对社会现实弊端切中要害的锋利之语，如针对司法黑暗的："我亲眼看到，多少判决比罪犯还罪恶"，并且他强烈地抨击了酷刑，还曾坦言，自己在当法官的 13 年中，宁愿有负法院，也不愿愧对人类，其慷慨之情溢于言表；又如对于政治，他所做的尽力逃避的努力，充分表露了他的厌恶之心，他在"话说"了野蛮部落食人的现象后，直接针对当时的法国现实："我所不以为然的是，我们在评判他的错误的同时，对我们自己的错误熟视无睹"，尖锐地指出"以虔诚与信仰为借口"，"将一个知疼知痛的人体折磨拷打得支离破碎，一点一点加以烧烤"，实际上要比食人肉者"更为野蛮"（第一卷第三十一章），所有这些，都表现了蒙田面对社会黑暗的强烈正义感。

尽管如此，鲜明尖锐的立场表述成分毕竟不是《随笔集》的主要成分，甚至可以说，它所占的比重实在是很小，占绝大比重的成分是平和的议论、娓娓道来的话说、层层深入的剖析。显而易见，蒙田并不想让他的作品成为尖锐的政论、对社会现实的批判书、声讨黑暗的檄文，他竭力避免这种可能，很少使用抨击、指责、针砭、批判这些较为激烈的手段，也尽可能少地做断语和有明显取向的结论，显然要求自己完全成为一个哲人，以哲学家超越的态度面对他的那些原本就具有浓烈哲学探讨性的论题。这就决定了《随笔集》另一个重要的特点，即论说与语态上的哲理化。

这种哲理化往往是绕过了社会、历史与现实中具体的人与事，不去论具体事实的是非，而又超越至根本的事理，致力于解决根本的思维方式、理性的取舍、处世的态度，从而使人摆脱词语的纠缠、功利的干扰而达到认知的自由境界。仅以第三卷第一章《谈功利与诚实》为例，看起来它是在进行哲理探讨，实际上是针对国内战争，在这里，蒙田不是对造成极大破坏的宗教战争进行具体地分析批判，表示反对与抗议的立场，而是针对在人人为战的条件下，世人身不由己所卷入的种种战争逻辑与战争意识形态，提倡一系列有利于避战的哲理态度与行事准则。如力戒狂热："绝不头脑发热"，"不轻易作过深的内心的介入与许诺"，"愤怒的仇恨超出了正当责任范围，便是一种狂热"；如提倡节制与温和："在天下大乱、世事变幻莫测之时，不是靠温和与节制来拯救自己吗"，"有节制地行事，那么风暴将在他们头顶上刮过而不给他们留下灾难"；如警告一些人不要从恶："不应把背信弃义、阴险狡猾的行为称作勇敢"，不应把"自己邪恶与凶暴的天性美其名曰热心"，"因为他们鼓动战争并非战争是正义的，而是为战争而战争，为他们自己的利益"；如劝诫不要盲目忠诚："竭尽全力地效忠一方和另一方，既不能算是有良心，更不能算是谨慎"；如反对绝对忠君，提倡道义的多元化："即便为了效忠国王，大众事业和法律，也并非可以无所不为，对祖国的义务并不排斥其他义务，而且公民们对父母恪尽孝道亦符合国家利益"；如反对战争中"丧失人性"的大义灭亲宣传："别听那些天性凶恶、嗜血成性、六亲不认之辈宣扬这种所谓的说理，抛开那超乎寻常的、不可企及的公正，我们要取法最有人情味的行为"等等。所有这些从人本理性出发的哲理无不都是对战争观念、战争法纪不利的离心力。同样，对宗教战争中"圣巴托罗缪之夜"大屠杀，蒙田也不是进行愤怒而无济于事的谴责，而是大谈特谈背信弃义行为之卑劣，从罗马的历史谈到埃及、俄罗斯的事例，唾弃了"借口要与对手达成友好协定，邀他来家会晤，并设宴款待，然后把他抓起来杀掉"的"圣巴托罗缪之夜"式的阴谋，从根本的道义上有力地针砭了这次惨绝人寰的大屠杀的卑鄙性质。

　　《随笔集》的哲理化最主要的表现形式是对古希腊罗马哲人与思想家的大量引述。作为一部散文集，这里所有的篇章几乎都是由身边琐事、花木鱼虫、风花雪月、生活现象等常见的散文题材所引发起来的，而大都像是谈希腊、罗马丰富典籍后的读书笔记，所有的篇章或者是命题与思想由古代哲人所引发而来，或者是对古代哲人论说与见解的感言与阐发，或者是在自己大发议论时对古代哲人的援引，因此，这些篇章无不有对古希腊罗马思想家、哲学家、历史学家与文学家的名言、警句、隽永见解的大量引证，它们与蒙田本人的阐释、议论、发挥、引申浑然一体、水乳交融、相得益彰，实际上成了蒙田本人思想见解不可分割的组成部分，极大地丰富、深化了《随笔集》的思想内涵。这既是蒙田对古希腊罗马思想文化宝库大规模的继承，也是对古代思想传统的一次辉煌的创造性发展，构成了《随笔集》哲理性的一个重大内容，也正是《随笔集》在思想上的进步性、超越性，甚至革新性之所在。

　　希腊罗马的思想文化作为西方文明的一大源头极为灿烂辉煌，它在历史的长河中之所以具有不朽的价值，就在于它是在没有任何宗教与法权意识形态的束缚禁锢的条件下，以人为本，对人性、对人类社会生活与历史事件进行了唯物的、切实的思考与研究的结果，它即使有多神的神话传说，但也是人情味十足的神话传说，因此，在后来中世纪备受压抑人性、禁锢精神、扼杀欲求的宗教意识形态的排斥与打压，《随笔集》对古希腊罗马人本主义传统的召唤、继承与发扬，在宗教意识形态冲突十分激烈、国内宗教战争极为残酷的16世纪法国，其革新的意义是不言而喻的，而蒙田这样做的规模、深度与无保留的程度，即使在好几个世纪之内，也是罕见难得的。

　　对于后世来说，《随笔集》不仅展示了古希腊罗马极为丰富多彩的思想文化宝库，而且提供了一整套以人为本、渗透着文艺复兴时期人文主义的世界观与人生观，这里有唯物的宇宙观、自然观："每种造物按照自己的特征发展，个个又保持大自然的固有法则给它们确定的区别"；有人类应遵循世界客观规律的思想："人应该限制和安排在这种法则范围里，不能越雷池一步"（第二卷第十二章）；有非常透彻的神学观、宗教观："人自以为想象出了上帝，其实想象出的还是他自己"，"神性的条件是通过人并以人为依据而形成的"（第二卷第十二章）；有豁达的生死观："无人能够免除一个人的死亡，千条道路畅行无阻"，"死亡是治百病的药方"，"心甘情愿的死是最美的死"，"人类将生命世代相传有如赛跑者交接火炬"，"生就意味着死"，"哲学家一生都准备死亡"（第三卷第十二章），"生活应该顺其自然"（第二卷第三章）；有辩证的人性观："心灵与肉体协调一致，因为这样才有了人"（第二卷第十二章），"我们这些人，即使是最好的人也都有罪恶……"（第二卷第二章），人"摇摆不定，一生充满了矛盾"（第二卷第一章），"永远在探索"，而对自我的状态，"首先要做的便是认识自我，明确自己该做什么"，"做你自己的事，要有自知之明"，"无论是孩童与老叟，谁忘了哲学就要吃苦"。在这些认知的基础上，蒙田提倡人道的生活："最美好的是过普普通通、合乎人道的生活"，具体来说，在乱世之中"满足现状，自得其乐"（第一卷第三章）；劝诫贪求财富："财富是玻璃做成的，闪闪发光，但很容易破碎"（第一卷第十四章）；主张坚持工作："但愿我死时还在工作"（第一卷第二十章）；主张保持自我的独立："我们不受任何国王的统治，人人有权支配自己"（第一卷第二十六章），"善于听从自己，服从自己的原则"，"最能干的人是依靠自己力量的人"（第三卷第十二章）；要求在生活中不断学习："生活的艺术是所有艺术中最首要的，学会这一艺术要通过生活而非学习"（第一卷第二十六章）；向往美德："头脑里要装有君子的形象"，"我静静地迈步于清新宜人的树林，思索着哲人君子可做什么事情"（第一卷第三十九章）等等。显而易见，《随笔集》中丰富精彩的思想见解所构成的世界观、自然观，完全是与当时占统治地位的宗教神学世界观相对立的，带有不容忽视的革命性，《随笔集》所宣扬的豁达、自然、积极、向上的人生观与生活态度，则对长期遭受教会思想统治的世人，具有重大的思想启蒙与精神重建的意义。

作为哲人，蒙田最具有自己的特色的是他的"怀疑论"。他把主体与客观世界、客体对象的关系，归结为"我知道什么呢？"这样一个怀疑主义的命题，在蒙田的思想中，这个命题既概括了人对客观世界认识的有限性，也是对人应如何面对客观世界的一种主张、一种提倡。

关于对客观世界的认识问题，蒙田有非常清醒的判断，那就是人的知识的有限性、人的认识的相对性："我们知道的东西再多，也是我们不知道的东西中极小的一部分，这就是说，我们以为有的知识，跟我们的无知相比，仅是沧海一粟"（第二卷第十二章）；同时，他对认知科学的内容与阶段做了精辟的概括："哲学的目的就是寻找真理、学问和信念"，"寻求东西的人，都会遇到这么一个阶段：或者他说找到了东西，或者他说没有找到东西，或者他说还在找东西。所有的哲学无不属于这三类中的一类"（第二卷第十二章），基于这一系列切实而深刻的认识，他提出了这样体现了认识论至理的警句："知道自己无知，判断自己无知，谴责自己无知，这不是完全的无知；完全的无知，是不知道自己无知的无知"（第二卷第十二章）。

应该说，关于世界万物内涵无限、人主观认知有限的论述，并非从蒙田始，而是在古希腊罗马思想文化宝库中早已有之，事实上，《随笔集》也援引了不少古代哲人的见解，并化为了自己的论述，如："我不能宣称我懂得真理和达到真理，我只是提到这些问题，不是发现这些问题"（第二卷第十二章），"我们不可能认识什么，理解什么、知道什么；我们的感觉是有限的，我们的智力是弱的，我们的人生又太短了"，因而蒙田的命题"我知道什么呢？"是人类认识论真理论唯物主义传统中的一个组成部分，它既反映了人类与客观世界关系的实际状况，也蕴含着人类有限的悲怆感叹，至今仍不失为认识论真理。

至于"我知道什么呢？"作为一种思想文化取向，作为一种学术立场，则不仅具有修身养性的道德意味，而且当时在文化、社会甚至政治意义上还十分带有针对性。对于蒙田这样一个性格温和、中庸、内敛、谦让的人来说，在文化学术上主张这种不事张扬、不作炫耀、虚心低调的态势，确乃真实性格使然，并非矫饰作态，甚至可以说它就是蒙田特定处世哲学、处世态度的一部分，也正由于蒙田本人博闻多才、学识精深，这种平和谦逊的学术思想风格，显然更增添了他精神人格上的风采。而把这种立场态度放在 16 世纪的时代背景上，其社会意义就更为突显出来，这个世纪残酷的内战固然是新时代条件下各种利益的冲突碰撞所决定的，也与宗教、文化、思想领域里不同意识形态势不两立的斗争有很大的关系，在偏执己见、武断专横、唯我独尊、对异己思想动辄以迫害、审判、火刑作为打击手段的宗教狂热时期，"我知道什么呢？"的哲理有如一副清凉剂，对时代社会无疑具有深远的影响，而它对武断、张狂的宗教意识形态而言，其质疑的锋芒也是显而易见的。

第三节 《随笔集》的艺术风格

《随笔集》不仅是法国文学史上第一部散文集，而且是一部成规模、在艺术上已完全成熟并具有定型化意义的散文集，它提供了散文的某种光辉典范。

蒙田把他这样一部文集取名为"随笔"（Essais）本身就是一开

创之举，这使得法国文学史上第一次出现了这个文学术语，也第一次出现了这样一种类型，即随心写来、不拘成法，以自由表述思想、抒写性灵为目的的文学类型，这就是散文，它日后大肆发展，长盛不衰，已发展为文学领域中的"泱泱大国"。如果要在这块领地进一步给蒙田的《随笔集》定性定位的话，那么，我们可把它称为"哲人散文"、"学者散文"。

作为"哲人散文"、"学者散文"，《随笔集》首先是以其思想哲理内容见长。与生活散文、风物散文不同，《随笔集》中思想浓度相当高，作者广博的学识、高远的意境、睿智的见地构成了《随笔集》在内容上的灵光闪闪、令人应接不暇的景观。在这里，作者要展示的思想实在是太多了，他专心致志地赶他的思想行程，无暇舞文弄墨、起承转合、玩弄词藻、矫情作秀，这使得《随笔集》成了一本在风格上纯朴的书、平实的书。

作为一个真正的哲人、真正的学者，蒙田具有一种精神气韵，这种气韵来自他思想的底蕴与体系，蒙田首先顺应、遵循的就是这种精神气韵，落笔成文，则成为文章的气势，或为洋洋洒洒、自由洒脱，或为恣意纵横、天马行空，或为旁征博引、枝叶蔓生，或为磅礴壮观、气象万千，唯独不知拘谨、呆滞、矫揉造作为何物，对此一些评论贬称之为散漫、杂乱，但蒙田这种无拘无束无序之态，正是他思想演绎、深化、旁征、延伸的结果，是他顺应思想气韵自然而然的结果，在这个意义上，《随笔集》是一部最本色最少矫情的学者散文。

《随笔集》作为哲人散文之不同于哲人论文在于其语言的艺术性。它的语势语态由于顺应精神气韵，随心绪所至而具有自由的风度，娓娓道来、平易近人，有亲和力；自由畅达，如行云流水，有赏心悦目之效。其遣词造句，语义明晓凝练，并求意味隽永；语感则富有感情色彩与形象性。在说理议论的篇章中，亦不乏具象的文字。

第四节　散文领域的思想斗争

散文在 16 世纪下半叶随着宗教内战的爆发而兴盛起来。由于散文适合于做社会交流和思想交锋的工具，所以各种倾向的人文主义者都运用这种形式来表达自己的观点。既然散文的兴起同宗教问题有关，那么，散文作家的倾向同他们的宗教观点自然就密不可分了。马克思主义认为，新教只是新兴资产阶级披着宗教外衣出现的一种意识形态，而天主教则代表贵族阶级利益。据此，散文作家和作品也可分成反映新兴资产阶级愿望和利益的、站在贵族立场上的和摇摆于其间的三种不同类型的作家和作品。

让·加尔文是法国散文的奠基人之一。他的主要作品《基督教建制》（*Institutio christianæ religionis*，1541）体现了强烈的反教会精神。此后，他做过约两千次布道演讲，代表着最激进的资产阶级踏上了历史舞台。他的文字语调庄重，议论逐层展开、逻辑性强、简洁有力，对后来的散文作家产生不小的影响。

在加尔文之后，反映新兴资产阶级愿望的散文作家和作品有多比涅和《麦尼波斯讽刺集》等。

多比涅不仅是诗人，而且是散文作家。他写过政论。《卡迪塞或和平天使》（*Le Caducée ou L'Ange de paix*）写新教在艰难时期各种人的表现。《桑西爵爷的改信天主教》（*La Confession catholique du sieur de Sancy*，1660）抨击某些新教徒跟着亨利四世改宗，是出于追求"利益、荣耀、舒适和安全"。多比涅善于写回忆录，而且把它作为反对天主教会的武器。《写给孩子们的自传》（*La Vie à ses enfants*，18 世纪才问世）回忆自己作为一个新教徒的生平遭遇，以鼓舞人们向天主教会做斗争。《费奈斯特男爵历险记》（*Les aventures du baron de Fœneste*，1617 ~ 1630）抨击宫廷贵族和天主教徒，描写了农民以草根树皮充饥的惨状。《世界通史》（*Histoire universelle*，1619 年出头两卷，1776 年出全书）记述 16 世纪下半叶同法国有关的欧洲重大事件。多比涅的散文带有强烈的倾向性和战斗性。由于他有生活体验，他的回忆录写得饶有趣味，尤其是战争场面描写生动，他熟悉士兵语言，文字富有生活气息。

《麦尼波斯讽刺集》（*La Satire Ménippée*，1594）是部讽刺散文诗歌集。前三部分由勒鲁瓦写作，后由皮图、吉洛、帕斯拉、拉潘和弗洛朗·克雷斯蒂安根据他的构思续写而成。这群被马克思和恩格斯称为"历史学家"[①]的散文诗歌作家，有的是僧侣，有的是法学家，有的是人文主义者，有的是诗人。马克思指出，这"是一篇**关于 1593 年在巴黎召开的国会会议的**有趣的故事"。[②]天主教联盟的首领麦因召开这次会议为的是让自己的侄子继承王位。《麦尼波斯讽刺集》把矛头指向天主教联盟。书名借用罗马作家伐龙（公元前 116～前 27）用诗与散文写成的同名作品。作品的前几部分借赋有生杀之权的"万应灵丹"的描写，针砭天主教联盟的屠杀，并讽刺联盟开会的会议厅和迎神游行。作品的后几部分"嘲笑了联盟的各等级的代表的大会讨论"[③]，讽刺天主教联盟的首领：军队统帅、教皇公使、西班牙红衣主教、大学校长、贵族代表等。第三等级的多布雷先生有声有色的讲话是全书的中心。当他谈到人民深受战乱之苦时说："我们摆满家具、挂满壁毯、五光十色的客厅和内室到哪儿去了？我们摆满珍馐美食的宴会到哪儿去了？"这完全是用新兴资产阶级的口吻说话。《麦尼波斯讽刺集》体现了新兴资产阶级要求建立稳定的王朝统治以及恢复和平、发展经济的愿望。它提出要有这样一个国王："他号令一切，教小暴君们恐惧和守法；他惩罚歹徒和违法者，铲除盗贼……"《麦尼波斯讽刺集》还反映了新兴资产阶级对政治权力的欲望："在巴黎、

---

① 马克思、恩格斯：《经济情况。工人问题。》，《马克思恩格斯论艺术》第二卷，第135页。

② 马克思：《编年史稿》，《马克思恩格斯论艺术》第二卷，第135页。

③ 同上书，第136页。

鲁昂、奥尔良、特鲁亚、图卢兹、亚眠……可以看到开肉店的、开裁缝店的、船主、开刀具店的以及其他下层人民在咨询会和议事会中开始有投票权，并对那些姓氏、财产和地位都显赫一时的人制定法律。"

与上述散文作家相对立、站在封建贵族阶级立场上，坚决反对新兴资产阶级和新教的代表是布莱兹·德·蒙吕克（Blaise de Montluc，1502～1577）。他著有《备忘录》（*Commentaires*，1592）。这是他在1570年受重伤后写成的，记述了他一生的经历，即他在半个世纪中为王室效命、辗转疆场的军旅生活，特别是同新教徒作战的"丰功伟绩"。尽管蒙吕克百般美化自己，他仍然不能消除"两面派、贪婪、残忍"的恶名。他写回忆录的目的，显然是以文字作为武器继续为封建贵族阶级效劳。

另外，吉约姆·杜韦尔（Guillaume du Vair，1556～1621）、弗朗索瓦·德·萨勒（François de Sales，1567～1622）、皮埃尔·夏隆（Pierre Charron，1541～1603）等人的宗教文学，属于这一类。例如夏隆的《论智慧》（*De la Sagesse*，1601）把蒙田的名言"我知道什么呢？"改为"我不知道"，走向了彻底的虚无主义。

然而，也有另外一些散文作家，他们的宗教观点和政治态度在这场激烈的阶级斗争中起了变化。他们有的脱离了天主教，而倾向于新教，或同新教有联系。在他们的作品中，也不同程度地流露了新兴资产阶级的思想，当然也仍然存留着贵族思想的痕迹。从这里可以看到宗教战争期间思想斗争的复杂情况：旧的思想意识不断败退，新的思想意识逐渐获胜。这方面的作家有拉博埃西、阿米欧和布兰多姆。

艾蒂安·德·拉博埃西出身贵族，1562年曾参加反对新教徒、保卫一个天主教城市的战斗。后世发现的《关于一五六二年一月敕令的备忘录》（*Le Mémoire sur l'édit de janvier*，1562）主张用武力解决不同见解，反对两种宗教共处于一个王国之内，反映了天主教会的观点。但他的政论作品《反独夫》（*Contr'un*），又名《论甘受奴役》

（*Discours de la servitude volontaire*，1576 年才发表）则有反暴政思想。他认为人们之所以一无所有，是因为"你们眼睁睁让人夺走收入中最美好最显眼的东西，让人掠夺田地，偷走你们家里的东西，把世代相传的古老家具都掠走"；认为"那个主宰你们的人也只有两只眼睛，一双手和一个身躯……你们决心不再侍候他，于是你们就自由了。我不想叫你们推倒他；而仅仅要你们不再支持他"，这样，暴君就会像泥足巨人一样崩溃瓦解。新教徒利用这种反暴政思想，以此书作为武器，反对封建王室。但拉博埃西对人民之所以受奴役的分析是错误的：他认为这是人民心甘情愿领受而造成的。这就表现了他的贵族阶级立场。

雅克·阿米欧（Jacques Amyot，1513～1593）是个翻译家。他出身小商人家庭，当过查理九世和亨利三世小时候的师傅。查理九世登极后，阿米欧于 1570 年当了奥克赛尔的主教，反对新教。1590 年他拥护亨利四世改宗，天主教联盟对此不满，他被指控为赞成暗杀吉斯公爵，从此受到排挤，并被革除教籍。1542 年弗兰西斯一世给他翻译任务，他出国到威尼斯和罗马去研究古籍手稿，从事翻译普鲁塔克的《希腊罗马名人传》（*Vies des hommes illustres*，1559）。这部译作影响很大，出版后伪作大量出现。它在内容上给同时代和后世法国以及欧洲的作家提供了戏剧题材和人物故事。蒙田说："如果不是这部书把我们从泥潭里拔出来，我们这些无知的人就完蛋了。"话虽然说得有点夸张，但从中也可看出这个译本影响之大。阿米欧认为："一个真正翻译家的任务，不仅在于忠实地还原作者的句子，而且在于逐一地再现和表达他的风格和情调。"他的译本获得成功的原因就在这里。阿米欧善于把人民语言和学者语言熔于一炉。纯朴自然是他译文的特色。通过他，大量政治、哲学、科学、音乐等方面的词汇被移植到法语里来，从而丰富了法语词汇。他的译作对提高读者的文学修养是有贡献的。

　　皮埃尔·德·布朗托姆（*Pierre de Brantôme*，约 1540～1614）是个回忆录作家。他出身贵族，在宫廷中度过童年。1552 年亨利二世赠与他一座修道院。他在罗马结识吉斯红衣主教，参加过多次战役（包括征服马耳他），随后脱离了天主教。他同宫廷来往密切，深谙宫廷生活。他对新教也有相当的了解。他的作品《名媛传》（*Vies des dames illustres*）、《将领传》（*Vies des grande capitaines*）等对两派重要人物的描绘采取不偏不倚的"客观"态度，实际上对封建贵族的头面人物也起了美化作用。由于这些作品对宫廷贵族生活的描绘相当细腻，因而具有一定的史料价值。这些作品（有十五卷之多）直到 17 世纪中叶才在荷兰出版。

第三编

十七世纪文学

第一章　17 世纪法国的社会历史状况与古典主义文学

第一节　17 世纪法国的社会历史状况与专制王权对文学的影响

17 世纪的法国，是西欧典型的封建君主制的国家。马克思曾经指出："**君主专制**发生在过渡时期，那时旧封建等级趋于衰亡，中世纪市民等级正在形成现代资产阶级，斗争的任何一方尚未压倒另一方。"[①]

法国从 12 世纪起，随着封建制度的确立与巩固，开始了中央集权化的过程。中央集权化所要解决的主要矛盾，就是作为民族统一象征的中央王权与分裂割据的大贵族之间的矛盾。这个矛盾在整个封建制度形成确立的过程中都贯彻始终，而随着手工业和工商业的发展，城市资产阶级的出现，中央集权化又有了新的内容和复杂性。国王一方面代表着封建统治阶级行使本阶级的专政；另一方面又利用新兴资产阶级的力量，打击落后的大贵族分裂割据势力。城市资产阶级由于资本主义的发展需要统一的国内市场而支持王权，在王权对城市资产阶级行使贵族阶级统治时，则又起而斗争，这种错综复杂的又矛盾又联合的阶级关系，在 16 世纪已经出现，而到 17 世纪则表现得更为清楚。

16 世纪，封建王权曾借用资产阶级这支新兴的力量抑制大贵族，而其代价是对资产阶级的利益予以适当的照顾。专制王权因得到资产阶级的支持而有所加强，但资产阶级的发展又引起了两个阶级的冲

---

① 马克思：《道德化的批判与批判化的道德》，《马克思恩格斯选集》第一卷，第 179 页。

突。长期的宗教战争既是国王、信奉天主教的贵族和信奉新教的胡格诺贵族之间争夺政权的斗争，同时又反映了资产阶级与封建贵族的深刻矛盾。宗教战争持续了 30 多年，国家陷于四分五裂，生产遭到极大的破坏，还引起了 16 世纪末大规模的农民起义。于是，彼此敌对的两个有产阶级不得不谋求妥协。1594 年，胡格诺派领袖、波旁家族的亨利继承了王位，是为亨利四世。他为了安定局面、巩固地位，改奉了天主教，又于 1598 年颁布南特赦令，规定天主教仍是正统的"国教"，但同时宣布胡格诺教徒有信仰和崇拜的自由。南特赦令标志着长期的宗教战争的结束和两个阶级妥协局面的出现。

亨利四世要重振王权，必须恢复凋敝不堪的经济，为此，他采取了一系列刺激农业生产、奖励工商业的政策。1610 年亨利四世死后，路易十三继位，大主教黎塞留任首相，继续实行重商主义政策，促进工商业的发展，这一条路线直到路易十四继位后、红衣主教马扎然辅政期间，仍然贯彻不变。由此，资本主义手工工场的生产规模迅速扩大，对外贸易大幅度上升，海外殖民也有了扩充。资产阶级在这种阶级力量暂时妥协平衡的局面下，直到 1685 年南特赦令废除，获得了长达半个多世纪的长足发展的时机。

生产的发展使经济得到恢复，资产阶级力量的壮大和它对王权的支持，使中央政府加强了抑制贵族割据分立的力量。从亨利四世、黎塞留到马扎然，封建王权在不触动封建生产关系的前提下，承认资产阶级的某些利益，同时又推行了无情地铲除地方上对抗王权的贵族政治势力的政策，对它们各个击破，严惩叛乱的大贵族，平定两次被贵族掌握领导权的反对王权的"投石党"运动，实行钦差制度，由中央直接派官员到各省掌握财政、司法、警务等全部权力。这样，到路易十四亲政之前，就为君主专制制度的全盛奠定了基础。1661 年马扎然死后，路易十四亲政，宣布"朕即国家"，集政治、军事、财政大权于一身。他起用布商出身的柯尔贝尔，进一步推行重商主义政策，使资本主义经济得到更大的发展，他对荷兰及其盟国接二连三发动大规模战争，雄心勃勃要充当欧洲的霸主。这就是历史上有名的王权空前强大的"太阳王"时代。从宗教战争到17世纪中叶的法国历史，表明了资产阶级与贵族由平衡到破裂，而后又在新的基础上达成妥协、恢复平衡的过程，也正是在这暂时的平衡的基础上，产生了作为欧洲封建君主专制典范的路易十四的绝对王权。

法国17世纪的君主专制的阶级性质是封建贵族的专政。在这个社会里，占统治地位的生产方式，仍是封建土地所有制。农民、手工业者等劳动人民，都受着沉重的压迫和剥削。16世纪的自由农还拥有一定土地，而今在兼并和剥夺下，失去土地的倾向更为明显。在政治上，封建等级制度森严，一小撮天主教僧侣和贵族占统治地位，享有各种特权。司法制度黑暗，特务警察横行，官吏可以使用盖有国王印章、只需填写名单的"密札"，任意逮捕人。16世纪受到人文主义和宗教改革有力冲击的教会，到17世纪又恢复了活力，在政治生活中起着巨大的作用。高级僧侣在摄政时期实际上掌握着国家政权。黎塞留、马扎然都是红衣主教，教会中的上层人物都是贵族出身。他们是君主专制国家的重要支柱，越来越顺从王权，必要时甚至支持君主反对罗马教廷。他们控制着全国教育部门，监视人民的日常生活，把对封建秩序和君主的任何不敬都当作对上帝的犯罪而加以整治。

17世纪的君主专制的阶级基础是封建贵族阶级。在封建社会里，本来始终存在着中央集权与贵族分立的统治阶级内部矛盾，但在长期的宗教战争之后，贵族的割据势力遭到削弱。加之农业生产凋敝，引起物价上涨，地租的价值相对降低，领主们从封建领地上获得的收入不足以支付他们奢侈的生活，他们便扔下自己的庄园投靠国王，麇集在宫廷，充当侍臣，竞相博取国王的欢心，以求承恩获宠，过着寄生的生活。这就使那些封建显贵终于丧失了自己的独立性，增加了对王权的依赖，也提高了宫廷的声望，成为贵族生活的中心。1648年至

1652 年亲王"投石党"运动失败，说明大贵族已无法与强大的王权为敌。在路易十四统治下，任何大贵族都不敢要求丝毫实权，例如，外省的总督虽高官厚禄，但一切全得听从国王直接派去的钦差大臣的支配。至于中小贵族，原是骑士的后裔，他们除军职外，不屑从事其他职业，所以又名"佩剑贵族"，他们收入的唯一来源是从世袭的田产中得到货币地租。由于农业生产的停滞和物价上涨，他们日益破落，往往降格以求，与有钱的资产者联姻解决经济困难，或堕落到以贵族的身份在社会上招摇撞骗。

17 世纪的君主专制虽然是贵族阶级的政权，但它在相当大的程度上也照顾和适应资产阶级的利益。这是因为，它本身就是建立在资产阶级与贵族阶级平衡妥协的基础上；而资本主义工商业的发展，资产阶级在对外贸易、开拓殖民地方面的作用，对于封建政府解决经济困难又颇为有利；而且，政府还可以通过向资产阶级卖官鬻爵、把包收间接税的权力出卖给他们以获得大量钱财；在财政困难的时候，也可以向他们借取大宗的款项。绝对王权一方面依靠本阶级的基础，维护整套的封建制度，另一方面利用资产阶级的经济力量，支撑着日趋破产的国家经济，并利用两者的矛盾巩固自己的地位。这样，就出现了路易十四的两重性：一方面是贵族阶级的"太阳王"，在凡尔赛宫高踞在封建等级的最高峰；同时又被人称为"包税人的国王和高利贷者的头子"。由此，路易十四的君主专制就得以既对本阶级，也对尚未足够壮大的资产阶级，同时维持着绝对的权威，正如恩格斯所指出的，那时的国家权力"作为表面上的调停人而暂时得到了对于两个阶级的某种独立性"[1]。

绝对王权在维护封建统治的同时，也给资产阶级以发展余地，因而得到了这个新的有产阶级的支持和拥护。从亨利四世到路易十四所执行的重商主义政策和殖民政策，使资本主义生产获得了发展；资产

---

[1]　恩格斯：《家庭、私有制和国家的起源》，《马克思恩格斯选集》第四卷，第168页。

阶级向政府购得包税权后，经常以高达20％的利润向民众收税，牟取暴利；资产者还可以购买贵族的领地，进行封建剥削；他们还利用封建国家因财政困难而设立的卖官鬻爵制度，用金钱购买官职，从而提高社会地位，某些高级职务可以使购得者获得贵族头衔，并且可以世袭，这就是所谓的"穿袍贵族"。由于当时的工商业税很高，法国资产者往往把"升官发财"当作比从事工业更为有利可图的买卖。购买官职的大有人在，价格也就相应提高，例如，巴黎法院主席的职位1665年值35万法郎，至1684年就值50万，鲁昂法院的同样职位则值9万至10万法郎。如此高昂的价格决定了购买者都是十分有钱的资产阶级上层分子，而政府出卖的主要又是法院的官职，这样，当时起议会作用的法院基本上就由资产阶级上层分子组成。有的资产阶级人物甚至还担任大臣、钦差等重要职务，分享一部分统治权。国王为了增加收入，又滥设肥缺闲职，使得资产者进入官僚阶层的人数日益增多，这些"穿袍贵族"的利益与绝对王权紧密结合在一起，他们成了君主专制制度的积极支持者。总之，在17世纪君主专制的时代，出现了资产阶级在政治、经济等各方面向贵族接近的社会现象，资产者竭力跻身到封建结构中去，这就稳定了君主专制的既定秩序，减缓了资产阶级作为整体发展的速度。这种特点决定了17世纪法国资产阶级反封建的软弱性。1648年至1652年法国"投石党"运动以资产阶级的妥协告终，说明他们还未成熟到能夺取政权的地步。

"矛盾存在于一切事物发展的过程中"[1]，封建社会内部资产阶级、贵族阶级之间的矛盾，在某一时期虽能达到妥协，但矛盾斗争的发展，必定要打破平衡的局面。作为封建阶级的统治者，路易十四在天主教会的影响和压力下，终于在1685年宣布废除南特敕令，不再承认资产阶级所信奉的加尔文教的合法地位，并开始了对其成员大部分是熟练的手工业者和商人的新教徒的迫害，标志着宗教战争以后贵

______

[1] 毛泽东：《矛盾论》，《毛泽东选集》合订本，第283页。

族与资产阶级妥协的时代已经结束。新教徒不堪压迫，起而反抗，1701 年"卡米扎尔"农民起义就是其中最大的一次。反抗遭到封建政府的血腥镇压。大批新教徒逃亡国外，总数达 40 万之多，他们都是经验丰富的手工业工匠、工商业者，这就使法国的工商业丧失了重要的技术力量和 6000 万里弗的巨额资本。由此，国库更加空虚，财政危机日益深重。再加上路易十四的对外征战、穷兵黩武和宫廷的穷奢极欲，到 1715 年他逝世的时候，国债高达 25 亿法郎，而财政收入仅 1500 万法郎，国家已经濒于完全破产的境地。盛极一时的封建君主专制迅速走向崩溃，到 18 世纪后期，就面临着资产阶级革命到来的危机了。

17 世纪法国人民群众的处境不断恶化。处于社会最底层的农民遭受着沉重的压榨：领主的封建地租、教会的什一税、国王的苛捐杂税，最后还有渗入农村的早期资本主义的剥削，如高利贷等，使农民沦入极端贫困的境地。城市平民的命运也很悲惨。资本主义关系的发展、国王捐税的加重，明显地使小工业生产者的处境日益恶化。手工工场工人的生活更加痛苦，他们在失业、患病和遭到事故的情况下，往往衣食无着，与流入城市的农民构成了乞丐群。

封建剥削和压迫，引起了广大农民和平民的反抗，17 世纪自发的农民起义接连不断地发生，特别是 17 世纪后半叶更为频繁，这些起义反对重税，打击税吏，有时规模很大，并且常常得到城市平民的响应。起义尽管受到残酷的镇压而失败，仍然具有重要的意义，它们动摇了腐朽的封建社会，加深了它的政治经济危机，促使革命的早日到来，推动了历史的前进。

第二节　贵族沙龙文学与市民写实文学的对立

17 世纪资产阶级与贵族既妥协又矛盾的局面和错综复杂的阶级关系，使文学领域中出现了复杂的情况。在文学领域里，体现君主专制的要求的是古典主义，这是 17 世纪法国文学的主潮。但是在该世纪上半叶君主专制发展巩固的过程中，还有两个彼此对立的文学流派同时存在，这便是以矫揉造作为特点的贵族沙龙文学和以自由粗俗为特点的市民写实文学，这是矛盾着的两个阶级——贵族阶级和资产阶级在意识形态上的反映。从 1610 年亨利四世被刺至 1624 年黎塞留掌权，以及后来 1648 年至 1652 年两次"投石党"运动期间，专制王权受到挑战，分立主义思潮曾经数度泛滥，使这两种文学流派盛行起来。正像王权的发展是在它作为表面的调停人对封建贵族和资产阶级同时加以控制的过程中进行的一样，法国古典主义的文学规范化作为君主专制制度在文艺上的体现，也是在反对和抑制这两种各走极端的文学流派中发展起来的。

17 世纪法国贵族阶级中那些较大的封建主投靠国王、转变为宫廷贵族，是贵族沙龙文学产生的社会条件。16 世纪末宗教战争结束后，大批贵族离开他们世代相传的庄园，逐渐集中到凡尔赛和巴黎，但他们还留恋过去封建主的独立性，既不能马上适应宫廷的生活，又不屑与资产阶级为伍。他们饱食终日，百无聊赖，便组成自己的社交小圈子，聚集到某些贵妇人主持的客厅中谈论政治和文艺。为了显示自己的特权地位，他们一切都要求与众不同，在衣饰、举止、语言、习惯等各方面，都提倡"高雅"。于是，从路易十三时期起，沙龙成风，其中以 1608 年开张的朗布绮侯爵夫人的公馆最为出名。在 17 世纪上半叶，几乎法国整个上流社会人士和文艺作家都做过这个沙龙的座上客。贵族沙龙文学就是在这种条件下兴起的。

由于贵族妇女在沙龙生活中出头露面，形成中心，有些作者便专以取宠贵妇人为能事，代表者是瓦蒂尔（Vincent Voiture，1598～1648）。他以写纤巧的情诗和谄媚的书信出名，文风装腔作势，正投合了贵族男女粉饰其丑恶关系的需要。这样的作家在朗布绮公馆最受欢迎，几乎成了不可缺少的人物。与他同类型的作家还有科坦

（Charles Cotin，1604～1682）等。

聚集在沙龙里的没落贵族精神极为空虚，只能在虚无缥缈的想象中讨生活。有些作者为他们编写悲欢离合的艳情故事，于是承袭骑士爱情小说的长篇田园体小说流行起来，其代表作是奥诺莱·德·于尔菲（Honoré d'Urfé，1568～1625）的《阿丝特莱》（*Astrée*）。小说的内容极为无聊：牧羊人塞拉东受到情人牧羊女阿丝特莱的无故猜忌，失望之下投河自杀，被仙女救起后，乔装成牧羊女，当上阿丝特莱的亲密"女友"，一直等到阿丝特莱亲口提出希望要他显出原形，才和她言归于好。这样一个故事，再加以无数插曲和缠绵的对话，将这部小说膨胀成五大卷六十册，从 1607 年直到 1627 年才发表完。这么一部无聊而冗长的小说，居然也取得了令人难以相信的效果，在整整 30 年间，使法国贵族社会都为塞拉东和阿丝特莱的命运叹息，这是因为它迎合了长期内战后破落贵族们逃避现实的情绪。小说之所以被称为田园体，就在于它写的是披着"牧羊人"外衣的贵族在乡下谈情说爱、赋诗作文的田园牧歌生活，这正反映了因长期内战和社会变乱而破产的贵族留恋往昔安逸生活的心理。

在贵族沙龙文学中，继田园体小说之后，又有一种所谓长篇历史小说风靡一时。17 世纪的封建大贵族虽然遭到削弱，但为了争权夺利，也曾策划反黎塞留的阴谋，发动反马扎然的"投石党"运动，参加"30 年战争"。他们在战场上标榜英勇尚武，在沙龙里又自命殷勤多情。于是，美化这些大封建主的历史小说应运而生，小说的作者竞相编造王公贵族的风流冒险轶事，长篇累牍，动辄十余卷、四五千页。这类代表作有贡伯维尔（Marin le Roy de Gomberville，1600～1674）的《波勒山大》（*Polexandre*，1629～1637）、拉·卡普勒内德（Gautier de Costes de la Cal prenède，1609～1663）的《卡桑德尔》（*Cassandre*，1642～1645）和《克莱奥帕特》（*Cléopâtre*，1647）等。这些书中假托的历史主人公都是理想化的法国贵族，他们为了获取情人的欢心不惜跑遍天涯海角，与敌人决一死战。这类小说往往题赠给当时的封建显贵，充分说明了它们就是要为那些在实际生活中已经衰败的大贵族歌功颂德、树碑立传。

沙龙文学的历史小说到斯居代里（Madeleine de Scudéry，1607～1701）与她弟弟合编的《伟大的西律斯》（*Artamène ou le grand Cyrus*，1649～1653，十卷）和《克雷里》（*Clélie*，1654～1661，十卷），逐渐不再写贵族的"英雄气概"，而开始渲染和刻画他们的心理情感。故事虽假托古代波斯、罗马的题材，实际上却是巴黎贵族社会的写照。主人公大多可在沙龙里的贵族身上找到原型。内容无非是写用以掩盖贵族男女腐朽关系的所谓"精神恋爱"，再就是对市民写实文学的攻击。贵族沙龙文学发展到这时已是穷途末路。这些作品中的古代人物操着17世纪贵族社交场合中"文雅"的语言已经不伦不类，再加上散漫的描写和冗长的篇幅（其中如《伟大的西律斯》就长达一万五千页），使人根本无法卒读。

在戏剧方面，17世纪初期反映封建贵族阶级趣味的代表作家是亚历山大·阿尔迪（Alexandre Hardy，1569～1632）。粗制滥造是他创作的特点，他一生写出的几百个剧本几乎都是模仿、改编、翻译之作。他的悲剧大都取材于古希腊、罗马，用描绘耸人听闻的事件和安排庞杂的布景等形式主义手法掩盖内容的空虚。他写得最滥的悲喜剧，则脱不掉骑士美人恋爱故事的俗套。他的田园剧内容更是大同小异，不外是牧羊人追求爱人、经过一番周折最后皆大欢喜。阿尔迪的戏剧受到百无聊赖的贵族阶级的欢迎，使他们开始光顾巴黎的剧院。

贵族沙龙文学把矫揉造作的风气越煽越盛。到17世纪50年代，在巴黎和外省新组合的许多沙龙中所流行的语言达到了难以形容的可笑程度，如把"眼睛"叫做"灵魂的镜子"，把"喝水"说成"一次内部的洗浴"等等。贵族们所使用的这些词汇，必须靠《时髦秘书》《女雅士大词典》这类工具书才能了解其意思。但是，随着"投石党"事件后封建贵族政治势力的进一步没落，贵族沙龙文学也受到了应有的谴责。1659 年莫里哀首次上演的《可笑的女才子》，就对那些荒谬的沙龙习气进行了辛辣的讽刺。

市民写实文学的作者是一些蔑视封建道德的自由思想者，其早期的代表是讽刺诗人雷尼耶（Mathurin Régnier，1573～1613）、德·维奥（Théophile de Viau，1590～1626）。他们都反对贵族沙龙文学的虚假造作，主张"真诚"和"自然"，同时也反对古典主义的发起人马莱伯的诗歌理论，主张按个性自由进行创作，表现出资产阶级中较下层的市民在文学上摆脱王权控制的倾向。雷尼耶的讽刺诗数量不多，但嘲笑了各种社会寄生虫，反映了亨利四世时代的人情风俗，还有一些则是驳斥文学的清规戒律，与马莱伯进行论战。德·维奥出生于新教徒家庭，是自由思想的代表，曾被加以无神论的罪名，于 1623 年判处死刑，后改为放逐，不久即死去。他的抒情诗代表作是《清晨》（*Le matin*），其中描写铁匠打铁时火星四溅的动人场面，在 17 世纪是难能可贵的。但他最有价值的还是讽刺诗和哲理诗，它们充满着大胆反抗的精神。

市民写实文学在讽刺诗歌方面比较突出的是一些模拟体的长篇叙事诗，专写"英雄"丢脸的故事。保尔·斯卡龙（Paul Scarron，1610～1660）的《大风歌》（*Le Typhon*，1644），尤其是七卷本的《化了装的维吉尔》（*Virgile travesti*，1648～1652）是这类诗的代表作。达苏西（*Charles d'Assoucy*，1605～1677）的《好脾气时的奥维德》（*Ovide en belle humeur*，1650）和菲雷蒂埃（Antoine Furetière，1620～1688）的《化了装的厄内依德》（*L'Enéide travesti*，1649）等也是同类性质的作品。当时就有一位作家指出："这种诗与其说是对古诗的嘲弄，还不如说是对今人矫揉造作模仿古人的嘲弄"，说明了滑稽叙事诗的实质就是对贵族沙龙中盛行的所谓歌颂贵族英雄的"史诗"的反讽。在法国"投石党"事件期间，市民作家也卷了进去，用诗歌对当权的首相马扎然进行抨击，斯卡龙的小册子《马扎然之歌》（*Mazarinade*，1649）和西哈诺的《火烧首相》（*Le Ministre d'Etat flambé*，1649）就是著名的几篇。

市民写实文学的实绩主要表现在小说方面。较重要的作家有查理·索莱尔（Charles Sorel，1599～1674）、保尔·斯卡龙、安东尼·菲雷蒂埃和西哈诺·德·贝热拉克（Cyrano de Bergerac，1619～1655）。市民写实小说相当大一部分着重反映社会世态风习，其风格特点为粗犷滑稽。索莱尔的《弗朗西翁的趣史》（*Histoire comique de Francion*）通过一个流浪汉的生平描绘了巴黎社会中形形色色的人物和现象，主人公弗朗西翁出身低微，但蔑视封建社会的偏见和信条，会同一帮青年人争取独立自主的命运。他的另一部小说《波利昂德尔》（*Polyandre*）则集中取笑了巴黎有钱的金融家的生活。保尔·斯卡龙的《滑稽故事》（*Le Roman comique*）写一个流浪剧团的巡回演出，反映了喜剧演员的舞台生涯和外省社会的腐朽习气，描写比较逼真。还有一部分作品以讽刺贵族与资产阶级上层为内容，具有批判的特色，如索莱尔的《胡闹的牧羊人》（*Le Berger extravagant*，1627）写一个商人的儿子读《阿丝特莱》等时髦小说入迷后干出种种傻事，直接批判了贵族沙龙文学；菲雷蒂埃的《市民故事》（*Le Roman bourgeois*，1666）则描绘了上层资产者力图厕身贵族行列的丑态。此外，还有表现了无神论思想的科学幻想小说，如属于自由思想派的作家西哈诺的《月球上的国家和帝国的趣史》（*L'Histoire comique des Etats et Empires de la lune*，1657）和《太阳上的国家和帝国的趣史》（*L'Histoire comique des Etats et Empires du soleil*，1662），这种小说宣扬了唯物论和乌托邦的观点，可以看出伽桑狄和康帕内拉的影响，也是下一世纪伏尔泰式哲理小说的前驱。

市民文学在戏剧方面也有所表现，其中影响较大的作家是戴奥菲勒·德·维奥，他的代表作《比拉姆与蒂丝贝》（*Pyrame et Thisbé*）

于 1619 年演出时曾风行一时。他的戏剧从资产阶级个性解放的观点出发，描写男女之恋，反封建道德的色彩十分鲜明。主要是小说家的斯卡龙也从事戏剧创作，其中尤以喜剧为多。《亚美尼亚的唐雅费》（*Don Japhet d'Arménie*，1652）、《萨拉芒克的小学生》（*L'écolier de Salamanque*，1654）、《可笑的侯爵》（*Le marquis ridicule*，1656）等，都嘲讽了贵族上流社会虚假的"荣誉"观念和可笑的自吹自擂，剧中机智的仆人和笨拙的主人常常形成鲜明的对照，而他的《防不胜防》（*La précaution inutile*）、《伪君子们》（*Les Hypocrites*）等短剧的故事情节，对以后莫里哀的喜剧创作又有所启发和借鉴。市民文学的戏剧作为资产阶级的意识形态，与体现了绝对王权的政治要求的古典主义之间必然存在着控制与反控制、规范化与反规范化的斗争。古典主义的理论家布瓦洛在《诗的艺术》里，对维奥标新立异、追求令人惊叹的效果的创作倾向曾进行过非难和指责；而市民文学的作家也曾对古典主义的法则进行公然的反抗，当时一位名叫谢朗德尔（Schélandre，1585~1635）的作家所写的《狄尔与西董》（*Tyr et Sidon*，1628）就是一例。这个剧本的题材类似莎士比亚的《罗密欧与朱丽叶》，写两个世代相仇的家族中一对青年男女的恋爱故事，有一定的反封建意义。剧本的《序言》提出了"我们不必像有些人那样，对古希腊作家的创作和文体亦步亦趋"，"必须从古人中选择符合我们时代和我们民族气质的东西"，并认为真实的戏剧应当是悲和喜、英雄和滑稽的混合物，可说是一篇反对古典主义的宣言。但由于 17 世纪 30 年代后期王权逐渐巩固，文学的规范化运动已成大势所趋，市民写实文学作家所提出的原则在当时未能产生影响。

市民写实文学是资产阶级的产物，它并不代表与绝对王权有千丝万缕关系的资产阶级上层，而是反映了与绝对王权比较疏远的资产阶级下层市民的思想与趣味。绝对王权对文学艺术规范化的要求在它这里不仅得不到反映，而且受到故意的违反和挑战，因此，这种文学就不可能具有古典主义文学那种封建文明化的色彩。它继承了 16 世纪人文主义作家的传统，表现出一种乐观粗犷的精神。但这些作品的创作技巧是不成熟的，不论小说还是戏剧，结构大多松散，人物塑造不够集中和典型化，语言也不精炼，影响到它们不能久远流传。

17 世纪上半叶贵族沙龙文学和市民写实文学的对立与斗争，是贵族阶级和资产阶级势均力敌的阶级对立在文艺上的表现。它们作为两个阶级的不同意识形态，从思想内容到艺术风格很多方面都是针锋相对的。限于当时的社会历史条件，它们谁也无法在文坛上占统治地位。于是，在君主专制政权扶植下的古典主义文学迅速兴起之后，它们的影响便逐渐减退。而在成为 17 世纪文学主潮的古典主义的内部，则又形成了更加隐蔽的两种倾向的对立。

第三节　君主专制政治的影响与古典主义文学主潮

17 世纪法国文学的主潮是古典主义。古典主义是指 17 世纪依附宫廷、按照绝对王权的政治标准和艺术标准进行创作的那些作家所创造出来的文学艺术。它的特点是：在政治上拥护和歌颂绝对王权；在思想上提倡以"自我克制"、"温和折中"为主要内容的"理性"，尊重君主专制政治所需要的道德规范；在题材上借用古代的故事，突出宫廷和贵族阶级的生活，并赋予它崇高悲壮的色彩；在文学体裁上，与封建等级观念相适应，划分为高低不同的类别，并严格按照关于各种体裁的人为法则进行创作；在艺术上，要求结构严谨完整，语言简洁明晰。古典主义文学的代表作家，较著名的有：高乃依、莫里哀、布瓦洛、拉辛、拉封丹、博叙埃、帕斯卡尔、拉布吕耶尔、费纳龙等。

古典主义文学在 17 世纪法国出现并成为主潮，绝不是偶然的。这是君主专制政治的产物，它为君主专制政体而创作，并受君主专制政体的严格监督。它是绝对王权用来加强中央集权、反对分立主义的思想工具。

马克思这样说过："君主专制是作为文明中心、社会统一的基础出现的。"①为了加强对文学艺术的控制，君主专制政权采取了一系列组织措施。首先是利用奖金和津贴以及建立作品检查制度，使作家就范，成为专制政体的御用文人。亨利四世最早对愿意为其效劳的作家采取了个别提拔的办法，如古典主义的先驱马莱伯，由于主动写了几首赞美王室的颂歌，就被请入宫廷，作为"波旁王朝的官方诗人"供养起来。从此，政府对古典主义作家就经常采取赐予奖金和薪俸的办法以示鼓励。至 1662 年，财政大臣柯尔贝尔委托夏普兰拟订作家名册，正式确立了官方颁发年金的制度。虽然每年 10 万法郎的总额不算太大，但在稿费收入很少的 17 世纪，足以诱使作家们甘心充当王权的工具。国家还建立了书刊检查制度。最初是由神学院对宗教书籍进行审核，1658 年司法大臣塞尼埃又另外增设四个检查官，以后人数逐渐增多。这些检查官负责审核作品是否违反政府、宗教和封建道德。只有审核通过之后，作品才能付印。这就进一步对作家加强了监督。

再一个组织措施就是创设法兰西学院，其目的是要在语言文学方面建立适应君主专制政治需要的统一规范。法兰西学院是在首相黎塞留亲自敦促和庇护下成立的，这大大提高了进入学院的这些学者和作家的社会地位，使他们的意见和作品在公众的心目中具有官方的权威。而以学院为组织形式，把当代有名的文艺批评家、语言学者、诗人、戏剧家以及学术工作者汇集一堂，也便于制定出一个统一的规范化的准则。学院的院士成了文艺界中央集权政治的代表。为了使院士的身份成为社会上作家和学者羡慕追求的对象，政府规定院士的名额固定为 40 位，且为终身头衔，非得有一个院士死去后才能由其余院士共同选举另一人补充。这种制度一直维持至今，故法兰西学院院士享有"不朽者"的称号。

---

① 马克思：《革命的西班牙》，《马克思恩格斯选集》第十卷，第 462 页。

　　紧跟法兰西学院之后，各种学院像雨后春笋般纷纷建立起来，如王家绘画和雕刻学院（1648）、小学院（即未来的题铭和美术学院，1663）、科学学院（1666）、王家音乐学院（1669）、建筑学院（1671）等。这样，专制政权就把文化科学领域的各个部门全都掌握在自己手中，如同在文学领域里一样，又在美术、音乐、建筑等方面吸引了一批著名的人物为君主专制服务，其中有画家普桑（Nicolas Poussin，1594~1665）、音乐家吕里（Jean-Baptiste Lully，1632~1687）、建筑师阿尔杜安·芒萨尔（Jules Hardouin-Mansart，1646~1708）等。

　　对于不符合自己政治需要的文学创作，中央政权往往要进行干涉，最明显的一个例子是轰动一时的关于高乃依的悲剧《勒·熙德》（1636）的争论。由于这部作品违反古典主义的"三一律"，也不符合黎塞留的外交路线，法兰西学院在黎塞留的示意下进行了干预。夏普兰代表学院起草了一篇文章，对高乃依进行指责，终于迫使他俯首就范，从此规规矩矩按照古典主义悲剧的准则写作。

　　17世纪古典主义文学与当时的社会思潮关系也很密切。哲学中的唯理主义对古典主义的形成起了重要的作用，构成了古典主义的哲学基础。与唯理主义同时产生的法国机械唯物论，对一部分古典主义作家也有有益的影响。

　　唯理主义哲学体系是在封建制度开始由盛而衰，资本主义不断向上发展的历史条件下产生的。其最著名的代表是勒内·笛卡儿（René Descartes，1596~1650）。笛卡儿出身于"穿袍贵族"，他的重要著作是《方法论》（1637）、《形而上学的沉思》（1641）等。笛卡儿在他的哲学里，把"理性"置于最高的地位，认为人凭着抽象的理性演绎，可以获得正确的认识，他甚至把理性的重要性强调到这样的程度，得出了"我思故我在"的公式。这就把人的理性代替了神的启示，把科学的分析论证代替了盲目的信仰。这在教会进行严密思想统治的时期具有反对中世纪经院哲学和宗教教条的进步意义。但是，笛卡儿反对唯物主义的反映论，认为感性知识不可靠，只有理性才可靠，而他所谓的理性，又是脱离对具体事物的感知、脱离社会实践的主观自生的东西，这就颠倒了主客观的关系，陷入了唯心主义的"天赋观念论"，并最终给神留下了一个地位。笛卡儿的哲学是折中的二元论，反映了 17 世纪法国资产阶级对贵族的妥协。笛卡儿尽管为了逃避天主教会的迫害而长期侨居荷兰，他的哲学仍然适应了法国君主专制制度的需要。笛卡儿在《方法论》中承认，他首要的道德原则就是"服从我国的法律和习俗，坚决奉行由于上帝的恩赐使我从小就受它教养起来的那个宗教，而在其他方面则遵循我有幸生活于其中的最有智慧的人们所公认的最中庸、最温和的见解"。

笛卡儿的唯理主义哲学为法国古典主义文学提供了哲学基础。笛卡儿在方法论上认为科学认识必须符合"明白与确切"的标准，把这一方法论运用到美学上，他主张应该创设一些严格、稳定的规则，以使艺术体现理性的标准。在对人的认识上，笛卡儿把"灵"与"肉"截然对立起来，认为对于与"肉"相关的"情"，必须用"理性"和"意志"加以双重的控制，运用到艺术创作中，则应以理性来抑止感情的冲动。笛卡儿的理论对古典主义作家高乃依、布瓦洛等影响很深，古典主义文学之形成重视理智、规则和标准，要求结构明晰、逻辑性强等特点，与笛卡儿的唯理主义的影响有直接关系。笛卡儿是第一个不用拉丁文而用法文写作的哲学家，他的文字简洁清楚，在法国古典主义散文中有一定的地位。

与笛卡儿的唯心主义唯理论相对立的，是比埃尔·伽桑狄（Pierre Gassendi, 1592～1655）的机械唯物论。伽桑狄出身于农民家庭。他的主要著作有《对笛卡儿〈沉思〉的诘难》（1641）、《形而上学研究》（1614）和《哲学体系》（1658）。伽桑狄是古希腊唯物论哲学的继承者。他认为万物皆由原子构成，而运动是万物的本性。在认识论上，他是一个经验论者，他宣布认识的源泉是感性经验：只有感觉到的东西，理性中才可能有；感觉是永远可靠的，理性则可能有错误。他批判了笛卡儿的"天赋观念论"，反对不可知论和怀疑论，肯定了世界的可知性。他揭露教会提倡的禁欲主义的虚伪，主张人生活的目的在于追求个人幸福，表现了资产阶级个人主义的人生观。伽桑狄的哲学中也有向神学让步的色彩，在政治上也拥护当时的君主专制制度。伽桑狄的唯物主义思想，对一部分古典主义作家如莫里哀、拉封丹起了有益的影响，使他们的创作较之其他古典主义的作品，有较强的现实生活的气息。

古典主义文学中存在着不同的阶级倾向。由于绝对王权在 17 世纪是两种阶级势力妥协的产物，并作为两个阶级的调停人同时照顾到贵族与资产阶级的利益，代表两种不同阶级倾向的作家便都有可能从自己的阶级需要和理解出发，服从绝对王权对文学艺术的约束。这样，在古典主义的内部，就呈现出复杂的情况：各个作家由于阶级地位、思想经历的不一致，在遵守古典主义戒律方面程度是不一致的，在和王权的关系方面有深有浅，而对君主专制的政治伦理观念的宣扬也有所不同，对资产阶级、贵族阶级的态度当然也不会一样。但总的来说，存在着两种阶级倾向：一种是依附宫廷的封建贵族和教士，另一种是与王权合作的资产阶级中上层。属于前一种倾向的作家有博叙埃、拉法耶特夫人、雷兹主教、赛维尼侯爵夫人等。属于后一种倾向的作家是：高乃依、布瓦洛、莫里哀、拉辛、拉封丹，正是他们创作了古典主义文学的代表作。由于贵族与资产阶级的斗争有张有弛、王权与资产阶级的关系也时好时坏，这些作家的创作倾向也随着阶级斗争形势的发展而有所变化。一般在两个阶级妥协、绝对王权较照顾资产阶级利益的时期，他们在创作中更服从于王权的要求，妥协、调和的色彩居多，如高乃依；而在两个阶级关系紧张，甚至濒于破裂，王权对资产阶级施加压力的时期，他们作品中批判的色调则加重，如拉辛；甚至在同一个作家身上，与宫廷关系较疏时，对贵族阶级尚有所批判，而在与宫廷关系密切时，则更适应贵族阶级及其政体的利益，如布瓦洛。

从古典主义文学的政治思想内容和对绝对王权的关系来说，大致上经历了这样几个阶段：第一阶段，黎塞留和马扎然当权时期，这时君主专制日益发展巩固，势如破竹地击溃了贵族分立割据势力，为以后路易十四的"太阳王"全盛时代奠定了基础；反映在意识形态上，则是开始提倡文学艺术的规范化。马莱伯、夏普兰、巴尔查克这些作家，适应这一政治需要，在语法、诗学、修辞学等方面提出了一整套准则，为古典主义准备了适合的表现形式。这时期的资产阶级作家，对蒸蒸日上的绝对王权和两个阶级妥协的局面表示了支持和拥护，把当时阶级妥协的气氛与精神，用古典悲剧的艺术形式加以表现。高乃依的《勒·熙德》就是典型的例子。它一方面鼓吹忠君爱国的观念以适应王权的需要；另一方面也照顾个人的利益和感情，以适应资产阶级的观点。但是，在封建阶级专政的君主专制政体下，资产阶级是不可能与封建阶级达到绝对平衡的，贵族与王权对资产阶级作家施加压力，使他们不得不进一步屈从于封建阶级的政治、道德的要求，高乃依创作的变化和他以后的一些作家的创作就说明了这个问题。古典主义发展的第二阶段，正是君主专制发展到极盛的路易十四时期。这一时期绝对王权的控制与拉拢，再加上贵族阶级的压力，使资产阶级倾向的作家不得不在国王所容许的政治、艺术标准下进行创作。布瓦洛从对贵族阶级有所讽刺到服从路易十四的政治需要，成为古典主义的总结者和立法者；拉封丹在用寓言对封建社会进行批判时却对国王歌功颂德；即使是早年在流浪生活中比较接近下层人民的莫里哀，在自己的创作中也遵循了路易十四的政治路线，还不得不为宫廷创作应景之作；拉辛虽然是在贵族阶级与资产阶级的妥协濒临破裂的时期开始创作的，但他一直对国王存有幻想。这些作家的创作构成古典主义文学的主体部分，它们充满了资产阶级倾向与屈从君主专制的矛盾，因而表现得比较复杂，在这里，资产阶级的愿望和要求有某些曲折的反映，而又不超越君主专制政体所容许的范围。古典主义的第三阶段是在路易十四统治的后期，这时贵族对资产阶级的妥协告终，而代之以对资产阶级的压制，君主专制制度也开始走下坡路，暴露出虚弱的本质。拉辛后期的悲剧对王权表示了失望的情绪，古典主义后期的某些散文作家，也开始对绝对王权提出了某种怀疑和否定，不过仍有像博叙埃这种封建阶级的卫道者，始终竭力为君主专制进行辩护。

因为 17 世纪贵族和资产阶级的妥协首先表现在宗教问题上，特别是因为封建专制制度的加强和对宗教生活的强调，所以 16 世纪那股人文主义思潮可以说转入了低潮，这就使得整个古典主义文学深深渗透着宗教的思想。不少作家如博叙埃、费纳龙本人就是教会的当权人物；某些作家虽然没有教职，但也在作品中大力宣扬宗教思想，如帕斯卡尔、拉布吕耶尔；其余大部分作家，如高乃依、拉辛、布瓦洛等都是虔诚的教徒；即使是具有批判精神的莫里哀和拉封丹，也对宗教抱有相当的敬意。不过，应该指出，从 16 世纪到 17 世纪，资产阶级与贵族在意识形态上的冲突同样首先表现在宗教问题上。17 世纪不仅存在着天主教与新教的矛盾，而且在天主教内部，也有代表正统教会的耶稣会派与被视为异端的冉森教派的矛盾。冉森教派接近新教，代表了资产阶级"穿袍贵族"的观点。这两个教派的矛盾反映了资产阶级中上层与封建阶级的矛盾。在古典主义文学中，像博叙埃这种天主教卫道者是新教和冉森教派的死敌。资产阶级倾向的作家，如帕斯卡尔、布瓦洛、拉辛等，都是冉森教派的拥护者，或者深受这个教派的思想影响，他们都反对宗教迫害；高乃依虽是正统的天主教徒，也在自己的创作里流露了宗教宽容的思想；至于莫里哀，他往往在自己的喜剧里，曲折地表现违反宗教信条的人文主义思想；还有拉封丹，也对教会进行了辛辣的讽刺。

古典主义作家从他们的社会地位来说，都是接近宫廷的头面人物，他们受到官方的拉拢，路易十四对这些作家几乎都赏过奖金和津贴，或者赐过职务和头衔。他们出入宫廷，自然以现存秩序的遵守者、"正派人"、"道德家"自律。他们宣扬"忠君爱国"，目的在于维护中央集权的绝对王权，归根到底是为了维护这一政权下宫廷贵族与上层资产阶级的利益；他们反对个性的自由发展，提倡"自我克制"和"常理常情"，则是要在统治阶级和资产阶级既得利益阶层中维系团结，以适应君主专制的需要。他们与下层人民有很大的距离，农民、手工业者一概被他们称为"下等人"。他们对人民，特别是广大农民所受的残酷压榨完全无动于衷，视为当然。只有少数作家，如莫里哀、拉封丹、拉布吕耶尔对人民的悲惨处境流露过同情，但路易十四的君主专制制度在他们头脑里是永世长存的，他们根本没有想到过社会改革，更谈不上革命。

古典主义的主要表现体裁是戏剧，其次是书信、讽刺诗、杂文、演词等形式。在报刊事业不发达的 17 世纪，散文起了传播宫廷和城市新闻的作用，至今具有一定的文献参考价值。戏剧不是为阅读，而是为演出而写的，在君主专制政体下，它最能适合凡尔赛宫廷举办大规模的豪华庆典的需要，因而受到王权的提倡和鼓励。它还能丰富贵族和资产阶级的社交生活，也受到了他们的欢迎。与封建社会相适应，古典主义把文学类别也分成不同的等级。在戏剧中，悲剧是"高贵的"体裁，用来表现帝王将相。喜剧是"卑下的"体裁，应该取笑资产阶级和平民，有时也可以揶揄小贵族。所谓"高贵的"体裁在情调与语言上也要与众不同，风格要强调庄严，人物的品性要与贵族的身份一致，语言要力戒粗俗、不雅。这些戒律是封建等级制度在古典主义文学中的反映，其结果只能使作品的描写不逼真，人物的性格不自然，语言的风格矫揉造作。

像君主专制制度强调统一的政令和法律一样，古典主义也要求遵守统一的规则，其中最著名的就是戏剧中的"三一律"，即要求情节、时间与地点一致的规则。早在布瓦洛在《诗的艺术》中对此做出明确规定之前，从 16 世纪中叶起，就有人陆续提出过这种主张。但在 1630 年以前，"三一律"并不是必须遵守的绝对规则，一些剧作者在多年创作活动中也并未予以重视，有的戏剧理论家还公开撰文反对，要求诗人的独立性。随着文学艺术的规范化，从 1630 年，剧作家迈雷（Jean Mairet，1604～1686）在他的牧歌剧《西尔瓦尼尔》（*Sylvanire*，1630），尤其在悲剧《索福尼斯伯》（*Sòphonisbe*，1634）中开始应用这个法则，首先得到了当时正在抓意识形态、注意戏剧问题的黎塞留首相的赞许，而后，官方理论家夏普兰也在《关于戏剧艺术的信》（*Lettre sur l'art dramatique*，1630）、《法兰西学院关于〈熙德〉的感想》（*Sentiments de l'Académie française sur le Cid*，1638）中，假亚里士多德的名义强迫剧作家接受这一戒律。其实亚里士多德在《诗学》中只要求过"动作或情节的整一"，至于时间的整一只不过是希腊剧作家一种普通的用法，他们更没有提出过地点的整一，因为古代的戏剧没有幕间休息，不存在变换地点的问题。马克思曾经指出："毫无疑问，路易十四时期的法国剧作家从理论上构想的那种'三一律'，是建立在对希腊戏剧（及其解释者亚里士多德）的曲解上的。但是，另一方面，同样毫无疑问，他们正是依照他们自己艺术的需要来理解希腊人的，因而在达西埃和其他人向他们正确解释了亚里士多德以后，他们还是长时期地坚持这种所谓的'古典'戏剧。"[①]这就清楚地说明了"三一律"是法国君主专制制度的产物，是人为地制定出来的。"三一律"虽然使法国古典悲剧具有明晰、精炼、紧凑的优点，但对戏剧创作也是一种束缚，使得古典主义戏剧显得过于拘泥形式，不够真实与自然。

　　法国的专制君主企图充当全欧洲霸主，总以古代罗马帝国为其向

---

① 　马克思：《1861 年 7 月 22 日给斐·拉萨尔的信》，《马克思恩格斯全集》第十卷，第608 页。

往和效法的榜样，同样，17 世纪的古典主义作家也以古代希腊罗马的文学艺术为自己模仿、崇拜的对象。为了迎合封建国王讲排场、装门面的心理，这些作家往往用壮丽的布景、巧妙的情节、绚丽的衣饰、铿锵的诗句，尽量打扮自己的作品，连音乐与舞蹈也同戏剧结合了起来，以增加热闹的气氛。他们喜欢借用古代的题材，表现当代的贵族生活内容，并且精雕细琢，在形式上下功夫。他们以追求路易十四的青睐为自己的创作目的，往往为那些带有迎合谄媚性质的作品，竞相披上华丽的外衣。所有这一切使古典主义文学带有浓厚的宫廷气息。

但古典主义内部也有两种不同的倾向。一种是力求严格遵守与封建制度相适应的规格标准，另一种却对这些清规戒律并不完全尊重；一种力求迎合宫廷贵族的情调趣味，另一种试图继承某些人民大众的文艺传统；一种坚持以宫廷上流社会的用语为标准，另一种却吸取人民的某些土语、方言和行话；一种强调向古代希腊罗马看齐，另一种认为今人也可以创作出堪与古人媲美的作品。前一种倾向的作家是布瓦洛、拉辛等，后者的代表是莫里哀。这种意见分歧贯穿在整个古典主义运动期间，到 17 世纪下半叶，更爆发了有名的"古今之争"。原来那批与宫廷关系密切的资产阶级作家如布瓦洛、拉辛、拉布吕耶尔等，仍坚持古典主义的崇古守旧的文艺主张，而文坛上新出现的一批人物如佩罗、圣埃弗勒蒙、丰特奈尔等，则表现出反对向古人顶礼膜拜的革新精神。"古今之争"爆发在路易十四晚期君主专制开始衰落的时候，其实质是革新派反对文艺屈从于路易十四的绝对王权、主张摆脱古典主义陈规的思想斗争。论争最后以崇今派的胜利而告终，这预示着 18 世纪启蒙思潮即将来临。

古典主义文学具有一定的历史进步意义。它抵制了封建贵族的矫饰文学的恶性发展，多少曲折地反映了资产阶级某些情绪和愿望。它是法国民族文化形成的一个重要阶段。它促进了语言的规范化运动和某些文学形式如戏剧、散文的发展。但古典主义毕竟是君主专制政治的产物，它的内容具有明显的保守性。比起 16 世纪生动活泼的人文主义文学，它显得软弱无力；即使它最优秀的代表作家，也没有提出过具有鲜明进步色彩的要求，这又是它和 18 世纪启蒙运动文学的根本区别。由于主张模仿古代希腊、罗马的作家，在题材上同当代保持尽可能遥远的距离，这就使文学反映现实生活受到较大的局限。烦琐的清规戒律束缚了作家创作思想的自由发挥，体裁形式的等级划分，也限制了社会现实内容的充分表达。随着时代的发展，古典主义逐渐成为摇摇欲坠的封建专制制度的文化工具，18 世纪末叶，法国觉悟了的资产阶级终于喊出了打倒古典主义的口号。时代在前进，法国古典主义作为封建君主专制这一特定历史阶段的文学思潮，已经一去不复返了。

第二章　古典主义的形成和理论

第一节　古典主义的形成过程

　　古典主义作为君主专制政治的产物，是随着君主专制的全盛而发展起来的。君主专制在要求政治和社会生活高度统一集中的同时，对文学艺术也提出了自己的规范。它要求文艺必须尊重封建等级观念，为中央集权的国王及其政策服务，作家全得依附王权，努力节制自己的个性和独创精神。为了使文学能表现君主专制政治的精神和内容，就必须有相应的语言工具与文学形式。在 16 世纪，法国语言经历了吸收俚言俗语和外来词汇的丰富发展的过程，但也产生了一个后果，那就是芜杂不纯。这样，古典主义的形成自然就首先表现为对语言和文学形式的整理和规范。这个过程从 17 世纪初就已经开始，出来担当这个任务的是提倡语言"纯洁化"和诗歌格律化的马莱伯。到了 17世纪 30 年代，随着法兰西学院的建立，学院的沃日拉、夏普兰、巴尔查克等从语法、诗学、修辞学等各方面的加工，语言和文学形式的规范化有了更进一步的发展，最后，到路易十四时期，布瓦洛又加以全面的总结，形成了一整套从内容到形式方面都体现了绝对君主政治标准的古典主义文学理论。在官方的大力支持下，遵循这些理论创造出来的古典主义文学，终于成为全国性的占统治地位的文学主潮，起着维护君主专制制度的作用。

弗朗索瓦·德·马莱伯（François de Malherbe，1555～1628），出生在一个"穿袍贵族"的家庭，父亲是康城初审裁判厅的顾问，从小就想将他培养成法官。但马莱伯的青年时代适值法国内战十分激烈，他被迫中辍学业，过着颠沛的生活。1605 年，他到巴黎，晋见亨利四世，献上一首颂诗《为到利穆森去的亨利大帝祈祷》（*La Prière pour le roi Henri le grand, allant en Limousin*），深得国王的欢心，他被挽留下来，从此，50 岁的马莱伯被人称作"波旁王朝的官方诗人"，竭力为宫廷效劳。亨利四世死后，他成为摄政的太后玛丽·德·梅迪契宠幸的诗人，接着又受到路易十三的庇护。

马莱伯把语言规范化和建立古典主义诗法作为毕生的志愿，但他很少发表系统的理论，只在龙萨以及比他年岁稍长的同时代诗人德波尔特（Philippe Desportes，1546～1606）的诗集上写过评注，提出了一些原则。马莱伯认为七星诗社引进不同来源的大批词汇，使法语处于庞杂不纯的状态，他要为"这座过于茂密的树林"做剪枝工作，清除从拉丁文、希腊文、意大利文、西班牙文中借来的词汇和来自民间的粗俗的语言，以便留下"纯粹的法语"。他认为语言作为阐明思想的媒介，应该明晰、准确、和谐。他反对矫饰的句法和词汇，更不能容忍民间的语言，他要求把宫廷和巴黎上流社会内通用的语言作为书面语言的楷模和标准。

在法国诗歌形式的发展方面，16 世纪的七星诗社虽然注意了诗歌的格律，但并没有正式建立严格的诗律，马莱伯第一次用明确的术语为十二音节的亚历山大诗体制定了基本的规则，他提出在第六音节之后必须有一个停顿，禁止母音重复、倒装句和跨句，反对各种虚词，要求丰富的韵脚和有规律地安排诗句、段落。他对其他各种诗体也进行了整理，定下了相应的格律。

马莱伯主张写诗需要刻苦雕琢、不断润色，在艺术形式上力求完美。他对形式上的疏忽和缺陷非常严厉，甚至达到吹毛求疵的程度。

他的《关于德波尔特的评注》（*Commentaire sur Desportes*）便是证明。他的弟子们看见他把龙萨的诗集涂去大半，问他是否至少同意没有抹掉的部分，他回答说："剩下的同样不行。"他自己写作很慢，成诗一句甚至要用去一令纸，他全部的作品只有一小册。他的诗在形式上虽然工整，但大多缺乏诗意和想象，风格生硬，很不自然，其代表作是：《给讨伐叛乱的国王路易十三的颂歌》（*L'Ode au roi Louis XIII, allant châtier la rêbellion des Rochelois*，1628）。

马莱伯生前有"语法诗人"或"韵文作者"的绰号，他的主张并没有被普遍接受，还遭到了市民文学一些作家如雷尼耶、德·维奥的反对，但他的主张适应了君主专制政体的要求，因此在 17 世纪古典主义的发展中逐渐成了正统的诗歌理论，到 17 世纪下半叶古典主义全盛时期，布瓦洛这样评论说："这位可靠的诗宗，即使现代作家也应将他当作楷模敬奉。"马莱伯有一些弟子，其中比较重要的是梅纳尔（François Maynard，1582～1646）和拉康（Honorat de Racan，1589～1670），他们都在一定程度上模仿了马莱伯的诗作。拉康还著有关于马莱伯的回忆录。

在古典主义的形成过程中，法兰西学院的建立起了重要作用。1629 年左右，有一些作家经常在孔拉尔的寓所聚会，谈论时事政治，特别是文艺和语言改革问题，当时首相黎塞留正在物色一个能够贯彻中央集权意志的意识形态工具，他听到这个消息后，便决定任命他们为政府的学术团体。第一次会议于 1634 年 3 月 13 日举行，下一年年初，经路易十三亲自批准成立，但由于神学院和巴黎法院的阻挠，直到 1637 年才正式注册成为国家部门。学院院士的名额固定为 40 位，其核心由符合绝对王权政治要求的作家、评论家、学者等组成。

法兰西学院的基本任务是统一文字，为法语制订规则，确立共同的美学标准，评判诗人的作品并使之适应王权的要求。他们按照黎塞留的意图，在章程中规定要编纂一部字典、一部语法、一部修辞学和一部诗学。他们还密切注意当前的创作动向，对这出或那出戏发表他们的"感想"，这一切，都是为了加强国家对文学至高无上的控制。

法兰西学院成员们卷帙浩繁的论著，不外是按君主专制的要求，在文化领域的各个方面制订种种法则。他们之中比较重要的人物有法雷（Faret，1596～1646）、沃热拉（Claude Favre de Vaugelas，1595～1650）、夏普兰（Jean Chapelain，1595～1674）和巴尔查克（Jean Louis Guez de Balzac，1597～1654）。

法雷是法兰西学院院章的起草人，拟订过上流社会社交生活的格式。他 1630 年发表的《正派人，或取悦宫廷的艺术》（*L'Honnête homme, ou l'art de plaire à la Cour*），至 1660 年已再版七次，流传很广。沃热拉以语言学权威著称，是《法兰西学院词典》实际上的主编。他著有《关于法语的考察》（*Remarques sur la langue française*，1647），指责外省和平民的用语是"坏习惯"，要予以废除，同时号召"按照宫廷中健全的部分和优秀作家的好习惯去说话和写作"，企图以贵族阶级的语言为标准给法语定下"基本固定的规则"。

夏普兰是法兰西学院的组织者，他得到宫廷和权贵的宠信，是官方的文艺批评家，在古典主义的形成过程中起过重要的作用。他曾秉承黎塞留的私意代法兰西学院起草对高乃依的悲剧《勒·熙德》的批评意见，把"三一律"强加给戏剧创作，他力图把整个文学纳入古典主义的固定框框，划悲剧和史诗为"高级体裁"，其他则为"低级体裁"，他强调"理性"高于一切，号召诗人向古代作家学习，他还奉财政大臣柯尔贝尔之命为作家们拟定年金，俨然是文艺界的管理人。但他自己的创作很不成功，他以民族女英雄贞德为题材的《贞女传》（*La pucelle*）是一部低劣的雕琢之作。

巴尔查克虽然很少参加学院的集体活动，但他对散文所起的作用，与马莱伯的诗歌改革不相上下。他整理了书简体、对话体、议论体、演说体等几种散文形式。他的书信集共二十七卷，大部分是写给社会名流的，泛泛谈论政治或宗教，评议道德或趣味，思想内容保守落后，但文字技巧很讲究，适于公开朗诵，深受上流社会的欢迎。此外，他还有议论文六十七篇和一些专题文章。巴尔查克把自己的写作比喻为建造庙宇和宫殿，字斟句酌，努力润色，还要注重逻辑和语法。他主张文章洗练，有条不紊，起承转合不露痕迹，段落之间互相协调，并富有节奏感。他喜欢简洁的文字和明晰的风格，反对使用散漫的长句和芜杂的复句，作为修辞学家，他也重视夸张和隐喻，但要求用得审慎和适度。在政治方面，他与马莱伯一样，拥护绝对王权，在《君主论》（1631）一文中对路易十三竭力进行美化和颂扬。

法兰西学院集体从事的最巨大的工程就是《法兰西学院词典》（*Le Dictionnaire de l'Académie française*）。它由夏普兰拟定计划，1639 年着手编纂，但进度缓慢，特别在主持者沃热拉死后拖延了很久，直到 1694 年才告完成。这部词典学院气息很浓，原来的排法以字源为顺序，使用极不方便。它收入的词汇不多，为 17 世纪古典主义作家提供了严格的选字标准。它摒弃一切职业行话、民间词汇、土语方言，使法语变得相当贫乏，但它却把贵族喜爱的纹章、狩猎等专门名词收罗在内，表现出统治阶级狭隘的趣味。除了完成这部词典以外，法兰西学院的其他庞大计划都未能全部实现。

第二节　布瓦洛和他的文艺理论

1. 布瓦洛的创作活动

法国古典主义最重要的文艺理论家是尼古拉·布瓦洛·戴普雷奥（Nicolas Boileau-Despréaux，1636 ~ 1711）。他生于巴黎，父亲是高等法院的主庭书记官。他由父亲安排，起初修习神学，1652 年在巴黎大学攻读法律，毕业后获得律师的职位。1657 年他继承了父亲的一笔遗产，得以维持独立生活，从此离开法院，专心研究文学，并从事诗歌创作。布瓦洛的主要作品是《讽刺诗》（*Satires*，共十二篇，1660 ~ 1705），《书简诗》（*Epitres*，共十二篇，1669 ~ 1695）和《诗的艺术》（*L'art poétique*，1669 ~ 1674）。

1660 年至 1668 年，是布瓦洛创作的第一阶段。他写作了《讽刺诗》中的前九首。开始时，年轻的布瓦洛跟随莫里哀、拉封丹，把讽刺的矛头指向没落的贵族阶级，如在讽刺诗第五首《论高贵》（*Sur la noblesse*，1665）中，对这个统治阶级的种种恶习败行进行了批判，在其他各首诗里，则嘲弄了一大批贵族雕琢派诗人如科坦神甫、浦尔神甫、斯居代里、普拉东、基诺、佩尔蒂埃等等。他还集中挖苦夏普兰的史诗《贞女传》，因为夏普兰身居法兰西学院的要职，他的创作却助长了矫饰文学的恶劣趣味。这几首颇有锋芒的讽刺诗在法国诗坛上引起了巨大的反响，使他受到贵族阶级的一系列打击，他不得不寻求王权的支持。自 1665 年起，他开始出入宫廷，并写了一首致国王的颂诗，附在他的最初七首讽刺诗的第一版中，1674 年，又作为代序放在《讽刺诗》集子的前面。同时，他又接近冉森教派的领袖阿尔诺，思想上受到冉森教派悲观情绪的影响，在《讽刺诗》的第八首《论人》（*Sur l'homme*，1667）中，他把"人"看做最蠢的动物，比驴子还不如，在第九首《致心灵》（*A son esprit*，1668）中做了一番自我检讨，认为写讽刺诗会招来许多人的怨恨，被人视为"年轻的疯子"，还不如安分守己，停止一切批判。这两首诗标志着布瓦洛在统治阶级压力下，思想从积极的方面向消极的方面转化。

1669 年至 1677 年，布瓦洛的创作转入第二个阶段。他写了《书简诗》中的前九首，这些诗中有三首是呈献给路易十四的，对国王歌功颂德，赢得了国王的欢心，路易十四听他朗诵第一首为庆祝亚琛和约而作的《论和平的益处》（*Sur les avantages de la paix*，1669）

之后，就当场赐给他 2000 法郎的年金。其余各首诗也都是写给达官贵人的，他在这些诗里竭力以"正人君子"即封建的道学家的面貌出现。在第五首《论自知之明》（*Sur la connaissance de soi-même*，1674）中，他还进一步否定了过去创作中的积极因素，检讨他以前写讽刺诗不够"谨慎和明哲"，表白"今天我是年迈的狮子，温良而和蔼可亲；我再不用那磨钝了的爪子去攻击别人"。也正是在这种向贵族阶级委曲求全的思想基础上，布瓦洛适应路易十四的政治要求，于 1674 年发表了古典主义的美学著作《诗的艺术》。

布瓦洛作为资产阶级出身的"穿袍贵族"，世界观是复杂的，他对封建统治阶级的态度经常有所反复，既有依附和妥协的一面，也有矛盾和不满的一面。在写《诗的艺术》的同一年，布瓦洛开始发表一首长篇叙事诗《经台吟》（*Le lutrin*，1674～1683），用楷模史诗的手法，把丑角当作"英雄"来描绘，写教堂中为争夺唱诗班位置的一场无聊的争吵，对教会进行了讽刺。1677 年，布瓦洛在关于拉辛的悲剧《费德尔》的争论中站在拉辛的一边，写了书简诗《论敌人的功用》（*Sur l'utilité des ennemis*），对一些贵族诗人非难拉辛表示不满，从而又引起了一些宿敌的嫉恨。在这种气氛中，路易十四决定让他宠幸的诗人布瓦洛和拉辛暂时退出文坛，任命他们为史官，于是布瓦洛专心致志从事这项工作，有十几年不再写诗。

1684 年，在路易十四的示意下，布瓦洛被法兰西学院接纳为院士。从 1687 年至 1700 年，他作为"崇古派"的保守理论家同以佩罗、丰特奈尔为首的"厚今派"进行论战，他相继写了十二篇《对朗吉努斯的批评性的感言》（*Réflexions critiques sur Longin*），竭力推崇古希腊诗人，但都遭到佩罗的反驳。最后，他写了一封信给佩罗，承认了对方的合理论点。布瓦洛晚年表现了对当时受迫害的冉森教派的同情。1711 年 1 月，他的最后一篇讽刺诗《论模棱语》（*Sur l'équivoque*，1705～1711），反对了耶稣会的活动，遭到教会的禁止。同年 3 月，布瓦洛去世。

2. 布瓦洛的《诗的艺术》

布瓦洛的文艺理论著作《诗的艺术》，是在他向贵族阶级屈服妥协、对路易十四逢迎讨好的时期写出来的。他在这部著作里总结了数十年来古典主义作家的创作经验，站在为绝对王权效劳的立场上概括了古典主义文学发展过程中形成的基本理论，按照封建等级观念把文学体裁分为不同的等级，对每种体裁明确规定了符合君主专制政治和文艺政策的规则。由此，这本书在古典主义文学运动中成为权威的美学法典，布瓦洛也获得了古典主义立法者的称号。

《诗的艺术》用整齐的亚历山大诗体写成，全长一千一百行，分四章。第一章是总论；第二章论"次要的"诗类：牧歌、悲歌、颂歌、商籁等；第三章论"主要的"诗体：悲剧、史诗、喜剧；第四章是关于道德修养的说教。

布瓦洛认为文学的基本任务是模仿"自然"，他说："我们必须永远和自然寸步不离"，他在书简诗第九首《只有真才是美》（1675）中补充说："自然也就是真，一接触就能感到"，"没有比真更美了，只有真才是可爱"。布瓦洛的"自然"，是从亚里士多德的《诗学》中继承下来的一个概念，他把逼真地模仿自然看做是美的条件，这一点符合文艺反映现实的基本原则，是一种现实主义的理解。但是，在布瓦洛的"自然"这个抽象概念的后面，却有其具体的阶级内容。首先，它并不是指全部的客观世界、社会生活，而只是指贵族阶级和资产阶级的生活，他把模仿"自然"具体化为"研究宫廷"和"认识城市"。在 17 世纪，"宫廷"和"城市"就是贵族阶级和资产阶级的代称，布瓦洛所提出的对宫廷必须"好好地研究"，对城市也要"好好地认识"，也就是要以这两个阶级的生活内容为文艺表现的对象，至于广大的农民和城镇平民的生活则完全被排除在"自然"之外，而在

"宫廷"和"城市"之间，他又把宫廷放在优先的地位，所强调的是要表现贵族阶级的生活。这种文学表现范围的划分和主次的排列，正符合了君主专制政体作为贵族与资产阶级之间"表面上的调停人"的政治路线。

在西方古典文艺理论中，"自然"除了包括现实生活外，还包括了"人性"，布瓦洛关于"自然"的概念也是如此。在布瓦洛看来，人的性格都是天生的，与社会条件没有关系，并且它是分成不同类型、固定不变的。这里，布瓦洛讲的是普遍人性，实际上强调的仍是具体的阶级性，即贵族的阶级性。他号召诗人大力表现贵族阶级的"英雄"，把他们写成"论勇武天下无敌，论道德众美兼赅：纵然是在弱点上也显出英雄气概"，并以帝王将相作为典型化的理想，"要他的惊人事迹值得谱写成演义，伟大得像恺撒、亚历山大或路易"，而为了更好地做到这点，布瓦洛认为诗人不仅要有"天才"，自己也要做个"正派人"，"要爱道德"。布瓦洛要求文学表现符合封建道德标准的人性，正是为君主专制政体维系封建阶级内部的思想一致、协调贵族与资产阶级的关系服务的。

至于如何才能完成模仿"自然"的任务、创造出完美的作品来呢？布瓦洛强调必须服从"理性"："爱理性吧，愿你的一切文章永远只凭着理性获得价值和光芒"。既然"理性"是文艺创作是否成功的主要条件，那么，文艺作品模仿"自然"与原型是否符合以及符合到什么程度，当然也就以"理性"作为最高标准来衡量了，即布瓦洛所说的"凭理性判别是非"。这里，布瓦洛所指的"理性"既有别于笛卡儿所指的作为科学推理的"理性"，更不是后来18世纪启蒙运动中作为资产阶级悟性的"理性"，而是君主专制政治所要求的道德规范。他正是用这"理性"作为尺度斥责一切不符合封建体统的文学现象，他反对斯卡龙、达苏西等市民作家，批评他们"把阿波罗反串成为丑角塔巴兰"，惊呼"这风气有如疫疠，直传到全国郡县"，呼吁朝廷赶快刹住"这股歪风"。他甚至对塔索的《解放了的耶路撒冷》等作品都看不顺眼，特别对其中"犯上作乱"的形象大加指责："你们描写那魔鬼老是对上帝狂嗥，连你那伏魔英雄也几乎打他不倒，有时候就连上帝也几乎不能取胜，你们描写这一切究竟会起什么作用！"总之，他把一切不符合封建文明和道德的事物统统斥为"荒唐的放纵"，把生气勃勃的艺术表现视为"过火"、"离奇"、"标新立异"、"肆无忌惮"；他主张一切要合乎"常情常理"，也就是要遵守"中庸之道"，要"防止过偏"，要制止"各种紊乱"，否则"就堕落不能自救"。布瓦洛在文学领域里所建立的这种"秩序"，正是君主专制的政治要求在文学理论上的反映。

布瓦洛对文艺创作强调的另一个原则是：必须取悦"读者"："你只能贡献使读者喜悦的东西。"读者从来都是有阶级性的。布瓦洛的取悦"读者"，实际上是主张竭力迎合上流贵族社会，特别是宫廷的审美趣味。为此，他要求"提高"笔调，"不管你写的什么，要避免鄙俗卑污"，他提倡"从从容容地写作"，要十遍、二十遍地修改作品，不断润色、润色、再润色，以求诗句显得"华丽"、"雅洁"、"谐和"、"工巧"。凡不合这种宫廷趣味的，他都加以指责。他认为斯卡龙、雷尼耶等市民作家的作品不是"粗俗"就是"下流"，"雅人都听着皱眉"。他否定一切民间创作，把戏谑诗、寓言、闹剧等当作"低级的"文学形式予以排斥；他鄙视民间艺人，把民间语言称为"肮脏和卑下的词汇"，把文艺中生动粗犷的表现称为"低级滑稽"，说这只能使仆役们开心，充分反映了贵族老爷式的趣味。

为了借用古典的形式，把贵族阶级尽可能表现得"崇高"、"雄伟"、"悲壮"，布瓦洛极力推崇古希腊、罗马的作家，把他们奉为效法的典范。他的《诗的艺术》就是模仿亚里士多德的《诗学》和贺拉斯的《诗艺》写成的。他要求诗人们对古人的作品"爱得虔诚"，对之顶礼膜拜。他撇开社会现实生活，错误地把过去的文艺的"流"当作"源"。在他看来，古人提供的技巧、法则已经十分完美，是永远行之有效的，古人的作品已包罗万象，不需要增添什么新的内容，因此，模仿它们就是获得成功的"捷径"。布瓦洛这种把古人的创作视为普遍的、永恒的"真善美"，既是因为缺乏历史发展的观点，也是受他写作《诗的艺术》时保守的政治立场所决定的。

《诗的艺术》在创作问题上，也提出了某些现实主义的理解，有一些可取的看法，如主张内容决定形式，反对"以理就韵"，"以文害理"，又如提倡对社会生活、人物性格要"善于观察"、"能鉴识精审"、"一眼洞彻幽深"，还有要求语言"简洁"、"明晰"，结构"完整"、"严谨"等等。但它基本上是一部形而上学的美学著作。全书用做结论的语气写成，并把一些看法加以绝对化，作为文学艺术的戒律。由于这部著作要求人们遵守封建秩序，维护了君主专制政体，并把君主专制的政治标准具体化为文艺的准则，因此受到路易十四及其继任者，甚至欧洲其他各国王权的欣赏，成为文艺创作的金科玉律，其影响达一百多年之久，对后来资产阶级文艺革命起了阻碍和推迟的作用，直到浪漫主义运动兴起，才把布瓦洛这个偶像连同他设下的清规戒律一齐打破。

第三章　高乃依

第一节　高乃依的生平

皮埃尔·高乃依（Pierre Corneille，1606～1684）一向被称为法国古典主义戏剧的创始者。他出身于一个"穿袍贵族"之家，父亲是鲁昂水泽森林特别管理。高乃依从 9 岁到 16 岁在耶稣会举办的中学读书，受到天主教的深刻影响，从此成为虔诚的天主教徒。中学毕业后他去学法律，1628 年担任鲁昂王家水泽森林事务律师和法国海军部驻鲁昂律师等职务，供职长达 20 多年。这些职务使他能过上宽裕的生活。

高乃依的故乡鲁昂的文化生活十分活跃，是当时法国戏剧的中心。据统计，17 世纪初大部分剧本都是在鲁昂印刷的。巴黎的重要剧团也经常在鲁昂演出。在这种环境影响下，高乃依开始从事戏剧创作。从 1629 年的喜剧《梅里特》（*Mélite*）起到 1636 年，他共写了四部喜剧、三部悲喜剧和一部悲剧《梅苔》（*Médée*，1635），基本上都是一些赶时髦、附风雅之作，但同当时充斥舞台的一些杂乱无章的作品相比，他的剧本风格较为简朴，稍稍与众不同，因此引起了黎塞留的注意，被吸收到他指定的 5 人创作班子写喜剧。于是，他开始领取年金，还能涉足上流社会的沙龙，不久虽因意见不合退出了 5 人创作班子，高乃依却从此按照"三一律"写作，开始了他的戏剧创作的新阶段。

1636 年，悲剧《勒·熙德》公演，轰动了巴黎，为法国古典主义戏剧的建立奠定了基础。但这部作品却引起贵族阶级右翼的不满，他们组织力量抨击《勒·熙德》。高乃依在这种压力之下沉默了几年，终于改变了创作倾向，向贵族阶级右翼靠拢，悲剧《贺拉斯》（1640）、《西拿》（1640）、《波里厄克特》（1643）、《庞贝之死》（*La Mort de Pompée*，1643）、《罗多古娜》（*Rodogune*，1644）就是这样写成的，甚至对"投石党"运动有所反映的《妮高梅德》（*Nicomède*，1651）和《佩尔塔里特》（*Pertharite*，1653）也改变不了作家创作走下坡路的趋向。高乃依还开始追求情节的复杂，所谓"效果剧"《安德罗梅德》（*Andromède*，1650）、"英雄喜剧"《阿拉贡的唐桑肖》（*Don Sancho d'Aragon*，1650）就属于这种类型。高乃依的创作越来越脱离反映现实的道路，终于导致惨重失败。他中断创作达 6 年之久。在这期间，他沉湎于宗教著作之中，翻译宗教诗歌，还把宗教著作《论模仿基督》改译成诗。从《俄狄浦斯王》（*Œdipe*，1659）到《苏莱纳》（*Suréna*，1674），没有一个剧本是成功的。高乃依一生写了 30 多部剧本，最后以失败告终。晚年他退出了戏剧界，默默无闻地死去。

第二节　高乃依的《勒·熙德》

《勒·熙德》（*Le Cid*，1636）是高乃依的代表作，同时也是古典主义戏剧的奠基作品。

这出五幕诗剧以西班牙历史上一个民族英雄熙德的故事为题材，并参考西班牙作家卡斯特罗（1569～1631）的剧本《熙德的青年时代》写成的。幕启时，女主人公施曼娜正在焦急地等待父亲是否被选为太子师傅的消息，因为这关系到最后决定自己和男主人公唐·罗德里格的婚姻。罗德里格的父亲唐·狄埃格是个老功臣，他被选上了。但是施曼娜的父亲唐·高迈斯却落了选，他很不服气，争吵中打了狄埃格一个耳光。根据封建荣誉观念，被人打了一记耳光乃是奇耻大辱。狄埃格要他儿子报仇雪耻。罗德里格经过内心斗争，终于服从家族荣誉的观念，向高迈斯寻衅，杀死了他。消息传到施曼娜那里，她内心矛盾不已。为了报杀父之仇，她坚决向国王请求惩罚罗德里格，但当罗德里格跑到她那里让她处置自己时，她又犹豫不决了。这时，摩尔人入侵，狄埃格让罗德里格前去杀敌，罗德里格出奇制胜，打败了敌人，还俘虏了摩尔人的两个国王，罗德里格被他们尊称为"勒·熙德"（意为"君王"）。正当罗德里格向国王叙述自己如何打败敌人时，施曼娜又来向国王吁求报仇，并表示愿接受杀死罗德里格的武士做自己的丈夫。国王勉强同意了她的请求。其实施曼娜内心是矛盾的，罗德里格再一次要她决定自己的命运，她表示"你只准打胜不许打败"。罗德里格的对手桑西果然被打败了，但罗德里格饶了他的命，他感恩之余跑来向施曼娜报告结果，施曼娜却以为罗德里格被杀死了，泄露了真情。最后，国王出面，让她和罗德里格在一年后结婚。矛盾终于得到解决。

《勒·熙德》的内容具有明显的政治性。在剧本里，始终贯穿着一对主要矛盾，即：是维护封建荣誉、封建责任呢，还是成全一对贵族青年男女的爱情婚姻呢？这对矛盾看来是不可调和的。根据传统的封建观念，必须绝对服从荣誉和责任的要求，什么爱情，什么婚姻，什么个人利益和感情，只能抛在一边，毫无考虑余地。然而，剧本却没有这样处理。表面上，荣誉和责任被放在第一位；实际上，通过国王的出面干预，爱情婚姻也得到了妥善解决。可见封建道德观念，乃至贵族阶级的某些利益并没有被看做判断是非的唯一准则，至少是不被绝对尊重了。这种既照顾到封建荣誉观念，又顾全个人利益、个人幸福的描写，体现了新的时代精神，表现了两种意识形态的妥协调和。正因如此，《勒·熙德》成为古典主义第一部典范的作品。

剧本一开始就把主要人物放在两种思想意识的尖锐冲突中，最后以明智的妥协导向矛盾的解决。男主人公罗德里格历来被说成是封建荣誉观念的化身，其实不然。当他被迫要为父亲雪一记耳光之耻而去找情人的父亲决斗时，内心曾经有过激烈的斗争：

> 要成全爱情就得牺牲我的荣誉，
> 要替父亲报仇，就得放弃我的爱人。
> 一方面是高尚而严厉的责任，
> 一方面是可爱而专横的爱情！
> 复仇会引起她的怨恨和愤怒，
> 不复仇会引起她的蔑视。
> 复仇会使我失去我最甜蜜的希望，
> 不复仇又会使我不配爱她。

这段描写表明在这个人物身上，对个人幸福的追求——即资产阶级所谓的人的"自然本性"，与封建道德观念发生了尖锐的矛盾。但"理性"告诉他，"这个爱情不可保"，因为他不能"任凭全西班牙在我身上加上个不能善保家声的不肖之子的名字"。于是感情向理性低了头。"这样迟疑实在不该，这样的犹豫真该惭愧。"他决定先为荣誉替父亲报仇，再到施曼娜面前去听候爱情的宣判。为了使罗德里格得到解救，也为了使封建的"理性"与资产阶级的所谓"人性"协调一致，作者安排了杀敌立功、国王赐婚的情节。这样一来，罗德里格便成为贵族和资产阶级双方都可以接受的英雄：他既是忠君爱国的勇士，又是贵族家庭的孝子贤孙，同时又顾全了个人的幸福和利益。至于女主人公施曼娜，她的封建道德观念比罗德里格更薄弱。当她听到罗德里格和自己的父亲决斗的消息后，她对于封建道德观念发出这样的抗议：

> 可诅咒的虚荣心，可厌恶的疯狂，
> 最明达的人也难免受你们的残酷折磨，
> 荣誉呀，你一点不照顾我那最亲切的愿望。

当她知道罗德里格杀死她父亲时，内心激烈斗争："我要他的头，我又怕得到手：他死我也活不了，而我又要惩罚他！"她斗争的结果比罗德里格更进一步："我唯一的希望，却是希望任何事也办不成。"她虽然要求国王主持公道，但罗德里格来见她，要她决定自己的命运时，她又不许罗德里格打败。另一方面，封建道德观念紧紧地箍住她，她知道"这事有关我的荣誉，我必须复仇"，"我绝不迟疑，依然按照我的义务行事"。然而，她的行动显得十分勉强。她的思想更容易接受妥协性的安排。

总之，作者笔下这对贵族男女已有相当浓厚的资产阶级意识了。

国王的形象在剧中占据重要地位。和现实生活中一样，剧中的国王是作为两个阶级两种思想的调停人出现的。一方面，国王享有绝对的权威，高迈斯自恃有功，冒犯了他的权威，他便勃然大怒："攻击我选择的人，就是同我作对，也就是伤害了最高的权威"；当他得知高迈斯在决斗中被杀后这样说："伯爵所做的事似乎是咎由自取，他是那样的狂妄。"另一方面，他在冲突中表现为英明的仲裁人。在他的直接干预下，施曼娜放弃了复仇的愿望，同意和罗德里格结婚。国王是解决矛盾的纽结，是剧情发展的一个不可或缺的人物。这个形象反映了当时资产阶级对国王的依赖和企望。

在艺术上，《勒·熙德》形成了高乃依的悲剧风格，取得了超过前人的重大成就。其一，高乃依能着意于人物性格的刻画。剧中的主要人物罗德里格和施曼娜都因其行动的果断坚决而被称为高乃依式的悲剧人物，但这两人仍有刚毅冷静与热烈奔放的性格之分。不光主要人物，次要人物也有血有肉，并不刻板。其二，高乃依善于运用戏剧冲突，一开幕就能紧紧抓住观众，这种冲突同现实生活息息相通，戏剧效果较为强烈。其三，高乃依的语言也有特色，他善写雄辩滔滔的长篇独白，也善写简短明晰的对白，他的风格虽华丽，却比同时代人简朴得多。

这部作品的局限性首先在于作者本人有着浓厚的封建意识，因而封建道德观念总的说来被写成正面的东西。罗德里格和施曼娜行动的准则之一就是封建荣誉。实际上，剧中人奉为神圣的荣誉、责任，不过是封建家族的名声和孝子贤孙的责任。高乃依强调用理智克服感情，就是以封建道德观念来约束对个人幸福的追求。这种思想来源于笛卡儿的唯理论。高乃依接受这种思想并非偶然，他深受封建传统观念的束缚，不仅尊崇封建的荣誉、责任，而且把门当户对的封建婚姻视为当然。如第一幕写到施曼娜是在"静待父亲的命令"来决定自己的婚姻，她的父亲说："我的女儿始终是循规蹈矩；那两个郎君也都配得上她，他们两人都出于高贵、勇敢而忠诚的血统。"剧中的公主更是这种观念的奴隶："除非一位帝王，谁也不能和我匹配，""所以流尽我的血，也不能堕落到不顾我的身份。"不能不说，这种严格地遵守封建等级制的婚姻观念的描写反映了作者思想的保守性。

剧本的宫廷色彩十分浓厚。高乃依认为在"无所不能的人"即国王和王公贵族身上，才能感受到真正的情感，所以他选取这些人物作为他剧本的主人公，宫廷便是他描绘的对象，他的剧本对当时宫廷的风气习俗做了渲染和美化，语言也颇受贵族中流行的典雅语言的影响，加上剧本宣扬的封建观念，使他的剧本明显地带有贵族文学的气息。另外，在剧本结尾，国王允诺罗德里格和施曼娜结婚，条件是让罗德里格在一年之内"还要统率军队迫使摩尔人把战火带回他们的国土，使他们的土地从此荒芜"。刚刚获得巩固的封建王国一方面需要抵御外侮，而同时已经产生侵略的野心，在这一点上，高乃依是封建王权的忠实代言人。

第三节　高乃依的其他剧本

《勒·熙德》上演后引起了轩然大波。资产阶级和贵族阶级总的来说对剧本是欢迎的。但是，贵族阶级右翼对于宣扬同资产阶级意识妥协的倾向甚为不满，顽固地坚持封建意识的绝对统治地位，不赞同刻画罗德里格的思想矛盾。他们的代言人——贵族沙龙矫饰文学的代表纷纷出来指责《勒·熙德》是抄袭品，违反"三一律"，诗句平庸云云，并策动法兰西学院对此表态。黎塞留对《勒·熙德》也有保留，因为他刚发动对西班牙的战争，而剧本恰好写的是西班牙题材，同他的对外政策有所抵触，另外，他禁止决斗，而剧本竟允许决斗。就这样，发表了由夏普兰执笔的《法兰西学院关于〈熙德〉的感言》。如上所述，这场纷争实际上掩盖着政治方面的指责。它对高乃依的创作起了极为恶劣的影响。从此，高乃依改变了自己的创作倾向，向贵族右翼势力屈服，他的作品也愈来愈走向下坡。他的三个较重要的剧本《贺拉斯》《西拿》和《波里厄克特》就反映了这种变化。

悲剧《贺拉斯》（*Horace*，1640）取材于古代罗马故事。罗马和阿尔巴的战争延续多年，最后双方决定，每方各出三人，以决胜负，败者国土要被胜者吞并。贺拉斯孪生三兄弟被罗马一方选上了。最小的贺拉斯的妻子有三个孪生兄弟叫居里亚斯，他们也被另一方选上了。小贺拉斯表示要不顾亲戚关系，非在战斗中取胜不可。小居里亚斯的情人恰好是贺拉斯的姊妹，所以小居里亚斯内心极其矛盾。小贺拉斯的妻子和姊妹也反对这场决斗。决斗开始了，当老贺拉斯得知他的两个儿子战死、小贺拉斯落荒而逃时，对小儿子的卑怯十分愤慨。原来小贺拉斯不是逃走，他使用的是一种分而战之的计策。因为三个居里亚斯已受伤，而他一人不能力敌三人；当三个居里亚斯追赶他时，因伤势轻重不同而拉开了距离，这时他来了个回马枪，把三个居里亚斯一一杀死。他的姊妹卡米叶知道情人死后，在城门指责贺拉斯，他勃然大怒，当场杀死了她。这事告到国王那里，经过一番辩论，国王对贺拉斯说："你的美德使你的荣耀超过你的罪过"，维护了贺拉斯的思想和行动。

《贺拉斯》一剧反映了贵族右翼势力维护封建传统观念，排斥资产阶级势力的强烈愿望。贺拉斯是体现作者思想的代表人物。他不同于罗德里格，他知道要同亲戚决一死战后毫不犹豫，他"一点儿也不为此而战栗"，"这个神圣而又圣洁的权力切断了一切别的关系，罗马挑选了我的臂膀，我就什么也不考虑。我娶了姊妹，又同兄弟决战，是同样的毫不含糊和同样的出于真心。"他不再认居里亚斯为亲戚，他不能容忍卡米叶还爱着、还呼喊着被自己杀死的居里亚斯，于是毫不犹豫地把她杀死，甚至不承认她是自己的姊妹骨肉。从表面上看，贺拉斯是为了"国家"而行动的："不管我的国家要我去反对什么人，我都盲目地愉快地接受这份荣耀"，"谁诅咒她的国家，谁就抛弃了她自己的家"等等；他的父亲为他辩护时，也说"他只是出于对罗马的热爱"才杀死他姊妹的。事实上，剧本中描写的罗马和阿尔巴之战，根本看不出哪一方是正义的。作者着意渲染了贺拉斯三兄弟和居里亚斯三兄弟的亲戚关系，而不区分战争正义与否。高乃依在这里反映的仍然是两种政治势力、两种意识形态的斗争。只是立意与《勒·熙德》完全不同，在《贺拉斯》里，封建义务便是一切，个人情感没有容身之地。尽管贺拉斯的性格比罗德里格更为"坚定"、"崇高"，前者却远不及后者那样引人同情和激起共鸣，因此，《贺拉斯》一剧虽更具悲剧色彩，艺术形式也更完整，更符合古典主义"三一律"，《勒·熙德》的声誉却远在它之上。

《西拿》（*Cinna*，1640）的情节也取自古代罗马故事。西拿是罗马名将庞贝的后裔，和奥古斯都皇帝有宿仇，而皇帝待他极好，他本无复仇愿望。但西拿追求爱米莉，爱米莉和皇帝有杀父之仇，尽管皇帝优渥相加，她还是念念不忘复仇。她要求西拿谋杀皇帝，才能以身相许。西拿告诉她，阴谋已准备就绪，就等明天祭祀时行动。这时，皇帝召见西拿和马克西姆，征询他们关于实施何种政治制度的意见。西拿主张维持君主制，皇帝采纳了他的意见。马克西姆其实也爱着爱米莉，但他犹豫着要不要告发西拿的阴谋，他的手下人却偷偷把阴谋透露给皇帝。皇帝知道西拿要谋害他以后十分恼怒，但皇后劝导他：杀人并不解决问题，要以仁慈相待，这样反能服人。于是皇帝召见众人。他不但没有惩罚西拿，反而加官于他。爱米莉面对皇帝的"仁慈"而"良心"发现，表示自己做了坏事，从今以后要臣服皇帝。最后，皇后对皇帝说："您找到了征服人心的办法。"

《西拿》一剧企图宣扬"仁政服人"的思想。剧本要解决这样一个问题：对于谋杀和反叛，封建最高统治者应采取何种态度？当奥古斯都皇帝得知西拿要谋害他时这样说："怎么！总是流血，总是酷刑！我已厌倦残暴措施了……砍掉一个头会使千百个头再生，而千百个谋叛者抛洒的鲜血使我的日子变得更可诅咒，而不是更安定。"皇后劝导他说："您的严厉产生不了任何效果……在西拿身上试一下仁慈所能起的作用吧……惩罚他会使骚动着的城市更加动乱，原宥他则会有利于您的声誉；您的严厉措施只会激怒他们的人，但他们也许会让您的善心所感动……总之，仁慈是最美的标志，它能使天下辨认出一个真正的君主。"皇帝对西拿恩宠相加的手段果然起了作用，西拿表示"做奥古斯都的奴隶是光荣的"。剧本着力宣扬的"仁政"其实质是什么呢？这里，所谓"仁政"只是对统治阶级专政的掩饰和淡化。高乃依写作《西拿》的前两年，鲁昂爆发了名为"乞丐雅克"领导的抗税暴动，这次暴动被残酷镇压下去了，统治阶级并没有对农民施行仁政。高乃依对农民暴动是反对的，他在剧本里表明了态度。第二幕西拿的一段话就把矛头指向了人民："人民做了主人，那就会引起骚乱……最坏的国家就是人民的国家。"那么，作者主张要对谁施行"仁政"呢？当时，大贵族也接二连三地阴谋策划反对中央王权的谋杀活动，当权者对他们也采取了严厉的政策。从《西拿》所描写的情节和人物来看，高乃依正是为那些被镇压的封建大贵族说话，为他们争取"仁政"。显而易见，这种立场是高乃依对贵族右翼势力妥协和退让的结果。

《波里厄克特》（*Polyeucte*，1643）也以古罗马帝国治下的亚美尼亚为背景，这是一出描写基督教徒殉教的悲剧。波里厄克特是亚美尼亚的一个显贵，他在朋友的劝说下受了基督教洗礼。他的妻子波利娜是亚美尼亚总督之女。波利娜原来和塞韦尔相爱。塞韦尔出身低微，因此波利娜的父亲反对这门婚事，为此把她带到亚美尼亚，让她与波里厄克特结了婚。波利娜做了一个梦，梦见塞韦尔来找她，杀死波里厄克特。塞韦尔果然来了，他现在成了罗马皇帝的宠臣，到这里来负有惩办基督教徒的使命。而波里厄克特为了表示已改信基督教，和他的朋友大闹祭祀场所，因而被关押起来，连波利娜劝说他回心转意都丝毫没有效果。波里厄克特终于殉教了。他的殉教启迪了波利娜，她也成了基督徒；在她的感染下，总督也表示要改信基督教。塞韦尔本来对基督徒就很钦佩，他表示容许总督父女的行为。

《波里厄克特》的内容较为复杂。它的主要情节是讴歌一个基督徒的护教精神，这里的基督教是写天主教，剧本的主要情节就是维护和美化天主教。他把坚定刚毅的性格安放在信仰宗教、能履行教义的人物身上。高乃依是个正统天主教徒，在当时的宗教冲突中，他无疑是站在天主教一边的。他通过波利娜来赞颂天主教徒："死亡对他们来说既不是羞耻，也并非不幸……他们相信死亡给他们打开了天国之门，折磨、拷打、残杀，那就都无所谓了，酷刑之对于他们，就如同娱乐之对于我们一样，引导他们达到向往的目标；受尽污辱的死，他们称之为殉教。”这样歌颂宗教献身有利于巩固天主教在当时的地位。然而，在次要情节上，作者也流露了宗教宽容的思想，通过塞韦尔庇护总督父女改信基督教的结尾清楚地表现了这一点。在这方面，反映了高乃依并不完全赞同封建王权的宗教政策。

综观高乃依在《勒·熙德》以后的创作，可以看到消极因素增长了。由于思想上屈服于封建贵族的压力，他的悲剧已失去反映现实的积极因素。作品中宫廷色彩更为浓厚。语言也增加了造作的成分，具有浮华矫饰的痕迹。他逐渐放弃摹写现实的创作方法，竟然提出可以描写“不逼真”的事物、追求离奇的情节，所谓“效果剧”、“英雄喜剧”就是这类货色。实际上，高乃依是企图以情节的荒诞不经来弥补思想内容的贫乏。高乃依的创作生命终于逐渐枯竭了。特别是到他创作后期，时代已经发生重大变化，贵族阶级和资产阶级的妥协局面逐渐为矛盾斗争的局面所代替。高乃依由于思想保守，对形势的变化极不敏感。他终于被后起的拉辛所代替。

受高乃依影响的一批剧作家也同样每况愈下。隐士特里斯唐（Tristan L'Hermite，1601~1655），剧作有《玛丽亚纳》（*Mariamne*，1636）、《寄生者》（*Le Parasite*，1656）；还有让·德·罗特鲁（Jean de Rotrou，1609~1650），他们都是高乃依的同时代人。罗特鲁是黎塞留组织的创作班子的成员，写过30多个剧本。悲剧《汪赛斯拉斯》（*Venceslas*，1647）曾长期上演，写一王子拉提斯腊斯出于爱情纠葛杀死其弟，因他立过战功，民众大闹法场，迫使老王汪赛斯拉斯把王位传给他。另一出悲剧《高斯洛埃斯》（*Cosroès*，1649）写一波斯王子西洛埃斯同异母兄弟争夺王位。这两个剧作还多少有点高乃依式的题材。高乃依的弟弟托马·高乃依（*Thomas Corneille*，1625~1709）所写的悲剧《铁木克拉特》（*Timocrate*，1656）、《埃赛克斯伯爵》（*Le Comte d'Essex*，1678）则是对宫廷贵族腐朽生活的美化。稍后的菲利普·基诺（Philippe Ouinault，1635～1688）的悲剧《阿尔赛丝特》（*Alceste*，1674）更是荒诞离奇，把贵族理想化，但剧本手法因有偏离古典主义的倾向而受到佩罗的欢迎。总之，高乃依后期创作的不良倾向在这些剧作家身上得到恶性发展，说明他所代表的潮流已不能反映时代的趋向了。

第四章　莫里哀

第一节　莫里哀的生平

莫里哀（Molière，1622～1673）是 17 世纪古典主义最重要的作家，古典主义喜剧的创建者，他不但在法国而且在欧洲的戏剧史上都占有极为重要的地位。

莫里哀原名为让－巴蒂斯特·波克兰（Jean Baptiste Poquelin）。莫里哀是他的艺名。波克兰家世代经商。莫里哀的父亲于 1631 年从他兄弟手中买下"王家室内陈设商"的职务，这一职务有贵族头衔，在路易十四统治时期兼有"王室侍从"称号。这种陈设商一共 8 个，分成四批，每季轮流为国王的内室或行宫的陈设服务。这样一个既有一定地位，又有殷实资财作为后盾的职务，说明波克兰家属于巴黎中上层资产阶级。莫里哀的父亲希望他继承祖业，从小就让他熟悉商业，1635 年送他进耶稣会教士举办的贵族子弟学校读书，1637 年就把世袭的权利过到他这个长子的名下，1640 年给他买下法学硕士头衔和律师职务。据传他在 1642 年随路易十三到南部的纳尔博纳去过。莫里哀在中学里学会了拉丁文，接触到古代哲学和人文科学，他甚至翻译过古罗马唯物主义哲学家卢克莱斯（公元前 98～前 55）的《物性论》。他的志趣并不在商业。他的家坐落在巴黎的闹市区新桥附近，那里经常上演闹剧。戏剧成了他的爱好。1643 年他宣称放弃世袭权利，成立"光耀剧团"。可是，剧团营业惨淡，负债累累，1645年他被蜡烛商控告入狱。他的父亲替他还债，他不但不"浪子回头"，反而于同年冬天加入另一剧团，离开巴黎。当时，演戏是为社会所不齿的行当，尽管路易十三于1641年曾下诏确认演戏是正当职业，但教会始终不许演员领取圣体，如果他们临死没有举行忏悔和终敷礼，就不能葬入教堂墓地。据查理·佩罗叙述，莫里哀的父亲曾发动亲友逼迫他放弃当演员的念头，答应他从事别的任何职业都可以，但软硬兼施都不能动摇莫里哀的决心。他毅然离家出走，表现了藐视传统观念的极大勇气。

莫里哀的戏剧生涯大致可以分为四个阶段。

第一阶段是认识社会、积累生活经验的时期，亦即在外省辗转的14年（1645～1658）。剧团周游了大半个法国，在一二十个城市里逗留过。这期间，他感受到"投石党"事件引起的社会反响，有机会看到各省不同的风俗世态和形形色色的人物。他观察到教会势力的无孔不入，还目睹了农民的悲惨生活，外省小贵族的分化、破落，以及资产阶级暴发户的各种丑态。这一切加深了他对社会现实的认识，同时也使他获得丰富的生活素材。17世纪50年代剧团以里昂为活动中心时，莫里哀已成为剧团领导人。他开始自己编写剧本，开头可能是些演员能随意发挥的即兴闹剧，这些剧本大部分都散失了。在他的早期喜剧《冒失鬼》（*L'Etourdi*，1655）以及《情怨》（*Le Dépit amoureux*，1656）中，虽然可以看到当时流行的多角恋爱、女扮男装、调换襁褓、最后认亲的俗套和意大利"假面喜剧"的明显影响，但作者力图从民间戏剧的人物中吸取营养、剧中一些现实生活的场景以及生动的语言等等，使他高于同时代的喜剧作家，于是一时驰名远近，最后几乎是凯旋式地返回巴黎。

第二阶段也就是古典主义喜剧的开创时期（1659～1663）。1658年10月24日莫里哀剧团在卢浮宫演出《多情的医生》（*Le Docteur* amoureux）获得成功，路易十四批准剧团在小波旁剧场上演，自此，莫里哀同路易十四发生愈来愈密切的联系。莫里哀的喜剧由于具有鲜明的现实内容而产生很大的社会反响。《可笑的女才子》（1659）、《丈夫学堂》（L'Ecole des maris，1661）、《太太学堂》（1662）、《太太学堂的批评》（1663）、《凡尔赛宫即兴》（1663）就属于这一类。另一方面莫里哀也写了一些迎合宫廷趣味或未脱俗套的喜剧，《斯卡纳赖尔或疑心自己当王八的人》（Sganarelle, oule cocu imaginaire，1660）、《唐·加尔西·德·纳瓦尔》（Don Garcie de Navarre, ou le Prince jaloux，1661）、《讨厌鬼》（Les Fâcheux，1661）等都属于这一类。在路易十四支持下，古典主义喜剧建立起来了。

第三阶段是莫里哀创作的成熟期（1664~1668）。莫里哀这一时期的创作同路易十四确立绝对君权的政治有着密切关系，这个时期最优秀的作品是《达尔杜弗或者骗子》（1664~1669）、《唐璜或石像的宴会》（1665）、《恨世者》（1666）、《吝啬鬼》（1668）等。还有一些迎合宫廷趣味而写的喜剧如《艾丽德公主》（La Princesse d'Elide，1664）、《医生的爱》（L'Amour médecin，1665）、《梅里赛特》（Mélicerte，1667）、《西西里人或画家的爱情》（Le Sicilien, ou l'Amour peintre，1667）、《昂菲特里荣》（Amphitryon，1668）等，则有较严重的缺陷。此外还写了《逼婚》（Le Mariage forcé，1664）、《屈打成医》（Le Médecin malgré lui，1666）等。这一时期莫里哀同封建贵族的斗争相当艰苦，最后以《达尔杜弗》的公演而获得了胜利。

在第四阶段（1668~1673），莫里哀和王权的关系已产生裂痕，创作上也随之产生一些变化。这种变化可以从《乔治·唐丹或受气丈夫》（1668）、《贵人迷》（1670）、《司卡班的诡计》（1671）等剧中看到。此外，莫里哀还写了《普索雅克先生》（Monsieur de Pourceaugnac，1669）、《艾丝卡芭雅丝伯爵夫人》（La Comtesse d'Escarbagnas，1672），《女博士》（Les Femmes savantes，1672）、《没病找病》（Le

Malade imaginaire，1673），以及为宫廷消遣写的《豪华的求婚者》（*Les Amants magnifiques*，1670）、《普绪喀》（*Psyché*，1671，同高乃依合作）等。

莫里哀演了一辈子喜剧，但他的死却是一场悲剧。他为了维持剧团开支，带病演出，终于在上演《没病找病》的第四场后咯血倒下。他死后教会借口他死前没有忏悔，拒绝给他坟地。经路易十四干预，最后教会才勉强同意在天黑以后葬入未成年人墓地。

第二节　莫里哀的喜剧作品

莫里哀的喜剧与君主专制政治有密切的关系。莫里哀创作讽刺喜剧的年代，是路易十四统治的初期，正是专制王权走向鼎盛的时代：从 17 世纪 50 年代末到 60 年代初，是路易十四准备执掌权力的时期；从 17 世纪 60 年代初到 60 年代末，是路易十四战胜封建贵族和教会势力并制驭资产阶级，使专制王朝达到极盛的时期；从 17 世纪 60 年代末到 70 年代初，路易十四的专制王朝走上盛极而衰的第一步。在 17 世纪 60 年代前后短短 10 年左右的时间里，经历着激烈的权力之争。而古典主义喜剧在这场斗争中，在某种程度上成为打击封建贵族、教会势力和大资产阶级的武器。莫里哀的喜剧适应了专制王权政策的需要，只是到他创作后期才产生一些变化。

1.《可笑的女才子》与《太太学堂》

莫里哀进行的第一场斗争是围绕着《可笑的女才子》和《太太学堂》进行的。

《可笑的女才子》（*Les Précieuses ridicules*，1659）是一出独幕散文体喜剧。它写一对青年分别向一个外省资产者的女儿玛德隆和她的堂姐妹卡多丝求婚，因不会贵族沙龙那套谈情说爱的语言，被拒绝了；他们的仆人扮作侯爵和两姐妹赋诗论文，两人都佩服得五体投地。这对青年回来戳穿了仆人的恶作剧，她们则羞愤交加。

剧本辛辣地讽刺了资产者的附庸风雅，同时也抨击了贵族社会所谓"典雅"生活的腐朽无聊。剧中嘲笑以朗布绮府邸为代表的贵族沙龙制造的矫揉造作的"典雅"语言，如把镜子说成"丰韵的顾问"、把椅子说成"谈话的舒适"，作者揶揄以斯居代里等为代表的矫饰文学所宣扬的"典雅"爱情，说什么求爱"必须按照一定的程序"等等，这种"典雅"风气是贵族意识形态的表现，反映了没落贵族的颓废和空虚。莫里哀把贵族阶级所崇尚的风气搬到舞台上加以无情嘲弄，指出这种风气"不仅毒害了巴黎，也传布到了外省"。剧本上演后引起了一场激烈的斗争。封建贵族势力抛出《真正的女才子》《女才子的诉讼》等剧，企图回击，并一度宣布禁演《可笑的女才子》。他们制造借口把莫里哀剧团赶出小波旁剧场。观众则热烈欢迎它，认为这是"真正的喜剧"。莫里哀对此十分重视，他在剧本序中说："观众是这类作品的真正评判者。"这个剧本的倾向引起了路易十四的注意，他给演出以支持，拨出王宫剧场给剧团使用，并让剧团到王宫演出《丈夫学堂》，还再一次亲临王宫剧场观看。国王的支持使莫里哀又一次对封建贵族势力展开了攻击。这就是《太太学堂》的上演。

《太太学堂》（*L'Ecole des femmes*，1662）是一出五幕诗体喜剧。故事写一个资产者阿尔诺耳弗收养了一个孤女阿涅丝，把她放在修道院教育了 13 年，想为自己培养一个愚昧驯顺的妻子。但他外出时，阿涅丝却爱上一个年轻人奥拉斯——他是阿尔诺耳弗朋友之子。奥拉斯不知道底细，把他的恋爱经过告诉了阿尔诺耳弗，给自己招来一连串麻烦，但他仍把自己同阿涅丝的约会透露给阿尔诺耳弗，甚至求阿尔诺耳弗帮助他藏匿想同他一起逃走的阿涅丝。最后，阿涅丝的父亲和奥拉斯的父亲出场，阿涅丝原来是阿尔诺耳弗好友的侄女，她的父亲和奥拉斯的父亲就是为他俩的婚事而来的。

《太太学堂》的主题抨击修道院教育和封建夫权思想，修道院是教会奴役妇女的精神牢狱，那里与世隔绝，不见天日，"从修道院出来，就像一个人在幽深洞穴的黑暗中长大，忽然来到光天化日之下一样"（费纳龙语）。作为封建夫权思想的体现者，阿尔诺耳弗很懂得修道院教育意味着什么，他把阿涅丝送进修道院，就是为了"尽可能把她变成白痴"；就是让她接受那套因果报应的说教：不守封建妇道的妇女，会被扔进地狱的滚水锅，永远出不来云云；就是让她只懂得"祷告上帝"和"缝缝纺纺"，做一个唯丈夫之命是听的太太。阿尔诺耳弗不加掩饰地声称："你们女人活在世上，就只为了服从：大权都在胡须这面。社会虽然男女各半，可是各半不等于两下相等：一半高高在上，一半低低在下；一半管理，一半但凭吩咐……丈夫就是她的长官、她的领主和她的主人。"阿尔诺耳弗信奉并要阿涅丝信奉这一封建道德格言："妻为丈夫所有。"要实现这些，修道院教育无疑是最好不过的途径。作者通过阿涅丝的形象指出，尽管修道院实施极其严格的教育，一旦同生活接触、受新思想的影响，还是会冲破这套封建道德的，阿涅丝最后对这种教育提出了控诉。奥拉斯更明确地宣称：企图把妇女"投入无知和愚蠢之中，难道不是罪大恶极"，"伤天害理"？

但是，《太太学堂》并不是莫里哀的成熟之作，这虽是一部社会问题剧，却并未揭露出社会问题的本质。它对修道院的揭露还相当肤浅，对封建思想的代表人物阿尔诺耳弗也只有温和的嘲笑和批评。

即使如此，贵族和教会势力还是不能容忍。他们指责这出喜剧"轻佻"、"淫秽"、"有伤风化"、"诋毁宗教"等等，企图禁演此剧，由此挑起了又一场斗争。路易十四看到了这场挑战的政治背景。早在1661年下半年，马扎然病危时，他就逮捕了财政总监富凯，马扎然一死，第二天他就向国会宣称"朕即国家"，把一切权力集中在自己手里。当时他主要的对手是封建贵族势力和罗马教皇所牵制的天主教会。在《太太学堂》上演期间，他任命柯尔贝尔为首相，加强了资产阶级在政权中的力量，以削弱贵族势力。为了打击贵族和教会，他让剧团到卢浮宫演出，并授予莫里哀1000里弗年金，称他为"优秀的喜剧诗人"。1663年6月，莫里哀写出《太太学堂的批评》（*La Critique de l'Ecole des femmes*），10月，在国王授意下又写出《凡尔赛宫即兴》（*L'Impromptu de Versailles*）。这两出论战性的短剧嘲笑挖苦了那些攻击《太太学堂》的贵族，指出"他们所批判的地方都正是一些人士特别重视这出喜剧的地方"，并为自己的喜剧手法辩护。封建贵族势力恃势顽抗，或撰文，或写剧，接二连三，连篇累牍，忿忿于贵族受到了嘲弄，同时也理屈词穷，对莫里哀进行卑劣的人身攻击。

2.《达尔杜弗》与《唐璜》

莫里哀和封建贵族势力斗争的第二回合是围绕着《达尔杜弗》《唐璜》和《恨世者》进行的。对于敌人的恶意中伤，莫里哀报之以更猛烈的回击。他的代表作《达尔杜弗》就是这样产生的。这场斗争延续了4年多，这是莫里哀斗争最艰苦的时期。

《达尔杜弗或者骗子》（又译《答尔丢夫或伪君子》，*Le Tartuffe ou L'Imposteur*，1664）是一出五幕诗体喜剧。主人公达尔杜弗是个典型的宗教骗子，他以伪装的虔诚骗得富商奥尔贡及其母亲的信任，成为奥尔贡一家的"上宾"和"精神导师"。奥尔贡的妻子艾耳密尔、儿子大密斯、女儿玛丽雅娜、女儿的情人法赖尔以及女仆道丽娜激烈反对达尔杜弗，奥尔贡却对达尔杜弗崇拜得五体投地，甚至要撕毁女儿以前的婚约，把女儿嫁给达尔杜弗。正在这个节骨眼上，道貌岸然的达尔杜弗竟下流无耻地企图勾引奥尔贡的填房妻子，这一幕丑剧被大密斯撞见，大密斯当场痛斥了这个伪君子。奥尔贡执迷不悟，坚信达尔杜弗清白无辜，反责骂儿子诋毁圣贤，而且一怒之下剥夺了儿子的继承权，把财产全部赠给达尔杜弗，还要把儿子赶出家门。面对这一严重局面，艾耳密尔巧施计谋：让奥尔贡亲眼看见达尔杜弗向自己调情的丑恶表演。奥尔贡终于醒悟，登时要把达尔杜弗赶出去。达尔杜弗见事已败露，便露出狰狞的凶相。他这时不但已经夺得奥尔贡的财产，还掌握了奥尔贡为一个政治犯藏匿信物的秘密。他反过来向国王告密，企图陷害奥尔贡。可是达尔杜弗打错了算盘，英明的国王洞察一切，下令逮捕了达尔杜弗，并赦免了过去"勤王有功"的奥尔贡。

喜剧主人公达尔杜弗的形象具有重要的典型意义，是莫里哀的最高艺术成就之一。从此以后，"达尔杜弗"一词在法语中竟成为"伪君子"的同义语。作者在这个人物身上集中了一切伪善的特征。他"又粗又胖，脸蛋子透亮"，口头上宣传"苦行主义"，可一顿饭能吃两只鹌鹑和半条切成细丁儿的羊腿；他在教堂里装出最热诚、最虔信的表情，故意不接受奥尔贡的施舍，即使接受也当众分给穷人，其实他图谋的正是奥尔贡的全部财产；为了表现自己的"仁慈善良"，他忏悔不该弄死一个跳蚤，其实他心狠手毒，甚至打算把收养自己的恩人置于死地。他一出场就说："洛朗，把我修行的苦衣和教鞭收好了……有人来看我，就说我把募来的钱分给囚犯去了。"这个亮相表明他随时随地都在假冒为善。接着他假惺惺地表示不能看妇女袒胸露臂的装束，而他自己却是一个十足的好色之徒，专以勾引他人的妻女为乐事。作者给这个伪君子穿上教士的黑袍，使剧本具有了更深刻的社会政治内容。当时的宗教作为封建统治阶级毒害、奴役人民的工具，具有欺骗的性质。天主教教士，号称是人们的"良心导师"，但表面上道貌岸然，背地里却无恶不作。他们往往出身破落贵族，从自身的经历中学会了把虔诚当作"职业和货物"。他们的行动准则是："只有张扬出去的坏事，才叫坏事……私下里犯罪不叫犯罪。"在达尔杜弗身上，生动地概括了宗教骗子们的本质。

达尔杜弗不仅是个性格典型，他的恶行还反映了当时教会势力的猖獗。那时法国天主教会还受制于罗马教皇，它和封建王权既有勾结，又有矛盾，特别是其中的上层分子，同贵族势力结成一体。17 世纪 20 年代末，这股势力成立了一个名为"圣体会"的组织，几十年来，这个组织分布全国，其任务是迫害异教徒、自由思想者和无神论者，这是一股与专制王权对立的力量。致力于中央集权的马扎然于 1660 年取缔了这个组织，路易十四继续推行这一政策，以便把教会完全置于王权控制之下。但"圣体会"在 17 世纪 60 年代初仍有相当的潜势力，秘密活动频繁，控制与反控制的斗争非常激烈。天主教会势力力图把魔爪伸向上层资产阶级，这是它同王权斗争的一个重点。剧中达尔杜弗千方百计潜入巴黎富商奥尔贡的家庭，使这个资产者被自己"牵着鼻子走路"；最后国王采取果断措施，打击了宗教骗子，保护了奥尔贡，这一情节在一定程度上反映了教会势力同专制王朝的斗争。奥尔贡是个愚骏专横的资产者，正好为达尔杜弗所利用。明明是装模作样，奥尔贡却信以为真。在作者笔下，这只是一个迷途者。从他一出场的四个"达尔杜弗呢"和四个"可怜的人"，生动地勾画了受骗者的痴迷状态。奥尔贡最后的觉悟，以及国王对他的宽恕，说明这个人物在剧中是个被争取被教育的对象。路易十四亲政初期，需要争取资产阶级的支持，当时他要打击的主要是贵族教会势力，所以对莫里哀这个剧本，国王是基本表示肯定的。

国王支持这个剧本的原因还在于剧中塑造了一个英明君主：他洞察幽微，处置得当。作者当时急需王权的支持，因而热烈歌颂国王。

剧本的不足之处在于：作者极力塑造的正面形象大都不很成功。例如克莱昂特，他是作者的传声筒。且不说这是一个概念化的人物，问题在于他的思想并不"高尚"。他说："必须合乎中常之道。你能避免尊敬奸诈，就避免尊敬，不过也不要因此就诬蔑真正的虔诚。"又说不要和达尔杜弗一般见识，"他正在疚心，你就不必增加他的罪过了，最好还是希望他今后痛改前非，重新做人。"与其说这个人物是以他的"品德高尚"衬托出达尔杜弗的虚伪性格，还不如说他的存在削弱了作品对伪君子形象的揭露，反映了莫里哀的折中、妥协观点。

虽然莫里哀对达尔杜弗的揭露有温和、折中的痕迹，但剧中尖锐的批判锋芒仍大大触犯了贵族教会势力。据传，"圣体会"早在《达尔杜弗》演出之前就得知消息，决定阻挠剧本上演，并得到保守势力的代表太后的支持。《达尔杜弗》在凡尔赛宫的游园会上演之后，巴黎大主教出面向国王控告此剧"否定宗教"，《达尔杜弗》被迫停演。贵族教会势力攻击莫里哀是"魔鬼"，"从未有过的、众目睽睽的渎神者和自由思想者"，要求对他施以"公开的、以儆效尤的极刑，甚至火刑"。8 月初，莫里哀给教皇特使朗读剧本，当然毫不见效。8 月底，他给路易十四写了第一份陈情表，指出嘲讽伪善完全符合喜剧移风易俗的要求，而"达尔杜弗之流，暗中施展伎俩，获得陛下恩宠"，他要求路易十四主持正义。他对《达尔杜弗》做了一些修改，在一些有影响的社会人士的府第中朗读或演出。布瓦洛回忆当时的情况说："那时，《达尔杜弗》被禁，大家都想听莫里哀朗读剧本。"路易十四面对贵族教会势力的强大压力，一时还不敢取消禁令，但允许他私下朗读剧本和演出。

莫里哀就在这种情况下写出《唐璜》和《恨世者》。

《唐璜或石像的宴会》（*Don Juan, ou le festin de pierre*，1665）是一出根据西班牙的题材写出的五幕诗体剧，主人公唐璜是个道德败坏、荒淫无耻的贵族，他诱惑了不知多少"名门闺秀"，还要勾引救了他性命的两个农民的未婚妻。他由于花天酒地、挥霍无度而入不敷出，要靠借债过日子，这个情节反映了 17 世纪贵族开始没落的经济状况。他欠债不还，却自有对付资产阶级债主的一套手腕。这一点真实地表现了当时贵族与资产阶级的关系：贵族往往倚仗自己的特权地位，利用资产者攀附权贵的心理骗取钱财，维持自己的门面，但这毕竟是金玉其外，败絮其中了。作为大贵族的代表，唐璜运用伪善伎俩与达尔杜弗有异曲同工之妙。他认为伪善是"一种享有特权的恶习"，披上伪善外衣，"真有神妙不测的好处"，既可寻欢作乐，又十分安全无虞。这种统治阶级的"时髦恶习"再一次受到了莫里哀的抨击。

《唐璜》一剧给 17 世纪腐朽糜烂、横行霸道的贵族阶级提供了形象的写照，是莫里哀对这个阶级愤怒的揭发，剧中这个恶贯满盈的贵族最后遭到了毁灭，包含了作者在激愤的心情下对统治阶级的诅咒，也预示着这个阶级将来不妙的下场。但该剧也存在着明显的缺陷，全剧的重点在于描写唐璜不信神，不愿改邪归"正"。他父亲要祈求上帝惩罚他，他不理；被他欺骗的贵族小姐用眼泪来感化他，他也不理；化作幽灵的时间之神来劝告他，他用剑砍去；被他杀死的骑士的墓前石像显灵邀他赴宴，他去后身遭雷殛，大地裂开，他陷了下去。显而易见，作者的意图在于通过对一个不信神的恶徒受到"上帝惩罚"的描写，表白自己对宗教的敬意。

《恨世者》（*Le Misanthrope*，1666）也是一出五幕诗体剧。主人公阿尔赛斯特是一个"愤世嫉俗者"："我到处看见卑污的谄媚、不公、自私、卖友与奸诈；我真忍受不住了，我要发狂了，我的计划是要和全人类正面地痛痛快快地斗一场，我对人类憎恨到极点了。"实际上，这种"愤世嫉俗"是有限的。阿尔赛斯特在这一点上同色里曼纳的见解十分相近：对出入宫廷的形形色色、丑态百出的廷臣贵族极度不满，但是，作为贵族的一员，他并不反对宫廷和国王。他的阶级地位决定了他是一个无所事事的寄生者。他最后选择了隐居的生活，说明他是一个消极的、毫无作为的遁世者。

值得注意的是，《唐璜》和《恨世者》隐隐包含着作者为自己鸣不平的呼声。事实上，《达尔杜弗》事件并未完结。《唐璜》只演了 15 场就停演了。莫里哀的敌人攻击他仍然是在亵渎宗教。路易十四把莫里哀剧团改名为"王家剧团"，把他的年金增至 6000 里弗，以示支持。1667 年路易十四出征前答应莫里哀可以公演《达尔杜弗》。8 月 5 日，莫里哀以《骗子》的名称第一次公演此剧，但第二天代理国政的最高法院主席马上下令禁演。8月8日莫里哀派人给国王呈递第二份陈情表，指出"如果达尔杜弗之流得逞，那我就无须再想写喜剧了"。8月11日，巴黎大主教张贴告示，宣称这是"一部很危险的喜剧，尤其借口谴责伪善或假虔诚，指控一切真心实意以宗教为业者，使自由思想者得以对之不断嘲讽与污蔑，故而更能损害宗教"。为此，禁止阅读、朗诵或演出此剧，违者开除教籍。莫里哀气愤得病倒。直到1669年初，教皇发布"教会和平"谕令，莫里哀呈递了第三份陈情表，才获准公开演出。莫里哀在回顾这一战斗历程时写道："这部喜剧遭到谣诼攻讦，长期受到迫害"，剧本对教会的揭露"是一个使他们不能宽恕我的罪行，他们武装起来，气势汹汹地攻击我的喜剧"。但演出的空前盛况给《达尔杜弗》最后做了结论。

3.《吝啬鬼》

1668年，莫里哀创作了另一部重要作品《吝啬鬼》（又译《悭吝人》，*L'Avare*），这是一部五幕散文体喜剧。高利贷者阿尔巴贡悭吝刻薄、嗜钱如命，他要儿子娶有钱的寡妇，要女儿嫁给半百的老头，自己却打算不花钱地娶一个年轻貌美的姑娘。这姑娘碰巧是他儿子克莱昂特的情人玛丽雅娜。克莱昂特为了帮助玛丽雅娜，偷走了阿尔巴贡埋在花园里的1万金币，阿尔巴贡发现后气急败坏，痛不欲生。追赃追到管家法赖尔身上，却追出这个管家和他女儿是一对情人。克莱昂特表示，要是阿尔巴贡同意自己的婚事，就把1万金币还给他。正在这时，昂塞耳默应约前来签订与阿尔巴贡女儿的婚约，原来他是法赖尔和玛丽雅娜的父亲，他表示愿意拿出一切结婚费用，这才使阿尔巴贡点头应允两对年轻人成为眷属。

《吝啬鬼》成功地刻画了资产者贪婪吝啬的丑恶本质。和达尔杜弗一样，阿尔巴贡也成为法国文学中最著名的典型形象之一。马克思指出："在资本主义生产方式的历史初期，——而每个资本主义的暴发户都个别地经过这个历史阶段，——致富欲和贪欲作为绝对的欲望占统治地位。"[1]阿尔巴贡的形象生动地体现了处于发展初期的资产者的特征：贪婪与悭吝在他身上是以绝对情欲的形态表现出来的。他克扣子女的花费，吞没了他们所继承的母亲的遗产，逼得他们"到处举债"；他出嫁女儿看中的是男方"不要嫁妆"，认为这就是"美貌、青春、门第、名声、智慧和正直"；他请客时让仆人设法用 8 个人的饭菜款待 10 个人；他不但不肯负担儿女的结婚费用，还要亲家给他做一身参加婚礼的礼服，总之，他爱钱比爱名声、荣誉和道德全厉害多了。他一见人伸手，就浑身抽搐。这等于打中他的要害，"刺穿他的心，挖掉他的五脏"。他的厨师兼马车夫叙述他的一些吝啬丑闻的确是事实，例如说他夜里偷喂马的荞麦结果挨了一顿痛打。作者通过这些描绘，写出了吝啬的性格同贪得无厌地攫取财富的冲动之间的孪生关系，这就像一个钱币的正反两面一样。最精彩的一幕是阿尔巴贡发现被盗之后心理状态的描画：

> 捉贼！捉贼！捉凶手！捉杀人犯！王法，有眼的上天！我完啦，叫人暗杀啦，叫人抹了脖子啦，叫人把我的钱偷了去啦。……我可怜的钱，我的好朋友……既然你被抢走了，我也就没有了依靠，没有了安慰，没有了欢乐。我是什么都完啦，……我再也无能为力啦，我在咽气，我死啦，我叫人埋啦……我要告状，拷问全家大小：女佣人，男佣人，儿子，女儿，还有我自己。这儿聚了许多人！我随便看谁一眼，谁就可疑，全像偷我的钱的贼。……我找不到我的钱呀，跟着就把自己吊死。

这真是"爱钱如命"四个字的生动写照。

莫里哀的观察比前人更深刻的地方还在于他指出了这个资产者身

---

① 马克思：《资本论》，《马克思恩格斯全集》第二十三卷，第651页。

上存在着"积累欲和享受欲之间的浮士德式的冲突"。[1]他虽然已过花甲之年，却仍然沉迷于女色之中。他的哲学是既要满足肉欲要求，又要尽量少花钱。但当两者发生冲突时，他宁可选择后者。在这个剧本里，高利贷者的心理特征被刻画得惟妙惟肖：他一心考虑的是如何把尽量多的钱拿去放债；看到儿子的打扮，马上就和放债联系起来，认为这身打扮足够拿去放一大笔债；提到赌钱，他马上就说可以拿赌赢的钱去放大利；他计算起利息来，迅速精确，一分一毫不差，完全是个老手；他放债的手段狡黠而毒辣，诡称什么自己手边无款，只得以二分利向别人借入，结果要二分五厘利息，这还不算，另有一部分现款，要以一大堆"破铜烂铁"的实物来顶替，因他知道借款人十万火急，势在必借。他儿子痛斥他是"杀人不见血的凶手"，"放印子钱，非法致富"。高利贷者的面目在这里可以说是被揭露无遗。

《吝啬鬼》是莫里哀的代表作之一。剧中阿尔巴贡的形象，具有重要的典型意义，有助于人们了解资本主义发展初期资产者的活动方式和阶级本质。

但是这个喜剧的结局是不合情理而又落于俗套的。阿尔巴贡的形象在前四幕不仅生动，而且有发展，到第五幕便停滞不前。作者企图以巧合的手段构成喜剧的结尾，结果违反了生活真实和艺术真实，无论从思想上和艺术上来看，这都是败笔。

4.《司卡班的诡计》及其他

莫里哀的创作到后期产生了一些新的特点。在前期，莫里哀创作的主题思想大都与路易十四的政策相吻合，所以得到王权的保护，而后期创作中，莫里哀对现实的批判有时却同专制王权的政策发生抵触。他同路易十四的关系出现裂痕，原因就在于此。1671年上演《司卡班的诡计》时，这一矛盾表现得最为明显。但在这之前，以《乔

---

① 马克思：《资本论》，《马克思恩格斯全集》第二十三卷，第651页。

治·唐丹或受气丈夫》和《贵人迷》为例，已可看出这种变化的端倪。

《乔治·唐丹或受气丈夫》（*Georges Dandin, ou le mariconfondu*，1668）是一出三幕散文体喜剧。它写一个和贵族女子结了婚的资产者乔治·唐丹如何被妻子和她的情夫百般捉弄的故事。剧本首先嘲笑了那种想通过和贵族攀亲成为"穿袍贵族"的资产者。乔治·唐丹自以为结了婚就有了"撑腰的门庭"，结果落了空，"我得了什么好处呢？……我只是把姓加长了一点"。与此同时，作者也对贵族进行了揭露。乔治·唐丹的妻子安日丽格公开宣称："我还要享受几天青春送给我的欢乐……我要见识见识繁华社会。"而她的母亲索丹维尔太太这样说："我家小姐出身于盛德之家，绝不能做出什么有伤节操的行为。拉普鲁多特里家已经 300 多年了，靠上帝保佑，从来也没出过一个女人叫人说短道长的。"两相对照，贵族道德的堕落便暴露无遗了。乔治·唐丹说："他们和我们结亲，并不是看重我们本人，他们所嫁的只是我们的财产。"一语道破了破落贵族同资产者联姻的实质。

《贵人迷》（*Le Bourgeois gentilhomme*，1670）是一出五幕散文体喜剧。它写一个醉心贵族的资产者汝尔丹如何出尽洋相，既受破落贵族的欺骗，又受儿女们的作弄。剧本比《乔治·唐丹或受气丈夫》更进一步描绘了资产阶级企图挤进贵族阶层的社会心理。这是一个暴发户，他忌讳旁人提起他的出身。他没有受过贵族教育，就一心想补课，请来许多音乐、舞蹈、剑术和哲学教师教课。贵族的举止便是他行动的标准。他说："荣誉和风雅，只有他们才有。我宁可手上少来两个手指头，也愿意生下来不是伯爵，就是侯爵。"他认为，"愿意老待在下流社会，简直是死脑壳的想法"，"我有的是财产"，"我需要的只是身份"。因他女儿看中的对象不是贵族，他就坚决反对。一个破落贵族道琅特吹嘘自己如何出入宫廷，他就甘心让他骗钱，认为借钱给这样的贵族很体面。他也要附庸"风雅"，追求一个侯爵夫人，以便踏入上流社会。他宁愿不信基督教，改信伊斯兰教，也要混个假的外国贵族当当。通过上述场面，这种醉心于贵族身份的资产阶级心理受到无情的讽刺。

但是，这种对资产阶级被贵族阶级融化的社会现象的抨击，同专制王朝的政治需要是相左的。17世纪资产阶级企图置身于特权阶级的行列有两条途径：一条是购买官职以获得贵族称号，其结果是使得资产阶级的势力越来越大，以致引起专制王权的惊恐不安，不得不采取一些措施加以限制；另一条是同贵族联姻以取得贵族称号，这种资产阶级贵族化的道路，结果使得资产阶级的自身发展减慢速度，则更有利于封建制度的巩固，正是封建专制王权所希望的。很明显，《乔治·唐丹或受气丈夫》和《贵人迷》所嘲讽的是后一种社会现象。这两个剧本在讽刺联姻的一方资产阶级的同时也揭露了另一方贵族，显然，这同专制王朝的政策是有矛盾的。

在《司卡班的诡计》（*Les Fourberies de Scapin*，1671）中，这种情况就更显著了。这是一出三幕散文喜剧。司卡班是个听差。他的小主人赖昂德爱上一个"埃及女人"——其实是赖昂德的父亲皆隆特的朋友阿尔冈特之女。阿尔冈特之子奥克达弗又恰好与赖昂德失散多年的妹妹相爱。两位家长返回的消息引起一阵恐慌。司卡班为了成全这两对情人而使出了种种诡计：一会儿是串通奥克达弗的跟班装扮打手演了一场双簧戏，一会儿又编造出赖昂德被土耳其人的战船劫走，终于从两个吝啬的家长手中拿到从埃及人手中赎回这两个女子所需要的钱。司卡班以为自己受到小主人辱骂是皆隆特捣的鬼，为了报复，把他骗进口袋，痛打了一顿。最后，两家失散的女儿都认了父亲，再加上婚事的喜悦，皆隆特饶过了司卡班。

《司卡班的诡计》触犯了封建社会的等级观念。司卡班这个"下等人"比他主人更有智慧，这种民间传统形象本不能为统治阶级所接受，而现在"下等人"竟在光天化日之下痛打他的主人，事后还没有受到惩罚，这就更为封建正统道德观念所不容了。曾经多次支持过莫里哀的布瓦洛不满地写道："在那司卡班装自己的滑稽口袋里，我再也认不出《恨世者》的作者"，他要求莫里哀"少做人民的朋友"。布瓦洛的观点显然代表了专制当局的意见。17世纪封建等级观念是极其森严的，逾越等级，就是"犯上作乱"。因此，这部剧本受到当局的冷落是毫不奇怪的。

值得注意的是剧本对司法机构的抨击。司卡班揭露说："没完没了的上诉，一层一层的审批，手续烦难，还不提个个儿如狼似虎的官员……这些官员见钱眼开，没有一个不贪财枉法的。"什么告状、传票、代诉、出庭、答辩、提证件……样样要钱，名目繁多，不胜枚举。司法机构的腐败在这里被揭露得淋漓尽致。剧本刺中了封建统治机构的痈疽。这方面无疑也是使得专制王朝不满的原因。

《司卡班的诡计》标志着莫里哀喜剧创作的又一高峰。剧本对封建等级观念的蔑视以及对封建司法制度的抨击，虽然仅仅处在更激进的观点的初级阶段，但显然有别于他以前的创作。可以说，它在莫里哀的喜剧中是有重要特色的一部作品。

然而，在司卡班这个形象中，仍然可以看到资产阶级的性格特征。他的大胆、乐观、诡计多端，可以直接从拉伯雷笔下的巴汝奇身上找到渊源。狡猾与其说是劳动人民聪明智慧的写照，毋宁说是资产阶级的思想本质之一。莫里哀以资产阶级的思想意识去观察下层人民，必然会留下他本阶级的种种烙印。即使司卡班的形象超过了莫里哀笔下的其他下层人物，却仍然不能算作真正的劳动者形象。

此外，这个剧本反映现实生活还不够深广。例如司卡班痛打皆隆特的原因缺乏深刻的思想内容。剧中两对父女的失散与重圆，从头至尾占了很大篇幅，此种俗套的运用必然妨碍作者去反映更广阔的现实生活。

第三节　莫里哀喜剧创作的思想艺术特色

莫里哀的喜剧创作异常丰富。他在回巴黎以后的十四五年之中，写了近 30 部喜剧，其中大部分是讽刺喜剧。

莫里哀的讽刺喜剧具有强烈的战斗精神。莫里哀的优秀剧作是在阶级矛盾的旋涡中产生的，它适应了当时君主专制政治的需要，打击了贵族和教会势力。莫里哀是 17 世纪为求得继续发展而同王权结合的资产阶级的代言人，他站在斗争的前列，为资产阶级的利益说话。莫里哀的思想在古典主义作家中是属于最激进的。由于莫里哀接受了 16 世纪人文主义的进步传统，接受了伽桑狄和古代哲学家的唯物论，在同下层人民的接触中形成了一些民主主义的思想，因而他的世界观具有更多进步的因素，有助于他的创作达到其他古典主义作家达不到的深度和广度。

莫里哀的讽刺喜剧的战斗精神首先表现在对贵族和教会势力的猛烈抨击上。他的可贵就在于，敢于运用喜剧这一惯常是讽刺小人物的形式来嘲笑贵族阶级的大人物。他把侯爵作为"今日喜剧的取笑对象"，不管他们"地位有多高"，他都是"头一个一马当先对他们开火的人"。莫里哀首先讽刺贵族沙龙的"典雅"风气，继而揭露贵族糜烂堕落的精神和生活，莫里哀还描写了贵族阶级经济上的败落，抨击了贵族阶级的守旧、空虚和愚蠢。莫里哀对宗教的虚伪和欺骗性质做了淋漓尽致的披露。莫里哀正是站在资产阶级的立场上抨击贵族和教会势力的。他不像高乃依那样，在遭到贵族势力的围攻时保持沉默和屈服于压力，而是对之报以更猛烈的回击，战斗到底，直到取得胜利。他的胜利代表着向前发展的历史潮流对黑暗势力的胜利。

莫里哀的讽刺喜剧的战斗精神还表现在对资产阶级的批判上。就题材而论，莫里哀的大部分喜剧都是描写资产阶级的，或者是透过与资产阶级的关系去描写贵族教会人士和第三等级其他阶层人物。莫里哀出身于资产阶级家庭，因此他对资产阶级最为熟悉。在大多数场合下，资产阶级都是他讽刺和批判的对象，然而，这种讽刺和批判往往是温和的，带有开导性的。在早期的《可笑的女才子》和《太太学堂》中，他讽刺资产阶级沾染上贵族沙龙的"典雅"风气和道德风尚；在《达尔杜弗》中，他批判资产者目光浅陋，以致为宗教骗子所利用；在《吝啬鬼》中，他批判高利贷者的非法活动；在后期创作中，他讽刺资产阶级贵族化的倾向。总之，凡是不利于资本主义的上升发展的，都在他讽刺之列。与同时代的喜剧不同的是，他的讽刺带有政治色彩，具有更深广的社会意义。

莫里哀的讽刺喜剧的战斗精神最后还表现在对下层人物的描写上。莫里哀描写了不少下层人物，如仆人、厨师、农民、穷人等等，反映了他的思想具有较民主的倾向，这同他曾经长期流落在外省、与下层人民有所接触是分不开的。莫里哀笔下的男女仆人不少都具有司卡班式的性格，如《达尔杜弗》中的道丽娜、《吝啬鬼》中的雅克师傅、《贵人迷》中的妮考耳、《女博士》中的马丁娜、《没病找病》中的唐乃特等，他们头脑清醒、性格爽朗、言语锋利、举止泼辣、敢说敢为、很有生气，这些形象具有一定的反抗性，其精神境界高于他们的主人，在一定程度上写出了"卑贱者最聪明"，对森严的封建等级制度是个有力的冲击。

然而，莫里哀的思想也反映了17世纪资产阶级在政治上的软弱性。他的剧本中经常出现一些"有理智"的资产者形象，他们往往在剧中进行"中常之道"的说教。例如，《丈夫学堂》的亚里士德主张"人生在世，应该顺从大众的习惯，不应使人家特别注意你，太时髦或太守旧，都使别人觉得刺眼"。《太太学堂》的克立萨耳德以"不走极端"为标榜。《达尔杜弗》的克莱昂特认为"必须合乎中常之道"等等。这种哲学是资产阶级和封建王权相妥协的思想的反映。对下层人民的描写也受着作者资产阶级思想的束缚。以道丽娜为例，前几幕她的形象十分鲜明，对达尔杜弗的观察颇能击中要害，但她的作用到剧本后半部却消失了，在作者笔下，她担当不了揭露达尔杜弗的角色。这些下层人物总是处于从属地位，还带着小丑、无赖的痕迹。《唐璜》中的农民愚昧无知，宁可饿死也不愿诅咒上帝，至于《屈打成医》的樵夫，则被写成庸俗的小市民，毫无农民淳朴的气质。婚姻问题在莫里哀的剧作中占有不少篇幅，他笔下的男女青年虽有一定的反抗性，但更多的是软弱怯懦，仍然束缚在封建道德的桎梏下。《达尔杜弗》的玛丽雅娜这样表白："说老实话，做父亲的在我们子女身上有极大的权威，我从来没有胆子顶嘴"，"就算法赖尔高人一等吧，我怎好为了他，把廉耻和孝道丢开不管？"《吝啬鬼》一剧也没有冲破家长予夺一切的封建婚姻观念。《贵人迷》《司卡班的诡计》中的年轻男女同样是柔弱无能的人物。在作者笔下，解决婚姻问题只能依靠偶然的因素、外来的力量，而绝不是靠当事人的坚决反抗。归根结底，17世纪资产阶级还未能彻底冲破封建道德观念，这是莫里哀不能塑造出鲜明的反抗形象的原因。

莫里哀思想上落后消极的一面，突出表现在他迎合宫廷趣味而写的一些喜剧里。莫里哀曾经认为，"要想艺术得到成功，应该先研究宫廷的趣味风尚；除了宫廷，任何地方也不能有这样正确的判断。"他的《梅里赛特》《昂菲特里荣》等剧庸俗地赞颂路易十四和他的宫廷，《艾丽德公主》宣扬及时行乐的颓废思想，《唐·加尔西·德·纳瓦尔》《西西里人或画家的爱情》《豪华的求婚者》等剧美化贵族的"爱情"，还有一些以神仙故事和牧歌为题材的作品，也都是美化宫廷生活的。这些创作表明作者在思想上受到贵族阶级思想意识的侵蚀。

莫里哀作为古典主义喜剧的创建人，他对喜剧的社会功能有较明确的认识，在艺术上亦有较高的成就。他重视讽刺艺术、突出典型创造，而且注意吸取民间艺术成分。

莫里哀的戏剧主张具有现实主义的因素、布瓦洛在《诗的艺术》

中提出："研究宫廷，并且熟悉城市，它们永远充满写作的对象。"莫里哀的创作虽然大致是按照这一要求去做的，但他在实践中感到，需要重视喜剧针砭现实的作用。他在第一份陈情表中说："喜剧的责任既是在娱乐中改正人们的弊病，我认为执行这个任务最好莫过于通过令人发笑的描绘，抨击本世纪的恶习。"这是莫里哀的基本创作纲领。所谓"令人发笑的描绘"，就是指讽刺艺术。他在《达尔杜弗》的《序》里反复强调喜剧讽刺的社会功能："一本正经的教训，即使面面俱到，也往往不及讽刺有力量；规劝大多数人，没有比描绘他们的过失更见效的了。把恶习变成人人的笑柄，对恶习就是重大的打击。"莫里哀这里所说的恶习，指的是不符合时代要求的世态风尚和某些丑恶的社会现象。

莫里哀的讽刺喜剧具有强烈的时代气息。查理·佩罗在《古今之比》中说："他在喜剧中加上本世纪风俗如此生动的形象和如此鲜明的性格，因此演出时使人感到这好像不是喜剧，而是现实本身。"佩罗的话写出了当时观众的真切感受。莫里哀喜剧艺术的最大特色，就是直接嘲讽现实。这种创作方法既不同于旧喜剧脱离现实的恶劣倾向，又有别于古典主义悲剧影射现实、从侧面反映现实的手法，因而更具有战斗性。莫里哀在《太太学堂的批评》中说："我觉得，利用高尚的情感来维持剧中的气氛，用诗句来戏弄命运以及辱骂神祇，这是比较容易的；更难的是恰如其分地深入到人们可笑之处，把各人的毛病轻松愉快地搬上舞台。描写英雄，可以随作者的方便。那是随心所欲画出来的肖像，像真不像真，并没有人注意。你只需任凭想象力奔驰发挥就够了。想象力当然难免要抛开真实而追求神奇怪异。不过如果你描写的是人，那么就必须按照真人来描写。这种描绘，人们是要求它们酷似真人的。"这里讲的真实性问题，也就是如何反映现实的问题。莫里哀直接描写和批判现实，这是他的喜剧高于其他古典主义戏剧家并获得成功的主要原因，也是他把欧洲喜剧发展到一个新阶段的重要标志。

同样，莫里哀在典型塑造上也比同时代人更为成功。他在《凡尔赛宫即兴》中通过剧中人物阐述道："他描写这一个，而描写的东西却能符合一百个人"，"莫里哀描写的任何一个性格，都不可能不在社会里遇到某一个。"在《太太学堂的批评》中也说："如果你不能让人从中认出这是本世纪的某人或某人，那你就算一事未成。"莫里哀善于运用集中、概括和夸张的手法。在达尔杜弗身上，他集中了伪善性格；在阿尔巴贡身上，他以夸张手法表现了资产者的本质特征。莫里哀创造的人物形象生动丰富，在资产者的画廊中，有代表长袍贵族的奥尔贡，效法贵族的阿尔诺耳弗，向往贵族的汝尔丹、乔治·唐丹，沾染贵族习气的玛德隆、菲拉曼德等等；在贵族的画廊中，有宫廷贵族和破产贵族唐璜、阿尔赛斯特、道琅特、奥隆特，外省贵族索丹维尔夫妇及其女儿安日丽格、普索雅克、艾丝卡芭雅丝伯爵夫人等等；在下层人物的画廊中，有司卡班、道丽娜、唐乃特、雅克师傅、马丁娜、妮考耳、斯卡纳赖尔、玛斯加里尔等等。莫里哀是在巴尔扎克之前创造人物形象最多的法国作家。

莫里哀的创作同民间艺术关系密切。他一向喜爱闹剧的形式。他后期的创作《乔治·唐丹或受气丈夫》《普索雅克先生》《贵人迷》《司卡班的诡计》《艾丝卡芭雅丝伯爵夫人》《没病找病》等，都十分接近于闹剧。他的喜剧几乎都含有闹剧的因素。闹剧是民间的创造，17 世纪上半叶，在市集上非常流行。闹剧描绘世态人情，讽刺教士、小贵族和资产者的丑态，与现实生活较接近。闹剧的长处在莫里哀手里获得了发展，增添了他作品中的生活气息，闹剧因素成为莫里哀讽刺喜剧的一个重要特点。

莫里哀在语言运用上也有突出成就。他不但把日常生活用语搬上舞台，使人物讲话的语气与身份相称，而且运用了丰富的民间语汇、谚语格言和方言俚语。尽管拉布吕耶尔、费纳龙等人指责他"用词混杂"、"不合准则"，而莫里哀的语言却受到广大群众的欢迎，他的不少人物独白在后世竟成为谚语。此外，在实际创作中，莫里哀有时也能突破古典主义的清规戒律，不顾"三一律"的限制。

但是，莫里哀的喜剧在艺术上也有明显的缺陷。他的创作受到宫廷艺术的影响。他为宫廷庆典写的剧本具有浓厚的宫廷趣味。他有不少喜剧穿插大型歌舞，为的是迎合路易十四的喜好。他的喜剧还保留了一些旧喜剧的庸俗逗哏以及从小遇难分离，最后团圆认亲等俗套。在人物塑造方面，性格显得不够丰满，尽管他有"静观人"之称，但实际上"只能做到对'市民社会'的单个人的直观"[1]。莫里哀把人的性格本质看成"单个人所固有的抽象物"[2]。因此在他笔下，诸如奥尔贡的执迷不悟、汝尔丹的醉心于贵族、阿尔冈的无病呻吟，甚至阿尔巴贡的吝啬……都仿佛是天生的，绝少有与周围环境的联系。这些性格往往是单一的、一成不变的，显得比较单薄。他的喜剧结尾也往往软弱无力、勉强生硬，并不是剧本情节内在逻辑发展的必然结果。

----

[1] 马克思：《关于费尔巴哈的提纲》，《马克思恩格斯选集》第一卷，第18页。
[2] 同上。

第五章　拉辛

第一节　拉辛的生平

　　法国古典主义悲剧的第二个代表作家是让·拉辛（Jean Racine，1639～1699）。他生于拉费尔戴－米龙的一个中小资产阶级家庭，父亲是财务官员。他3岁时成为孤儿，由笃信冉森教派教义的外祖母抚养，从小就进冉森教派的学校读书。他的老师是一些希腊文学者，因而他很早就熟悉希腊文学。1658年，他到巴黎学逻辑学，并同一些诗人和演员交往。他写了一首关于国王婚姻的颂诗，得到国王赏赐。冉森教派是反对文艺创作的，认为会"毒害心灵"。所以1661年，他被送到舅舅那里念神学，可是拉辛两年以后回到巴黎，仍然继续写诗。他结识布瓦洛等作家后，开始进入宫廷，过领取年金的日子。他的第一个悲剧《忒拜依德或者兄弟雠仇》（*La Thébaïde, ou les frères ennemis*，1664）模仿高乃依的悲剧，但已包含不同的思想倾向。到第二个悲剧《亚历山大大帝》（*Alexandre le Grand*，1665），这种差异就更明显了。拉辛的戏剧活动使他同冉森教派的关系宣告破裂。

　　拉辛创作的成熟期分两个阶段。第一个阶段从1667年至1677年，代表作是《安德洛玛克》（1667）和《费德尔》（1677），此外还有五部悲剧，即《布里塔尼居斯》（1669）、《贝蕾妮丝》（1670）、《巴雅泽》（*Bajazet*，1672）、《米特里达特》（1673）、《伊菲革涅亚在奥利德》（1674），和一部喜剧《讼棍》（1668）。拉辛的戏剧创作不断遭到封建贵族和保守分子的攻击，他们在拉辛的剧作演出时组织人喝倒彩，甚至马上写出同名剧，同拉辛竞争。这种卑劣活动在《费德尔》上演时达到高峰，迫使拉辛就此搁笔，一停达 12 年之久。停笔后，拉辛同冉森教派和解了。这时候，路易十四企图控制他，于 1677 年封他和布瓦洛为史官。1678 年、1683 年和 1687 年，他三次随从路易十四征战根特、阿尔萨斯、卢森堡等地，搜集战史资料。1690 年，他被封为国王侍臣，1694 年任国王私人秘书。拉辛并未为国王写出什么战史来。相反，他利用曼特农夫人请他为贵族孤儿学校写剧的机会，写出两个涉及国王宗教政策的悲剧《以斯帖》（1689）和《阿塔莉》（1691）。他于 1693 年开始编写一部冉森教派的简史。拉辛还写过四首讽刺诗（1694）。在"古今之争"中，他赞同布瓦洛的保守观点。晚年，他同路易十四越来越疏远，死前路易十四禁止他进入宫廷。

第二节　拉辛的前期戏剧创作

拉辛是 17 世纪贵族阶级和资产阶级之间的妥协局面走向破裂时期的悲剧作家。在拉辛开始戏剧创作的年代，封建王朝虽然还有一段时期的繁荣，然而也已呈现出封建制度的败象。随着贵族阶级和封建王朝由盛而衰、贵族阶级和不断壮大的资产阶级之间的平衡逐渐打破，矛盾斗争也日渐尖锐了。同 16 世纪一样，贵族阶级和资产阶级的斗争，首先在宗教问题上表现出来。17 世纪 40 年代，荷兰神甫冉森创立的、接近于新教观点的冉森教派传入法国，发展迅速。冉森教派的教徒多半是资产阶级或接近资产阶级的贵族。这个教派的迅速发展，说明了资产阶级势力的壮大。封建王朝对此当然十分敏感，于是对冉森教派活动中心保尔—罗亚尔修道院采取了一系列镇压措施，镇压活动在 17 世纪 50 年代中期达到高潮（参看"帕斯卡尔"一节），以后此起彼伏，一直延续至下一世纪。拉辛的前期创作就反映了这场斗争反反复复的曲折过程。

1.《安德洛玛克》及其他

《安德洛玛克》（*Andromaque*，1667）是拉辛前期创作的代表作之一。它于1667年演出时引起很大反响，"令人想起《勒·熙德》的成功。"这一称誉说明《安德洛玛克》同《勒·熙德》一样触摸到了时代的阶级矛盾脉搏，反映了当时两大阶级的关系。《安德洛玛克》的意义正在这里。

悲剧《安德洛玛克》是一出五幕诗剧，情节取自希腊故事：希腊境内的爱庇尔国王庇吕斯杀死特洛伊主将赫克托耳，毁灭了特洛伊城后，俘虏了赫克托耳的妻子安德洛玛克。他看上了她，欲娶她为妻，不愿按父辈为他定下的婚约与爱尔米奥娜结婚。安德洛玛克藏着自己的儿子，这消息使希腊人很恐慌。幕启时，希腊代表俄瑞斯忒来到爱庇尔国，要求庇吕斯杀死赫克托耳的儿子，庇吕斯拒绝了。但他却以希腊人的要求来要挟安德洛玛克，他答应保护她儿子的生命，条件是要她和自己结婚。安德洛玛克拒绝了。庇吕斯一气之下表示要和爱尔米奥娜结婚。于是安德洛玛克跑来哀求爱尔米奥娜救她儿子一命，爱尔米奥娜断然拒绝。庇吕斯见到安德洛玛克，要她再加考虑，否则就在祭祀时杀死她儿子。安德洛玛克委曲求全，想利用婚姻来解救儿子，准备一旦婚礼完毕就自杀，于是答应了庇吕斯。爱尔米奥娜闻讯嫉妒万分，叫追求她的俄瑞斯忒去杀死庇吕斯。俄瑞斯忒为了得到爱尔米奥娜，不顾国与国的礼节约束，率领希腊士兵在庙里杀死庇吕斯。爱尔米奥娜知道庇吕斯真的已死，痛斥俄瑞斯忒。她跑到庇吕斯身旁，以短剑自刎。俄瑞斯忒也因疯狂过度而昏迷过去。

剧中的几对矛盾都无可挽救地导向悲剧结局，这一点同高乃依的悲剧显然大不相同。高乃依的戏剧虽也是悲剧，却以矛盾得到圆满解决而告终。《安德洛玛克》则相反，它以人物的死和疯狂来结束全剧。安德洛玛克身陷囹圄，还要保全自己的"贞节"和为国复仇的根苗，这几乎是不可能的事。庇吕斯不顾一切地企图满足自己的欲望，结果断送了性命。爱尔米奥娜不能达到与国王结婚的目的，最后自刎。俄瑞斯忒不惜"弑君渎神"，仍然得不到旧日的情人，结果以疯狂告终。错综复杂的矛盾交织着，激烈地斗争着，无法调和，无法妥协，不可避免地导致悲剧。拉辛在这里仅仅是为了制造悲的气氛吗？不是的。拉辛在这里表现的是他感受到的可悲的现实，是社会现实中逐渐尖锐的矛盾斗争。这种矛盾在拉辛的早期剧作中已有所反映，如今在《安德洛玛克》中则更鲜明地表现出来。拉辛同受迫害的冉森教派有密切联系：他的母系亲属信仰冉森教义，抚养他长大的外祖母后来进了冉森教派修道院，他的舅舅在这方面对他也有影响，所以，冉森教派的遭遇他是耳闻目睹，有切身感受的。他把这种感受融化到剧本中去，表达了他对时代矛盾的悲切感。这种感受同观众息息相通，因而引起观众的强烈反应。

《安德洛玛克》中的人物都面临着感情和理智不可调和的矛盾冲突，同剧本的主题相呼应。主角安德洛玛克国破家亡，身为女俘，受国王追逐，无法自卫；她的儿子是"全特洛伊人的希望的唯一受托者"，而眼见儿子的性命受到威胁，无人救助。因为希腊人要杜绝后患："只要听到他的名字，我们的寡妇和女儿就会心惊胆战，而在全希腊没有一个家庭不向这不幸的儿子追讨。"面对希腊人的追索和庇吕斯的逼迫，她开始感觉到：

我将不得不丧失一切。

但她仍然挣扎着，报之以"怒气和眼泪"，"她的灾祸激怒了她，一次比一次凶狠"。残酷的现实不允许她保持两全："把贞节看得过高也许会使你变成有罪。"她内心经过激烈斗争，感到面前的矛盾无法克服。于是她做出让步，想到牺牲自己以保全儿子，而且断了复仇的希望。作者并没有交待她的结局，但是可以预料，随着庇吕斯的死，她要保全儿子性命的愿望也要付诸东流了。庇吕斯在希腊人眼中本是个英雄。他自恃有功，丧失了明智的"理性"，为了满足自己的情欲，竟然无视希腊人的请求，提出用生命去保卫敌人的儿子。个人欲望与"国家利益"是如此对立，以致使矛盾更加激化。爱尔米奥娜和俄瑞斯忒也完全丧失了理智，把个人欲望置于一切之上。作家通过感情和理智、个人欲望与国家利益的尖锐冲突，暴露了国君和贵族阶级的专横暴虐和情欲横流，从这一宫廷情杀事件反映贵族社会的腐化堕落。

《安德洛玛克》一剧充满悲观的宿命论思想。冉森教派认为人的"得救"或"下地狱"在生前已由上帝决定了，即是说，人的命运是不可改变的，人的"好"与"坏"也是天定的。拉辛接受了这种观点，在剧本中，安德洛玛克的厄运被写成上天早已安排好了的，其他人物的命运也是如此。这种宿命观点是建立在对社会阶级斗争不理解的基础之上的，拉辛不能解释客观世界中错综复杂的矛盾斗争，只能归之于命运的安排，这就使得他的剧本带上浓厚的宿命论色彩。

同高乃依一样，拉辛的《安德洛玛克》也遭到封建贵族的攻击，他们只允许悲剧表现贵族的"崇高"和理性的胜利，当然不能容忍拉辛描写国君的放纵情欲和宫廷的情杀丑闻。他们发动攻击，给拉辛以政治上的压力。拉辛被迫暂时放弃写悲剧，转到写喜剧上去。《讼棍》（*Les Plaideurs*，1668）就是在这种情况下产生的。这个喜剧是讽刺"穿袍贵族"的。拉辛并不满足于这个剧本所受到的欢迎，不久他又回到悲剧创作中。

悲剧《布里塔尼居斯》（*Britanicus*，1669）讲的是古罗马两个异父异母兄弟的争斗。尼禄皇帝掌权后，一心想撇开早先扶助他的母后和他的兄弟布里塔尼居斯。他把布里塔尼居斯周围的人都收买了，还要把公主朱妮据为己有，而朱妮正和布里塔尼居斯偷偷相爱着。皇帝命令朱妮对布里塔尼居斯冷淡。他说："我以使他绝望而感到快乐，我想起他的痛苦就感到愉快。"朱妮和布里塔尼居斯偷偷会面，消除了龃龉。皇帝发现后，把朱妮关回房里。母后出面指责皇帝忘恩负义，皇帝回答道："罗马需要一个主人。"皇帝的师傅也劝他做一个受人民爱戴的君主，要他同兄弟和解，"在他的怀抱里忘掉过去"。而布里塔尼居斯的师傅却劝皇帝不要和解，怂恿他"把兄弟置于死地"，这样，不管被害者是否无辜，罗马"都会觉得他们是犯了罪"。皇帝决定按计划行事，吩咐他准备好毒药，然后把布里塔尼居斯招来。朱妮觉察到皇帝的阴险用心，她清楚宫廷里"说的同所想的相隔多么远！心口是多么不一致"！布里塔尼居斯去见皇帝，果然被毒死。朱妮闻讯后立即弃绝尘世，献身于神。皇帝痛苦绝望，只求一死。剧本中两兄弟的冲突和斗争使观众自然而然联想到现实中的矛盾。作者把皇帝塑造成"一个刚露苗头的暴君"，抨击他企图独揽权力的欲望。为避免触犯国王，他把皇帝杀害兄弟的行动写成听信谗言的结果。即使这样，《布里塔尼居斯》仍然遭到猛烈的攻击。拉辛在剧本《序》中说，封建贵族为使剧本失败，"没有什么阴谋没使过，没有什么攻击没用过"，目的是"要毁灭它"。

自 1669 年到 1675 年，由于遭到资产阶级的抵制，对冉森教派的迫害暂时停止。这段时期被称为"教会和平"时期。拉辛的戏剧创作也相应出现了转折。在 1670 年至 1674 年写出的《贝蕾妮丝》《米特里达特》和《伊菲革涅亚在奥利德》中，国王大都仁慈宽厚，结局也都皆大欢喜。《贝蕾妮丝》（*Bérénice*，1670）的女主人公贝蕾妮丝为了顾全皇帝的声誉，做了自我牺牲，离开了宫廷；《米特里达特》（*Mithridate*，1673）一剧中，老王米特里达特临死前把年轻的未婚妻许给了忠于他的儿子，成全了他们两人的爱情；《伊菲革涅亚在奥利德》（*Iphigénie en Aulide*，1674）中，告密者反成了祭祀牺牲品，勇于牺牲自己的伊菲革涅亚则保全了生命。在这一时期的创作中，只有《巴雅泽》一剧的结局是悲剧性的，善良的主人公巴雅泽最后遭到了暗害。可以看出，政治气候的变化深刻地影响着拉辛的戏剧创作。从 1675 年开始，缓和时期结束了，贵族阶级和资产阶级又开始了新的斗争。

2.《费德尔》

悲剧《费德尔》（*Phèdre*，1677）在阶级斗争的新风暴中产生。剧情梗概是：雅典王岱赛离家半年，杳无音信。幕启时，王子希波吕托斯忍受不了继母费德尔的虐待，意欲远走他乡。王后一直心事重重，秘而不宣。这时传来国王已死的消息，在保姆俄侬娜怂恿下，她吐露了自己一直爱着希波吕托斯的真情。但希波吕托斯同王族的公主阿丽丝早已相爱，因而费德尔向他透露爱情时，遭到了拒绝。王后羞愧难言，一把夺过他的佩剑想自杀，但被俄侬娜拉走了。恰巧国王这时回来，俄侬娜又向费德尔献计，要她先下手为强，向国王告发希波吕托斯想污辱她。王后被迫同意让俄侬娜这样做。希波吕托斯面对父王的斥责有口难辩，愤怒的国王则祈求海神波塞东惩罚他的儿子。当费德尔亲耳听到希波吕托斯拒绝自己的原因是爱着阿丽丝时，嫉恨交加，责怪保姆怂恿她向希波吕托斯表白心迹。阿丽丝这时则催促希波吕托斯向国王讲明真相，但他不愿再见国王，只希望阿丽丝随他逃走。国王听了阿丽丝的怨言后想找俄侬娜再次盘问，但她已投海自尽。紧接着传来海神显威，使希波吕托斯惨死的消息，费德尔闻讯对国王承认了自己的罪愆。她早已饮毒，话一说完便倒地而死。

反映矛盾冲突不可调和的主题再一次出现，对现实的不满和苦闷成为全剧的基调。希波吕托斯一开始就说：

这幸福的时代一去不复返了。一切都改变了面貌。

因为仇恨的火焰又燃烧起来了，人世间又充满了杀戮和掠夺。希波吕托斯最后对阿丽丝说："离开这不祥的和渎神的地方吧。"这是作者对现实的控诉，也是对当时的阶级关系的曲折反映。

这个剧本的主要人物费德尔的形象是十分复杂的。作者一方面指责她怀有"不正当的感情"，人物自己也自我谴责这"可恨的爱情"。但是，拉辛在很多地方美化了这个人物。他在剧本《序》中说："我甚至有意把她写得不如古人悲剧里的人物那么可恶。"表现在剧本里，一是把费德尔的行动说成是"命运所寄"："她的罪恶与其说是她的意志造成的，还不如说是天神的惩罚。"费德尔说："我是上天复仇的不幸对象"，"正是天神在我身上、给我全身的血点燃了这致命的火"。另一方面，作者把罪责推到她的保姆身上："这种卑劣行径我认为对一个保姆更合适"，因为这种反咬一口的做法"太低劣、太卑鄙，不能出于一个有着这样高尚感情和美德的王后之口"。当事情发展到不可收拾的地步时，费德尔责怪保姆催促她向希波吕托斯表白"爱情"，还骂她是"忘恩负义的人"，滥用了她的"极度虚弱"。这样写不仅是替费德尔开脱，同时也是为宫廷贵妇的堕落行径辩护。

在前期戏剧创作中，拉辛已形成了自己严谨的艺术风格。拉辛是古典主义悲剧艺术的典型代表。"三一律"对于他已经不是一种束缚，而是一种运用自如的法则。《安德洛玛克》选取各种矛盾集中在一起的关键时刻揭开序幕，略去了矛盾的发展过程，一下子就进入了中心情节。《费德尔》一剧也是这样，作者选择了国王离家不归、误传死讯的时刻开场。由于剧中的矛盾已发展到一触即发的地步，剧情也就能集中地、紧凑地展开。拉辛擅长心理分析。在他笔下，安德洛玛克的思想随着形势发展一步步变化，描写得十分细致。费德尔的心理描写层次分明、脉络清楚，详尽地表现了她从不肯吐露自己的罪恶情感到时机具备时脱口而出，从被拒绝后的羞愤到把责任推诿于人，从嫉妒到坦白这一曲折过程。拉辛的语言流畅、平易、自然，较少夸张造作之词，且具有抒情的色彩。然而拉辛的心理描写主要限于宫闱内室中缠绵悱恻的感情，语言也带有典雅趣味。这些地方正是宫廷色彩在他的戏剧艺术上的表现。

第三节　拉辛的后期戏剧创作

拉辛的后期戏剧创作选择了宗教题材。同前期一样，他的戏剧曲折地反映了当时的政治气候，特别是反映了当时的宗教迫害。17 世纪90 年代，路易十四由于长年对外战争，尤其是经过对荷战争，财政亏空，出现巨大赤字。从 1689 年开始的第三次对荷战争，暴露了封建王朝的虚弱，封建贵族和资产阶级的矛盾进一步加剧。资产阶级公开表示反对国王的内外政策，对此，路易十四采取了新的经济政策和宗教迫害措施：他于 1685 年废除南特敕令，把信仰新教和冉森教派的资产阶级和技术工人赶往国外，企图以此来削弱资产阶级的力量。结果法国失去了 40 万居民和 6000 万里弗的资金。路易十四的经济政策和宗教政策严重阻碍了法国资本主义的发展。这是拉辛后期戏剧创作的背景。

拉辛的思想经历了一个曲折的变化过程。开始，他对路易十四还存有幻想，呼吁他采取宗教宽容政策。他这种态度根本不能影响国王。随着宗教迫害的加剧，他认清了现实的无情残酷，主张采用暴力手段来对付暴君，这一转变使他的悲剧创作达到了新的高度。从《以斯帖》到《阿塔莉》，反映了拉辛思想上的这种变化。

《以斯帖》（*Esther*，1689）取材于《圣经》，是一出三幕悲剧。波斯王后以斯帖本是犹太人，她流落到波斯后被国王看中，国王废了原妻，立她为后。悲剧开场时，大臣阿曼刚让国王签署了一项灭绝境内犹太人的敕令。以斯帖祈求上帝拯救犹太人。这时，国王想起以斯帖的叔叔曾揭发一起危害王国的阴谋事件，意欲报答。以斯帖冒着触犯禁令的危险去邀国王参加她的一个宴会，在宴会上她透露了自己是犹太人。最后，国王处死了阿曼，任命以斯帖的叔叔为宰相，同时撤销了敕令。

剧本内容反映了拉辛对国王存有幻想，希望他采取宗教宽容政策。在开场白中，作者赞扬了国王的武功，说什么国王在莱茵河布置了大军，使敌人国境线上"铺满了碉堡的残砖碎片"，暗指 1689 年爆发的对荷战争处处得手。作者还把国王写成对宗教迫害不负责任的人物，把他的大臣阿曼写成一个善于谄媚的奸险之徒，他才是真正的罪魁祸首。第三幕以斯帖设宴是关键的一幕。合唱队唱道："权力至高无上的国王啊，回心转意吧，掉转您的耳朵，不要听信残暴的骗人的谏言吧。是时候了，您该清醒了。就在您瞌睡时，您的手快浸到无辜者的血泊里了。"这是对国王路易十四的劝告。阿曼的面目终于被揭露。他"被愤怒的人民几乎撕成两半"。在国王下令"撤销这个恶毒家伙血腥的命令"之后，合唱队又歌颂国王："最美好的品德也丝毫不能与此相比……陛下心地多么善良啊！他的统治多么暖人心啊！""一个母亲也没有他那样温存"，"愿他的名字得到祝福；愿他的名字受到赞美"！这些话显然是说给路易十四听的。剧本不仅为路易十四的宗教迫害政策开脱罪责，而且还完全违反历史真实，对路易十四做了过分的颂扬。事实证明，拉辛企图乞求国王施恩是一种幻想。

《阿塔莉》（*Athalie*，1691）反映拉辛的思想发生了变化。这是一出五幕诗剧，故事同样取自《圣经》[①]。阿塔莉原是以色列国王之女，嫁给大卫七世孙犹太王若拉姆以后，她让若拉姆改信了自己娘家的拜太阳教。她的母亲被她丈夫前妻之子杀害后，她发誓要杀绝大卫的后裔，把她的几个孙子杀死。幸亏若拉姆前妻之女若莎伯忒救出若亚斯，交托给丈夫若亚德，藏在庙宇内，一过 9 年。剧本从这儿叙述起。若亚德祈求上帝报仇，他向妻子透露报仇时机已到。这时阿塔莉

---

① 见《旧约·历代志（下）》第二十二章，阿塔莉原译亚他利雅，若拉姆原译约兰，若亚斯原译约阿施。

做了一个噩梦，梦中见母亲预言她将被一个男孩杀死。在噩梦困扰之下，她闯进庙内，撞见若亚斯，认出梦中杀死她的男孩就像他。于是她要召见若亚斯来详细盘问。她派人索取若亚斯做人质，否则就要带领人马闯进庙内。若亚德觉得此时应该向若亚斯讲明他的身份了，他布置停当以后，在长老们面前宣布若亚斯是犹太人的国王。这时阿塔莉带领军队围困了寺院，她要求交出若亚斯和庙中宝库。若亚德假装同意了。等阿塔莉一进入庙里，抬头一望，只见若亚斯由武装的人民簇拥着，坐在王位上。阿塔莉手下的士兵这时也反叛了。阿塔莉成了孤家寡人，被赶出寺院处死了。

《阿塔莉》体现了反抗暴政的思想。阿塔莉是个暴君形象。她为了使治下的人民信仰自己信仰的宗教，为了给自己母亲报仇而使用武力，甚至企图灭绝大卫的后代。与此相对照的是第四幕若亚斯和若亚德的一段对话，这段对话反映了作者对一个"好国王"的理想。若亚斯在回答怎样做才是一个"好国王"的问话时说："一个贤明的国王，就像上帝亲自宣布他为国王那样，丝毫也不倚仗他的财富和黄金，他敬畏上帝，永远记住上帝的信条、法则和严厉的判决，并且绝不对自己的臣民施以过度的重担。"若亚德进一步教导他说：

你不要陶醉在极权之中，
不要听信恶毒的谄媚者的迷人之音。
他们会对你说：最神圣的法律，
主宰着贱民的法律，就是服从国王；
一个国王只听从自己的意志，而没有别的制约；
他应该不择手段地树立他的最高威望；
人民注定生活在眼泪之中和生来就是干活的，
并且愿意被铁一样严厉的王杖所统治。

作者矛头所指是十分清楚的。第五幕武装起来的人民同反叛的士兵一起，反抗暴君统治的场面表现得十分有力。拉辛创造出这个场面并不是偶然的。现实教育了他，他对国王的幻想破灭了，他意识到专制暴政只会激发人民的反抗。拉辛想用戏剧来警告国王不要愈走愈远。

同拉辛的其他剧本一样，《阿塔莉》也充满宿命论的色彩。尤其这是一出宗教题材的悲剧，这种色彩就更为强烈。剧本在第二幕写到阿塔莉的母亲托梦给她，说什么"残酷的犹太人的上帝要战胜你了，我可怜你要落到他可怕的手中"。她不知道若亚斯是什么样儿，而若亚斯却进入她的梦乡。后来这个噩梦都应验了。第三幕写到若亚德处于入定状态，念念有词地预言犹太教的兴盛。诸如此类描写都带有宗教迷信色彩。

显而易见，拉辛后期戏剧创作同前期有不同之处。后期戏剧创作较之前期具有更深刻的社会政治内容，对现实有更明显的针对性，作者直接提出他所密切关心的宗教问题，抒发他的见解，以劝谏国王路易十四。这种变化同政治局面的改变是联系在一起的，它反映了资产阶级以至贵族阶级的一部分人对专制王朝的政策深感不满，并有所指责。拉辛后期戏剧创作同后期的古典主义文学具有共同的特点，它对王权提出忠告或批评的倾向同费纳龙、拉布吕耶尔的作品相似。由于拉辛作品中含有批判君主专制政治的积极因素，所以受到后代进步作家如司汤达和雨果的推崇。

第六章　拉封丹

第一节　拉封丹的生平

让·德·拉封丹（Jean de La Fontaine，1621～1695）是古典主义的代表作家之一。

他出生于香槟一个小官吏的家庭，父亲当过沙多—蒂埃里的水泽森林管理人和狩猎官等职。拉封丹是在农村长大的，对大自然和农民的生活相当熟悉。19 岁时他到巴黎去学神学，一年半后又改学法律，并获得巴黎最高法院律师头衔。他耳闻目睹法院的黑暗腐败，十分厌弃这种职业，不久又回乡过着安闲的乡绅生活。他不能胜任父亲遗留给他的水泽森林管理的职务，也不善于管理家业，不得不于 1653 年和 1656 年出卖土地，最后跑到巴黎投靠了当时的财政总监富凯。富凯给他年金，让他写诗剧。1661 年富凯被捕，他写诗向国王请愿，得罪了朝廷，不得不出奔里摩日。这一事件对他的思想有很深刻的影响，从此对封建朝廷怀有戒心。1663 年末返回巴黎后，他常常出入沙龙，对上流社会和权贵有了更多的接触和观察的机会。17 世纪 60 年代初他结识了莫里哀、拉辛和布瓦洛，促进了他的艺术观的形成。这一时期，是拉封丹观察、体验和学习的阶段。

1664 年，他开始发表《故事诗》（*Contes*，1664～1685）。1668 年发表了《寓言诗》第一集（共六卷），引起很大反响，建立了他的文学声誉。第二集于 1678 年至 1679 年间发表，《寓言诗》最后的第十二卷直到 1694 年才问世。

拉封丹还写过一部韵文小说《普绪喀和丘比特的爱情》（*Les Amours de Psyché et de Cupidon*，1669）和一些科学诗，如《金鸡纳霜》（*Quinquina*，1682）等。但他晚年向朝廷靠拢了，同贵族社会来往密切。在"古今之争"中，他写诗攻击佩罗的进步观点，同保守派站在一起，维护崇古守旧的文艺思想。

第二节　拉封丹的《寓言诗》

《寓言诗》（*Fables*，1668～1694）是拉封丹的代表作。全诗集共有 239 首，彼此独立成篇，题材绝大多数取自《伊索寓言》、古希腊罗马和印度的寓言家的作品以及法国民间故事。经过拉封丹的加工创造，寓言诗成了他反映现实的有力武器。

《寓言诗》力图反映 17 世纪下半叶的法国社会。它描写自然界各类动物，实际上写的是人间社会，包括国王、领主、廷臣、市民、教士、法官、学者、农民、手工工人等形形色色人物；涉及当时发生的国内外重大事件，还涉及哲学、宗教和经济问题。作者的视野是广阔的，对社会各阶级都有深浅不同的观察。

《寓言诗》首先对封建王朝和它的统治机构的黑暗窳败做了有力的揭露和抨击。《患瘟疫的野兽》是诗集中很有代表性的一篇，这是一幅生动的朝廷写实画。诗歌开头写群兽中流行瘟疫，引起它们极大的恐慌，于是狮王开会征询意见。它说这是老天爷"因为我们的罪恶，才降下这灾难"的，只有"我们之中罪恶最大的祭献给愤怒的老天爷"，才能"使大家得到痊愈"。然后它假惺惺地说：

我们不要自我吹嘘；要毫不留情地

察看一下我们自己良心如何。

至于我，为了满足贪婪的胃口，

我吞噬过许多绵羊。

它们冒犯过我吗？没有；

有时我甚至吃过牧羊人。

因此，如果需要，那我就献身；

但我想，人人都像我这样认罪才好；

因为根据公正的立场，应该罪最大的做牺牲。

狐狸马上谄媚狮子说："国王审慎深虑，无微不至。且说吃羊的事，吃些这类贱民，这批坏蛋，算是罪恶吗？不，不。您把羊拿来大嚼一番，正是给了羊很大的面子……"这番话居然博得了喝彩。对于大野兽的滔天罪恶，其他野兽"一点不敢冒犯。所有那些喜欢向人寻衅的家伙，连守门狗在内，根据它们自己的说法，都应该奉为圣徒"。而驴子自己承认啃了舌头那么大一块青草，便被说成"罪大恶极，死有余辜"，结果"伏了法"。狮王的虚伪，它的大臣的蛮横霸道、阴险毒辣，小民的无辜和受宰割，都跃然纸上。这首诗显示了封建王朝层层统治机构的暗无天日，表达了作者对统治人物丑恶嘴脸的谴责和对被压迫者的同情。《寓言诗》中类似的抨击还不止这一篇。《牝狮的葬礼》把廷臣描绘成"一群变色的蜥蜴，听话的猴子"。《颈上挂着主人的膳食的狗》写道："议员、市长，大家都在贪污：本事最大的做别人的表率。"至于法院，则被指责为鱼肉和宰割人民的机构（《大黄蜂和蜜蜂》），法官是剥削者（《狐狸、苍蝇和刺猬》），是凶恶的猫王（《猫、黄鼠狼和小兔》）。路易十四时期，法院的贪赃枉法达到空前的程度，这是封建制度开始没落的一个侧面。拉封丹当过最高法院律师，因而深谙此中情况。由于拉封丹对封建统治做了如此尖锐的鞭挞，所以他长期受到宫廷的冷遇。

在《寓言诗》描绘的这幅现实图景中，还有对这个制度的支柱——封建权贵和僧侣的抨击。《狼和羔羊》是其中著名的一篇：

一头羔羊在一条清澈的河边饮水。
一只饿狼，四处觅食，猝然而至，
是饥饿把它引到这一带来了。
这只野兽咆哮着说：
"谁让你这么大胆，搅浑了我的饮水？
你这样胆大妄为将受到惩罚。"
羔羊回答说："陛下，请您息怒；
试想我在您下游二十步远的地方饮水，
因此，无论如何我不会搅浑您的饮料。"
这只残暴的野兽吼道："你搅浑了！
我知道，去年你说过我坏话。"
羔羊回答说："那时我还没生出来，
怎么可能骂您呢？现在我还在吃奶。"
"如果这不是你，那就是你哥哥。"
"我没有哥哥。"
"那就是你族里的某一个；
因为你们，牧羊人，还有那些狗，
对我一点儿也不放过。
人家对我说：此仇我一定得报。"
狼随即把羔羊拖到森林深处，
无需其他形式的审判，便把它吃掉。

作者一针见血地指出，在这个社会里，"强者的理由始终是最好的理由"。作者通过狼和羔羊之间生动的、戏剧性的对话，一层层剥露恶狼的面目，它杜撰的一个个"理由"都被羔羊批驳了，索性撕下了虚伪的面具，用强力和牙齿来满足自己的欲望。这篇寓言是对"强权即公理"的豺狼逻辑的生动概括。同样，《小母牛、山羊和绵羊跟狮子合伙》也对强权做了抨击。诗歌写到狮子和它的合伙者一道分配猎获物时说："第一份应该是我的，理由是我叫做狮子，这是不容有异议的。第二份，根据权利，也应该归我；这个权利，你们知道，就是强权。我最勇敢，因此我要第三份。如果你们之中有谁敢去动第四份，我就立即把他扼死。"毫无疑义，封建权贵就是这样敲骨吸髓地掠夺人民，骑在人民头上作威作福的。《寓言诗》还揭露了封建权贵的寄生性和腐朽性，批判他们专讲"奢华的排场"（《蒙着狮皮的驴子》），常常在农田打猎娱乐，使"小民遭殃"（《园丁和贵族》）；把他们比作"很美的人头，可是没有脑子"的半身像（《狐狸和半身像》），"只有衣服是他们的一切才华"（《猴子和豹》）；这些，都是对那些行尸走肉的封建权贵的绝妙写照。《小公鸡、猫和小鼠》则揭露了披着宗教外衣无恶不作的伪善僧侣，把这些僧侣比作外貌温和、谦逊、仁慈、彬彬有礼的猫，说"它的餐是建立在吞噬我们的基础之上的"，讽刺与揭露了天主教会的虚伪和对人民的压榨。

在《寓言诗》中，反映劳动人民悲惨生活的画面占有重要地位。《死神和樵夫》是比较杰出的一篇：

> 一个穷苦的樵夫，身上落满了碎枝叶，
>
> 在柴捆和岁月的重压下，
>
> 呻吟着，弯着腰，迈着沉重的步子，
>
> 费力地走回他那冒着炊烟的茅屋去。
>
> 他终于筋疲力尽，痛苦不堪，
>
> 他放下柴火，寻思起自己的不幸。
>
> 他自从来到人间，何曾享过欢乐？

世上还有比他更穷的人吗？

往往吃不上面包，从来没有休息：

妻子、孩子、兵痞、捐税，

债主，还有徭役，

这一切勾勒出一个穷人的完整图画。

这首诗真实地描绘出 17 世纪下半叶封建社会所谓"盛世华年"时期贫苦农民的悲惨处境，他们在阶级压迫的重负下，终年不得温饱，挣扎在死亡线上。《老妇和两个女工》反映了手工工人所受的沉重压榨，诗中写道，每天天不亮公鸡一啼叫，可恶的女主人就"点着了灯，一直跑到那两个可怜女工还在沉睡的床边"，催她们上工。她们忍受不了这牛马般的生活，开始最初的反抗：把公鸡杀死。但是，"老妇代替了公鸡，使她们的处境越发糟糕。"《补鞋匠和银行家》从另一个角度指出，穷人并不稀罕"人们日夜为之辛劳的那样东西"——金钱。《樵夫和默居尔》也赞扬了樵夫不贪财的可贵品质。正是在这些生活在社会底层的劳动者身上，作者看到了他们诚实勤劳的美德。

《寓言诗》中收集了不少从人民的生活和斗争中得来的格言或教训。拉封丹很重视这些格言和教训，认为寓言诗的灵魂就寓于其中。例如："慈善本来是好的；但是对谁讲慈善？问题就在这里。"（《乡下人和蛇》）"对于坏人必须继续战斗下去。和平本身是极好的，这点我同意；但是遇到不守信用的敌人，和平又有什么用处呢？"（《狼和羔羊》）"要工作，要勤劳：劳动是最可靠的财富。"（《农夫和他的孩子们》）"手的劳动是最可靠和最迅速的援助。"（《商人、贵族、牧人和王子》）这些都是人民大众从生活和斗争中总结出来的哲理。

综上所述，可以看出，《寓言诗》反映了 17 世纪封建社会趋向没落的历史现实。拉封丹写作《寓言诗》的年代，封建王朝正由盛而衰，贵族阶级日趋没落，封建社会的败象已经明显地暴露出来了。拉封丹的身世和经历使他有机会接触到社会的各个阶层。他的思想代表着中小资产阶级的利益。这一阶层的地位并不稳固，他们受到大贵族和大资产阶级的压迫和排挤，经历着失意、无出路，甚至破产等各种厄运，因而对统治阶级上层怀有不满，对下层人民也有一定的同情。拉封丹自己就是日渐贫困以致破产的。从《寓言诗》的一些诗篇中，可以看出他同中小资产阶级的感情联系。如《牧人与海》影射东印度公司，该公司于 1664 年建立，1667 年开始衰败，1672 年破产，这是一个轰动当时社会的事件。在这个过程中，极少数大资产者发了横财，而无数中小资产者却破了产。拉封丹不由得发出"一人致富，万人破产"的感叹。拉封丹正是站在破了产的中小资产阶级的立场上抨击封建社会的黑暗、对劳动人民表示出同情。也正是站在这个立场上，他才比较清楚地从这封建"盛世"中看到一些本质性的没落现象，从而使《寓言诗》在古典主义文学中占有独特的地位。

《寓言诗》在艺术上造诣相当高。拉封丹十分重视《寓言诗》的结构，把诗集看做"一部巨型喜剧，幕数上百"，每一幕他都写得既简练集中，又富于戏剧性。他善于在诗中穿插性格化、拟人化的动物对话，跌宕起伏，显得别致有趣。拉封丹的语言既流畅自然，又精巧细腻。他善于收集民间语言，贴切地应用到诗歌中，因此他的诗篇语汇丰富，且接近口语。拉封丹善于描绘大自然，并且富有抒情风味。他喜用自由诗体，也运用亚历山大诗体，韵律千变万化，音韵优美和谐。由于《寓言诗》写作的成功，影响波及全欧，这种体裁一时十分流行。

然而，《寓言诗》也存在着不足和局限性。

首先，《寓言诗》是以谏言的形式出现的。作者在诗集中对统治阶级的上层人物发出呼吁，企图规劝他们。《寓言诗》1668 年问世时是献给王太子的，作者认为上层人物读了他的寓言就会"形成判断力和改换风气，就能干大事业"。《寓言诗》甚至企图向国王进谏。《狮子和老鼠》通过一只狮子先救了一只老鼠，后来狮子落入猎人的网中，老鼠咬断网绳，又救了它的故事，提出"我们往往需要身份低于自己的人来协助"，"耐心而持久胜于暴力与激怒"的劝说。《老了的狮子》则写一只狮子，"原是森林中的恐怖"，而今年老，"终于受到自己臣民的攻击"，劝告统治者要考虑积德防怨。《狮子出征》也说："慎重明智的君主，就是对于最小的臣民，也知道有所借重。"拉封丹竭力要把《寓言诗》装饰成宫廷所能接受的形式，这反映了他企图接近贵族统治阶级，以获得他们青睐的愿望。

如果说《寓言诗》对当时的内政有所指责的话，那么，它对国王的对外政策却表现出赞同的态度。例如《多头龙和多尾龙》等诗是影射1667年至1668年对西班牙的战争的，诗歌赞颂国王征服世界的"业绩"，而把西班牙的盟国比喻为多头龙和多尾龙，因头多和尾多而不齐心。当时，路易十四欲成为欧洲霸主，这次战争就是为了夺取西班牙属尼德兰。表面上法国打了胜仗，获得不少领土，然而危机仍然潜伏着，以致引起了后来的第二次和第三次战争。这场旷日持久的战争把法国弄得财尽民穷。但是，由于当时整个贵族阶级和资产阶级都企图掠夺工业发达的比利时，并摧毁经济上的竞争者——尼德兰的商人，所以中小资产阶级的代言人拉封丹也支持国王这一政策。

拉封丹的消极思想还表现在《寓言诗》的道德教训上。"一切以往的道德论归根到底都是当时的社会经济状况的产物。而社会直到现在还是在阶级对立中运动的，所以道德始终是阶级的道德；它或者为统治阶级的统治和利益辩护，或者当被压迫阶级变得足够强大时，代表被压迫者对这个统治的反抗和他们的未来利益。"[1]拉封丹的道德观基本上是中小资产阶级的。这个阶级的道德观有安分守己、逆来顺受的一面。《寓言诗》有不少诗篇反映了这种观念。《要有国王的青

---

[1]　恩格斯：《反杜林论》，《马克思恩格斯选集》第三卷，第134页。

蛙》写道：青蛙向上天要一个国王，上天先给了它们一根小橡木，橡木"始终不动，一声不响"，青蛙不满意这样的国王，于是上天给了它们一只鹤，鹤"把它们大嚼特嚼，杀死它们，将它们随意吞噬"。作者最后得出这样的结论："你们本来就应该保留你们的民主政体，但是你们没有这样做，你们的第一个国王宽慈温和，你们那时也应当知足了：你们就保留现在的国王吧，以免碰到比这更坏的。"这种逆来顺受、忍受被压迫、被剥削命运的观点在《寓言诗》的不少地方都有所反映，包括一些描写劳动人民悲惨生活的诗篇也是如此，如《死神和樵夫》的结语是："与其死去，不如受苦，这是人们的箴言。"这则箴言似乎是乐观的，其实仍然是消极的。总之，这种道德观反映了中小资产阶级思想中固有的保守性。此外，《寓言诗》中表现的"友谊"、"互相扶助"等观念，也打上了作者的阶级烙印，如在《两个朋友》中，友谊观就是离不开金钱的。

拉封丹到了晚年更加沉沦到消极颓废的思想之中。《寓言诗》第十二卷反映了他这时的思想状况。这一卷的赠诗题词有九首之多，充斥着对达官贵人的肉麻吹捧，而且也不及以前的作品思想性高和艺术性强了。拉封丹思想上的消沉倒退，导致他艺术生命的衰落和终结。

第七章　古典主义散文的两种倾向以及"古今之争"

第一节　前期古典主义散文中的两种倾向

17 世纪下半叶，产生了不少古典主义散文作家。他们擅长书简、杂感、格言、回忆录、政治宗教读物等不同文体，推动了散文的发展。主要活动在 17 世纪 50 年代至 80 年代的一批散文作家中，存在着两种不同的倾向。一种是反映现实，揭露社会矛盾，抨击统治阶级的败坏风气，代表了资产阶级和贵族阶级内部不满现实或与现实有抵触的思想倾向，帕斯卡尔和拉罗什富科等属于这一类；另一种倾向则是竭力宣扬保守的政治宗教观点，并企图扼杀进步思想，这类作家以封建规范的卫道者面目出现，博叙埃是其代表。另外，还有美化贵族和宫廷的散文小说作家，也可包括在内。

1. 帕斯卡尔、拉罗什富科及其他

布莱兹·帕斯卡尔（Blaise Pascal，1623～1662）是第一个较著名的古典主义散文家。他也是一个数学家、物理学家和哲学家。他的父亲是地方助理法庭庭长，出入于"穿袍贵族"的圈子。由于家庭的影响，他逐渐接受了冉森教派的观点，并于 1654 年皈依该教，入教后随即参与了教派纷争，写出《致外省人书简》。他的另一部作品《思想录》在他死后才发表，1670 年出版了残本，1843 年全稿问世。

《致外省人书简》（*Les Provinciales*，1656～1657）是一部宗教论战作品。17 世纪 50 年代，耶稣会和政府当局对天主教内部接近加尔文教义的冉森教派的迫害日益加剧，因为自 17 世纪 40 年代传入的冉森教派反映了资产阶级的"异端"对抗力量。这场迫害是贵族阶级和资产阶级发生冲突的导火线。1653 年和 1656 年巴黎大学神学院，主教会议和教皇公开谴责冉森教派的教义，冉森教派则指责他们歪曲冉森教派教义。1655 年，某天主教神甫拒绝给某公爵行临终圣礼，原因是公爵的小女儿入了冉森教派的活动中心保尔—罗亚尔修道院。冉森教派领袖阿尔诺为此写了两封信提出指责，巴黎大学神学院扬言要对这两封信加以严厉制裁。阿尔诺也展开活动，欲将此事公之于众，以呼吁公众评议，争取公众同情。他请求帕斯卡尔协助，帕斯卡尔慨然应允，于是采用"致外省友人书简"的形式，共 18 封，汇成一册，匿名秘密印行。在书简中，帕斯卡尔为阿尔诺辩护，迂回曲折地阐述冉森教派的教义，维护天定论主张，指责耶稣会士败坏道德，同时否认冉森教派教徒是异教徒。在冉森教派力量还很薄弱的条件下，这种辩解方式本来并不算激烈，但是，这本小册子当时却受到普罗旺斯法院和罗马教廷的谴责。因为封建统治阶级极端害怕新的政治势力扩大其影响，企图在它刚一露头时马上加以扼杀。

《思想录》（*Pensées*，1670）可看做一部杂感作品，书名是后人根据帕斯卡尔强调"人是会思想的芦苇"的著名论点而加上的。帕斯卡尔原想写一部《为基督教辩护》，但只留下一些思想片断，《思想录》就得之于此。从原来这个标题可以看出，《思想录》的主旨本是为宗教辩护。帕斯卡尔虽然是个科学家，能认识到世界万事万物的无限性，对无限大和无限小有相当精辟的分析，也看到人类高于动物的地方，然而，由于世界观的限制，他却错误地得出人类不可能认识任何事物的结论，陷入了不可知论，于是只能到耶稣那儿去寻找归宿。《思想录》在最后一章专门反对无神论者。

弗朗索瓦·德·拉罗什富科（François de La Rochefoucauld，1613～1680）出身王族，是个公爵。早年从军，回到宫廷以后，参与反对黎塞留的密谋，失败后入狱并被流放，1639 年得到赦免，重回宫廷，仍继续敌视黎塞留。1648 年至 1652 年，他参与了"投石党"事件，最后同马扎然做了交易，向他让步，誓言忠于国王。此后，他混迹于宫廷和沙龙之中，同时开始写作他的《箴言录》和《回忆录》（*Les Mémoires*，1662）。

《箴言录》（*Maximes*，1665）是一部反映贵族上流社会伦理道德的著作。全书共收五百零四条箴言。当时，贵族上流社会有用格言式的句子表达思想的风气，《箴言录》便是这样产生的一部有代表性的作品。作者对宫廷和上流社会的腐败风尚是极为不满的。他指出，在那里利欲心支配着一切，以致"德行消失在利欲之中，正如河流消失在海洋之中"，"德行通常就是掩饰着的恶行"。到处是虚伪造作和假冒伪善："庄重是身体的一种秘密，是为了掩盖精神的缺陷而发明出来的"，"如果人们不相互欺骗，社会就不会长久地存在"。他把矛头指向了当权者：

> 君主对待人们就像对待硬币一样；君主随意规定其价格；而人们也不得不按照行市，而不是按其真正价值去接受它们。
>
> 亲王们的仁慈只不过是一种博取人民拥戴的策略。

马克思曾经赞扬《箴言录》表达了一些"出色"[1]的思想。

《箴言录》深深打上了作者的阶级烙印。既然作者企图把一些箴言写成上流社会的伦理信条，那么它们就必然反映了贵族阶级的思想观点。如他从人性论出发，认为利欲心"人人都是一样的"，"它使一

---

[1] 马克思：《致恩格斯的信》（1869 年 6 月 26 日），《马克思恩格斯全集》第三十二卷，第 308 页。

些人盲目，却使另一些人见到光明"。又如，他为投降叛变的行动辩护："人们往往是因为弱小而叛变，并不是经过周密计划而叛变的"，"同敌人和解不过是想使我们的条件变得更好、对战争厌倦和害怕某种坏事发生"。

除了帕斯卡尔和拉罗什富科以外，还可以提一提圣埃弗勒蒙和比西伯爵。

夏尔·德·圣德尼·德·圣埃弗勒蒙（Charles de Saint-Denis de Saint-Evremond，1613～1703）出身贵族，早年从军，因反对《比利牛斯和约》而不得不逃往荷兰，后又转至英国。他曾结识斯宾诺莎。1689 年，路易十四允许他回国，被他拒绝。后来他死在英国。

圣埃弗勒蒙以文艺批评和书简最引人注意。他有广博的历史知识。他的哲学思想受当时的唯物论影响。他提倡宗教容忍，集中体现了当时自由思想者的精神。他信仰伊壁鸠鲁主义。在他对拉辛的《亚历山大大帝》和《布里塔尼居斯》的批评中，表明他更推崇高乃依，也颇推崇莫里哀，而认为拉辛的人物太今人化。在"古今之争"中，他支持佩罗等人的观点（参看"古今之争"），不同意布瓦洛的保守观点。

比西伯爵（或名罗歇·德·拉比丹，Roger de Rabutin, Comte Bussy，1618～1693）出身贵族，从 1634 年起跟随孔代亲王等过了 25 年的军旅生涯。1638 年第一次进宫廷。1665 年入法兰西学院。他的《高卢人爱情故事》（*Histoire amoureuse des Gaules*，1665）以手抄本形式流传到荷兰出版，触犯了路易十四，于 1665 年入狱，1666 年被逐回勃艮第自己的宫堡。他竭力想返回宫廷，直到死前才有机会同国王进餐。他的《回忆录》（1696）和《路易大帝简史》（*Histoire abrégée de Louis le Grand*，1699）对国王表现出的屈辱态度到了难以令人忍受的地步。他还是一个有名的书简家。

《高卢人爱情故事》既像一部讽刺小说，又近于编年史。它描写路易十四统治时期的上层社会，贵族的淫逸丑行，权贵的滥用职权，宫廷的奢侈、淫乐，廷臣的相互攻讦，甚至国王的私情，在书中都有所暴露。

此外，还有一些作家的作品记录了当时发生的历史事件和社会生活，雷斯红衣主教和塞维尼夫人的作品就是代表。

雷斯红衣主教原名保罗·德·贡迪（Paui de Gondi, le cardinal de Retz, 1613~1679）出身于法国的"名门望族"，父亲是个司法官僚。他曾参与反对黎塞留的活动。1643 年任巴黎大主教助理。他在"投石党"事件中充当了联络人的重要角色。1651 年任红衣主教，1652 年被捕入狱，1653 年在狱中被缺席推为巴黎大主教，1654 年 8 月潜逃至意大利，辗转于荷、比、英等国，在马扎然死后于 1662 年返国。他辞去了大主教职，隐居外地，但仍为王室办理外交。在这期间，他写作了《回忆录》，此书直到路易十四死后才在荷兰出版。

《回忆录》（*Les Mémoires*, 1717）有一定的史料价值。17 世纪不乏回忆录作品，而雷斯的《回忆录》是其中有代表性的一部。作品分三部分：第一部分写他被任命为大主教助理前后的事，包括两次劫狱未成事件，这部分残缺不全；第二部分写"投石党"事件，是作品的主干，其中特别写到 1648 年 8 月 26 日和 27 日巴黎人民抗议沉重捐税而爆发的请愿和街垒战，以及上层贵族和宫廷的活动；第三部分写他到意大利和选举教皇的活动。《回忆录》为"投石党"事件保留了一些重要的第一手材料，从侧面反映了这个事件的整个过程。雷斯十分注意历史人物和场面的描绘。但雷斯在作品中把自己打扮成人民起义的领导者，"拯救国家"的"英雄"，却是不符合史实的，他在"投石党"事件中虽然同马扎然有一定的矛盾，但他的行动大半为了私利：他渴望当上红衣主教，他代表的是在野大贵族的利益。为了美化自己，雷斯甚至不惜篡改或杜撰历史事实，使《回忆录》有不少地方有失真实。

塞维尼夫人（*Madame de Sévigné*，1626～1696）是个书信体散文家。她的父亲属于"名门望族"，母亲是大商贾的女儿。她 7 岁时就死了父母，寄居舅父家，26 岁就成了寡妇。她是冉森教派的朋友。晚年她是在忧愁中度过的。

《书简集》（*Lettres*，1726 年部分问世，1818～1819 年出全）在 17 世纪流行的书信文学中是部代表作。这种文体的兴盛和当时贵族社会注重社交生活有一定关系。《书简集》大部分由塞维尼夫人写给她女儿的家书组成。从《书简集》中可以看到当时贵族生活中的各种画面，作者把她日常生活的所见所闻实录下来，借以排遣心中的积忧和无所事事的烦闷。这种压抑沉闷的情调反映了贵族阶级中对现实不满的一部分人的精神状态。她在 1671 年 4 月 24 日的一封信中描写了国王的一次打猎，当地主人耗费了 5 万埃居仍然招待不周，结果自杀，而国王仍旧玩乐，若无其事一样。这样具有讽刺内容的书信为数不多。在 1672 年 6 月 20 日的信中，她为出征的儿子担忧，一方面表示要把"国王的幸福"置于一切之上，另一方面又说："我们最好获得荷兰而又不付出任何代价。"这封信反映了一个贵族妇女政治上保守而又对现实感到忧郁的思想矛盾。《书简集》的特色是写得自然。

2. 博叙埃及其他

雅克－贝尼涅·博叙埃（Jacques-Bénigne Bossuet，1627～1704）不仅是散文方面，而且可以说是这整个时期文学上的一个保守代表。他出身于外省法官之家，从小在耶稣会学校读书，后来又攻读神学。1652 年当了教士，随后在各地和宫廷布道演说（一生共做过 300 多次），为王室显贵写祭文。1669 年爬上主教职位，1670 年被路易十四选为王太子的教师。此后他陆续写出《世界史讲话》和《根据圣经的政治学》等著作。17 世纪 80 年代以后，他成为法国教会的实际首领，1695 年任大主教职。

《诔词集》（*Oraisons funèbres*，1656～1687）是为封建显贵，特别是为一些王室贵妇撰写的祭文集，共收十二篇。它们同博叙埃所做的大量布道演说都属于同一类型的作品。博叙埃在《诔词集》中以封建王权的卫道士面目出现。为英国王后亨丽埃特·玛丽写的诔词是有代表性的一篇。文中竭力证明上天统治着国王和王国，为这个法国籍的、被英国革命逐出国外的王后鸣冤叫屈，赞颂死者的亲属，甚至连声名狼藉的人也在内，他有意回避某些历史事实，以达到为王亲显贵涂脂抹粉、歌功颂德的目的。

《世界史讲话》（*Le Discours sur l'Histoire universelle*，1681）是写给王太子看的"历史"著作。在博叙埃看来，历史是部圣经传说——上帝创造人类为历史的开端，以后人类历史的各个重要时期十之八九也都是《圣经》上所记载的荒诞不经的传说。历史就这样被说成一部宗教史。他认为朝代的更迭和兴衰都"决定于神圣的上天的神秘命令。上帝在上界执掌着一切王国的缰绳"。这是一部十足的宗教讲义。

《根据圣经的政治学》（*La Politique tirée de l'Ecriture sainte*，1709）也是写给王太子看的封建政治理论著作。博叙埃是绝对君权的代言人和御用文人。他认为王权是绝对的，任何个人无权抗拒国王，而国王只对上帝负责他从《圣经》中摘取例子和信条，以证明君权神授和绝对君主制是天经地义的。

作为天主教的卫道者，博叙埃是新教的死敌。《新教演变史》（*L'Histoire dcs variations des Eglises protestantes*，1688）是这方面的代表著作。他对天主教内出现的离心倾向绝不容忍，坚决反对冉森教派，并就寂静教派问题同费纳龙论争。总之，他是教会和王权不遗余力的辩护士。

除了博叙埃以外，对贵族和宫廷加以美化的作家可以拉法耶特夫人为例。

德·拉法耶特夫人（**Marie-Madeleine, Madame de La Favette,**

1634～1693）出身于贵族，于 1660 年定居巴黎，同宫廷关系密切，她的客厅成了社会名流的聚会地点。她写过一本传记和《1688～1689 年法国宫廷回忆录》（*Les Mémoires de la Cour de France pour les années*，1688～1689、1731）。她很早就写作小说，《克莱芙王妃》（*La Princesse de Clèves*，1678）是她的代表作。

《克莱芙王妃》以 16 世纪亨利二世统治时期为背景。小说描写一个贵妇人（女主人公克莱芙王妃）如何克制自己的"爱情"，来逃避内穆尔亲王的追逐，为了忠实于丈夫，她透露了真情。她丈夫忧闷而死。克莱芙王妃拒绝了内穆尔的求婚，最后也病死了。

小说以细致深刻的心理描写见长，实际上是法国文学史上第一部艺术成熟的心理小说。

从上述散文作家可以看出，在路易十四统治时期，散文在上层阶级之中十分流行。因而 17 世纪的散文，贵族色彩特别浓厚。在形式方面，相应地流行绮丽纤细的文风；在反映现实的深度和广度上，既不如 16 世纪的散文，也不如古典主义戏剧。

第二节　后期的散文作家

17 世纪 80 年代以后，法国社会矛盾有了进一步发展，封建专制衰落的征兆已经显露出来，这一时期主要的散文作家是拉布吕耶尔和费纳龙。他们的作品是法国封建社会开始衰落时期阶级关系和社会矛盾的产物，同时也是 18 世纪启蒙文学的先声。

1. 拉布吕耶尔

冉·德·拉布吕耶尔（Jean de La Bruvère，1645～1696）生于巴黎一个中小资产阶级家庭，其父在市政厅任年金总审计官，生活并不富裕。拉布吕耶尔靠叔父供他求学，他在祈祷派神甫的教育下长大。

1665 年在奥尔良大学通过了法学论文，成为巴黎最高法院的律师。1673 年他买下卡安的财务总管一职，但他仍住在巴黎。1684 年他在博叙埃推荐下当了孔代亲王的孙子波旁公爵的家庭教师，以后一直留在波旁公爵家。他利用公爵家能了解到当时发生的重要事件的条件，观察和分析各种人物，不断记录下来，《品性论》就是这样产生的。1693 年他被选入法兰西学院。在"古今之争"中，他和布瓦洛站在一起，反对佩罗的革新观点。

《品性论》（*Les Caractères*，1688 ~ 1694）是一部随感式的散文作品。作者仿照古希腊作家泰奥弗拉斯托斯（约于公元前 372 ~ 公元前 287）作品的形式写成，全书共分十六章，有 1100 多条长短不齐的随感。这些随感包括人物素描、格言警句、故事寓言、评论讽刺、思想判断、戏剧场面等，其中以人物素描最有特色。特别是在第四版后，大量增加了这方面的内容。作者从谈文学开始，再转到描绘社会各阶层及其代表人物，并进一步解剖时代，最后做出结论。这些描绘生动地反映了封建社会开始衰败的境况。《品性论》的副标题是"本世纪风俗"，表明作者关注的主要是社会风俗和阶级状况。

首先，通过对宫廷的描画，拉布吕耶尔对绝对君权提出了某些怀疑。他认为所谓国王"无可争议地是他的臣民的一切财产的绝对主宰"，完全是"谄媚之词"。他对国王的内外政策提出不满，认为国王应"关心人民的福利胜过关心军功和征战"，指出由于对外战争，国家"一切都完了"，"至少是接近于毁灭了"。路易十四穷兵黩武的政策使封建王朝出现了内外交困的危机，引起资产阶级、中小贵族和人民群众的不满，《品性论》反映了社会的不满情绪。

拉布吕耶尔进而抨击了宫廷贵族。作品勾画出宫廷贵族的脸谱：他能"控制自己的举动、眼神和脸色，他深不可测，藏而不露，对敌人微笑，压抑自己的脾气，矫饰自己的情感，昧着良心，心口不一"；他老是数说自己的祖宗如何显贵，三句离不开"自己的宗族、世系、名姓、徽号”，一切以是否贵族为标准；他懂得阿谀逢迎，谁能当上大臣，就拍谁的马屁；他十分无能，却自以为只有他才是完美的，因为他认为一切优良品质都是出身带来的。那些出入宫廷的大主教，他们道德败坏，在宫廷大耍阴谋；至于上流社会的妇女则善于装腔作势，思想平庸，在沙龙里吸引大群自负可笑的崇拜者。总之，“人民不会做任何坏事，权贵不愿做任何好事，而要做大坏事。”

拉布吕耶尔还把揭露锋芒指向大资产阶级。这些散发着铜臭气的暴发户，有的是过去的贵族仆从，发迹后进入宫廷，理财治政，飞黄腾达；他们是“通过贪污、武力和滥用职权，踩在许多家庭的破产上，最后爬上去的”；他们驱着六驾的马车，耀武扬威；那些包税商渴望着穿长袍、当贵族，他们代替了旧日的显贵，如今也讲究徽号、打猎、爱打扮、喜吃穿、嗜赌博、追女人、讲风雅，他们在乡村和城市都有宅第，大贵族成了他们的女婿，年轻姑娘做了他们的妻室。作者感叹道：“显贵的出身或豪富的财产都预示着荣耀”，“开始因为他出身低微而遭到蔑视；然后人们妒羡他们，一直到尊敬他们。”作者最后指出是金钱败坏了社会风俗。

拉布吕耶尔还描述了劳动人民的悲惨生活。他写道，正当有钱人大吃大喝，“一口就吞下一百家的口粮”时，“有的地方有人正在饿死”；“有多少穷人家庭冬天没有柴烧，他们衣不蔽体，经常缺少面包”，“他们害怕冬天，他们怕活下去”；他们比牛马还不如：

> 人们可以看到一些野兽，雄的和雌的；黑色的，铅灰色的，给太阳晒得焦黑的，散布在田野里，匍匐在土地上，以百折不回的毅力在那里搜寻翻掘：他们发出清晰可闻的声音，当他们站立起来时，方露出一张人脸；实际上他们就是人。他们夜晚栖身于兽窝里，以黑面包、水和树根糊口；他们使另一些人免去为生活而播种、耕作和收获的劳苦，因此他们理应不缺少靠他们播种才

获得的面包。

这幅风俗画真实地再现了当时农民的生活，暴露出封建社会是建筑在对劳动人民的残酷剥削的基础之上的。

但是，《品性论》对封建统治阶级的批判揭露总是留有余地浅尝辄止。对于路易十四的批评就是这样，拉布吕耶尔希望他停止对外战争，以取得"和平与自由"，规劝他不要奢侈浪费，说是正如穿金戴宝对于保护羊群、防御恶狼并无用处一样——他把国王和人民的关系比作牧羊人和羊群的关系，拉布吕耶尔甚至在第九章庸俗地吹捧路易十四。《品性论》对大贵族和大资产阶级的揭露大多停留在表面上，有的地方还流露了对暴发户的钦羡心理。另外，作者不但没有触动教会，反而处处为之辩护，他特别在最后一章引经据典地证明"上帝是存在的"，反对无神论和触犯宗教的观点。

《品性论》还宣扬阶级调和的思想。拉布吕耶尔认为穷人和富人的存在是天经地义的，因此"需要使他们相互接近，相互联合，相互和解：这一部分人效力、服从、创造、工作、耕种、改良；那一部分人享受、养育、援助、保护、统治：一切秩序都重新建立"。"生活状况的某些不平等维持着秩序和附属关系，这本是上帝的作品，可以认为这是一个神圣的法则。"又说："即使我们看到人们的严酷、忘恩负义、非正义、傲慢，也绝不要去反对他们。"这种观点正是中小资产阶级所特有的、消极保守的阶级调和思想。

拉布吕耶尔的思想是以人性论为基础的。《品性论》顾名思义，就是分析人的品性。书中有很多议论，而这些议论都离不开人性论。作者认为"只有情欲和恶习才能使人变得这样不同和截然相反。"这种观点与阶级论相左，因为"个性是受非常具体的阶级关系所制约和决定的，上述差别只是在他们与另一阶级的对立中才出现的。"[1]显

----

① 马克思、恩格斯：《费尔巴哈》，《马克思恩格斯选集》第一卷，第84页。

然，拉布吕耶尔不可能对人的品性做出阶级分析。

2. 费纳龙

弗朗索瓦·德·萨利雅克·德·拉莫特·费纳龙（François de Salignat de la Mothe Fénelon，1651～1715）是古典主义的最后一个代表。他出生于一个旧贵族之家，从小学拉丁希腊文，在神学院就学三年之后，在新皈依天主教的教徒学校中任校长达 10 年之久。他曾经想当传教士。南特敕令取消后，他到外地为教会执行任务，1689 年被国王任命为王孙的教师。1693 年入法兰西学院，1695 年任冈布雷大主教。他在《圣徒箴言诠译》（*Explication des Maximes des Saints*，1697）中宣扬清静寡欲的寂静教派观点，对教会有所指责，引起国王和教皇的不满，受到谴责，费纳龙表示要绝对服从教会。但是，《忒勒马科斯历险记》的秘密出版终于使路易十四勃然大怒，撤了他的教师职务，让他回到冈布雷教区，不得外出。费纳龙自此到死一直不得意。他的著作很多，较重要的还有《致法兰西学院的信》《已故者对话录》《论女子教育》（*Le Traité de l'éducation des filles*，1689）、《寓言集》（*Les Fables*）等。

《忒勒马科斯历险记》（*Les Aventures de Télémaque*，1699）是他的主要作品。这是一部写给王孙看的小说。它取材于荷马史诗《奥德赛》的第四章，还从其他古代作家的作品中汲取情节。故事写忒勒马科斯离家寻访父亲俄底修斯，他在智慧之神化身的引导下，周游地中海的许多国家。小说从主人公漂泊到卡里普索王后的岛上写起，再倒叙他以前的经历，然后在回家途中又历尽艰险，甚至到过地狱。小说通过智慧之神沿途对他的教导以及他的所见所闻，表达了作者的政治观点和治国主张。

《忒勒马科斯历险记》反映了 17 世纪末叶中小贵族阶层对路易十四的内外政策的不满情绪。作者竭力否定绝对君权："一旦国王们习惯于只知道他们的绝对意志，不再知道还有别的法律时，一旦他们不再遏制自己的感情时，他们就会胡作非为。"费纳龙反复描绘了一个坏国王的形象："他只想到满足自己的欲望，只想到挥霍他的父亲千辛万苦积攒起来的巨大财富，只想到折磨人民和吮吸穷人的血"，由于他只听信逢迎之词，因而好人退避三舍，佞臣乘虚而入，"每个人都想欺骗他，每个人在热情的外表下隐藏着野心。"作者指出，这样下去只会"引起臣民的反叛和燃起内战烽火"，"只有突然爆发一场激烈的革命，才能把这越轨的强权回复到自然的轨道"。通过这些描写，费纳龙斥责了绝对君权的危害。17 世纪末，法国农业连年歉收，饥荒严重，工商业也呈现不景气，农民暴动十分频繁。国内的升平景象早已消失，民怨沸腾，特别是中小贵族和中小资产阶级对路易十四极为不满。出身于破落贵族的费纳龙虽然身居高位，但他同中小贵族的接触还是较多的，因而他的作品能够反映这一阶层的思想。中小贵族终于看到，国内的不景气首先是由于国王的对外政策造成的，所以费纳龙尤其反对征战："一个完全专注于战争的国王总是想打仗：为了扩张他的统治和个人的荣耀，他毁了人民。对人民来说，他的国王使别的民族屈服于他有何用处呢？长期战争总是带来无数混乱……有了穷兵黩武的国王，人民从来没有不受其野心之害的。"又说："把自己的幸福建立在统治别的人民之上是何等疯狂！"这里显然是针对路易十四的扩张政策。早在 1693 年，费纳龙就上书国王，指出人民"正在饿死。农田种植几乎荒废了；城市和农村人口锐减；百业凋敝，再也养不活工人。商业贸易一片不景气。因此您毁了您的国家一半真正的力量，为的是进行和维护国外的徒劳的征战"，"人民悲苦难言，万分绝望。请愿从四面八方而来……您违反人道，屠杀人民，因战争而征收捐税，把人民用血汗挣来的面包夺走了，置人民于绝境之中"。小说的描写就是这种观点的形象再现。

　　然而，费纳龙写《忒勒马科斯历险记》的目的是要维护开始摇摇欲坠的封建制度，他把希望寄托在王孙身上，企图让王孙将来实行他的一套"统治术"。费纳龙不是一个革新家，他本质上是保守的。他心目中的"好国王"似乎具有一切美德："他的一切时间、一切操劳、一切爱都放在人民身上：他为了献身于公共事业而忘了自己，这才对得起王国……他爱人民胜过于爱自己的王室。"其实这样的国王是根本不可能存在的。费纳龙在小说中还反复描绘了一个理想国。这不是一个比当时的君主专政制度更为先进的国家，费纳龙企图返回到过去的"黄金时代"——破落贵族所向往的旧时代。在这个国度里，人们过的是"男耕女织"的生活，靠放牧和耕作维持社会的运转；每个家庭由家长统治，实行财产公有，因为靠节俭为生，才不需要把财产分开；没有法官，没有货币，没有战争，没有恶行，安居乐业，遵守宗教礼仪；特别是人们的穿着要按照极严格的等级。这是一个宗法家长式的社会，是一个落后保守的乌托邦。

《已故者对话录》（*Dialogues des morts*，1700～1718）的内容同《忒勒马科斯历险记》基本一样。这部以古人对话为体裁的作品指责国王"自身就是国家"的论调，显而易见，这是针对路易十四"朕即国家"的言论而发的。费纳龙还指责绝对君权的维护者黎塞留和马扎然。第七篇对话是孔丘和苏格拉底的讨论，作者对中国人民的伟大发明印刷术、火药以及天文方面的创造一概否定，说什么不如西方云云；可笑的是他把中国人说成来自西方等等，完全是一套西方中心论的偏见。

《致法兰西学院的信》（*Lettre à l'Académie*，1716）是应法兰西学院发出对行将完成的词典提出意见的要求写成的，这是一部文艺批评著作。费纳龙要求法兰西学院制订语法、修辞学以及悲、喜剧的规则。他对莫里哀的创作颇多指责，这种见解同他关于"古今之争"的保守观点是吻合的。信古和好古是费纳龙的思想特点之一，也是他作为古典主义最后代表的特征。

费纳龙在他的作品中总是以神学家的身份出现，宗教说教贯穿于他的著作之中，这是他的保守思想的又一明显表现。

总起来说，拉布吕耶尔和费纳龙的作品不同程度地揭露了封建社会处于衰落前夕出现的社会危机，这是两个过渡性作家，他们为日后启蒙文学更深入地批判揭露封建社会开辟了道路。

第三节　革新派与保守派的"古今之争"

"古今之争"是发生在 17 世纪末的一场文艺大论战。随着资产阶级的日益发展和封建贵族的走向没落，古典主义的一些教条逐渐成了文学发展的框梏。资产阶级不满足于文艺只表现帝王将相的生活，它力图冲破这种框框，要求描写现实和反映资产阶级的生活。两种观点的冲突十分激烈，最后终于爆发了"古今之争"。

"古今之争"的发难者是查理·佩罗（Charles Perrault，1628～1703）。他出身中小资产阶级，其父是巴黎最高法院的律师。佩罗自己也当过律师。他曾在柯尔贝尔手下任职，并历任王家建筑总监处总监督和公共纪念碑拉丁碑文起草委员会委员。他同出身于资产阶级的大臣来往密切。1671 年，他被选入法兰西学院。由于他的思想违拗封建王朝的正统观点，他受到了宫廷的冷遇，晚年过着隐居的生活。

佩罗写过一本童话集，原名《鹅妈妈的故事或寓有道德教训的往日的故事》（*Contes de ma mère l'Oye, ou Histoires et contes du temps passé avec des moralités*，1697），包括八篇散文童话和三篇童话诗。其中《小拇指》（*Le petit poucet*）反映了劳动人民的悲惨生活，赞扬了小拇指具有劳动人民的聪明智慧。但这部童话集是佩罗晚年处在消极状态下写作的。这就决定了童话集的思想倾向。佩罗未能贯彻他自己的革新观点。如他不能完全摆脱写国王或王子悲欢离合的爱情故事的俗套。在较有名的一篇童话《灰姑娘》（*Cendrillon*）中，作者最后写灰姑娘用仁爱去对待虐待她的后母和两个异母姐姐，宣扬了调和妥协的思想。作者着意于故事的道德说教，而这种说教往往是作者所未能摆脱的封建道德观，这是童话集的根本弱点。

佩罗的贡献表现在"古今之争"中。1687 年 1 月 27 日，他在法兰西学院宣读了《路易大帝的世纪》（*Le Siècle de Louis le Grand*）一诗，反对崇古薄今，向古典主义的教条发动冲击，布瓦洛当场提出抗议并退席。"古今之争"就这样爆发了。

这场争论由来已久。追根溯源，这场争论首先是在哲学方面开始的。笛卡儿早就提出人类不断进步，反对崇拜古人的观点。他认为："不应因古人之古而向他们屈膝：还不如说是我们应被称为古人。世界今天比过去更古老，我们对事物有更多的经验。"1647 年，帕斯卡尔根据笛卡儿的观点发挥道："人类在其生命初期处于愚昧之中；但是它受到教育而不断进步：因为它不仅得益于自己的经验，而且得益于先辈们的经验……每一个人不仅在科学上一天天前进，而且随着宇宙变老，人人都不断进步。"这是以佩罗为首的厚今派的哲学论据。这种厚今薄古思潮的出现是时代发展的产物。随着资产阶级的发展，资产阶级思想意识也日渐扩展到上层建筑的各个领域。在文学上，最先出现的是以基督教传说代替古代神话的主张，德马雷·德·圣索尔兰（Desmarets de Saint-Sorlin, 1595～1676）是这方面的代表。佩罗支持过他的观点。布瓦洛则在《诗的艺术》中攻击他的论点，德马雷·德·圣索尔兰又写文章反击。在语言文字方面，拉丁文已不再像文艺复兴时期那样是个不可缺少的工具，弗朗索瓦·夏尔邦蒂埃（François Charpentier, 1620～1702）等提出，过分赞扬古代文字会损害法语的完美，主张写碑文要用法语。到了 17 世纪 70 年代，观点的冲突越来越尖锐了。例如，拉辛在《伊菲革涅亚在奥利德》的《序》中指责佩罗的哥哥皮埃尔·佩罗（Pierre Perrault, 死于 1680 年）批评欧里庇得斯，皮埃尔·佩罗于 1678 年著文抨击布瓦洛。佩罗的另一个哥哥克罗德·佩罗（Claude Perrault，1613～1688）也在一则寓言里讽刺布瓦洛。佩罗自己则在《圣-波兰》（*Saint-Paulin*，1686）的《序》中抨击《诗的艺术》的观点。"箭在弦上，不得不发"，这就是大论战前夕的形势。

这场论争是资产阶级革新派向完全适应君主专制政治的古典主义文学思想发动的一次冲击。在历史条件的限制下，他们的冲击点仅仅限于古典主义对古代文学的推崇上。佩罗在《路易大帝的世纪》一诗中这样宣称：

> 我面对古人，不对之屈膝，
> 他们伟大是确实的，但同我们一样也是人；
> 我们可以拿路易的世纪同奥古斯都的美好世纪媲美，
> 而不用担心有什么不对。

这种观点对古典主义崇拜古人的主张是个大胆的挑战。佩罗还写了一系列对话体的文章来进一步阐述自己的观点，这些文章收在《古今之比》（*Parallèles des anciens et des modernes*，1688～1697）中。另外他还发表了《十七世纪在法国出现的名人》（*Les Hommes illustres qui ont paru en France pendant le XVII siècle*，1696）一文。佩罗的论点可归纳如下：1. 今人无论在物质方面还是在精神方面，都可与古人媲美；2. 根据人类精神不断进步的法则，今人应在艺术上超过古人；3. 事实上在文学方面今人已有超过古人之处，如心理分析更准确，议论方法更完备。另外还要加上有国王保护和传播方便等有利条件。站在他一边的丰特奈尔写了《闲话古人与今人》（*Digression sur les anciens et les modernes*，1688）。他认为："现在人类到了成熟年龄，人类比以往议论更有力、更明晰"；"什么也不能阻止事物的进步，什么也不能限制人类的精神"。特别是圣埃弗勒蒙在《论古人诗歌》（*Sur les poèmes des anciens*，1685）中，先行一步道出了厚今薄古派的根本主张，他说："宗教、政府、风俗、习惯在今天世界上变化如此之大，以致我们必须创造新的艺术，以适应我们所处世纪的趣味和天才"；"如果荷马活在今天，他也会写出适应他所描绘的时代的绝妙好诗来。但我们的诗人却以古人诗歌为绳尺，以过时的规则为指导，以过时的事物为对象来创作诗歌"。他还认为古希腊人的风俗习惯和事件"今天根本感动不了我们……企图以过时的法则来规范新作品是荒谬可笑的"。又说："荷马的诗歌永远是杰作，但不会总是楷模。"论争的焦点之所以集中在对待古人的态度上，是因为古典主义文学是穿着古代的服装搬演历史的新场面，以达到拔高和美化贵族阶级生活内容的目的，而这种情况到了君主专制衰落的时代，已经开始使资产阶级不能容忍了。正是在这样的条件下，佩罗和圣埃弗勒蒙等才提出了需要适应新时代的响亮口号，毫无疑问，他们是文学上的革新派，他们的行动是资产阶级对封建制度行将发起冲击前力图占领文艺领域，以做舆论准备的表现。"古今之争"的实质就在这里。

崇古派的反驳显得异常无力。它的代表是古典主义的理论权威布瓦洛。正是他首先攻击厚今派的观点。他指责佩罗在法兰西学院宣读诗歌是"学院的一个耻辱"，他写一些无聊的讽刺诗，把佩罗等人辱骂为"疯子"、"野蛮人"，但是他提不出什么有力的论点来反驳佩罗这一派。《论朗吉努斯》（*Réflexions sur Longin*，1694）第七篇是他唯一能够提出自己论点的一篇文章。在文章中，他抓住佩罗一概否定古代作家和一律肯定当代作家的偏颇观点进行批驳，认为只有经过时间考验才能判断一个作家的价值，而不能看他生前是否得到赞誉来决定。布瓦洛并没有触及争论的焦点：当今时代要不要创造自己的文学，古代作品能否成为今天的创作楷模？其实，布瓦洛的观点是自相矛盾的：一方面，他推崇当代古典主义作家；而另一方面，他无保留地赞颂古代作家。这样，却无形中贬低了古典主义作家。所以，后来他不得不承认，今人也有超越古人之处。站在布瓦洛一边的是一些学究以及古典主义作家，如拉辛、拉封丹、拉布吕耶尔等。他们也提不出有力的论据，只有对厚今派的观点滥加讽刺而已。如拉封丹，也承认自己不是全盘模仿古人的。总之，他们跟不上时代的发展，在这场论争中起了保守派的作用。

但是，争论却不分胜负地告一段落。厚今派的论点不够科学，有不少漏洞，而另一方面，崇古派虽然理屈词穷，但他们有宫廷的支持。最后，佩罗同意让布瓦洛出面写公开信，表明双方停战，但保留各自的观点。

论争并没有结束。1713 年，乌达尔·德·拉莫特（Houdart de La Mothe，1672～1731）在义章中批评了荷马，与崇古派又发生争论。最后，费纳龙应双方要求写了《关于法兰西学院事务的信》（*Lettre sur les occupations de l'Académie française*，写于 1714 年，发表于 1716 年）。这篇文章的结论貌似折中："我只是向那些为我们的世纪做了装饰的人们建议，绝不要蔑视多少世纪以来那些受到赞赏的人。我毫不想让任何人排除战胜古人的希望，相反，我愿意看到今人通过向古人学习，从而战胜古人。"实际上，他通篇是针对佩罗完全否定古代作家的论点做文章，目的是为布瓦洛的保守观点打圆场，以维护崇古派。1716 年，争论双方在一次宴会上"为荷马的健康干杯"，宣布停止论战。事实上，这场争论断断续续，一直延至 19 世纪才告结束。

第四编

十八世纪文学

第一章　18 世纪法国的社会历史状况与启蒙文学

第一节　18 世纪法国的社会历史状况与资产阶级革命

法国 18 世纪的基本特点是：封建社会已经腐朽不堪，在整个世纪中，逐渐酝酿和准备着一场深刻的社会变革，最后爆发了资产阶级革命，完成了由封建贵族阶级的统治形式到资产阶级统治形式的历史转变。

18 世纪的法国是一个封建的农业国家，基本社会结构与 17 世纪没有什么不同，分为三个等级：教会以操"圣职"的名义列为第一等级，贵族阶级是第二等级；第三等级则包括资产阶级和由手工业者、工薪阶层、农民所构成的城乡劳动人民。前两个等级掌握封建国家的统治权力，享有种种封建特权。

当时法国总人口约 2500 万，第一等级教会仅 13 万，但占有全国土地的四分之一，在有的省甚至占四分之三或者全部。第二等级贵族阶级 14 万人则占有全国土地的三分之一。18 世纪下半叶，封建主又通过瓜分农民耕种的公社的土地，更进一步进行兼并。地租是土地所有权得以实现的经济形态，18 世纪封建领主对农民的地租剥削极为苛刻，而且，还利用特权加上一些其他形式的额外榨取，如农民必须付出大量的实物来使用领主的磨坊、烤炉和压榨机；农民的田地里不得除去兔子等为害农作物的野兽，以供领主打猎等。教会还要无代价地向农民征收什一税，即以总收成的十分之一纳税。封建政府的赋税更是名目繁多，每人要付人头税，还要按其收入缴二十一税，即使吃不上面包，也必须以高价购买义务盐和义务酒，等等。从 18 世纪下半叶开始，又恢复了久已废除的修筑道路和建造营房的徭役。此外，收税人还可以任意增加税额，农民的门口有鸡毛或农民的面色比较好，往往就成为加税的借口。卢梭的《忏悔录》里，就记述了一个农民因为害怕税吏而不敢拿出食品来款待客人。封建统治阶级的横征暴敛，使赋税以惊人的速度增加，从 1715 年至 1789 年这 74 年中，直接税增加了 69%，间接税在 18 世纪增加了两倍。这些赋税全部由第三等级，特别是农民承担，第一、二两个特权等级则全部免纳。

在沉重的封建压榨下，农民劳动收入的四分之三被王权、教会和贵族剥夺，他们生活在赤贫之中，对赋税的恐惧使他们没有任何生产积极性。英国著名经济学家亚当·斯密于 1764 年在法国旅行后这样记述说："农民用最简陋的劳动工具进行耕作，以表示自己很穷，无力偿付任何赋税。"封建生产关系的束缚，再加上天灾，导致生产力极为低下。土地大片荒芜，农业减产，封建统治阶级的财源日益枯竭；而连续不断的对外战争和他们的穷奢极欲，又促使他们更残酷地压榨农民，从而加重了问题的严重性，引起了封建生产的巨大危机。18 世纪时法国封建国家不可救药的财政困难，就是这个危机的直接表现。

从根本上动摇封建统治基础的是农民起义。在 18 世纪，农民起义的次数大为增加，规模也甚为巨大。18 世纪初就发生了有名的"卡米扎尔"农民起义，起义农民捣毁政府机关，攻打贵族的城堡，与政府军坚持战斗了两年之久。自 18 世纪中叶起，农民的"饥饿暴动"在全国此起彼伏，1740 年、1752 年、1775 年、1782 年、1785 年、1788 年，在里尔、阿里、诺曼底、第戎、蓬土瓦兹、巴黎、波亚叠、普罗旺斯等地区，都发生过这类暴动。有的省在 1789 年革命以前，农民起义几乎没有停止过。这些暴动往往因饥饿引起，尔后发展为对封建统治阶级沉重赋税的强烈反抗。这些起义虽然提不出自己的革命纲领，但它们加深了封建制度的政治危机，是封建社会崩溃的征兆。

封建贵族阶级到了 18 世纪，完全成为了历史发展的障碍。当时法国全国大贵族总共有 4000 家，从路易十四时代起，他们就把田产扔给管家去经营或任其荒芜，而自己迁居凡尔赛成为宫廷贵族。他们从国王那里得到闲差肥缺和年俸赏金，其收入几乎占去政府每年预算的四分之一。他们的生活糜烂透顶、奢侈惊人，因此往往欠有巨额债务。为了还债，他们或抵押地产，或投机倒把，或开场放赌，甚至不惜利用情妇的色相增加收入。外省的中小贵族和宫廷贵族差距很大，祖宗传下来的家产分配到日益繁衍的子孙头上，已经相当微薄，加之他们游手好闲、不务正业，只能日益破落。但凡世袭贵族，不论是宫廷贵族还是乡居贵族，都享有免税的特权，因此，他们都反对革命。至于"穿袍贵族"，他们出身资产阶级，用钱买到了贵族的职务和称号，在君主专制政体的统治下，他们有时也闹点独立，但是，资产阶级革命到来时，他们由于不愿意丧失贵族特权，在政治上也是保守的。

教会中当权的上层人物基本上也都是大贵族，全国总共有五六千人。教会的剥削收入主要流进他们的腰包。他们过着王公一般的生活，狂热地维护封建秩序，是革命的敌人，他们甚至对本阶级内部开明派点滴的改良也不能容忍。普通教士一般都出身于社会下层，收入有限，对上级的富豪生活妒羡之中又夹杂着些微的愤慨，而且由于他们比较接近人民，知道民间疾苦，其政治倾向与教会贵族有很大的不同。他们之中不少人是 1789 年资产阶级革命的参加者，其代表人物，就是著名的小册子《什么是第三等级》的作者、革命初期的活动家西哀士。

在深刻的封建生产危机的基础上，发生了巨大的政治危机。贵族阶级的政治统治权力、君主专制政体，在 18 世纪迅速走向没落、崩溃。

路易十四晚年的一连串对外战争、对新教徒的宗教迫害和宫廷生活的奢侈浪费，使得民不聊生，国库空虚，1715 年他去世时，留下了高达 25 亿法郎的巨额国债。路易十五正式掌权以前，摄政王为了稳定政局、解决财政困难，做了一点改良，宣布停止迫害新教徒，采用苏格兰银行家约翰·劳的办法，兴办银行，发行纸币，刺激了现金流转和信贷发展，使国家收入有所增加。但遭到封建关系束缚和破坏的社会生产并没有改善，加之国家滥发纸币，于是银行垮台，不少人倾家荡产。1723 年，路易十五亲政，完全沉溺在醉生梦死的荒淫生活之中，他可耻的名言是："我去后哪管它洪水滔天。"与此同时，为了统治阶级的利益，法国封建政府进行了一系列对外战争，如 18 世纪 30 年代的波兰王位继承战，40 年代的奥地利帝位继承战、五六十年代的七年战争等。在这些战争中，法国耗费了大量的金钱和财力，结果在外交上和军事上都遭到失败，丧失了在北美洲和印度的殖民地和它作为欧洲最大强国的地位。

1774 年，路易十六即位，国政腐败，财政危机更为严重。国王昏庸无能，整天关心的就是打猎。王后玛丽－安东奈特轻佻淫逸，在她周围聚集了一大批宫廷贵族、宠臣、献媚者，形成一股腐朽的封建贵族势力。宫廷生活穷奢极欲，国王一人使用的马车就有 200 辆之多，直接为王后一人服务的人员达 500 人，宫廷里白天未燃尽的蜡烛头，收集起来出售就能成为巨富。凡尔赛宫廷骇人听闻的挥霍浪费，使财政赤字急剧上升，封建专制政体面临着破产和崩溃的危险。为了挽救这种局面，路易十六于 1774 年任命了杜尔哥为财政总监。杜尔哥是重农主义学派经济学家，他的基本观点是认为土地和农业是财富的基础。他提出了一些改革的方案，如限制宫廷的开支，减少国王给宠臣的赐赏，减轻农民的负担，允许粮食自由贸易等。杜尔哥的措施特别触犯了贵族特权阶级的利益，遭到他们的强烈反对，其中有些措施也被路易十六愤怒地予以拒绝。1777 年，杜尔哥被赶出了宫廷。

杜尔哥的继任者是日内瓦银行家内克，他不敢全面采取杜尔哥的方案，而只用节省开支的办法来解决财政困难。1781 年，他在财政报告中把宫廷庞大的开支公之于众，触怒了宫廷大贵族集团，这年他也被免职。杜尔哥与内克的下台，再一次暴露出行将灭亡的特权阶级维护一己私利的顽固程度，也宣告了一切企图挽救贵族阶级统治的改良主义的破产，是专制政体病入膏肓的表现。

内克之后的财政总监卡隆以使封建统治苟延残喘为己任。他的办法是大量借债，他露骨地说："需要借钱的人就必须显得有钱，而为了显得有钱，就必须挥金如土。"他完全满足宫廷贵族挥霍的要求，年俸急剧上升，银钱像水一样淌走，国库完全空虚，国债极为庞大。卡隆的政策是醉生梦死的封建王权临死前的疯狂。至此，封建专制国家已经不可救药地濒临彻底破产和崩溃的局面，不久，资产阶级革命就爆发了。

在封建专制国家日益走向崩溃的过程中，新兴资产阶级不断地发展自己的力量，从政治、经济和思想理论体系各方面，准备了推翻封建贵族阶级的统治而代之以资产阶级统治的历史条件，最后，以"整个受苦人类的代表"自居，领导了 1789 年的资产阶级革命。

18 世纪的资本主义生产较上世纪有了很大的发展。手工工场广泛存在，分工日益细密，而且出现了工业集中的城市和大规模生产，丝织业中心里昂的工人就有 65000 人以上，1757 年成立的安辛煤矿公司雇佣的工人有 4000 人之多。机器开始在某些工业部门使用，第一条行驶马曳车的铁路也出现了。工业的进步又推动了商业贸易的发展，18 世纪的工业增加一倍以上，进出口贸易增加了两倍。资本主义生产发展的过程，也就是资产阶级剥夺本国无产阶级剩余劳动的过程，18 世纪已经相当盛行的贩卖黑人和剥削殖民地，则是另一种野蛮露骨的剥削形式。正如马克思所指出的："这种剥夺的历史，是用血与火的文字载入人类编年史的。"[1]

资产阶级在通过剥削获得大量"每个毛孔都滴着血和肮脏的东西"[2]的资本的过程中，成为国内最有经济实力的阶级。这个阶级可分为不同的阶层。一部分是由 17 世纪包税人发展而成的金融资产阶级，其中包括总包税人、银行家、大公司的股东等，他们从国王那里买得征收间接税的权利，还掌握关税，主管盐和烟草等商品的专卖，从这些特权中获取巨额利润。国王向他们借钱，甚至委托他们管理国家财政事务。如约翰·劳的措施破产后，清理财务的任务就交给了银行家巴黎士－杜维尔奈。这些金融家是资产阶级的上层，与封建旧制度有千丝万缕的关系，从各方面分享了统治阶级的经济利益，因此，在后来的革命中比较保守，拥护君主立宪制度。另一部分是工商业资产阶级，他们的经济力量也很雄厚，但封建社会的行会制度、工业法规，以及关卡林立、度量衡不统一等弊病束缚了资本主义生产的发展，因此，这个阶层有比较迫切的反封建要求，他们是资产阶级革命中共和派的主要阶级基础。

大资产阶级在社会生活中的地位，与 17 世纪有了很大的不同。他们在巴黎的贵族区盖起一座座富丽堂皇的宅邸，出入有豪华的座车。由于掌握了国家的重要经济部门，势力很大，被人称为"无冕之王"。王公贵族乃至国王都与金融家、大商人有交往，显贵的宫殿也向他们开放。他们不再像 17 世纪那些醉心贵族的资产者，而开始在社会生活中与名门贵族平起平坐。资产阶级"利用工商业从封建主的口袋里攫取金钱并通过期票使他们的地产化为泡影"[3]，而贵族在破落中又看中资产阶级的金钱，千方百计与他们联姻，以改善自己的经济状况。到 18 世纪后期，资产阶级已经发展到如此强大，剩下的问

---

[1]　马克思：《所谓原始积累》，《马克思恩格斯选集》第二卷，第 221 页。

[2]　同上书，第 265 页。

[3]　马克思：《道德化的批判与批判化的道德》，《马克思恩格斯选集》第一卷，第 172 页。

题，就是如何把财产和经济上的绝对优势变成政治统治了。

马克思、恩格斯说："资产阶级赖以形成的生产资料和交换手段，是在封建社会里造成的。在这些生产资料和交换手段发展到一定阶段上，封建社会的生产和交换在其中进行的关系，封建的农业和工业组织，一句话，封建的所有制关系，就不再适应已经发展的生产力了。这种关系已经在阻碍生产而不是促进生产了。它变成了束缚生产的桎梏。它必须被打破，而且果然被打破了，取而代之的是自由竞争以及与自由竞争相适应的社会制度和政治制度、资产阶级的经济统治和政治统治。"①

这是历史发展的规律。法国 18 世纪阶级斗争的进程正是如此。

随着资本主义生产的发展，也产生了近代无产阶级。1789 年革命前，法国工人约有 60 万人，加上农村中接受商人或工场主加工订货的半农民半手工业者，约有 200 万人。工人比较多地集中在里昂、里尔、鲁昂这些工业比较发达的城市。但是，工业集中的现象在 18 世纪还只是作为萌芽的事物出现，工人大都分散在几十万个手工工场中。他们同时受着封建主和资本家的压迫。政府对工人进行严酷的管制，1739 年颁布了关于工人身份证明书的法令，严格限制工人更换工作地点。工人每天的劳动时间长达 12 至 18 小时，工资却极其低微，加之 18 世纪后期物价飞涨，工人生活不断恶化。特别是矿工的生活更是悲惨，地狱般的劳动条件使他们的操作像牛马一样艰苦，当时一个作家这样说："被判处苦役的囚犯们的命运比煤矿里的苦工还要来得好一些。"在双重压迫下，工人不断起来反抗，到 18 世纪后期，法国的罢工风潮此起彼伏，罢工的目的都是要求增加工资或减少劳动时间，对此，政府都进行了严厉的镇压。由于 18 世纪法国工人还比较分散，不能打破地域对他们的限制，难以达到高度的团结，还不可能有本阶级的政治纲领，而资产阶级的反封建斗争在当时历史条件下是

① 马克思、恩格斯：《共产党宣言》，《马克思恩格斯选集》第一卷，第256页。

符合工人劳动群众的利益的，因此，在资产阶级革命中，工人群众成为资产阶级的坚强同盟者，他们在革命的每一个重要关头，都起了巨大的作用，促使这次革命愈来愈深入和彻底。

第二节　18 世纪意识形态领域里的阶级斗争与资产阶级启蒙运动

18 世纪的阶级斗争，在革命爆发前的几乎整整一个世纪里，特别突出地表现为意识形态领域里新旧两种思想的激烈冲突。封建阶级为了维持其政治、经济统治，竭力在意识形态方面进行专政。封建官方机构公开宣扬"君权神授"、"君主政权就是神权"、"王权无限制"等直接为绝对君主制服务的政治观念。有的御用"理论家"甚至狂热鼓吹回到农奴制占绝对统治的中世纪封建主义时代去。在这里，思想自由与言论写作自由都是不容许的，对于任何新思想，封建政权机构都加以镇压。书报检查制度极为严格，18 世纪几乎没有一个有进步倾向的作家未曾遭到这种制度的压制，如伏尔泰、卢梭、狄德罗都曾因此而被捕入狱或长期流亡国外；也几乎没有一部宣传新思想的名著不曾被列为禁书，《百科全书》、伏尔泰的《哲学辞典》、卢梭的《爱弥儿》、爱尔维修的《精神论》都曾被禁止流传或遭到焚毁。1757 年，政府曾颁布法令，规定"凡作品被判为可耻有害者，其作者与出版者皆应以死罪论处"。当时，就有人因出售和持有禁书而被判 9 年的苦役。

封建阶级进行思想统治的主要机构是天主教教会，国王把教会视为绝对君权一个必不可少的支柱。教会用宗教迷信、教派偏见麻醉和奴役人民，要人们安于封建社会黑暗、野蛮、腐朽的现状。为了保持绝对的思想垄断，教会制造宗教狂热，利用自己的权力对持有"异端思想"的人进行残酷的迫害。宗教裁判所就是这样一个专门公开地进行宗教迫害的野蛮机构，它经常以火焚和车裂的极刑处死异教徒。

教会还设有特务机构，如耶稣会，以卑鄙无耻的特务手段监视人民，凡对宗教不虔诚或有自由思想的人都被教会特务告密而遭到迫害。统治阶级虽然力图进行严密的思想统治，然而它已经日暮西山、气息奄奄，因而在整个 18 世纪中，甚至产生不出一个有影响的思想代表，而只充斥着一些像蚊蝇一样恶毒渺小的无耻文人。特别是随着封建制度不可挽救的危机的日益加深，统治阶级对于思想、意识形态的控制也愈来愈无能为力。新兴资产阶级的新思想潮流，以不可阻挡之势迅速传播，到了 18 世纪后期，那些被列为禁书的作品居然能够在凡尔赛宫门口公开叫卖了。

法国资产阶级革命经过了长时间的舆论准备，这就是 18 世纪的启蒙运动；资产阶级在这个历史过程中所形成的一整套反封建的思想体系，就是 18 世纪法国社会思想的主潮——启蒙思想。孟德斯鸠、伏尔泰、狄德罗、卢梭是这个思潮的代表人物。由于在这个新旧交替的时代，资产阶级与无产阶级、新兴资产阶级与封建统治阶级的矛盾错综复杂，启蒙思潮中就出现了各种各样的流派：有代表上层资产阶级的温和派，有代表中等工商资产阶级的唯物主义哲学流派，有反映小资产阶级要求的资产阶级激进派，也有反映劳动人民要求的革命思想家等等。

资产阶级启蒙思潮也继承了过去的思想材料。它是 16 世纪人文主义思潮在新的历史条件下的进一步发展，人文主义以个性解放为核心的人道主义思想体系、对教会和宗教的批判精神，都在启蒙思潮中有明显的再现。这个思潮在哲学上的先导是 17 世纪英国和法国的唯物论，马克思、恩格斯这样说过："法国唯物主义有两个派别，一派起源于笛卡儿，一派起源于洛克。"[①]18 世纪自然科学的发展对这个思潮的形成也有一定的影响，在整个欧洲范围内，由于资本主义生产的发展，自然科学的各部门，数学、物理、化学、天文学、生物学等都

① 马克思、恩格斯：《神圣家族》，《马克思恩格斯全集》第二卷，第 160 页。

有新的成就，其中最突出的是牛顿的万有引力学说和光学理论。法国的启蒙思想家大都通晓和掌握了这些科学新成就，他们之中有的还是杰出的自然科学家、数学家，如达朗伯、布丰、伏尔泰等。这就使他们的论著具有比较坚实的唯物的科学基础。此外，在法国的启蒙运动之前，英国在 17 世纪发生了资产阶级革命，建立了君主立宪的政治制度。因此，英国的政体形式、宗教生活、文化教育，自然就成为法国思想家们建立自己理论体系的借鉴。他们之中，孟德斯鸠、伏尔泰都曾长期旅居英国，他们所受英国的影响更为明显。

整个说来，启蒙思潮的历史任务在于批判和扫除一切维护封建专制统治的上层建筑和意识形态，指出旧社会和旧制度的不合理，引起人们对这种社会制度永恒性的怀疑，并提出建设新社会秩序的理想和方案，从而为资产阶级革命开辟道路。由于它打破长期以来的传统观念、启迪人们的思想、传播新的观念，故有"启蒙"之称。在政治方面，封建君主专制制度以及一切与此有关的法权理论，是启蒙思潮直接冲击的首要目标；在财产的占有和分配上，贵族的特权是它集中指摘的对象；在宗教方面，它无情地揭露教会的黑暗腐朽、宗教迷信、偏见和狂热；在哲学上，它批判过去的唯心主义对自然界的谬论妄说；在文学艺术方面，它否定专门为表现贵族特权阶级服务的文艺创作；在人与人之间关系的准则上，它反对封建统治阶级的门第、等级观念。这是人类历史上一次巨大而深刻的思想大解放，它以一个前所未有的新观念——"理性"为其批评标准，其批判的锋芒横扫整个封建社会生活的各个领域。恩格斯曾经这样评论这次革命思潮："在法国为行将到来的革命启发过人们头脑的那些伟大人物，本身都是非常革命的，他们不承认任何外界的权威，不管这种权威是什么样的。宗教、自然观、社会、国家制度，一切都受到了最无情的批判；一切都必须在理性的法庭面前为自己的存在作辩护或者放弃存在的权利……以往的一切社会形式和国家形式，一切传统观念，都被当作不合理的东西扔到垃圾堆里去了。"①

　　法国 18 世纪启蒙运动为资产阶级革命的需要进行思想解放的同时，提出了一系列主张和理想；它总结了资本主义生产所带来的自然科学发展的成果，有力地宣传唯物主义的自然观；它以接近唯物主义的泛神论或彻底唯物主义的无神论代替上帝、天国、地狱等一整套宗教迷信观念，并且主张信仰自由、宗教宽容；它以"全人类"的名义提出自由、平等作为社会关系的准则，以对抗专制和特权；它还设计了一些政治方案，其中比较温和的如孟德斯鸠的三权分立说，比较激进的如卢梭的资产阶级民主政治的社会契约论；在财产分配方面，卢梭还提出了限制私有财产的思想。

　　启蒙主义思潮以全人类的名义提出自己一整套理论体系，并且竭力表现出这理论体系是完全符合全人类的"理性"和"利益"的。然而，这个"理性"，"实际上不过是正好在那时发展成为资产者的中等市民的理想化的悟性而已"②，启蒙思想家所向往的理性的王国"不过是资产阶级的理想化的王国"③。在这里，"全人类"的利益其实就是当时自命为全体被统治阶级的代表的资产阶级的利益。这一资产阶级思潮的自然观虽然表现为强有力的唯物主义，但却是机械的唯物主义；而其社会观的哲学基础则基本上是历史唯心主义，如认为理性可以改造社会，对"开明君主"政治抱有幻想，夸大和迷信"天才人物"的作用等等；在方法论上，它虽然也产生了如卢梭的《论人类不平等的起源》和狄德罗的《拉摩的侄儿》等辩证法的杰作，但基本上是被形而上学的思维方式所支配；它的理论核心是人性论，把个人主义、享乐主义等资产阶级的思想视为当然；在对待劳动人民的态度上，它或者加以鄙视，或者予以防范；而从根本的性质来看，虽然它

---

① 　恩格斯：《反杜林论》，《马克思恩格斯选集》第三卷，第 56～57 页。
② 　同上书，第 297 页。
③ 　同上书，第 57 页。

在反封建的历史时期具有进步意义，但本质上是为资本主义代替封建主义服务的一种舆论，只是一种华美的约言，日后根据它所建立的资本主义社会，充满了黑暗和罪恶，恰恰成为对它自己的一种讽刺。

在 18 世纪法国，除了资产阶级启蒙运动外，还有一股生气勃勃的新思潮，即空想社会主义。恩格斯曾经这样指出："在每一个大的资产阶级运动中，都爆发过作为现代无产阶级的多少发展了的先驱者的那个阶级的独立运动。例如……法国大革命时期的巴贝夫。伴随着一个还没有成熟的阶级的这些革命武装起义，产生了相应的理论表现；……而在 18 世纪已经有直接共产主义的理论（摩莱里和马布利）。"[1]

摩莱里的生平不详。他留下了一部重要的著作《自然法典》，该书于 1775 年出版。马布利（1709～1785）是一个出身贵族的神甫，他著有《就自然程序提出的疑问》《论法制或法的原则》和《论公民的权利和义务》等书。较早一些的还有冉·梅里叶（1662～1729），他出身于织工家庭，后来当上了乡村神甫，他在自己的教区里竭力维护人民的利益使其不受领主的侵害，因而受到残酷的迫害，最后被迫自杀。他留下的唯一著作《遗书》，在他死后 30 年，由伏尔泰出版了一部分，直到 1864 年才在法国全部刊行。这几位最早的空想社会主义思想家共同的特点，在于不仅反对封建专制制度，而且也反对私有制。他们把私有制看做是社会最初发生不平等的根源，而不平等又产生暴虐的王权和等级的奴役。他们谴责当时社会上不平等的现象：少数人享有特权、压迫别人，大多数人则充当奴隶，承担沉重的劳动。他们指责专靠剥夺劳动者为生的地主、官吏、教士、包税人是"寄生虫"、"最凶恶的魔鬼"。他们从根本的所有制入手，接触到社会矛盾的本质，因而对封建社会的批判就比资产阶级启蒙思想家来得更彻底、更深刻。

---

[1] 恩格斯：《社会主义从空想到科学的发展》，《马克思恩格斯选集》第三卷，第 406 页。

他们都提出了理想社会的方案，在那里没有私有财产、没有剥削和压迫，"人人平等"、"人人自由"，全体成员都享有劳动、休息、受教育、共同占有公共财产的权利。在他们的方案里，消灭阶级差别的要求已经提出来了。这除了说明他们有远见之外，还反映了被剥削劳动人民的朦胧的理想。但是，这些最初的空想社会主义者的理想不是建立在对社会发展规律的深刻理解上，也还没有摆脱抽象的人性论的束缚，如认为人生来就具有理性，人的本性酷爱自由、平等，因而只是从私有制不符合"人的本性"才提出应予以消灭的主张。由于这种归根结底受历史的、阶级的条件限制而产生的理论上的根本缺陷，他们也提不出任何成熟的实现理想社会的途径。摩莱里求助于说服教育、肃清谬误和偏见等办法来消灭私有制，马布利则认为共产主义只是过去原始人类的黄金时代，已经一去不复返，因而只能通过逐步的改良来接近那种原始共产主义的状态。尽管 18 世纪的空想社会主义的理想还很不成熟，它的出现是劳动人民对当时社会现状极为不满的一种意识形态的反映，它所提出的新思想启迪人们对"受命于天"的封建制度的永恒性产生怀疑，因而，也构成革命前启蒙运动的一个重要组成部分。

第三节　18 世纪文学中的不同流派与启蒙文学主潮

时代不同，18 世纪的文学生活一开始就出现了与 17 世纪相异的特点。随着封建王权的衰落，它对文学的控制日益力不从心，凡尔赛宫廷再也不像 17 世纪那样，是文学艺术的中心，也起不了文学艺术趣味标准的倡导者、制定者的作用了。文人不再聚集在国王的周围，而成为以文艺的爱好者和"保护者"自居的贵族或资产者的沙龙里的常客。有的作家，如爱尔维修、霍尔巴赫的客厅，也是自己同道的集会之处。还有 18 世纪如雨后春笋出现在巴黎街头的咖啡馆，都是文人们活跃的场所。他们在这些地方讨论哲学、政治、社会、文学艺术等问题。沙龙与咖啡馆成了文化生活的中心。王权根据自己的政治需要，对一些作家仍发给年俸，但更多的作家以"友谊"的形式接受贵族、资产者的馈赠。而由于城市的发展和与国外文化交流日益频繁，读者面扩大了，作品的印刷量有所增加，作家依靠稿费也能维持清贫的生活，从经济上逐渐摆脱了对封建政权的依附。加之作家积极对社会政治问题发表意见，在国内外都有较大的影响，特别是启蒙思想家，他们的声音传遍了当时的欧洲，因而，作家的社会地位大大提高了。欧洲不少封建君主为了标榜自己的文明，装饰其专制统治，都以结交作家、与他们长期通信、维持一种"友谊"、或者请他们到自己宫廷去做客为时髦。

决定 18 世纪文学基本面貌的，是本世纪的社会现实，但同时也与法兰西民族文学传统和外国文化的影响有关。法兰西民族的文学传统有三个方面为 18 世纪所继承：首先，是 16 世纪人文主义小说中对封建统治嬉笑怒骂的战斗精神和粗犷的艺术风格，给予 18 世纪文学重要的精神营养；其次，17 世纪喜剧对世态的讽刺和对性格的描写仍为 18 世纪一些剧作家所仿效；最后，17 世纪古典主义悲剧的"典雅趣味"和清规戒律在相当大的程度上还统治着 18 世纪的剧坛。

18 世纪法国国势渐衰，在文化上不再夜郎自大，因而在接受外国文化影响方面，较 17 世纪远为敏锐。在这个社会变革时期，人们的眼光首先投向英国，莎士比亚第一次被介绍到法国并受到了欢迎，他的那些主题具有重大社会意义、艺术风格生气勃勃的戏剧，对 18 世纪作家产生了重要的影响，促进了对古典主义的陈腐规则的扬弃和对粗犷自然的艺术风格的追求。英国 18 世纪感伤主义作家理查逊的小说也被翻译成法文，对 18 世纪法国某些小说中感伤情调的出现有一定的影响。而英国十七八世纪之交的新剧种"感伤剧"，则为狄德罗建立"严肃剧种"提供了参考。此外，早就传入欧洲的中国文化也在

18 世纪更多地被吸收和应用。中国画和工艺美术品对 18 世纪法国的装饰艺术和建筑术有很大影响。在巴黎出现了"中国咖啡馆"和中国式的游艺场，中国的皮影戏成为沙龙里常见的娱乐。对于一些作家，中国是一个令人神往的国度，狄德罗在《百科全书》中、爱尔维修在《精神论》中，都曾赞美中国的高度文明。伏尔泰在其历史著作中对中国做了专门的论述，他根据元曲《赵氏孤儿》的题材，写作了悲剧《中国孤儿》（*L'Orphelin de la Chine*，1775），表现了中国的文明战胜了野蛮的侵略者。他还曾化名写过一本模仿《波斯人信札》的小说《中国人、印度人及鞑靼人的信札》。

18 世纪的法国文学，按不同的思想倾向和艺术特点，可分为三种流派：第一种是贵族阶级的文学；第二种是资产阶级的写实暴露文学；第三种是资产阶级启蒙文学，它是 18 世纪文学的主流。

贵族文学是贵族阶级生活的产物。18 世纪法国贵族阶级极为腐朽糜烂，最高统治者从摄政王、路易十五到玛丽－安东奈特，其骄奢淫逸、放荡不羁都是闻所未闻的。贵族竞相效尤，奢侈享乐、淫乱糜烂的风气弥漫了整个上流社会。在这种风气下，为贵族阶级享乐生活服务的精致的烹调术、舒适的房屋建筑、肉感鲜艳的室内装饰、纤巧轻灵的洛可可雕刻艺术都大为时髦，给那些闲得发愁、醉生梦死的贵族男女提供精神享受的文学产品也应运而生，而且品种繁多、花色翻新。

从路易十四时代起，法国封建政府都注意开拓海外殖民地，殖民地的出产扩大了上流社会的物质享受的领域，增加了统治阶级对海外殖民的兴趣，由此，17 世纪末、18 世纪初，就产生了一大批海盗小说、航海冒险小说，如克劳德·吉尔贝的《卡勒爪圭记事》（1700）、蒂索·德·巴多的《雅克·萨德的游记与冒险》（1710）等。

18 世纪初至 20 年代，当封建专制制度出现衰败迹象的时候，数量很多的野史小说和伪造的回忆录广泛流传。这些作品把历史的重大事件描写成国王、王后的意念与感情的产物，宣扬君主决定一切的神话，企图巩固封建君主掌握全部历史进程的唯心主义信念。与此同时，出现了克雷比永专门描写恐怖与凶杀的悲剧，这些悲剧中阴森的气氛是危机四伏的社会现实在作者笔下的反映，但它们在维护统治阶级的道德规范的同时，给百无聊赖的贵族阶级以新奇的刺激，因而受到了他们的欢迎。

在 18 世纪上半叶为贵族上流社会提供精致的文学食品的，是普雷沃和马里沃。他们的作品都是以贵族男女关系为题材。普雷沃的小说以同情和感伤的笔调写任意出卖肉体和灵魂的荡妇，故有"感伤小说"之名。马里沃的喜剧和小说，专写贵族男女勾搭、结交过程中互相探测、互相挑逗、打情骂俏的心理，被称为"心理分析喜剧"和"心理分析小说"。他们的作品代表了 18 世纪的贵族文明，具有较高的艺术技巧，表现了沙龙生活中讲究的谈吐、温情脉脉的情调和贵族阶级喜爱的纤巧的艺术风格，对本质上极为腐朽堕落的贵族生活是一种粉饰和美化。

18 世纪的法国，淫靡之风颇盛，两性关系混乱，社会上层与社会下层无不如此，此种社会风气势必对文学产生影响，法国历史上有书名可考、有资料可查的第一部真正意义上的色情小说就产生于 18 世纪 50 年代。此后，有一定文学才能的人从事色情小说写作者屡见不鲜，如阿尔让侯爵（Jean-Baptiste de Boyer，Marquis d'Argens）、努加雷（Pierre-Jean-Baptiste Nougaret）与拉布勒托约等，甚至在大革命中叱咤风云的领袖人物米拉波，也写过好几部性小说。在这个领域里，最显著昭彰的人物则是萨德，他不仅作品数量甚为可观，而且对人类性领域的各个方面都有全面的涉及，更为重要的，他的作品对社会现实有广泛的思考与激愤的抗议，对人类心理有深刻的探究与阐释，具有社会学、人类学的意义与哲理的深度，因而直到 20 世纪、21 世纪仍具有不容忽视的影响。

写实暴露文学的发展是 18 世纪一个重要的文学现象。勒萨日是这个世纪最重要的讽刺写实作家，他的《杜卡莱先生》与长篇小说《吉尔·布拉斯》是这个世纪现实主义的代表作。属于这一类的还有喜剧领域里的勒尼亚尔与当固尔。18 世纪后期的博马舍的创作也是这种倾向。18 世纪小说和戏剧中的现实主义是 16 世纪人文主义小说和 17 世纪世态讽刺喜剧中现实主义传统的继承和发展，它植根于 18 世纪现实生活的土壤，具有特定的时代社会内容。它的创作原则，用勒萨日的话说，是"只求描写人生、贴合真相"。在这种思想指导下，它真实地描写了 18 世纪的社会生活。从这些作品里不仅可以看到当时一般的社会世态，而且还可以看到那个时代的阶级状况。贵族阶级的没落、腐朽，资产阶级的巧取豪夺，以及这两个剥削阶级既矛盾又勾结的关系，是这些作品的共同主题。许多历史学家未能提供的经济生活细节，如资产阶级如何蚕食贵族的家产取得贵族称号，贵族又如何利用通婚取得资产阶级的钱财，这些社会现象在这类作品里有很生动的反映。但是由于作家的阶级出身和阶级地位的限制，这些描写局限于两个剥削阶级之间的关系，剥削阶级对劳动人民的剥削和压迫却完全在这些作家视野之外，因而未能反映出那个社会最根本的阶级关系。18 世纪现实主义文学反映现实的根本缺陷就在这里。

这类文学作品还有一个贡献，它反映了两个社会、两种统治形式交替过渡的社会变动时期的阶级分化：有的贵族由于家道中落沦落到社会的下层，而有些下层社会的人物，如杜卡莱、吉尔·布拉斯等却由社会下层爬到上流社会成为资产者或乡绅。这是已经发生作用的资本主义自由竞争规律的具体表现。18 世纪的写实作家虽然接触到这种社会现象，然而缺乏深刻的描写，甚至有时还有意无意对这种社会现象的根由做出歪曲的解释，如归之于某个贵族慷慨的施与或通过与贵族妇女的裙带关系而发财致富等等，这就掩盖了最本质的社会原因。

18 世纪现实主义文学对当时的社会是持批判态度的。前期的作品一般是对上流社会腐朽庸俗的作风、丑恶可笑的世态进行讽刺。勒萨日的在作品里则将讽刺的矛头进一步指向官场的黑暗，王公大臣的贪赃枉法、君主的荒淫无耻，大胆地触及了封建统治，但他的作品暴露得还不够彻底，批判的态度也未能贯彻始终，最后往往又为被暴露的对象开脱，表现了妥协的倾向。到 18 世纪后期资产阶级革命前夕，在博马舍的喜剧里，享有特权的贵族阶级被当作腐朽无用的东西被宣布为"不再具有存在的权利"，并且出现了平民人物与贵族对抗并取得胜利的主题。在这里，对封建阶级的批判已经开始与战胜这个阶级的革命行动衔接起来了。18 世纪现实主义文学批判社会现实所依据的尺度，是人文主义思想和 18 世纪的最高标准——"理性"。因此，贵族特权、门第观念、社会不平等、宗教狂热和宗教迫害，都被视为谬误与不合理。在这根本的思想基础上，它与启蒙运动的文学是一致的。它也是资产阶级的意识形态。

18 世纪的现实主义文学在反映重大社会现象方面，取得了一定的成就，而由于 18 世纪自然科学和唯物主义哲学的发展，这种文学在人物和环境的描写、故事情节的叙述上，又较以前的小说戏剧更注意细节的真实。虽然它和 19 世纪真实描写了典型环境中典型性格的现实主义小说比较起来还不够成熟，但基本上做到了"描写人生、贴合真相"，对现实主义文学的发展有一定的贡献，对了解 18 世纪的社会现实，也具有一定的认识价值。

18 世纪启蒙文学是启蒙思想运动的一个组成部分。文学作为意识形态的一个部门，与意识形态其他部门——历史、哲学、政治学、法学、经济学等，本来就有互相影响的关系，而在 18 世纪，它们更是紧密结合，不可分割，以致文学的发展史几乎就是社会思潮的发展史。这个时期最主要的文学家同时也是最著名的思想家。他们在意识形态领域里的活动极为广泛，他们像文艺复兴时期的文化巨人一样，具有多方面的才能。孟德斯鸠是有名的政法理论家，又是小说家和历史学家；伏尔泰不仅写作史诗、戏剧、小说和文艺评论，而且在历史、哲学、政论等方面也留下了大量的作品；狄德罗是 18 世纪唯物主义哲学的杰出代表，同时又是批评史上一个最重要的美学家，他在小说和戏剧方面也进行了艺术实践，写出了著名的作品；卢梭是很有影响力的政治思想家、教育理论家，也是文学史上著名的小说和自传的作者，还是一个音乐理论家和作曲家；此外，如丰特奈尔、布丰、达朗伯，既是出色的自然科学家，又是优秀的散文作者。18 世纪作家的理论著作都不是枯燥、呆板、学究式的作品，它们写得生动、锋利、才华横溢、富于文采，具有一定的文学价值；而他们的文学创作则又是他们批判封建社会、宣传他们的社会理想和唯物主义自然观的手段。这两者的紧密结合完全取决于社会情势的需要：资产阶级在革命到来之前进行舆论准备、启迪人们的思想，一方面需要广泛地运用便于全面阐述自己理论主张的文论的形式，并使其通畅易懂、生动有趣；另一方面也需要充分利用便于流传的文艺形式，并在其中通过直接的议论和明显的寓意来达到宣传启蒙思想的目的。

18 世纪启蒙主义文学是随着阶级斗争的发展而发展的，它可以分为两个阶段：1750 年以前是第一阶段，1750 年至 1789 年是第二阶段。

第一阶段正是封建制度积贫积弱的时期，社会危机的征兆开始全面出现，文学中最突出的现象是新的启蒙思想逐渐出现和形成。

在 17 世纪末、18 世纪初，贝尔从 17 世纪的玄学中脱胎而出，向封建思想提出异议，第一个透露出新的时代精神，他的《历史批评词典》预示着《百科全书》的产生。和他同时的丰特奈尔，也否定宗教对宇宙自然的谬论，提倡唯物的科学精神和理性，他的《宇宙万象解说》提供了用文艺形式普及唯物主义科学知识的先例。这两个作家是启蒙文学的先驱，然而，他们对真理的宣传只采用了怀疑论的语言，对旧事物的批判也不过微温而已。

18 世纪前期，当封建统治的危机进一步发展的时候，最早一位启蒙思想家孟德斯鸠在 18 世纪 20 年代初出现了。他的《波斯人信札》比较全面地触及了封建社会的种种弊端，而成为启蒙运动的第一部重要的文学作品。孟德斯鸠的批判面相当广泛的笔锋特别集中指向了封建君主专制制度，在他的名著《论法的精神》中，他还进而提出了否定这种制度的君主立宪的方案。另一个大资产阶级的思想代表伏尔泰，大致上与孟德斯鸠同时出现于历史舞台，而其活动一直继续到 18 世纪末期。前期的伏尔泰在哲学、历史、史诗、悲剧等方面进行了大量的创作，在这些作品里，表现了反对专制暴政和宗教迫害、提倡信仰自由和唯物宇宙观的新思想。他在哲学上主要是以英国唯物主义哲学和牛顿物理新成就的介绍者、宣传者的面貌出现的。和孟德斯鸠一样，他心目中的社会范本是资产阶级和贵族达成妥协的英国资产阶级社会，他著名的散文《哲学通讯》就是借介绍英国的政治制度、社会生活来表现他对法国封建社会的批判立场。他的史诗和悲剧的古代的题材或异国的衣装中同样渗透着启蒙主义新思想，他的充满形象描写的历史著作，既揭露了封建专制统治者，又宣扬了开明君主的政治理想。在这个时期，他不止一次受到封建政府的迫害，也不止一次受到统治者的赏识，甚至成为欧洲封建宫廷中的"贵宾"。孟德斯鸠、伏尔泰反封建的不彻底，是启蒙运动第一阶段局限性的典型表现，是 18 世纪前期的历史条件所决定的。

1750 年，卢梭发表了他第一篇重要作品《论科学与艺术》，这标志着一个新思想家的诞生。不久，孟德斯鸠和丰特奈尔相继去世，老一辈启蒙作家离开了历史舞台。伏尔泰也在这年从法国出走，最后与封建君主决裂。次年，狄德罗和达朗伯公布了《百科全书》的预告。所有这些事件表示启蒙文学进入到一个新的阶段。从这时开始到 1789 年，封建国家的政治经济危机急剧加深，挽救君主政体的一切改良主义的尝试都宣告失败，资产阶级的力量又有了进一步的发展，资产阶级革命的条件日益成熟，第二阶段的启蒙运动文学也以其战斗性的增强而呈现出新的面貌。

这一阶段的伏尔泰成为封建统治者公开的反对派，他定居在法国的边境以便逃避政府的追捕、进行进步的意识形态的斗争。他杰出的哲理小说绝大多数写于这个时期，这些作品无情地揭露封建专制的腐败、教会宗教迫害之残酷，以辛辣的讽刺给予全部封建上层建筑毁灭性的抨击。在这时期，他主要作为社会活动家，写了大量针对时事的政论和小册子，像投枪一样投向了封建统治。然而，他的阶级本性使他竭力维护私有制和宗教，并且最后也没有抛开开明君主的政治幻想。在第二阶段，最重要的是出现了强大的百科全书派和资产阶级激进派的作家卢梭。以狄德罗为首，包括达朗伯、拉美特利、爱尔维修、霍尔巴赫等人的百科全书派作家，在他们的巨著《百科全书》中，总结了自然科学与社会科学的成就，贯穿了强烈的反对封建专制、教会和神学世界观的革命精神，是对整个封建意识形态的全面攻击，也是资产阶级思想体系大规模的建设。他们以生动活泼、锋利俏皮的文体宣传唯物主义，使它具有了机智的内容和辩才。这个流派的领袖人物狄德罗还从资产阶级的要求出发，发展了唯物主义的美学、现实主义的文艺理论。他也从事小说和戏剧的创作，他的作品的共同主题是戳穿宗教的愚民谬论，揭露宗教生活的虚伪、违反"人性"和教会的腐朽。作为一个哲学家，他的小说以哲理的深度著称。卢梭在资产阶级革命前夕，以更激进的战斗姿态，对封建社会进行了批判。他从根本的经济关系去找寻人类不平等的根源，以人性和理性的名义谴责封建奴役，提出了自由、平等的思想和建立资产阶级共和国的方案，直接为法国资产阶级革命准备了理论、纲领和口号。他著名的文学作品，如自传《忏悔录》和长篇小说《新爱洛绮丝》，具有愤激的反封建基调，强烈的个性解放的精神和对自我感情大肆渲染的特点，提供了资产阶级人道主义、个人主义的文学样本，对18世纪末和19世纪的浪漫主义产生了很大的影响。

与狄德罗、卢梭同时代的还有另一个大作家布丰。他从未直接触及当时社会的现实问题，而是专心致力于规模宏大的《自然史》的写作。但这部以优美的散文写成的、充满生动形象的作品，以唯物论的观点描绘自然界，有力地破除了宗教迷信，其基本思想倾向完全属于启蒙主义的新思潮。此外，其他著名的启蒙思想家也都写出了重要的作品，其中有霍尔巴赫著名的唯物论巨著《自然体系》和对宗教进行绝妙讽刺的无神论著作《袖珍神学》，以及爱尔维修"对各种成见狠狠的当头一棒"的《精神论》与《论人》。所有这些，在18世纪后期，汇集成一股比前期远为强大的革命思潮，向封建主义进行猛烈冲击。

18世纪启蒙文学有一整套与17世纪截然不同的文艺理论作为其文学创作的原则。孟德斯鸠、伏尔泰、狄德罗、卢梭都写过著名的文论阐述自己的文艺主张和创作思想。他们在有些问题上意见并不一致，但他们属于同一个思想运动，自然有着共同的美学纲领。他们的共同点，首先，是对内容轻佻、风格矫饰的贵族文艺的否定和谴责，其中包括无病呻吟的爱情诗、才子佳人的沙龙小说、纤巧浮华的洛可可艺术和布歇等画家散发出色情气息的油画。卢梭痛斥这些文艺伤风败俗，狄德罗批评它们空洞、虚伪，这是启蒙作家在文艺思想领域里进行的斗争。其次，是对17世纪形而上学美学思想的扬弃。17世纪的古典主义把美的标准加以绝对化，宣称存在着永恒的美的理想，这种旨在把符合宫廷需要的艺术趣味置于君临一切的地位的理论，遭到启蒙作家的批判。狄德罗从根本上否定了"绝对美"，提出"美是相对的"，即美的标准依存于不同的民族、社会、时代、阶层、职业等条件，并批评了古典主义的清规戒律和矫揉造作。激进的卢梭对古典主义更是采取轻蔑的态度，即使是深受古典主义束缚的伏尔泰，也认为由于民族、风俗、社会、时代的不同，艺术的标准也应该有所改变。启蒙作家也承认古典主义文学的一些艺术成就，伏尔泰甚至在悲剧和史诗中努力进行模仿，但总的说来，他们打破了对古典主义美学的迷信，从而为建立资产阶级的文艺标准开辟了道路。再次，建立了资产阶级现实主义以"自然"为文艺的模仿对象的基本原则。在对"自然"的解释上，启蒙作家与17世纪的古典主义者划清了界限，后者所谓的"自然"必须以符合封建文明的规范为条件，启蒙作家所主张的自然，却是不掺杂人为因素的现实生活本身。伏尔泰认为支配艺术的是生活，狄德罗更是全面，系统地建立了一整套真实模仿自然的现实主义理论，这就为扩大文艺的表现领域，特别是为表现资产阶级生活内容提供了理论依据。由此可以看到，孟德斯鸠、伏尔泰的小说中接触的社会面比较广泛，所提出的都是现实社会的课题，狄德罗的小说除了这一点外，更注意描写生活的真实，甚至有意写进粗俗不文的内容，他的戏剧则以表现资产阶级生活为目的。卢梭最厌恶文化艺术中的虚伪和矫饰，他把真实表现自然的原则运用在真实表现自我上，他的自传就是以坦诚的态度写出他的本来面貌，为资产阶级个性在文学中的恣意表现提供了先例。最后，是对文学艺术的教育作用的重视，在对文艺是否有积极的思想教育意义的问题上，他们之间有一定的分歧，孟德斯鸠、伏尔泰、狄德罗对这个问题都给予了肯定的回答，认为文艺负有"道德学校"的责任，作家应该提供有益于社会的教训。卢梭在激烈指摘阶级社会中统治阶级腐朽的文化的同时，却以偏激的态度否认文学艺术对于社会风俗、人类道德有良好的作用。但是，卢梭这个观点的实质仍是对教育作用的重视，他努力提倡有益的、健康的、全民性的节庆娱乐活动，并且在他的自传里告诉人们，他之从事写作，就是要与当时传统的社会偏见决裂，伸张正义。这种以人们思想启迪者自居的态度，也是启蒙作家所共有的。基于这种自觉的意识，他们的作品紧密结合社会现实，宣传新的思想，为巨大的社会变革做了舆论准备。

　　启蒙文学的主要艺术形式是哲理小说。这是启蒙作家得心应手的工具，他们把这种小说发展到了相当高的水平。

　　哲理小说主要是表现作者对于哲学、政治、社会等问题的思想见解，作者注意的首先是把某些哲理通过带有明显喻义的形象表现出来，而不是着力于现实生活本身的描绘和人物性格的塑造，故有"哲理小说"之称。这些小说的形式彼此略有不同，有的是采用 18 世纪常见的书信体小说的形式，通过几个人物之间的通信构成一定的情节来表现主题，如《波斯人信札》《新爱洛绮丝》；有的则是在叙述某个故事或人物经历的时候，表达某种哲理，如伏尔泰的《老实人》《天真汉》，狄德罗的《定命论者雅克和他的主人》；还有的是通过两个人物的对话来大发议论，如狄德罗的《拉摩的侄儿》。不论是哪种形式，故事情节只是一个框架，人物形象往往就是一种喻义。因此，哲理小说的艺术性不在于情节结构的完整、人物形象的典型性，而在于作者把深刻的哲理通过某种适当的形象巧妙地表现出来的方式和高超的语言艺术。在这些小说里，可以读到明晰透辟的说理文，尖刻辛辣的讽刺文和简洁明快、引人入胜的叙事文，而在卢梭的字里行间，还回荡着一种炽热、奔放的感情。

　　哲理小说是启蒙思想的艺术表现，这种小说思想性方面的优点与缺陷，也就是启蒙思潮所具有的那些优点与缺陷。它是 18 世纪独特的产物，也是文艺复兴以来资产阶级进步文学传统中的一个重要部分，在今天仍是可贵的古典文学遗产。

　　18 世纪的诗歌是个弱项，启蒙作家在诗歌方面没有留下可观的实绩，其他一些诗人也平庸无为，但安德烈·谢尼埃在此领域里堪称一枝独秀，他以自己在诗歌创作与诗歌理论两方面的出色成就，不仅在 18 世纪文学中，而且在整个法国诗歌史上，也占有相当重要的地位。在戏剧方面，古典主义悲剧仍被认为是不可企及的高峰。启蒙作家致力于悲剧创作的仅伏尔泰一人，他没有摆脱古典主义的窠臼，虽然他在其中表现了某些启蒙思想。狄德罗创造性地提出抛开悲、喜剧不可逾越的界限，建立"严肃剧种"的主张，是戏剧领域里的革命，从他以后，戏剧朝着接近现实生活的方向发展，但他自己却没有创作出成功的艺术样品。在这方面作出显著成绩的是博马舍，他在《费加罗的婚礼》中，以真实的艺术形象表现出了资产阶级革命前夕典型环境中的典型性格。

1789 年以后资产阶级革命时期的文学，是这个时期激烈的阶级斗争的直接产物，在整个 18 世纪文学中，具有相对的独立性。过去的文学史家对这一段文学往往采取忽视的态度。但这个时期的文学中存在着两大阶级、两条路线的斗争，进步文学紧密为阶级斗争服务，生气勃勃、反映了人民大众的情绪，资产阶级革命在这时期的文学里有了形象化的体现。对于研究阶级斗争与文学的关系，这都是值得重视的思想材料。

第二章　18 世纪前期文学中的不同倾向

第一节　资产阶级启蒙思潮的先驱作家

资产阶级启蒙思想的新精神，使 18 世纪的文学面目为之一新。这种新精神的形成和产生，不是突如其来的，它有一个逐渐发展的过程。它继承了 16 世纪的人文主义思想和 17 世纪笛卡儿的怀疑论思想，以后由孟德斯鸠、伏尔泰、狄德罗、霍尔巴赫、爱尔维修、卢梭等人发展为完整的理论体系。在 18 世纪之初，起了承上启下作用的思想家和作家，主要是贝尔和丰特奈尔。

1. 贝尔

皮埃尔·贝尔（Pierre Bayle，1647～1706），生于一个新教家庭，青年时期完成学业后，曾皈依天主教，不久，又改信新教。南特敕令废除后，宗教迫害加紧，他被迫离开法国，先后在日内瓦和色当担任家庭教师和新教学院的哲学教授，而后又到当时自由空气较浓的荷兰，在鹿特丹任教，但又受人排挤，被学校解除聘约。从此，他闭门著书。他的著作有《关于彗星的思想》（*Pensées sur la Comète*，1682）、《路易十四治下的天主教法国》（*Ce que c'est que la France toute Catholique sous le règne de Louis-le-Grand*，1685）和《历史批评词典》（*Dictionnaire historique et critique*，1697）。

《历史批评词典》是贝尔最重要的论著，它原来是针对 1674 年莫勒里的《历史词典》中的错误而写的，广泛涉及文学、哲学、历史、地理、语言学、神学和宗教史各门学科。他做学问的态度很严谨，哪怕是很细小的问题，他也是穷根究底，多方面收集论据，广泛引证古今作家。这部论著以其内容的丰富和思想的新颖，堪称《百科全书》的雏形。但出于商业的目的，作者在其中穿插了一些粗俗的小故事，对此，连深受贝尔影响、对他很崇拜的伏尔泰也这样批评说："他常流于粗鄙。"

贝尔继承了 16 世纪人文主义的精神和笛卡儿的怀疑论思想。他用怀疑论的语言，否定封建意识形态的绝对权威，否定一切既成的封建道德传统，批判偏见、谎言和非正义。他把传统的封建观念视为真理的对立物，他说："把神圣庄严的真理建筑在错误传统的基础上是卑劣的。"他以真理的"骑士"自居，宣称"我为真理服务……我只向她宣誓效忠，我宣誓捍卫她"。他否定封建的天命论和宿命论思想，认为这是臆造出来的历史法则，认为"它只表现于巨大的历史事件影响未及的极少数的东西上"。他指责神学的缺陷，企图用科学的信仰代替宗教的信仰。他反对宗教狂热，追求"信仰自由"，主张容许信仰无神论。他针对教会的诬蔑，为无神论辩护说："无神论并不必然导致风俗的腐化"，"无神论者的社会也可能很有德行"。贝尔这些思想，是资产阶级意识形态对封建思想第一次全面的挑战。他虽然在 18 世纪初就死去，但他的理论是这个世纪新思想运动的一个组成部分，是一个开端，对以后的启蒙思想家影响很大。伏尔泰、狄德罗、达朗伯、爱尔维修、霍尔巴赫，都从他的理论中得到启发，把他的著作当作一个思想武库。马克思曾这样指出："按照一个法国作家的说法，'皮埃尔·贝尔就 17 世纪来说是最后一个玄学者，而就 18 世纪来说，是第一位哲学家'。"

贝尔论述问题的特点，是用怀疑和提问题的方式来引起读者的思索，引导读者达到一定的结论，他甚至还采取一定的伪装，如装作为教会利益着想而攻击旧传统。这些特点使他的理论有时显得不够明朗，或者陷于自相矛盾之中。他为无神论说话，但也这样说："偶像崇拜至少和无神论一样可厌"；他反对任何权威，连启蒙思想家所崇尚的"理性"权威也不承认；他反对传统，但也不相信人类的进步，他说："人是本性难移的动物，直到今天还像古时候那样坏。"从资产阶级全面批判封建意识形态以适应其夺权的需要来说，贝尔的理论和后来的资产阶级思想家相比，还显得不够完备，这种理论上的不成熟，正是 18 世纪初资产阶级夺权斗争还不成熟的社会条件所决定的。

2. 丰特奈尔

丰特奈尔（Bernard le Bovier de Fontenelle，1657～1757），生于鲁昂的一个贵族家庭，是 17 世纪作家高乃依的外甥。他最初研究法律，后来到巴黎开始写作悲剧、歌剧和诗，这些作品没有一个是成功的。但 1686 年的《宇宙万象对话录》（*Entretiens sur la pluralité des mondes*），却给他带来很大的声誉。1687 年，他发表了关于宗教史的论著《神灵显迹的历史》（*Histoire des Oracles*）。1691 年，他被选进法兰西学院。1699 年，成为该机构的终身书记。丰特奈尔一生始终活动在贵族上流社会里，是沙龙里的时髦人物、科学权威。传说他处世折中，为人冷漠。但他也有表现好的一方面，如当时的进步作家圣－皮埃尔神甫由于对路易十四不敬而被法兰西学院开除的时候，丰特奈尔一人投票反对。

丰特奈尔虽然是贵族上流社会的一员，但他的思想却显示出某些叛逆的因素，具有启蒙思想的萌芽。他否定传统而主张进步；否定宗教信仰而提倡科学；否定封建意识形态的权威而赞扬理性。他也有怀疑论者的特点，他的怀疑针对封建社会的道德和意识，也针对宗教。他不仅批评多神教，认为在古代神话中"只需去找一连串人类精神之谬误"，而且也批评当时占统治地位的天主教，说"偏见也侵入到真正的宗教里"。但他对宗教的批评是温和的、间接的，他缺乏为真理而献身的精神。他唯一毫无保留加以肯定的是理性，他把理性置于权威之上。1732 年，他在一封信里这样写道："我们生活在这样一个时代，在这里，理性开始取得了过去从未有过的绝对统治。"

丰特奈尔的具体历史功绩，在于用文艺的形式普及了唯物主义科学知识。他的《宇宙万象对话录》就是这样一部论著。这部作品叙述作者住在乡间某侯爵夫人的别墅里，每天晚上在花园里散步，面对群星闪烁的夜空，谈论宇宙天体的知识。第一晚讲地球是一个行星，它本身自转，还围绕太阳转动；第二晚讲月球是有人居住的星球；第三晚讲月球的特殊性以及其他星球也有人居住；第四晚讲金、木、水、火、土五个星球的特点；第五晚讲每颗恒星都像太阳一样照耀着其他的行星；第六晚谈天文学的新发现。这部作品虽然有些知识是不正确的，有些大体正确却带有很大的臆测性，但总的来说，表现了唯物主义的宇宙观，和教会关于天体宇宙的迷信妄说完全对立，在当时起了动摇宗教思想统治的历史作用。路易十四的牧师曾就这部作品向国王告状，说作者是"一个无神论者"，耶稣会也对它进行了激烈的攻击。

此外，在一定程度上表现了资产阶级思想倾向的前期作家，还有沃维纳格（Luc de Clapiers，marquis de Vauvenargues，1715～1747）。他出身贵族家庭，很年轻就参加军队，是王室禁卫军的一员，1734 年至 1742 年，他先后参加过波兰王位继承战、奥地利王位继承战、波希米亚战争等。在战争中，他的健康受到严重伤害。1743 年退伍后，他谋外交官职务不成，就转向文学生涯。他死得很早，留下十多部理论著作，如《沉思与格言集》（*Réflexions et maximes*）、《人类心灵认识论》（*Introduction à la Connaissance de l'esprit humain*）、《诗人评论集》（*Réflexions critiques sur divers poètes*）等。

沃维纳格的著作，表现了某种程度的资产阶级人道主义精神，他的一则格言说："一个人如果是非人道的，就不可能是正义的。"他把现实生活视为"人的行动的结果"，这一点和宗教的天命论有根本的不同。他主张人"采取进取精神"，而反对惰性，这也是对懒惰寄生的贵族阶级间接的批判。他认为人的行动的根本动力在于"人的激情"，他崇"激情"而贬"理智"，他提倡"人性本善"说，认为"奴役来自社会"，他这些观点与后来的卢梭的人性论思想有某些相似。他与伏尔泰有很深的友谊，在宗教问题上是自然神论者。在文学艺术上，他反对轻浮的文风，对时髦文人华而不实的沙龙风格表示厌恶，他批评"矫揉造作、浅薄无聊的文艺"，提倡明晓朴素的文风，说"朴实明快是一切大师的标志"。他这些见解针对贵族轻佻浮艳的文艺，在当时有一定的积极意义，但它们不成系统，只是一些零散的随感。他的《人类心灵认识论》对人的认识活动有比较系统的论述，对心理活动的各种形式也有细致的分析，但脱离人的实践谈认识问题，仍不免是唯心主义的。

第二节　勒萨日及其他作家

勒萨日（Alain René Lesage，1668～1747）是 18 世纪前期最有名的现实主义小说家、戏剧家。他生于布列东一个公证人家庭，14 岁就成为孤儿；早年到巴黎学习法律，在包税局里当过小职员。他经过对社会生活的长期观察，开始写喜剧与小说，后来以写作为生。他的作品数量很大，但大部分并不成功，其中以喜剧《杜卡莱先生》与小说《瘸腿魔鬼》《吉尔·布拉斯》最为出色。在这些作品里，勒萨日以资产阶级世界观，对封建社会做了暴露与批判。

1.《杜卡莱先生》

在《杜卡莱先生》之前，值得一提的剧本是《克里斯平或主仆争风》（*Crispin le rival de son maître*，1707），这是勒萨日初期的独幕喜剧，写一个贵族青年瓦莱尔贪图资产阶级小姐安日莉克的嫁妆，想要和她结婚，他的仆人克里斯平也觊觎着新娘的这笔财产，企图用诈骗手段把她夺过来。最后，克里斯平的骗局被戳穿，瓦莱尔娶了安日莉克。在这出喜剧里，瓦莱尔不顾自己的贵族门第，情愿娶被贵族阶级瞧不起的资产者的女儿，另一个贵族与自己的仆人合伙，经常干一些"非法的勾当"，都反映了当时中小贵族的社会地位的潦倒沦落。克里斯平虽然是一个仆人，但是狡诈机智，在能力上远远超过他的主人，竟敢和贵族老爷争风，也反映了当时第三等级出身卑微的人物敢于与贵族抗衡的精神状态。这个形象可说是博马舍的费加罗的前身。

《杜卡莱先生》（*Turcaret*，1709）是勒萨日杰出的五幕讽刺喜剧，它接触到18世纪社会生活中一个重要的题材，即资产阶级包税人和贵族的关系。

从17世纪起，法国封建王朝为了尽快地得到金钱，把征收间接税的任务委托给资产阶级金融家，而他们就借此获取巨额的利润。法国资产阶级的经济力量日益发展，包税是一个重要的途径。这些包税人投机倒把，控制国家金融财政。剧本的主人公杜卡莱就是这样一个人物。他原来是一个贵族的跟班，后来得到一个税吏的差事，从此发迹，成为一个拥有巨额财产的总包税人。他权势极大，可以委派外省的税务局长。他还是一个惯用欺诈手段的高利贷者，凡是借了他的印子钱的，都被他"收拾得家产荡尽"。他宣称自己全部的学问就是"怎样把世界上最好的东西弄到手"。他心毒手狠、自私自利，不认自己的穷亲戚，对自己的老婆也扣发生活费。他骄奢淫逸，追求一个贵族交际花，这个女人伙同一个贵族骑士骗取他大笔钱财；他老婆也对他进行报复，同时供养两个贵族情人。剧本中的贵族也都是丑恶的形象，他们过着寄生的生活，有的为了花天酒地，不得不接受杜卡莱的重利盘剥；有的是拆白党，专靠骗女人的钱财过日子。资产者和贵族之间尔虞我诈的骗局，正像贵族骑士的仆人弗隆丹所描绘的那样："我们在哄骗一位交际花的钱，这位交际花在蚕食一位阔佬的家财，这位阔佬在掠夺别的阔佬的钱，这跟在水面打水漂一样，一连串的骗局。"勒萨日通过这样的情节，把贵族、资产阶级丑恶的本质和他们互相欺骗的关系表现得很生动。

剧本集中表现骑士骗交际花、交际花骗杜卡莱、杜卡莱又盘剥贵族以及杜卡莱夫妇互相欺骗的戏剧纠葛。戏剧矛盾就建立在一连串骗局上，最后达到了喜剧的高潮：杜卡莱破了产，各人的骗局都被戳穿。在这一场大欺骗中，骑士的跟班弗隆丹是渔翁得利者，他浑水摸鱼，先帮骑士骗交际花，又帮交际花骗杜卡莱。他狡猾机智，手段比杜卡莱更狠，最后又骗了骑士和交际花，得到了大笔财产，成为一个大富翁。剧本以弗隆丹得意扬扬的自白结束："你看，杜卡莱先生的朝代已经结束，我的朝代要开始了。"这标志着一个比杜卡莱更冷酷、更无耻的资产者的诞生。

在 18 世纪文学中，这个剧本以其接触到资产阶级状况的题材而别开生面。通过杜卡莱和弗隆丹这两个典型人物，可以看到资产者的丑恶本质，同时也可以看到当时法国社会生活中资产者发迹的一个途径，以及作为资产阶级"早期阶段的特征的那些琐细的哄骗和欺诈手段"①。这带有鲜明的时代特点。但是，作者只限于表现贵族与资产者之间的骗局，没有表现他们作为剥削阶级对于人民的压榨剥削，因而就未能更深刻地暴露出这两个阶级凶残的本质。而且，在剧本的最后，杜卡莱破产，长期怨恨和欺骗的夫妇关系忽然和解了，他的老

---

① 恩格斯：《〈英国工人阶级状况〉1892年德文第二版序言》，《马克思恩格斯选集》第四卷，第272页。

婆声称要在患难之际对杜卡莱"尽自己的责任"，这不符合剧情的逻辑，也是对资产阶级丑恶的家庭关系的笔下留情，表现出作者对本阶级的温情。

剧本于 1709 年第一次公演，演出之前，包税人、金融家和大商人害怕剧本的讽刺锋芒，一方面竭力加以攻击；另一方面，表示愿意用 10 万法郎贿赂作者，以换取剧本不要上演，但被勒萨日断然拒绝了。

2.《吉尔·布拉斯》

《吉尔·布拉斯》(*Gil Blas*，1715～1735) 与《瘸腿魔鬼》(*Le Diable boiteux*，1707) 是勒萨日两部著名的小说。它们表面上写的是西班牙的故事，披着异国的伪装，但所描绘的实际上是法国的现实，勒萨日自己就这样说过："我只求描写人生，贴合真相……跟我们法国人的习俗合拍。"

《瘸腿魔鬼》的故事是这样的：马德里的一个大学生，无意中闯进一个法师的房间里，把封镇在瓶子里的瘸腿魔鬼放了出来，魔鬼为了报答他，带他飞到市区的上空，揭开屋顶让他看到房子里发生的事情。他看到守财奴在欣赏自己的财宝，而隔壁房间里，他的子女正请来算命的，探问老头子何时会死；他看到风骚的老太婆、60 岁的老色鬼的丑态；看到了贵族老爷家里的奸情，绅士的太太为了金钱把自己出卖给有地位的老头；还看到大司铎临死时，他的晚辈在争先恐后抢夺财产；还有在殖民地发了亏心财的老官吏，正在想法弥补自己良心的不安。魔鬼还带他去看关在监狱里的囚犯，其中有谋财害命的酒店老板，有犯重婚罪的珠宝商，有用非法手段谋利的外科医生。魔鬼又带他去看疯人院，让他知道墓地里死人生前的历史，这些人都是因为追逐名利、虚荣心发作而精神失常或致死的。这一幅幅速写，构成对当时法国现实的具有讽刺意味的写照。作者站在批判的立场上，但他的批判限于一般的社会世态，而且是从人性的角度着眼，因而并不深刻，也没有击中统治阶级的要害。

勒萨日为了表现他的正面理想，在小说中穿插了两个故事。第一个故事，讲一个权势很大的伯爵爱上一个门第较低的小贵族的女儿，经过一系列的矛盾，最后出于"荣誉感"而结了这门"门户不当"的婚姻。另一个故事，讲两个贵族互相友爱，为了友谊，情愿牺牲自己的爱情而成全对方。作者企图通过这两个故事，表现自己的人生理想，即依靠正直、友情、义气等高尚的感情造就"人间的奇迹"。但这种思想是浅薄的，也是空想的，而且，故事缺乏现实生活的基础，完全出于主观虚构，显得虚假、感伤，最后成为庸俗、不真实的才子佳人故事。

《吉尔·布拉斯》是勒萨日的代表作。它对欧洲小说的发展起过重要的作用。

吉尔·布拉斯的父母出身于社会下层，他从小跟当教士的舅舅学了点文化。这个教士要送他上大学，在上学的路上，他遇见了剪径的士兵、吃白食的篾片、见财起歹心的恶人、贪婪的公差和法官等等，吃了他们不少苦头，世情的险恶使他开了眼界。他又遇见一伙强盗，被迫和他们一起干了几个月打劫生涯。至此，恶浊社会的污染完成了他的社会教育的第一阶段。他听取了别人的劝说，从事仆人的职业，服侍了一个又一个主人，接受了种种教训，学会了混世的本领，成为一个聪明、狡猾、精于世故、厚颜无耻的跟班。他跟着一个庸医，误人害命，"不到六个星期，造成的寡妇孤儿和特洛亚被围时一样多"。他从贵族花花公子那里，沾染上纨绔子弟的恶习，也假装成大少爷"出外猎艳"，遇上一个戏子的女仆假装贵妇，互相欺骗了一阵。他做了一个著名女戏子的管家，在放荡的生活里"随波逐流"。他还当过骗子，与同伙招摇撞骗。后来，他当上首相的秘书，更是变得十分下流无耻，甚至为皇太子拉皮条，给统治者的荒淫生活当帮办，但事败后被皇帝投入监狱。出狱后，皇帝死去，太子继位，他又第二次人朝，当上首相的秘书，帮他争权夺利，还继续为皇帝寻花问柳当向导，成为统治者得心应手的政治工具和忠心耿耿的奴才，被皇帝授勋为贵族。最后，他退隐到乡下，过地主乡绅的日子。

小说以吉尔·布拉斯一生的经历为线索，对封建社会做了广阔的描绘。勒萨日笔下的封建社会，上至朝廷，下至市井，完全是一个强盗世界。第一个首相指使吉尔·布拉斯卖官鬻爵："一半钱归你，还有一半该向我交账。"他还为了争夺皇帝的宠爱，不惜与自己的骨肉倾轧。另一个首相用政客的手段欺世盗名，争权夺利，千方百计中饱私囊。小说里的法官都是贪赃枉法、敲诈勒索的角色，公差狱吏更是明目张胆地抢劫。吉尔·布拉斯不止一次逃脱了强盗和骗子，却被公差搜括一空，可见其手段胜于强盗。律师"把舞文枉法的手段，学得高明"，是为了夺取别人的产业。高利贷者放阎王债，往往害得人倾家荡产。庸医为了赚钱，误人害命，从不心慈手软。争夺财产的斗争屡见不鲜，骗取钱财的陷阱到处都是。这样一个社会正像强盗头子罗朗对主人公所说："我想你不会糊涂到不屑与强盗为伍吧？哎，普天之下，谁不是强盗？朋友，谁都是！谁都爱抢夺旁人的东西，世情一概如此，只是抢夺的方法各个不同。"这里，勒萨日对封建社会现实做出了相当深刻的批判。

《吉尔·布拉斯》是 18 世纪法国贵族阶级人物肖像的画廊。这部长篇小说里出现的人物有一百多个，其中很大一部分是各式各样的贵族。有饕餮的大神甫，他每天"吃得撑肠拄腹"；有自称"谁也懒不过我"的贵族寄生虫；有贵族花花公子，他整天吃喝玩乐，从农民那里剥削来的钱远不够他挥霍，就靠借高利贷来维持，他自己不经营地产，让总管从中舞弊肥私，很快就"把家私吃尽花光"；还有"年轻时花天酒地，老来也不归正"的贵族老色鬼；也有附庸风雅、整日清谈的贵族妇女和哗众取宠、追逐名声的大主教；还有些贵族，整日谈情说爱，争风决斗，往往死于非命。这些人物描写得生动具体，构成了一幅寄生、腐朽、堕落的贵族社会的真实图景。这个贵族社会和依附于它的娼妓盗贼的圈子往往混在一起，贵族人物有堕落为盗的，也有与骗子同伙的，而娼妓和骗子又往往乔装为贵族行骗。在小说中，作者对贵族的讽刺是无情的，他把贵族写得一钱不值，他这样讽刺说："其实一个侯爵和一个戏子的日程，简直一模一样。如果说，每天四分之三的时候，侯爵地位比戏子高，那么其余四分之一的时候，戏子扮演大皇帝呀，国王呀，地位就比侯爵高。"吉尔·布拉斯为皇帝拉纤"有功"，得到了贵族头衔的授予状，他的仆人说："年深月久，你那份授予状的来头，就像一切人家的根底一样，无从查考；四五代以后，你家就是头等的名门望族了。"绝妙地讽刺了一切贵族头衔来历的不光彩。

小说中还穿插了几个贵族男女悲欢离合的"爱情故事"，有的被作者写得缠绵悱恻、趣味庸俗，这是受 17 世纪专写英雄美人的浪漫故事的消极影响而留下的痕迹。

小说最主要的局限性还表现在对主人公的态度上。吉尔·布拉斯是个奴才。他从一个贪图私利的小市民成为统治者忠心耿耿、奴性十足的走狗，最后爬进了统治阶级。作者对他在混世发迹中的种种卑劣有不少深刻的揭露，但也经常美化他"良心发现"，给他加上一种"本性善良"的色彩，而且，他成为统治阶级的一员后，作者把他写成一个从善的形象，一反过去的贪婪无耻。作者还特别用赞赏的笔调描绘他晚年的有闲生活，写当地的农民如何欢迎他，美化地主与农民、剥削与被剥削的关系；写他的生活如何舒适、家庭如何幸福等等，对这个新地主的寄生生活津津乐道，流露出作者对吉尔·布拉斯的致富道路表示欣赏，客观上宣扬了吉尔·布拉斯式的奴才道路。这是小说严重的缺陷。

这部小说叙事生动自然，曾受到马克思的称赞。有些人物性格鲜明、跃然纸上，但多数人物只有粗略的勾画，缺乏鲜明的个性。在小说形式上，它受了西班牙流浪汉小说的影响，把主人公当一条线索，把各种各样冒险经历都挂上去，开了后来英、法"冒险家"小说的先例。在这里，作者常采用的一个手法，就是让人物互相讲述自己的身世和经历，这虽然有助于反映广阔的社会生活面，但成为一个固定的格式，就显得不自然，而且，人物和故事不少雷同，就使作品在结构上显得繁复庞杂。

3. 其他作家

具有写实批判倾向的作家，在喜剧领域里的主要代表是勒尼亚尔与当固尔。他们继承莫里哀的传统，对社会世态进行讽刺，他们的喜剧被称为"世态喜剧"。

勒尼亚尔（Jean François Regnard，1655～1709）是 17、18 世纪之交的作家，他生于巴黎一个富裕的资产阶级家庭，一生过得很优裕，青年时期到意大利、非洲、荷兰等国漫游，后来又在自己的城堡里过享乐生活，最后，死于饮食过度。他除了写过一些旅行游记外，全都是写喜剧，其代表作是《赌徒》与《继承人》。

《赌徒》（*Le Joueur*，1696）的主人公华莱尔是一个浪荡公子，一个赌鬼。他同时与两姐妹玩谈情说爱的游戏，爱一个，骗另一个。但他最爱的还是赌博，顺手时，他把自己的情人安日莉克置于脑后；失利时，他又回到她的身边，打她嫁妆的主意。一次，他赌博输急了，把未婚妻的纪念品孤注一掷。安日莉克得知此事后，和他解除了婚约，她的姐姐也抛弃了他，他又回去沉醉于赌场生活。赌博之风在 18 世纪的法国极盛，上至宫廷，下至资产阶级，莫不热衷于此。《赌徒》一剧讽刺了这种腐败的风气，写出了一个狂热的赌徒的性格。

《继承人》（*Le Légataire universel*，1708）写一个临死的守财奴日洪特想把遗产传给其他亲戚，他的侄子埃拉斯特在仆人克利斯班的帮助下，通过一系列诡计，欺骗了日洪特，伪造了遗嘱，获得了遗产。勒尼亚尔的代表作既是世态讽刺喜剧，也具有莫里哀某些喜剧着力刻画人物性格的特点，又被称为"性格喜剧"，但勒尼亚尔对人物性格的观察和刻画远远不及莫里哀，他更着眼于写滑稽可笑的场面，对所描写的世态不是采取严肃的批判态度，而是逗乐取笑，近于闹剧。

当固尔（Florent Dancourt，1661～1725），原来是一个喜剧演员，经历与莫里哀有某些相似。他写了不少喜剧，在当时特别受欢迎的是《时髦骑士》（*Le Chevalier à la mode*，1689）与《有身份的资产阶级太太》（*Les Bourgeoises de qualité*，1700），前一个剧本写一个年老的资产阶级寡妇，想找一个贵族丈夫以取得贵族称号，而有个破了产的贵族花花公子也想和有钱的资产者结亲以继续过挥霍浪荡的生活，他一面与这个寡妇勾搭，同时又与另外三个女子周旋，其中包括年老寡妇的侄女。最后，他的骗局被戳穿，双方的算盘都落空，但这个浪荡贵族并不灰心，又另找对象安排类似的骗局。《有身份的资产阶级太太》写一个破落的伯爵为了得到钱财，宁可放弃少女的爱情而与上了年纪的资产阶级寡妇结婚。当固尔继承了莫里哀《醉心贵族的小市民》的题材，对资产阶级追求贵族头衔和贵族生活方式的虚荣心理进行了揭露和讽刺。他的《有身份的资产阶级太太》中，有两对资产者夫妇，为了追求贵族奢侈淫逸的生活方式，任意挥霍钱财、互相欺骗，而从中渔利的是贵族拆白党和高利贷者。这部戏中的资产者，有的几乎目不识丁却要购买法院院长的职务，有的想方设法购买男爵的称号。当固尔的喜剧题材与莫里哀有所不同的是，在这里，贵族阶级更加破落不堪，他们往往要利用与资产阶级妇女的裙带关系捞取钱财。他的喜剧中一个贵族这样厚颜无耻地说："那些生意人买下了我们的土地，取得了我们的称号，甚至我们的高贵姓氏，我们以其人之道还治其人之身，以便有朝一日能拿回我们的家财和职位，那又何乐而不为？"作者通过这样的描写，对18世纪前期这一从封建社会逐渐解体到资产阶级革命爆发的过渡时期中，资产阶级与贵族互相渗透、互相争夺的阶级关系，有相当深刻的反映。

属于资产阶级写实倾向的，还有一种喜剧类型，由于它情调感伤，有使观众流泪的效果，最后又是喜剧结局，故称"感伤喜剧"，又名"流泪喜剧"。其代表作家是拉·器赛（La Chaussée，1692~1754）。他的作品有《时髦的偏见》（*Le préjugé à la mode*，1735）、《梅拉尼德》（*Mélanide*，1741）等，剧本往往是通过一个"贤德的"妇女遇到种种不幸的故事，使观众感伤，最后使主人公的"贤德"得到了好报。他的剧作缺乏社会意义，其情调是廉价的感伤，投合小市民的趣味。后来，狄德罗把这种类型的喜剧，发展成表现资产阶级内容的"正剧"。

第三节　马里沃与普雷沃神甫

在 18 世纪前期，贵族阶级的趣味在小说、喜剧和悲剧等方面都有表现，其中比较重要的作家有马里沃、普雷沃神甫等。

1. 马里沃

马里沃（Pierre Carlet de Chamblain de Marivaux，1688~1763）出身于巴黎的一个法官家庭，早年在外省受教育，后回巴黎学法律，常涉足贵族社会的沙龙，是一个上流社会的时髦人物。1712 年开始写了一些不好的小说。1720 年以后，他改写戏剧。财政大臣劳的经济政策失败后，他也遭到破产，不得不靠有限的津贴和写作为生，并经营报纸。他写了两部比较有名的小说，《玛丽安娜》与《暴发户农民》，但都是未完成之作。1742 年，他被选为法兰西学院院士。

《玛丽安娜》（*La vie de Marianne*，1731~1741）由主人公玛丽安娜自述其经历：她幼年随父母外出时，中途遭盗贼拦劫。父母被杀后，她被一个老教士的姐姐收养。14 岁时，老教士姐弟都死去，她孤苦伶仃，进了一家衬衣商店当雇员，后又到一家修道院当寄宿生。她遇见各种各样的人，得到一个好心太太的保护，又被一个老伪善者追求，后来，她遇见一个伯爵，经过一些周折，她嫁给了这个贵族，同时也发现了她自己原来也是贵族出身。

整部小说社会意义不高，写的是一个精于算计的妇女如何利用自己的聪明和容貌，改善自己的地位和处境，最后捞取了自己所满意的婚姻。玛丽安娜并没有高尚的道德情操，她很懂那个社会的世故，很会讨人欢心，博取别人的追逐，以便给自己创造高价出售的机遇。但她也懂得要能高价出售，必须具有统治阶级口头上所宣扬的某些规范，因此，她按这些规范行事，避免别人认为她轻浮，以抬高自己的身价。小说写出了贵族阶级社会中的妇女待价而沽的内心生活，反映出一定的社会现实。但是，作者对这种待价而沽的心理不是采取批评态度，而是把它视为一种行之有效的处世方法，暴露出作者的思想境界是不高的。

《暴发户农民》（*Le paysan parvenu*，1735～1736）叙述一个19岁的青年农民来到巴黎，很快学会了贵族社会那套逢迎拍马和追逐女人的腐朽作风，靠着自己的美貌和伶俐，博得女人的欢心，通过裙带关系而升官发财。

从小说中，可以看到对好色的贵族绅士、假信女、伪善的神甫、娼妓式的贵妇的种种丑态的生动描写，这是小说的可取之点。但是作者对贵族上流社会中普遍存在的走裙带关系的道路本身显然并不反感，他把这作为一条成功的捷径而加以宣扬，尤其对逢迎追逐妇女的手段津津乐道，笔调轻佻，流于色情。

总的来说，马里沃的小说没有什么积极的社会意义，但在小说艺术上尚有其特点，它通过人物的言行比较细微刻画其心理状态，人物性格比较鲜明，对生活环境和社会风习有比较真实的描绘，对女商人、马车夫之类的小人物写得相当生动，反映出当时社会的某些风貌。它这些特点对于以后现实主义小说的发展有一定的影响。

除小说外，马里沃的写作活动主要还是在喜剧方面。他的剧本有 30 多个，比较有名的是《爱情游戏与巧合》（*Le Jeu de l'amour et du hasard*，1730）、《假机密》（*Les Fausses confidences*，1737）、《诚实人》（*Les Sincères*，1739）与《考验》（*L'Epreuve*，1740）。

马里沃喜剧的内容出不了这样一个框框：一对贵族青年男女或者彼此相爱，或者一方单恋，由于某些障碍，而迟迟不袒露自己的感情，甚至制造假象进行试探。在这个过程里，往往有聪明仆人的帮助，最后"有情人终成眷属"。他的代表作是《爱情游戏与巧合》。剧中，贵族子弟多朗特与贵族小姐西尔维雅订了婚。为了相亲，他扮成自己的仆人以便观察自己的对象，西尔维雅出于同样的考虑，也扮成自己的使女，两人相遇，都不知道对方的真正身份。但在互相观察中却又爱上了，他们各自的假身份又妨碍着他们的爱情。最后，他们脱掉了假装，双方如愿以偿。《假机密》的主人公爱上一个贵族寡妇，他隐瞒自己的真实身份，投身到这个女人家里当上管家，最后在他仆人的帮助下得到了这女人的爱情。《考验》的主人公是贵族公子哥儿，引起了守门人的女儿的爱慕，他为了考验她，要一个仆人假装自己的朋友去追求这个少女，最后他却不得不脱下假面具向她求婚。

马里沃喜剧人物的对话，完全是贵族沙龙式的谈吐。他的喜剧作品从思想内容到艺术形式那种矫揉造作、细腻入微的特点，被过去文学家统称为"马里沃风格"。这种风格，正像雕刻艺术上的洛可可风格一样，是 18 世纪贵族沙龙的典型产物。马里沃的喜剧投合了贵族阶级的艺术趣味，是这个阶级的帮闲文学。

2. 普雷沃神甫

普雷沃神甫（Antoine-François Prévost d'Exiles，1697 ~ 1763）的一生充满了反复无常和投机，16 岁时，他在巴黎教会特务组织耶稣会当修士；19 岁时，离开教会去当兵；22 岁时又设法进入教会；随后，又跑到英国和荷兰；不久回到法国重操教职，成为孔代亲王的牧师。他生平的名声不佳，据传是个腐化堕落、放荡无行的人。1728年，他开始写作，写作量很大，计有小说多卷，如《一个贵族的回忆录》（*Mémoires d'un homme de qualité*，1728）、《英国哲学家克莱夫兰先生传》（*Cléveland ou le philosophe anglais*，1731～1738）等，使他在文学史上留名的小说《曼侬·莱斯戈》就是《一个贵族的回忆录》的第七卷，后来单独发表成书。此外，他从 1733 年至 1740 年，还编辑出版了多卷文学刊物。他最早把英国 18 世纪作家理查逊的感伤小说翻译介绍到法国，对法国文学产生了一定的影响。

《曼侬·莱斯戈》（*Manon Lescaut*）是用自叙体写成的小说。格里厄骑士是一个贵族青年，当他正要进神学院"深造"的时候，在街上遇见了出身不明的少女曼侬·莱斯戈。两人一拍即合，第二天一同私奔。但是，到巴黎后，曼侬对格里厄只忠实了 12 天，就和一个富商勾搭上了。他俩分手以后，格里厄进了神学院，学习成绩优异，当毕业考试完毕、前程正好的时候，他又遇见了曼侬，对她的怨恨马上化为乌有，觉得"就是有当主教的职务，也可以放弃"，于是又和曼侬一道私奔。格里厄深知："曼侬什么都不能缺，不能为了别人牺牲自己的享乐。"为了保证她的享乐生活，他与曼侬的哥哥，一个流氓无赖，以赌博行骗为业。曼侬的哥哥把她介绍给一个老贵族当姘妇，而建议格里厄冒充曼侬的弟弟和他们住在一起。格里厄与曼侬把老贵族的钱财席卷一空，但事败被关进了教养所。他们从教养所逃了出来，隐居在乡下，仍以赌博为生。这时，他们又结识了一个贵族子弟，曼侬不久又与他互相勾搭，但同时又与格里厄合谋行骗，事败被关进了盗窃犯监狱。格里厄被父亲营救出来，曼侬则被判无期徒刑流放美洲。格里厄陪同曼侬一道流放到加拿大后，总督的侄子看上曼侬，企图霸占，格里厄与之决斗，打伤了总督的侄子，与曼侬一道逃走。在逃亡途中，曼侬死去，格里厄埋葬了她之后又回到法国。

这一部在过去文学史上曾经脍炙人口的小说，所写的就是这样一个荡妇浪子的故事。被资产阶级作家誉为"永恒女性"的女主人公，其实只是一个浪荡女人，与出卖灵肉的娼妓没有什么区别。男主人公是一个意志薄弱、耽于情欲的贵族纨绔子弟，最后堕落为骗子罪犯。从故事里，多少可以看到 18 世纪法国贵族少年的放荡生活和依附于贵族上流社会的娼妓社会的某些真实的面貌。但作者不是从暴露与批判的角度去写，而是恰巧相反。他对女主人公竭力加以美化，不仅说她"举止高贵"，而且说她"是一个性格特别的人，没有人像她那样蔑视金钱"，她的错误只是因为"她唯一的欲望就是享乐和消遣"。对男主人公，作者在《序言》中也竭力为之辩护，说他"有那么多好品质"和"美好的情操"，把他的荒唐和堕落的经历，称之为"热情力量的一个可怕的例证"。把这样一对人物的故事居然写成爱情的悲剧，还加上一些感伤的色彩。在作者看来，小说中人物的行为，完全出于"感情的要求"。对于这种"感情要求"，恩格斯曾给以辛辣的讽刺："格里厄骑士也有热爱和占有曼侬·莱斯戈的情感上的需要，虽然后者不止一次地出卖过她自己和他；为了她的缘故，他做了骗子和王八，如果丁铎尔要责备他，他就会用他的'情感上的需要'来回答呵！"[1]

对于普雷沃来说，他这样写并非偶然。小说中的故事，原来就是根据他自己与一个女子的荒唐经历铺展而成的，因此，整个作品对这种堕落的生活竟有一种半是忏悔、半是缅怀的情调。《曼侬·莱斯戈》出自一个天主教神甫之手，本身就是阶级的文学现象，它表明了教会人物在该书《序言》中的道貌岸然的说教之下，对男女关系中的鲜廉寡耻、放浪无行，原来是抱着怎样的欣赏和谅解的态度。

这样一部似乎是谴责而实际上是美化堕落的文学作品，以精致的

---

[1] 恩格斯：《自然辩证法》，《马克思恩格斯选集》第三卷，第 530 页。

文学手法，表现了没落阶级的腐朽思想，正投合了 18 世纪贵族阶级荡妇淫娃制造对自己的幻想的需要，它在当时贵族社会里大受欢迎的根本原因就在于此。

3. 其他作家

在悲剧方面，受贵族阶级欢迎的作家是克雷比永（Prosper Jolyot de Crébillon，1674～1762）。他生于第戎一个"穿袍贵族"的家庭，在巴黎任过检察官的文书，过着放任、挥霍的生活。他从 1705 年开始写作悲剧，在当时悲剧剧坛上，是名声最响的一个。

克雷比永曾说过："高乃依拿走了天堂，拉辛拿走了大地，剩下给我的只有地狱。"这一方面说明了他在写作上根本没有创新和超过前人的志气，另一方面也概括了他悲剧的特点，那就是充满了恐怖的凶杀和谋害。在《依多梅奈》（*Idoménée*，1705）中，父亲杀死了自己的儿子；在《阿特累与第叶斯特》（*Atrée et Thyeste*，1707）中，父亲误饮了自己儿子的血；在《爱莱克特尔》（*Electre*，1708）中，儿子杀死了自己的母亲；其代表作《拉达米斯特与翟诺碧》（*Rhadamiste et Zénobie*，1711）中，主人公拉达米斯特企图杀死妻子翟诺碧，他自己后来又被他父亲杀死，他的妻子与他的弟弟结了婚。

在克雷比永看来，悲剧应该"通过恐怖使观众产生同情"，但同时又"不触犯礼教与优雅"（《阿特累与第叶斯特》序言），为了达到这个目的，他制造了一些极不真实的戏剧误会，如他在《拉达米斯特与翟诺碧》中，写丈夫企图杀死妻子是因为怕她落在敌人手里，父亲杀儿子完全是由于不知情，嫂叔相爱也是由于彼此不知道。克雷比永的剧本不是着力刻画人物性格，和表现生活中的本质矛盾，而是在奇特、不真实的情节上做文章。他的剧本，一方面投合了那些整日无所事事、空虚无聊的贵族追求刺激的需要，另一方面又不违反他们虚伪的礼教，因此，颇得当时统治阶级的赏识，被他捧到与伏尔泰齐名的地位，在他晚年，还被任命为戏剧审查官。

在散文方面，比较有名的是查理·罗兰（Charles Rollin，1661～1741）。他一生以教书为业，担任过巴黎大学和波魏公学的校长。1726 年至 1728 年，他发表了《论治学》（*Traité des études*），其原名是《论研究与教授文学艺术的方法》（*Trairé de la manière d'étudier et d'enseigner les belles-lettres*），这是他的主要论著。它广泛地论述了古希腊语、拉丁语、法语、诗歌、哲学、历史、修辞学、雄辩术等，是贵族阶级一部综合的文科教材。它没有什么创见，即使在当时也不过被称赞为"趣味平稳"而已。他晚年写了两部历史教科书，《古希腊史》（*Histoire ancienne*）和《罗马史》（*Histoire Romaine*），都是根据古代历史学家的著作编纂而成的，但写得比较生动，当时在整个欧洲都很流行。罗兰认为："历史是道义和美德的学校。"他通过历史著作宣传忠君爱国，做良好公民、正人君子的思想，没有越出统治阶级虚伪的道德说教。略有新意的是，他对非基督教的历史人物也无保留地颂扬，超越了当时教会所容许的程度。

18 世纪前期以至后期，贵族阶级中出现了一些回忆录的作者，其中常为人提及的，是圣西门公爵（Louis de Saint-Simon，1675～1755）。他年轻时参加过军队，退伍后，因爵位很高，长期住在凡尔赛宫廷，后来又担任过几年外交官。他亲眼见识过路易十四和摄政王时代重大的政治事件和宫廷生活，1723 年以后直到去世前，他全力编写他的《回忆录》（*Mémoires*）。该书节本于 1788 年发表，全文于 1829 年至 1831 年出版。

圣西门作为一个大贵族，他的《回忆录》深深打上了阶级的烙印。它不过是一部贵族眼中宫廷生活的实录，但它以生动的描述，提供了当时法国宫廷的第一手材料，具有一定的历史参考价值。

第三章　孟德斯鸠

第一节　孟德斯鸠的生平

孟德斯鸠（Charles Louis de Secondat, baron de Montesquieu, 1689～1755）是 18 世纪前期最早登上历史舞台的启蒙运动思想家，他是资产阶级温和派的思想代表。

孟德斯鸠本名查理·路易·德·瑟贡达，1689 年生于波尔多附近的拉伯烈德庄园。中学毕业后专修法律，担任过波尔多法院的顾问。1716 年，他继承他伯父波尔多法院院长的职务，并承袭其"孟德斯鸠男爵"的称号。

在波尔多法院任职期间，他是一个循规蹈矩的法官，同时从事自然科学的研究。1721 年，他出版了《波斯人信札》，在当时引起巨大的轰动。1726 年，他卖掉了波尔多法院院长的职务。1728 年，被选为法兰西学院院士，获得当时文人最高的"荣誉"。1728 年至 1731 年，他周游各国，到过奥、匈、意、德、荷、英这些国家，特别在英国考察了君主立宪政体，形成他君主立宪的政治理想。回国后，他闭门著书，1734 年发表《罗马盛衰原因考》，1748 年发表他数十年研究的成果、重要的理论名著《论法的精神》。此后，除了两三篇短文外，他没有写过其他作品。他逝世于 1755 年。

孟德斯鸠的家族是"穿袍贵族"世家，也就是取得了贵族称号的资产阶级。他的高祖就是在波旁王朝的第一个国王亨利四世时代发迹的。他很富裕，他的妻子又给他带来大量的嫁资，他出卖法院院长的职务也使他获得巨额的财产；他自己经营商业，他的领地上种的葡萄，酿造成酒大部分运销英国，他一生过着很安适的日子。加之，他活动的年代距法国资产阶级革命还有半个世纪，这种历史条件也使他在启蒙运动中只是一个先行者。他在自己论著中提出的问题，带有浓厚的改良主义色彩。

第二节　孟德斯鸠的文学和理论作品

1.《波斯人信札》

1721 年，孟德斯鸠化名彼尔·马多发表了《波斯人信札》（*Les Lettres persanes*，1721）。这时，他已经当过 13 年律师和法院院长，广博的社会见闻，使他有条件写出这样一部广泛反映法国社会现实的作品。

《波斯人信札》是一部书信体小说。波斯的开明贵族郁斯贝克因为政治上不得意，到法国出游，在旅游途中和他的朋友通信，报道他在巴黎的种种见闻，讨论政治、经济、宗教等社会问题，小说就是以这些书信组成的。小说没有统一的故事情节，也谈不上有人物的性格刻画和形象的细节描绘，只是通过零星的形象、片断的画面和穿插的短篇故事来阐述人物（同时也是作者）对各种问题的议论和见解。郁斯贝克的出游故事只是一个简单的框架，以适应作者表现他启蒙思想的需要。正如孟德斯鸠自己所说："用书信的形式，登场人物就不是预先选定的，讨论的题目也不取决于任何计划或任何预定的提纲；作者有这样的方便，可以将哲学、政治与道德，纳入一部小说中。"

《波斯人信札》触及的现实生活面是广泛的。它通过郁斯贝克这异国人的眼光，对法国 18 世纪初叶贵族阶级社会生活的各个方面，都有所表现。这里，统治阶级卖官鬻爵，裙带成风，官场一片腐朽；上流社会是公开的淫婚，贵族妇女"自寻失身之道"，花花公子、唐璜式的淫徒是这个社会的时髦人物和宠儿；贵族整天忙于奢侈享乐、喜庆欢宴，或在沙龙里用厚颜自夸、空虚无聊的讨论消磨时光；社会风气极为败坏，赌博成风，形形色色的骗子横行，剧场里一片伤风败俗的景象；宗教生活异常黑暗虚伪，人们并无真正的信仰，宗教只是"争执的手段"，教会用迷信和宗教仪式骗人，对异教徒实行残酷的迫害；教会人物拥有大量财富而又标榜"清贫"，神甫教皇都是色鬼，没有一个教士操行贞洁；精神生活也很空虚无聊，法兰西学院学风浮夸，空谈成风，巴黎大学专务烦琐哲学，神学著作和伪科学著作到处泛滥。所有这些黑暗现象，虽然写得不及以后的伏尔泰那样辛辣、狄德罗那样深刻、卢梭那样激愤，但也勾画出 18 世纪初法国贵族社会腐朽衰败的状貌。

特别值得注意的是，《波斯人信札》比较清楚地反映了从路易十四绝对君主专制的盛极一时，到法国封建社会暴露出千疮百孔之日的政治经济形势的每况愈下。路易十四死于 1715 年，郁斯贝克旅游法国的时期是 1710 年至 1720 年，小说所写的正是法国君主专制迅速走下坡路直至不可收拾的转折时期。《波斯人信札》虽然称路易十四为"最强大的君主"，但讽刺他是个"大魔法师"，说他为了穷兵黩武，对外征战，"倘若国库中只有 100 万盾币，而他要用 200 万，他只需说服臣民：一块盾币实值两块"，甚至"拿一张纸币当银子"，最后这种"魔法"搞得"国库一空如洗"；讽刺他耽于女色、穷奢极欲，"御苑中的雕像多于大城市的居民"。最后，作者对路易十四的君主专制所造成的不可救药的政治经济危机还做了这样总结："先王逝世之日，法国是一个百病丛生的身体。N.（指当时主持财政的讷埃衣公爵）手执利刃，切削废肌腐肉，并且涂上一些头痛医头、脚痛医脚的药膏。可是剩下一种内疾，有待治疗，来了一个外国人（指财务总监苏格兰财阀劳）着手治疗工作。用了许多猛烈药剂以后，他以为使法国恢复了丰腴，实际仅仅使法国肿胀。"路易十四之后，是路易十五和摄政王时期封建贵族统治的更进一步衰败，在《波斯人信札》中，可以看到这个时期政局的不稳："此间内阁大臣互相接替互相破坏，三年以来……财政制度已经变更了四次"；可以看到封建剥削的变本加厉，在第 132 封信里，一个乡下小地主这样自白："我的地产每年有 15000 镑的生息……我徒然催逼我那些佃户，徒然用罚款压得他们喘不过气来，这样无非使他们更挤不出一滴油水"；也可以看到统治者滥发纸币所造成的恶果，同一封信里，一个资产者叫苦说："我破产了，目前我家中有钞票 20 万镑……我一直以为自己很富有，如今已经进了收容所"；还可以看到，在经济混乱中投机发财的暴发户这样得意地叫喊："贵族破产了！国内多么混乱。"这些政治经济细节的描写，充分表现出资产阶级革命前法国封建社会不可收拾的颓败与混乱，有助于了解当时"山雨欲来风满楼"的形势，是《波斯人信札》中最有认识价值的部分。

正是在这封建社会危机大暴露、资产阶级革命开始酝酿的时候，孟德斯鸠感时代之征候，发启蒙思想之先声。他在《波斯人信札》中，对当时一些重大的社会政治问题，都提出了与封建意识形态相对立的思想。就时间来说，《波斯人信札》是 18 世纪启蒙运动中最早出现的一部重要作品；就其所提出问题的广泛而言，它几乎包括了日后启蒙运动作家所要论及并加以发展的各个重大方面；对孟德斯鸠来说，《波斯人信札》也是他思想的"百科全书"。他针对"专制政权之下"，"君主、廷臣以及个别人士占有全部财富，同时别的人却呻吟在极度贫困中"的现实，发出了"天老爷，为了一个人的幸福，要费多少人力物力"的不满之声；针对路易十四连年的对外侵略、劳民伤财，他提出区分战争是否符合正义的标准，指出"君主由于个人的争吵而进行的战争，毫无正义可言"；针对当时教会的种种黑暗，他提倡信仰自由，反对宗教迫害和教派纷争，反对把某种宗教绝对化地视为世界的中心。对于宗教，他也提出了一系列与宗教教义截然不同的思想。他虽然承认上帝的"权威"和"万能"，但认为上帝并不能预见和决定人世间的一切，因为人的灵魂"自己动手做出决定"，这就用资产阶级人道主义思想修改了神学世界观。他还反对宗教迷信和仪式，认为真正的宗教信仰应该是"对于人类要人道"和"遵守公民的职责"，这虽然是在宗教信仰的前提下谈问题，但实际上是用理性代替宗教迷信，用公民职责代替宗教礼仪。他从资本主义的发展着眼，指责修道院制度"摧残了许多人"，对人口增长不利，天主教会集中财富，过寄生生活，"使得田园荒芜"，造成"没有交流，也没有贸易，更没有百艺，也没有创造"，于商业繁荣有害。他批评封建的"长子继承权""破坏了公民平等"。他提倡自由，认为"富裕永远随自由而来"。《波斯人信札》中的这些思想虽然没有构成系统，但批判矛头指向了当时的封建分配制度、法权观念以及统治阶级的内外政策，在当时意识形态领域的斗争里，适应了资本主义发展的要求。因此，《波斯人信札》的出版，在当时产生了广泛的社会影响，也遭到了教会的反对。

《波斯人信札》也有严重的局限性。它并不从根本上否定君主专制制度，它承认君主政体的合理合法，对于法国绝对君主专制的种种黑暗和弊端，它更多地归咎于君主手下的大臣。它指摘专制君主统治下不合理的现实时，态度是进谏式的，往往是陈明利害，规劝君主采取开明措施，如第106封信谈到封建剥削过重造成个人贫困时，只是告诫统治者注意，"个人收入几乎绝对涸竭"，对君主的收入也很不利，并未根本否定封建剥削，而是在肯定这种剥削的前提下提倡某种改良。对于"开明君主"，《波斯人信札》中，也不乏美化称颂之词，甚至称他们"像太阳一般，到处带来了热，带来了生命"。

孟德斯鸠思想的局限性，也表现在他所提出的人类理想社会的图景上。他在第 11 至第 14 封信中，用穴居人的寓言故事图解了他心目中的理想国以及通向这理想国的道路。古老的穴居人因为"自私自利"、你争我夺，互相残杀而几乎种族灭绝，只剩下"有人道精神、认识正义、崇尚道德"的两家人。他们"勤勉操劳"，"用德行教养子女，使孩子感觉到个人的利益永远包括在公共利益之中"。这两家人"通过幸福的婚姻，繁衍了起来"，成为了一个繁荣昌盛的社会。在这里，人们"以正义待人"，"贪婪是从来没有的"，人们的财产"永远混在一起"。他们"相亲相爱"，长者受到尊敬，"兄弟团结，妻子多情，子女孝顺"，"他们之间的分歧，只是温和亲爱的友谊所产生的分歧"。他们有"贤明的"国王，他们对神有真正的信仰和热爱，他们生活的内容是"歌唱懿行美德"、"描述田园生活的乐趣"。这种理想社会的图景，当然是历史唯心主义的幻想。它虽然有财产公有的设想，但阶级统治的标志"国王"和阶级统治的工具"宗教"，在这里都占有最重要的地位。创建这种理想社会的前提条件是抽象的"人道精神"和"美德"，因此，这个理想国只是封建宗法制与资产阶级人道主义奇特的混合物。作为一个拥有土地的上层资产者，其收入结合着地租和利润，孟德斯鸠提出这样的理想是十分自然的。

《波斯人信札》还有一个重要部分，即后院故事与其他两个波斯爱情故事。后院故事讲的是郁斯贝克出游后，他后院众多的妻妾女奴苦闷不堪，最后起来反抗，其中一个在自己的情人被杀后，毒死了管束镇压她们的阉奴总管，自己也服毒同归于尽。阿非理桐与阿丝达黛的故事描写一对青年冲破宗教和封建的束缚，最后结为夫妇；伊卜拉亨的故事讲的是一个在横暴的男权下被杀害的波斯妇女，死后在仙国里尽情向男性报复。这些故事虽然有为在封建男权下受蹂躏、受损害的妇女鸣不平、反对违反人性的封建主义的积极一面，但是，作者从人性论和享乐主义的角度去写妇女对男性的报复，不能算作品的精华，只是迎合了 18 世纪上流社会读者对色情的兴味。

2.《论法的精神》

《罗马盛衰原因论》（*Les Considérations sur les causes de la grandeur et de la décadence des Romains*，1734）与《论法的精神》（*L'Esprit des lois*，1748），是内容相关的两部论著。前一部是历史著作，全书二十三章，通过叙述罗马从兴起到灭亡的历史过程，阐明社会演变中政治法律制度的重要性。按照孟德斯鸠的看法，人类社会并非静止不变，社会的演变皆有其"固定不易的规律"，往往是人的意志所不能控制的，而在社会变化、历史兴衰中，政治法律制度又起着重要的作用，如罗马的兴起是由于在政治上实行了共和制度，在经济上"土地平均分配"，在法律上"轻刑宽和"，而且统治者"贤智"，社会风俗淳朴，人们品德良好等。罗马的衰亡则是因为施行了君主专制政体和对外侵略政策以及社会风气败坏等。这些就是《罗马盛衰原因考》的主旨。本书这一基本理论，在以后的《论法的精神》一书中，有更系统、更详尽的阐述，因此，可以把本书视为《论法的精神》的前导。

《论法的精神》是孟德斯鸠的体系完整的政治理论著作，是西方古典理论名著。全书共六卷三十一章，通过本国和外国历史上大量的材料，阐述了孟德斯鸠为资本主义在法国的发展开辟道路、为资产阶级登上历史舞台服务的一整套政治法律理论，其中最著名的有关于法律性质的"理性"论，政体分类论和关于国家结构的三权分立说以及地理环境决定论。

在第一卷中，孟德斯鸠开始就提出："法是由事物的性质产生出来的必然关系。在这个意义上，一切存在物都有它们的法。"在他看来，上帝、物质世界和人类都各有各的法：上帝创造了宇宙，这是上帝和宇宙的关系；而人的法，"在它支配着地球上所有人民的场合，就是人类的理性"。"理性"论是整个《论法的精神》的理论基础，这种理论把上帝和人区别开来，虽然也说"上帝通过宗教的规律让人记起上帝"，但强调了法权问题是人类自己的问题，是人类理性的表现，不受上帝的干预，这就把上帝从政法理论的领域里排除了出去，完全是和神化君主制的"君权神授"一类封建宗教政法观念对立的，从这个意义上说，在当时有一定的进步意义。但是，政治法律的本质是阶级斗争、是阶级关系，孟德斯鸠所谓的"理性"，却完全是一种抽象的精神，他的"理性"论抹杀了法的阶级本质，因而是历史唯心主义的理论。

孟德斯鸠政体分类论的主要内容，是把一切政权划分为共和政体、君主政体和专制政体。三种政体的区分在于掌握权力人数的多寡。照孟德斯鸠的解释："共和国全体人民握有最高权力时，就是民主政治"，即共和政体；"君主政体的基本准则是，没有君主就没有贵族，没有贵族就没有君主"，因此，"一部分人民握有最高权力时，就是贵族政治"，即君主政体；专制政体，则是"一个人专制"。三种政体各有自己的"动力"，共和政体的"动力"是"品德"，即"爱共和国"、"爱民主政治"、"爱平等"；君主政体的"动力"是"荣誉"；对专制政体，"品德是绝不需要的，荣誉则是危险的东西"，它需要"恐怖"。而各种政体又有与自己相应的法律，在共和政体下，法律"应该建立平等"、"平均分配土地"；君主政体"应该尽可能地鼓励宽和精神"、"努力支持贵族"、"使贵族世袭"；在专制政体之下，既然恐怖与横暴当道，则根本无法律可言。从这些论述中可以看出，孟德斯鸠对专制政体是持否定态度的，他这样指责这种政体："它如此违反人性，以致不能不使人感到奇怪，人们如何会服从它。"批判的矛头显然是指向当时法国绝对君主专制的政治现实。然而，他的政体分类论从体系到论点都有可质疑之处。在历史唯物主义看来，"每种生产形式都产生出它所特有的法权关系、统治形式等等"。[1]在孟德斯鸠那里，却是一个历史唯心主义的公式，即由抽象精

---

[1] 马克思：《〈政治经济学批判〉导言》，《马克思恩格斯选集》第二卷，第91页。

神而至政体、法律。孟德斯鸠从掌握权力人数的多寡区分不同政体也是不科学的。他所谓的"共和国全体人民"，指的是古希腊罗马共和政体时代非奴隶的自由民；他所谓的"建立平等"、"平分土地"，只是在奴隶主自由民的范围里而言；他所谓的贵族政体下的"人民"，指的也就是有资格参加政治生活的贵族。因此，他所做的政体划分，完全回避了阶级社会中统治阶级与被统治阶级这样一个最基本的阶级关系，这就不可能从本质上科学地划分政体和法律。

在这三种政体中，孟德斯鸠反对专制、不赞成民主共和，而主张君主政体。他这样说："君主政体比共和政体有一个显著的优点，事务由单独一个人指挥，执行起来较为迅速。"他所希望的是"温和"、"明智"的君主政体，在法律上"轻刑宽和"，在经济上"不横征暴敛"，努力发展工商业。为了使他所主张的这种政体完美化，他提出了世界政治思想史中著名的三权分立说，即立法、司法、行政彼此分开，互相约束制衡，以保证"公民的自由"。他的政治设想具体说来，就是英国式的君主立宪。孟德斯鸠这种三权分立主张的提出，实际上是代表资产阶级温和派要求与封建贵族分权，即要求资产阶级取得立法和司法的控制权，而让国王在立法和司法的约束下掌握行政权力，仿效英国以达到资产阶级与贵族平权的目的。这种主张，在18世纪上半叶还不失反封建的意义，但也暴露出孟德斯鸠的妥协性。孟德斯鸠是一个有贵族头衔的资产者，他与英国又有经济上的联系，他以英国的君主立宪为理想，主张两个有产阶级分权，主张"贵族世袭"，正是他的阶级地位所决定的。他对君主政体的幻想和美化，打着很深的阶级烙印，对于他的错误，马克思曾经这样批判说："君主政体的原则总的说来就是轻视人，蔑视人，使人不成其为人；而孟德斯鸠认为君主政体的原则是荣誉，他完全错了。他竭力在君主政体、专制制度和暴政三者之间找区别，力图逃出困境；但是这一切都是同一概念的不同说法，它们至多只能指出在同一原则下习惯上有所不同罢了。"①

　　和封建的政法理论家到上帝那里找寻根据有所不同，孟德斯鸠企图从人类社会和客观环境去探讨决定政治法律的因素。他这样说：

> 法律应该和国家的自然状态有关系；和寒、热、温的气候有关系；和土地的质量、形势与面积有关系；和农、猎、牧各种人民的生活方式有关系。法律应该和政制所容忍的自由程度有关系；和居民的宗教、性癖、财富、人口、贸易、风俗、习惯相适应。最后，法律和法律之间也有关系。

　　这种论述比起18世纪以前的神学迷信，是走向科学的一个进步。但是，"'物质生活的生产方式制约着整个社会生活、政治生活和精神生活的过程'，在历史上出现的一切社会关系和国家关系，一切宗教制度和法律制度，一切理论观点，只有理解了每一个与之相应的时代的物质生活条件，并且从这些物质条件中被引申出来的时候，才能理解。"②而在孟德斯鸠所指出的政治法律的决定因素中，恰恰没有最基本的社会物质生产方式，这是他历史唯心主义的世界观所决定的。而且，在所有这些根源中，孟德斯鸠又特别强调地理条件的决定性作用，这就更为偏颇了。

　　《论法的精神》在当时曾经发生过很大的影响，特别是在自由贵族和自由资产阶级之中更是如此。伏尔泰曾把它称为"理性与自由的法典"。虽然后来法国18世纪阶级斗争的发展，超出了《论法的精神》所提出的理论纲领的范围，最后爆发了资产阶级革命，成立了资产阶级共和国，但孟德斯鸠有的主张，如三权分立说，不论在美国的

---

① 马克思：《摘自〈德法年鉴〉的书信》，《马克思恩格斯全集》第一卷，第411页。
② 恩格斯：《卡尔·马克思〈政治经济学批判〉》，《马克思恩格斯全集》第十三卷，第526页。

《独立宣言》还是法国 1789 年的《人权宣言》中都有反映。在中国旧民主主义革命阶段，《论法的精神》于 1913 年由主张君主立宪的严复翻译出版（译名《法意》），也曾产生过积极的影响。

第四章　伏尔泰

第一节　伏尔泰的生平

在法国 18 世纪启蒙运动中，伏尔泰（Voltaire，1694～1778）所起的作用和占有的地位，无疑是一个领袖和导师。他登上历史舞台早于"百科全书"派和卢梭，他活动的时间很长，横亘了整个 18 世纪的四分之三；他活动的领域也非常广泛，他参加了当时的社会政治斗争，他是哲学家、历史学家、政论作者；他的文学创作也是多方面的，不论悲剧、喜剧、史诗，还是哲理小说，都很多产，博马舍编辑出版的第一个《伏尔泰全集》，就有七十卷之多；他在当时的影响很大，整个欧洲都倾听他的声音，他的声望很高，被视为当时思想界的泰斗。

伏尔泰本名弗朗索瓦·阿鲁埃（François-Marie Anouet），1694 年生于巴黎一个富裕的资产阶级家庭，父亲原来是法院的公证人，后来成为国库的税吏。伏尔泰最初在一个贵族学校里受教育，学校里贵族子弟所享受的特权，使他亲身体验到等级制度的不公；启蒙运动先行者皮埃尔·贝尔反对宗教狂热的著作对他思想的形成起了有益的影响。但资产阶级的出身又使他充满向上爬的野心和出头露面的虚荣心，他在学校没有埋头用功，而是致力于结交权贵子弟。

中学毕业后，他学过法律，当过驻外使馆的秘书和法庭的文书。

他混迹于贵族纨绔子弟的圈子，以锋利的谈吐和俏皮的警句闻名。由于言谈中对摄政王不敬，他被逐出京城，但他并未有所收敛，他在一首诗里讽刺了宫廷，诗的最后一行说："我只不过 20 岁，就见识了这些罪恶。"他因此于 1717 年被捕，在巴士底狱囚禁了 11 个月。在狱中，他完成了第一个悲剧《俄狄浦斯王》和史诗《亨利亚特》。1718 年，他的悲剧上演成功，带给他几年虚荣的日子。他讨好贵族和宫廷，他们也捧他为"法兰西最优秀的诗人"。他有资产阶级的本能，充分利用了他的社会关系经营商业，进行投机倒把，为自己积攒了大量财产。但在封建专制制度下，他的社会地位并没有保障，他和一个贵族发生了冲突，被这个贵族的仆人殴打了一顿，在上流社会传为笑谈，政府反而将他投入监狱，后又将他放逐国外。从自己痛苦的经验中，伏尔泰开始认识专制政体的面目。

1726 年，他来到已经完成资产阶级革命的英国，在这里住了三年，考察了社会政治制度，研究了英国唯物主义哲学和牛顿的物理学新成就，这对他形成君主立宪制的政治主张和唯物主义哲学观点起了很大的作用。他把自己的观感和心得写成《哲学通讯》（又名《英国通讯》）一书，鼓吹信仰自由和唯物主义。1729 年回到法国后，他又写作了悲剧《布鲁图斯》和《扎伊尔》、历史论著《查理十二史》。1734 年，《哲学通讯》秘密出版，立即遭到查禁，巴黎最高法院下令逮捕伏尔泰。他逃离巴黎，在偏僻的小城西雷他的女友夏特莱夫人家里住了 15 年。在此期间，他进行了多方面的创作活动，其中有悲剧《恺撒之死》《穆罕默德》、长诗《奥尔良的少女》、历史著作《路易十四时代》以及科学论著《牛顿哲学原理》等。这时期，他常到巴黎走动，又重新得到了宫廷的信任。1746 年，他被选为法兰西学院院士，后又被派往德国执行外交使命，被任命为法兰西史官。但他在巴黎的显赫，只不过是昙花一现。

伏尔泰不断遭受专制政体的伤害，然而他总是不能牢牢记取教训。他失去法国宫廷的信任后，不久又怀着对开明君主的幻想，接受了普鲁士的腓特烈二世殷勤的邀请，于 1750 年来到柏林。腓特烈二世任命伏尔泰为高级侍从，给他优厚的年俸，让伏尔泰给他修改蹩脚的法文诗和装点门面的"哲学论文"。伏尔泰对他极尽歌颂之能事，称之为"北方的所罗门"。这个普鲁士国王是一个黩武好战、粗暴野蛮的统治者，他只是利用伏尔泰点缀其宫廷，他这样谈论伏尔泰："我需要他最多还有一年，橘子挤干了，就要把皮扔掉。"最后，伏尔泰与腓特烈二世决裂，于 1753 年离开了柏林。在离境的时候，被普鲁士人侮辱性地拘留了 5 个星期。

专制政体给他的教训，终于使他得出了这样的经验："在这个地球上，哲学家要逃避恶狗的追捕，就要有两三个地洞。"因此，他用经商积聚起来的财富，先后在洛桑和日内瓦附近分别购置寓所，后又在法国、瑞士边境购买了菲尔奈这块地产，同时还租下度尔奈的领地，准备一旦有事能从容逃脱。1760 年后，他定居在菲尔奈，过着阔绰的生活，俨然像一个领主。

他离开柏林后，在整个晚年，进行了大量写作，其中有哲理诗《里斯本的灾难》、哲理小说《查第格》《老实人》《天真汉》，历史著作《彼得大帝治下的俄罗斯史》和《议会史》等。他还为《百科全书》撰写稿件，后来汇集为《哲学辞典》一书。

更重要的是，他定居在菲尔奈这块官方难以追捕的地方后，进行了政治和社会斗争。他与欧洲各国各阶层的人保持频繁的通信，保存下来的伏尔泰的通信有一万多封，和他通信的人有 700 人之多。这些信件绝大部分写在他的晚年。在通信中，他讨论各种社会问题，宣传他反专制、反教会的启蒙思想，同时，从通信中以及从欧洲各国到菲尔奈来向他求教的大量客人那里，了解到整个欧洲大陆的社会政治动态，他通过写信或写成文章对这些现象进行无情的揭露。当时，整个法国和欧洲，不时流传着一些化名或匿名的文章和小册子，猛烈抨击教会的宗教迫害、专制政体的草菅人命等黑暗现象，它们都是来自菲尔奈，出于伏尔泰的手笔。政府不断焚毁这类小册子，但它们仍不断出现。伏尔泰这种抨击时事、制造进步舆论的活动产生了巨大的影响。1762 年，教会制造卡拉事件，新教徒卡拉的儿子因债务缠身自杀，教会却诬陷卡拉为了阻止其子信奉天主教而把他杀死，判处了卡拉车裂的极刑。伏尔泰收容了无辜的卡拉一家，并对这惨无人道的冤案进行了有力的控诉，在整个欧洲激起了愤怒的舆论，政府不得不在卡拉死后宣布他无罪。此外，伏尔泰在当时其他几件宗教迫害和黑暗的司法案件中，也作了不倦的斗争，发出正义的声音。这些斗争使伏尔泰赢得了巨大的声誉，菲尔奈成为欧洲舆论的中心，当时的进步人士尊称伏尔泰为"菲尔奈教长"。

1778 年，伏尔泰回到巴黎，他受到巴黎人民热烈的欢迎。这年 5 月 30 日，他逝世于这个城市。临终时，神甫要他承认基督的神圣，他坚决予以拒绝。

第二节　伏尔泰的理论著作

伏尔泰的哲学著作和文章很多，最主要的是《哲学通讯》（*Lettres philosophiques*，1734）、《论宽容》（*Traité sur la tolérance*，1763）、《论人》（*Les Discours en vers sur l'Homme*，1738）和《哲学辞典》（*Dictionnaire philosophique*，1764）。这些论著，不限于纯哲学，对政治社会问题无所不谈，其体裁也颇不一致，有的是用诗体写成的。

在哲学上，伏尔泰并没有自己独创的完整的思想体系，他基本上是英国唯物的经验论哲学家洛克和唯物自然科学家牛顿的信徒。他的《哲学通讯》一书的主要内容之一，就是向法国人介绍和宣传洛克反对天赋观念、主张人的认识来源于感觉和经验的唯物思想，以及牛顿的万有引力学说、光学理论等。伏尔泰的一个重要历史功绩，就是在法国把洛克和牛顿加以通俗化。他在不止一本论著里，对从培根到洛克的 17 世纪英国唯物主义哲学，做了高度的评价。他把这两位哲学家和牛顿放在哲学中两条路线斗争的背景上，把他们的科学论断和那些唯心主义的无知妄说加以对照。他批判了经院哲学、批判了笛卡儿的先验论和纯粹思辨的方法，他推翻笛卡儿"我思故我在"的唯心主义命题，而代之以"我有身体我思想"的唯物主义公式。伏尔泰以他的哲学著作清楚地表明他是唯物主义哲学传统的继承者。

伏尔泰承认物质世界的客观存在，认为人的思想来源于对客观事物的感觉和经验。他完全用牛顿的科学原理来解释物质世界，然而，他的世界观充满了尖锐的矛盾，在"物质世界是如何形成的"这个问题上，他却又陷入了唯心主义的泥坑。他认为物质世界最初是由一个最高的造物主创造的，他在《论牛顿哲学的诗》（*Epître sur la philosophie de Newton*）中这样说：

> 上帝造物，混沌初开，
>
> 形成一个地心吸引的世界，
>
> 这强大的吸力是自然的灵魂，
>
> 长久沉浸在冥冥中未被人辨认，
>
> 牛顿的圆规衡量整个宇宙，
>
> 揭开了巨大的帷幕，显示出世界的真面目。

伏尔泰企图把牛顿的自然科学原理和上帝的神话统一起来。他在《哲学辞典》中，把这种唯心论的思想表述得更明确，他这样宣称："有一个大智大慧无所不能，既创造了太阳和星球，也创造了微生物的最高实体……没有任何人找到上帝是不存在的证据，而且也永远找不到。"这里表现出伏尔泰对神学世界观的妥协，因此他的哲学思想整个说来只有一些唯物论的成分，并没有达到唯物主义的水平。

伏尔泰主张有上帝存在，是因为认定有此社会需要。他在《哲学辞典》中提出这样的命题："信仰一个最高实体的必要性。"他说："在我看来，为了我们这群可怜的会思考的动物的共同利益，最大的课题、最关紧要的事情，就是设置一个赏罚分明的上帝，既作为约束我们的马辔，也给我们一些安慰。"（《哲学辞典》）为此，他明确提出了"即使没有上帝，也必须制造出一个"的口号。但是，伏尔泰所谓的整个人类的"共同利益"是不存在的，它实际上只是资产阶级的利益。资产阶级需要宗教来麻痹和恐吓人民，伏尔泰对宗教的主张，便充分反映了这个阶级的本性。他这样露骨地说："我们要对付的是些毫无顾忌的恶棍，一大堆小人、暴徒、酒鬼和匪类，你们愿意的话，可以对他们说地狱是不存在的……至于我呢？我要对着他们的耳朵大声说：谁偷我的东西，他得受惩罚、入地狱。"（《甲乙丙丁对话集》）这里不仅暴露出伏尔泰对人民的偏见，而且表明了他关于上帝和宗教的说教后面，是他作为百万富翁保护私有财产的需要。他定居在菲尔奈之后，为当地的农民修建了一座教堂，正是出于这样的目的。

作为当时还处于上升时期的资产阶级的思想家，伏尔泰在宗教问题上也有积极的一面。他的宗教思想是从洛克那里继承来的自然神论，即一方面把世界说成是神所创造的，而神体现为不可动摇的自然界的规律；另一方面反对把神具体化为一种人格的偶像以构成一种具体的宗教，如基督教、佛教、伊斯兰教等。在封建教会占统治地位的历史条件下，这种观点是有一定进步意义的。马克思、恩格斯曾经指出："自然神论——至少对唯物主义者来说——不过是摆脱宗教的一种简便易行的方法罢了。"[1]

伏尔泰是一位积极反对宗教狂热、宗教迫害、教派纷争的思想家，他这部分言论是他论著中富有战斗性的精华。他把宗教狂热和对异教的不容，视为社会的灾难，他提倡信仰自由，他在《自然规律

---

[1] 马克思、恩格斯：《神圣家族》，《马克思恩格斯全集》第二卷，第165页。

诗》（*Poème sur la Loi Naturelle*）中这样说道：

> 宇宙是一个神明高踞的庙堂
> 每个人都可以随意建筑自己的祭坛。

他在《哲学通讯》中把资产阶级的英国当作信仰自由的榜样加以颂扬，宣扬"在英国有 30 多种宗教，而它们却都能和平幸福地共处"。他还通过介绍英国的一些教派，宣传宗教应该摈弃戒律和迷信仪式，不要牧师神甫。他在《风俗论》中主张，让信徒"听从自己的良知"，"作为自由人可以沿着他所喜欢的道路进入天堂"。他反对教会组织和教职，反对不同教派"拿争论来骚扰社会"，主张宗教成为"最和平的宗教"等等。

伏尔泰一生吃了专制政体不少苦头，但他怀着历史唯心主义的幻想，以为社会的合理与否取决于法律是否完善，而法律"看来大部分是任意制定的，取决于立法者的利益、感情和意见"（《形而上学论》），因此，他寄希望于开明君主。他是开明专制政体的拥护者，他这种政治态度不仅表现在他对当时欧洲两个最野蛮、最露骨的专制统治者——普鲁士的腓特烈二世和俄国的叶卡捷林娜二世的吹捧，也表现在他的一些历史论述中，这是他前期政治思想的主体。有时，当政治处境不顺利时，伏尔泰也前进一步，如他被迫流亡到英国后，接受了君主立宪的思想。他的《哲学通讯》就记录了他在英国考察政治的观感，并对英国的君主立宪竭力加以美化。有的评论者认为伏尔泰是"自由平等和共和政体的拥护者"，其实不然。伏尔泰并没有那么激进，他不像卢梭那样反对人类的不平等，却认为不平等来自人类的天性，是社会的正常合理的现象。他宣称"平等既是一件最自然不过的事，同时也是最荒诞不经的事"（《哲学辞典》），认为每个人如果不按照不平等的社会秩序各守本分，"整个人类社会就不可收拾了"。根据这一系列思想，他根本不主张共和政体。伏尔泰的政治思想充分反映了资产阶级的立场，暴露出 18 世纪法国上层资产阶级革命的软弱性。然而，到 18 世纪后期，当第三等级与封建专制的矛盾日益尖锐时，伏尔泰也跟着潮流在《论共和思想》（*Idées républicaines*）中谈论共和政体的优越性，但最终他还是倾向于君主立宪。1774 年，他在《理智史赞》（*Éloge historique de la Raison*）中，还称赞英国的君主立宪制"保存了专制政体中有用的部分和一个共和国所必需的部分"。

伏尔泰的历史论著中最重要的是《查理十二史》（*Histoire de Charles XII*，1731）、《路易十四时代》（*Le Siècle de Louis XIV*，1751）和《风俗论》（*Essai sur les mœurs*，1756）。

《查理十二史》是 17 世纪末至 18 世纪初瑞典的查理十二（1682～1718）王朝的历史，全书共八卷，主要写查理十二一连串的对外战争，作者对这个野心勃勃、愚蠢自大的君主持否定的态度，写出了他侵略好战、穷兵黩武的形象。《路易十四时代》是对路易十四王朝全面的论述，全书共三十九章，不是以编年史的方式按时间的顺序写成，而是分述政治、军事、内政、外交、宗教、宫廷生活、文化艺术等各个方面。这部论著对路易十四做了很大的美化，把他写成一个照亮了整个 17 世纪的国王。《风俗论》则具有某种世界通史的性质，从古代中国、印度、波斯、阿拉伯以及希腊的文明，一直写到路易十三时代整个欧洲的重大历史事件，特别是在这些背景上精神风俗、文化艺术的发展。

伏尔泰基本的历史观是把人类历史的发展视为理智对谬误，特别是对宗教狂热作斗争并取得胜利的过程。他把宗教狂热视为人类历史发展的障碍，这在当时有积极的意义。他认为理智定将战胜宗教狂热，这也表现了当时上升的资产阶级的历史乐观主义精神。但是，"到目前为止的一切社会的历史都是阶级斗争的历史"[1]，由于伏尔

---

① 马克思、恩格斯：《共产党宣言》，《马克思恩格斯选集》第一卷，第 250 页。

泰的资产阶级世界观，他不可能从物质生产、阶级斗争去解释历史，而是把历史描述成精神斗争、精神演变的过程。伏尔泰的唯心史观还突出地表现在对历史发展动力的论述上。历史活动是人民群众的事业。但伏尔泰对人民群众是蔑视的，在他的笔下，历史只是帝王将相活动的舞台，是他们所创造的，而历史的面貌又完全取决于他们是否英明。他完全从个人性格去解释查理十二的对外战争，他不切实际地把路易十四美化为使法国繁荣昌盛的君主，而为了完成他对开明君主形象的塑造，他对这个专制君主丑陋的一面都避而不谈。马克思在批判历史唯心主义者时这样说："这些人怀疑整个人类，却把个别人物神圣化。他们描绘出人类的天性的可怕形象，同时却要求我们拜倒在个别特权人物的神圣形象面前。"[1]伏尔泰就是如此。

如果从历史学的发展来看，伏尔泰对历史科学也做出了一些贡献。在他以前，法国历史著作完全模仿罗马的历史学家，只求把事件写得像小说一样有趣，把人物写得像罗马人那样古意盎然，根本不重视历史真实，更谈不上掌握史料。伏尔泰开一代之新风，以刻苦的精神从大量掌握和深入研究史料入手。写《查理十二史》时，他亲自采访过欧洲各国与查理十二有过来往、了解其王朝内幕的重要政界人物；他写《路易十四时代》，用了将近 20 年的时间收集材料，研究了大量档案文件，因此，他的历史著作留下不少忠实可信的历史材料。其次，伏尔泰还一反过去历史著作只以帝王将相个人事迹为内容的旧路，把历史论述的范围扩大，社会生活的各个方面，包括政治、经济、军事、风俗习惯、文化艺术等尽都入史，比较能提供出一个时代的全貌。由于以上特点，伏尔泰可算是第一个值得一提的资产阶级历史学家，他对后来的资产阶级史学有很大影响。

---

[1] 马克思：《第六届莱茵省议会的辩论（第一篇论文）》，《马克思恩格斯全集》第一卷，第80页。

第三节　伏尔泰的诗歌与戏剧作品

伏尔泰的基本创作思想是守旧的。如果说，他在社会问题上是相信人类进步、历史发展的，那么，在文艺问题上却完全向后看，他的文学观点和趣味没有摆脱 17 世纪古典主义的窠臼，他整个的诗歌戏剧创作，都致力于追求古典主义的美学理想。

从某些著作看来，伏尔泰对古典主义文学和古典主义所崇尚的希腊罗马文学，也并非全然盲目崇拜，在有名的理论文章《论史诗》（*Essai sur la poésie épique*，1733）中，伏尔泰反对"艺术受法则的束缚"，他说："同一民族，在三四个世纪之后已经面目全非"，"怎么能受制于一种完全受习惯支配的共同艺术法则呢"。他认为"我们应该赞美古人作品中被公认为美的那一部分……在任何方面都逐字逐句地学步古人是一个可笑的错误"，应当承认以上这些论述包含了一些可贵的见解。他对古希腊罗马作家也都有所批评，但他批评的出发点是认为这些作家还不成熟，而他认为成熟的文学就是 17 世纪古典主义文学。他特别推崇布瓦洛与拉辛，在给布罗赛特的信中称赞他们"是仅有的两位掌握了准确的画笔、能够运用鲜明色彩、忠实描绘自然的伟大人物"，认为莫里哀"过于粗野"而加以贬低，也正因为罗马作家贺拉斯、维吉尔与布瓦洛、拉辛有某些相近，他甚至把这两个希腊文学的模仿者抬高到希腊文学之上。这里表现出伏尔泰以古典主义文学为中心的文学批评思想，其标准就是古典主义所强调的"高雅的趣味"、"正大的气派"等等，这种文学趣味显然散发着浓厚的贵族气息。伏尔泰在有些地方还违反他在《论史诗》中反对固定法则的论述，而把这些趣味作为绝对的标准肯定下来，把布瓦洛的《诗的艺术》当作一切作家都应遵守的指南，把古典主义文学当作不可企及的典范。他在《路易十四时代》中这样说："高乃依、拉辛、莫里哀的时代是一个值得后来一切时代瞩目致敬的时代……自从这些卓越的作家光辉灿烂的时代以后，就不可能有伟大的天才了……在路易十四时代之初，道路是艰难的，因为前无开拓者，今天，道路也艰难，因为早已被前人走出来了。"伏尔泰把古典主义绝对化而顶礼膜拜，认为18世纪只能因袭17世纪的道路。因此，伏尔泰的诗歌、戏剧创作完全拘泥于古典主义的法则和趣味，这就决定了它们的不成功。他的史诗和悲、喜剧，很早就丧失了生命力，到19世纪中期，他的剧本已经不再上演。由于对古典主义的模仿，后来的批评家把他视为伪古典主义者。

在诗歌创作方面，伏尔泰当时曾以"史诗诗人"而享有盛名。但他的主要史诗《亨利亚特》（*La Henriade*，1728）并不成功，他自己在《论史诗》中说，当他拿这部作品去征求意见时，别人就对他说："你写了一部不适合法国民族的作品。"

《亨利亚特》以法国16世纪宗教战争为题材，写亨利四世通过战争成为法国国王以及他颁布南特敕令使新教徒得到信仰自由。亨利四世是波旁王朝的始祖，伏尔泰生活在波旁王朝第四代国王统治的时代，他把亨利四世作为实施宗教宽容政策的开明君主来加以歌颂，目的是向纵容宗教迫害的当代统治者进谏。在史诗中，他用了大量篇幅描写法国历史上有名的宗教大屠杀：圣巴托罗缪之夜。他这样写宗教狂热所挑起的战争给法国带来的灾难：

> ……法兰西遭受着大难大灾，
> 是因为神圣但特别可怕的根源在为害，
> 正是宗教的违反人性的狂热，
> 使法国人手执武器投入浩劫。

这场以宗教信仰为旗号的战争，虽然反映了资产阶级与封建阶级的矛盾，但也是封建贵族阶级内部争夺全国统治权的战争，而在伏尔泰的笔下，却成为半神话式的对波旁王朝开创者的缅怀。他还把历史变化的动因归之于神道——亨利三世被刺，是由于不和之神在作怪，亨利四世最后出于阶级利益改奉天主教也是由于真谛之神起了作用。《亨利亚特》的创作意图和故事情节，都模仿了罗马诗人维吉尔歌颂罗马帝国开创者的史诗《埃涅阿斯》和罗马诗人塔索的《被解放的耶路撒冷》，而《埃涅阿斯》又是对希腊史诗的模仿。这种不顾历史社会条件的盲目模仿是错误的，马克思曾经指出：希腊艺术"在其中产生而且只能在其中产生的那些未成熟的社会条件永远不能复返"[1]。他这样讽刺了伏尔泰的模仿："既然我们在力学等方面已经远远超过了古代人，为什么我们不能也创作出自己的史诗来呢？于是出现了《亨利亚特》来代替《伊利亚特》。"[2]

伏尔泰还写作了大量的书简诗、哲理诗和讽刺诗。他的书简诗是和贵族上流社会应酬和唱之作，虽然颇有技巧，但基本上只是一种交际的工具。他的哲理诗也不少，最著名的有《论人》（1738）、《自然规律诗》（1751）、《里斯本的灾难》（*Poéme sur le désastre de Lisboune*，1756）等，这些诗都表现了他的启蒙哲学思想，有一定的进步性。如《里斯本的灾难》一诗中，通过 1735 年里斯本大地震，伏尔泰这样写道：

> 啊，可怜的人类！悲惨的大地！
> 尘世上法定要死亡的万物，
> 永远承受着无穷尽的痛苦，
> 证明了叫喊"一切皆善"的哲学家的谬误。

---

[1] 马克思：《〈政治经济学批判〉导言》，《马克思恩格斯选集》第二卷，第 114 页。
[2] 马克思：《声誉价值理论》，《马克思恩格斯全集》第二十六卷第 1 分册，第 296 页。

驳斥了教会粉饰太平的谎言和假乐观主义谬论。伏尔泰的哲理诗说理透彻，诗风明晓。伏尔泰的讽刺诗数量也不少，其批判矛头指向天主教会的偏见狂热、愚民欺世，指向《百科全书》的顽固敌人。有的文学史家批评伏尔泰的讽刺诗"态度偏激"、"滥施人身攻击"，但这恰巧是伏尔泰的辛辣无情之处。

伏尔泰一生主要的精力是从事悲剧的写作。他自己还亲身参加演出。在他 15 个悲剧剧本中，比较有名的是《俄狄浦斯王》（*Œdipe*，1718）、《布鲁图斯》（*Brutus*，1730）、《扎伊尔》（*Zaïre*，1732）、《恺撒之死》（*La Mort de César*，1732）和《穆罕默德》（*Mahomet ou le fanatisme*，1742）。

《俄狄浦斯王》完全根据希腊悲剧家索福克勒斯同名悲剧的题材写成。剧中的俄狄浦斯是一个勇敢高尚、富有智慧的人，他竭力逃避神的不祥预言，但最后还是逃脱不了神的捉弄，犯了弑父娶母之罪。剧本对神恶意地愚弄人、造成悲剧的命运提出了抗议。《布鲁图斯》取材于古罗马共和派与贵族派的政治斗争，主人公布鲁图斯是一个理想化的人物，他的儿子被人引诱与被放逐的国王勾结，背叛了罗马，共和派因为布鲁图斯对国家的功绩而委托他来审判自己的儿子，他大义灭亲判处了儿子死刑。主人公有类似高乃依悲剧人物的特点，剧本贯穿了为反对专制而牺牲个人利益的理想精神。《恺撒之死》是在莎士比亚的《尤里乌斯•恺撒》一剧的影响下写成的，写罗马历史上布鲁图斯等人合谋杀死恺撒的故事。在这里，恺撒是一个专制统治者，而他的对立面则被写成是忠于共和的人物。《扎伊尔》的故事背景是十字军东征时代东方的耶路撒冷，主人公苏丹奥洛斯马勒和女俘扎伊尔相爱，但后来扎伊尔发现自己是一个受过洗礼的基督教徒，教规不容许她嫁给信仰伊斯兰教的苏丹，而奥洛斯马勒又怀疑她另有所爱，出于嫉妒杀死了扎伊尔。剧本通过爱情故事对宗教偏见提出了强烈的控诉，最后以人物这样的诗句结束："全能的主啊！我不知道是应该颂扬你的愤怒还是应当在悲痛中对你进行控诉！"《穆罕默德》以伊斯兰教创始人为主人公，伏尔泰通过虚构的故事把这个人物写成一个阴险狡诈的恶棍，他欺骗愚弄善良的人们，为了自己的私欲，酿成人们的不幸，他老奸巨猾，全凭欺骗手段取得群众的迷信。剧本的副标题是《宗教狂热》，这里，穆罕默德是一切宗教迷信创始者的象征，通过这个形象，伏尔泰无情地鞭挞宗教迷信对人的欺骗和危害。

伏尔泰的悲剧是他用来表现自己启蒙思想的工具。他的几个主要悲剧都有比较鲜明的政治色彩，表现了反对专制、反对宗教偏见和狂热的精神，和他的哲学、政论一样，都是资产阶级大革命前舆论准备的一部分。他的悲剧不少都利用古代罗马的题材，这正如马克思所说的："在罗马共和国的高度严格的传统中，资产阶级社会的斗士们找到了为了不让自己看见自己的斗争的资产阶级狭隘内容，为了要把自己的热情保持在伟大历史悲剧的高度上所必需的理想、艺术形式和幻想。"[1]正因为如此，伏尔泰的悲剧《布鲁图斯》《恺撒之死》在法国大革命中演出，都起过激励人心的作用，人们在演出《布鲁图斯》时，在剧终还加上"自由万岁，共和国万岁"的口号。

伏尔泰在悲剧创作上是高乃依和拉辛的师法者，他所追求的是古典主义的标准，这种模仿的态度使他只能是等而次之。他也接受了莎士比亚悲剧的影响，认为莎士比亚作品中所表现的强烈的激情值得法国悲剧借鉴，但他拘泥于古典主义美学标准，把莎士比亚称为"喝醉了的野蛮人"。加之，他的悲剧大都是急就之作，没有经过充分的艺术酝酿和反复的锤炼，因此，没有"莎士比亚化"，缺乏真实的典型形象和深刻的性格刻画。他的悲剧往往只是他本人思想的图解，笔下的人物只是他本人的传声筒，特别是他后期的悲剧更是如此。伏尔泰也企图给自己的悲剧加上一些新的特点，如追求布景、道具、服饰的

---

[1] 马克思：《路易·波拿巴的雾月十八日》，《马克思恩格斯选集》第一卷，第604页。

新奇和刺激性的戏剧效果等，但这些形式主义手法只能使他的悲剧在艺术上更加不伦不类而已。

第四节　伏尔泰的哲理小说

在伏尔泰的文学创作中，最有价值的是他的哲理小说。这些小说之所以保持了艺术的生命力，是因为没有模仿某种过时的、僵化的文学传统，而是根据其启蒙思想内容的需要，找到了适合的艺术形式。它们一般都是以滑稽的笔调，通过半神话式的或传奇式的故事，影射讽刺现实，阐明一些哲理。小说的哲理当然有些反映了伏尔泰世界观中的根本缺陷，但其中对法国封建专制制度下社会生活的嬉笑怒骂、旁敲侧击、揭露控诉，却构成作品的可贵精华。

伏尔泰的哲理小说大多数是中、短篇。其中以《如此世界》《查第格》《老实人》《天真汉》等最为重要。

1.《如此世界》与《查第格》

《如此世界》（*Le Monde Comme il Va*，1746）又名《巴蒲克所见的幻象》，是伏尔泰的第一篇哲理小说。在这个神话式的故事里，伏尔泰阐述了自己对法国社会现实的观察和分析。

掌管天下万国的神灵伊多里埃派一个名叫巴蒲克的人到柏塞波里斯城去做一番考察再回来向他报告，以便决定对这个城市是加以惩罚还是把它毁灭。巴蒲克进入这个城市，看到神庙基底铺满了死人，上流社会一片淫乱的男女关系，文武官职公开标卖，资产阶级包税人像"无冕之王"，剥削整个国家，教派斗争激烈，社会风气恶浊，舆论欺善怕恶，人与人尔诈我虞。看到这些现象，巴蒲克觉得应该"让这批蛀虫在大毁灭中送命"。但与此同时，他又看到"许多慷慨豪爽，仁爱侠义的行为"，看到这个城市高度的物质文明，他发出这样的感慨：“不可思议的人类，这许多卑鄙和高尚的性格，这许多罪恶与德行。”最后，他用最名贵的金属和最粗劣的泥土、石子混合起来，塑成一个小小的人像，作为汇报拿给神灵，向他说：“你是否因为这美丽的人像不是纯金打的或钻石雕的，就把它毁灭掉？”于是，神明放弃了毁灭这个城市的念头，决定“让世界如此这般下去”。

小说中的柏塞波里斯城，影射的就是巴黎，小说所揭露出来的种种黑暗就是法国的现实。伏尔泰用滑稽夸张的笔法，突出了社会现象的本质，进行了辛辣的讽刺。他影射从路易十四到路易十五时代一连串的对外战争招致血流遍野、生灵涂炭，而战祸的起因是由于皇帝的妃子手下一个太监和邻国皇帝的某个衙门中一个小官员起了冲突，所争的权利不过“值一块波斯金洋的三十分之一”，对统治阶级为了私利而发动战争的罪行做了愤怒的指控，他借人物之口这样质问：“这些是人还是野兽？”他还对法国淫乱腐朽的贵族上流社会进行严厉的鞭挞，预言“这样的社会是维持不下去的”。

对这样一个根本不合理的旧世界是否应该加以毁灭？伏尔泰的答复却是否定的，因为他认为这个世界还有可取之处：过去这里有“贤明的君主”，现在也还有“连续不断辛苦了 40 年、难得有片刻安慰”的大臣；上流社会虽然腐化，但物质文明“精美动人”、人物“风雅可爱”；商人虽然投机倒把，但“养活了手下上百工匠”，“能繁荣工业，培养趣味，发展贸易，增加财富”。因此，他最后说：“即使不是一切皆善，一切都还过得去。”

中篇小说《查第格》（*Zadig*，1747）不仅注意暴露和嘲讽现实，而且提出了作者的政治理想。

故事写古波斯巴比伦有一个名叫查第格的青年，他“品性优良”、“明哲保身”，但灾祸总是不断降临到他头上：爱人被权贵抢走，为了保卫她，他被打瞎了一只眼睛，但不久爱人却背叛了自己。他还因为司法黑暗两度无缘无故被捕入狱，他得到国王的信任和王后阿斯达丹的爱情后，又遭到谗言而大祸临头，他不得不赶快出逃，在流亡中经历了很多苦难，最后，国家动乱，国王被杀，他靠自己的本领娶了阿斯达丹，被推戴为国王。

故事虽然伪托古代，但有着现实社会的影子。查第格婚后不久爱人就变心，甚至想把他的鼻子割下来给新情人治病的故事，是对法国上流社会腐败的男女关系的讽刺；查第格几次无辜被捕入狱、险些送命的经历，是暗指当时司法机构的草菅人命；小说中国王宠信淫邪放荡的女人，把国事败坏得一团糟，是对国王路易十五耽于声色的影射。伏尔泰通过小说中人物的经历企图表现出一个政治黑暗、人情险恶、人人都不得自由、不得安宁的社会环境，小说中这个社会图景正是伏尔泰所生活的法国君主专制社会的写照。查第格那种"这个世界上的一切，连莫须有的东西在内都要害我"的感慨，显然有着伏尔泰自己早年多次受到专制政体打击迫害的痛苦经验。《查第格》通过虚构的故事，写出了作者在封建专制政体的黑暗统治下的窒息感，这是它作为哲理小说的主要价值。不过这种窒息感只是资产阶级在封建君主专制统治下不得自由的体验，表现在小说中，查第格是个"年少多金"的阔绰公子，他在那个社会里的痛苦，是不能"快乐度日"的痛苦，与劳动人民所受的剥削和压迫当然是不能同日而语的。

在伏尔泰看来，像查第格这样的人在那个世界上也得不到幸福，那么"人的幸福究竟是靠什么呢"？伏尔泰提出了这样的问题，他也对此做了回答。他的答案就是开明君主政治。小说中，查第格当上了宰相，用哲学家的方式治理国家，如"教每个人都感到法律的神圣，而不许一个人感觉到他爵位的压力"，他允许言论自由，提倡信仰自由、反对教派成见和宗教狂热等等。这里表现出启蒙思想家伏尔泰的政治理想。最后，查第格当上国王，成为开明君主，伏尔泰这样结束小说："从此天下太平，说不尽的繁荣富庶，盛极一时。国内的政治一以公平仁爱为本。百姓都感谢查第格，查第格却是感谢上天。"可见伏尔泰所要表现的主要哲理，就是要说明开明君主可以使不幸的世界得到幸福。由于要服从这个主题，作者用了很多篇幅塑造查第格这样一个开明君主的形象，表现他如何"明智"、"高尚"，在患难的经历中又如何用他的哲理帮助愚昧的人们移风易俗，使小说带有开明君主政治幻想的说教色彩。至于其中对查第格与王后的爱情和悲欢离合的歌颂，更是近乎庸俗的才子佳人小说。

2. 《老实人》

《老实人》（*Candide*，1759）是伏尔泰哲理小说中成就最高的一篇。它的主题与《如此世界》类似，并有进一步的深化。

小说主人公老实人寄居在一个德国男爵的家里，受"哲学家"邦葛罗斯的教育。邦葛罗斯是"一切皆善"学说的鼓吹者，他宣扬"在此最完善的世界上，万物皆有归宿，此归宿自必为最美满的归宿"。老实人起初也很相信这种说法。但是他们在这个世界上的经历却恰巧证明，这个世界并不"完善"：老实人因为和小姐居内贡自由恋爱，被贵族偏见极深的男爵赶了出来；他被抓丁抓到军队，因自由行动而遭毒打；在战场上，他看到两军互相屠杀、奸淫掠夺，惨无人道；在流浪中，他几乎没有碰见过好人，不是宗教狂热的信徒，就是干扒手勾当的神甫和敲诈勒索的法官；他的经历也是骇人听闻，先被误认为异教徒差一点被宗教裁判所活活烧死，后又在巴黎被骗子神甫等一伙几乎盘剥一空。他的恋人居内贡的遭遇也很悲惨，在战祸中全家被杀，自己被当作奴隶辗转贩卖，最后成为一个相貌奇丑的洗衣妇。至于邦葛罗斯，他口口声声"天下尽善尽美"，但现实狠狠嘲笑了他：先是染上脏病烂掉半截鼻子，后又被宗教裁判所施加火刑，险被烧死。此外，老实人和居内贡的同伴，他们的经历也无一是幸福的。面对着这个世界，老实人最后对邦葛罗斯叫道："得啦，得啦，我不再相信你的乐天主义了"，"地球上满目疮痍，到处都是灾难啊"。

　　"一切皆善"的说教来源于德国 17 世纪唯心主义哲学家莱布尼兹，他曾提出"上帝所创造的这个世界是一切可能的世界中最好的"，"在这个可能最好的世界，一切都趋于至善"。这是一种维护现存秩序为统治阶级服务的舆论。伏尔泰这篇小说就是无情地嘲笑这一为神权和王权辩护的哲学，他整部小说都是为了否定这种理论，证明这个世界不是"一切皆善"。《老实人》写于伏尔泰创作的后期，战斗性较强，对社会的批判比《如此世界》更为尖锐，它集中揭露那个世界的阴暗面，而没有像《如此世界》那样，在不合理的现实里去挖掘某些"合理"的成分。它讽刺的笔锋从德国到英国，从法国到西班牙，横扫整个欧洲。它的批判面很广，触及社会生活的各个方面：它写一个黑人这样控诉老板："每年给我们两条蓝布短裤，算是全部衣着。我们在糖厂里给磨子碾去一个手指，他们就砍掉我们的手，要是想逃，就割下一条腿。"揭露了殖民主义残酷野蛮的剥削。它通过老实人在巴黎的见闻，指责"在这个荒唐的国家里，不论是政府、法院、教堂、舞台，凡是想象得到的矛盾都应有尽有"。他还把批判的矛头直接指向当时的政治事件，他在叙述 1757 年一个乡下人因伤了路易十五而被凌迟处死的案件时，通过人物之口这样控诉道："啊，这些野兽，一个整天唱歌跳舞的国家，竟有这样惨无人道的事！这简直是猴子耍弄老虎的地方。"所有这些，在嬉笑怒骂中又有愤慨的抗议。

　　《老实人》以高超的讽刺艺术，对腐朽的社会力量——贵族、教士进行了毁灭性的打击。它无情地嘲笑贵族的阶级偏见，表现出这个阶级没有什么可以自傲，只是一批荒淫可耻的东西。最典型的一段是关于邦葛罗斯脏病的"家谱"：他从侍女巴该德那里染上了这种病，巴该德的病，"是一个方济各会神甫送的，神甫的病得之于一个老伯爵夫人，老伯爵夫人得之于一个骑兵上尉，骑兵上尉得之于一个侯爵夫人，侯爵夫人得之于一个侍从，侍从得之于一个耶稣会神甫，耶稣会神甫当修士的时候，直接得之于哥伦布的一个同伴"。短短一段，把贵族、教士可耻的面目揭露得淋漓尽致。小说还对贵族阶级以门第自傲与他们日趋破落的现状之间的矛盾，进行了辛辣的讽刺。特别是在小说的第二十六章写了6个丢失了王位的国王，他们聚集在一个小旅馆里，有的"囊无分文"，有的靠赊账过日子，时刻都有进监狱的危险。这种漫画式的描写虽然荒诞夸张，但是从本质上反映了18世纪法国的君主专制政权已经日薄西山，勾画出资产阶级革命前夜贵族阶级的腐朽没落。

小说中与邦葛罗斯的"一切皆善"论相对立的，是另一个"哲学家"马丁的怀疑悲观思想。他向老实人宣传"人性本恶，永远不会改善"的观点。在他看来，人类是没有前途的，人的生活是没有希望的，"不过是些幻影和灾难"。老实人并不同意这些观点，这也代表了伏尔泰的态度。相信历史是不断进步、人类会趋于完善，这是伏尔泰启蒙思想的一个重要组成部分。因此，他在小说中写了一段老实人游黄金国的故事，勾画出他的乌托邦理想国。在这个国家里，地上的泥土石子就是黄金，根本没有人要。人们穿的是"金银铺绣的衣服"，吃的是"珍馐美馔"，住的房屋"仿佛欧洲的宫殿"，有"贤明的国王"，没有法院和监狱，"每个人都是自由的"，没有宗教狂热，但人们"从早到晚敬爱上帝"。这个理想国是伏尔泰社会、政治理想的图解，完全是一种不切实的幻想，充分反映了伏尔泰的世界观的历史唯心主义的实质。

现存的世界是不完善的，黄金国又是那样虚无缥缈，那么，人应该如何对待生活呢？这是伏尔泰在《老实人》中提出的问题。他的小说的结尾对此做了答复：最后，老实人与居内贡结了婚，和他们的同伴结成一个小团体在一起生活，他们买下了一小块土地，分工负责进行耕作。他们不时也探讨生活的意义，最后得到的结论是："工作可以使我们免除三大害处：烦闷、纵欲、饥寒"，因此，"种我们的园地要紧。"这就是伏尔泰的答案。这种答案在当时统治阶级荒淫无度、社会风气腐败恶浊的历史条件下，固然表现了新兴资产阶级的进取精神，有一定的积极意义，但对待那样一个不合理的世界，结论却不过是埋头工作、独善其身，毕竟说明作者所要阐述的哲理，还远不是革命的。

3.《天真汉》

《天真汉》(*L'ingénu*，1767) 和其他哲理小说有所不同，不是通过半神话式的故事或伪托于古代的异国，而是把故事安排在 17 世纪末路易十四的法国，对社会现实进行了直率的指责和批判。

天真汉是一个有法国血统的青年，从小在加拿大未开化的部族中长大，养成了"很天真地想什么就说什么，想做什么就做什么"的习惯，来到法国以后，他这种纯朴的思想习惯和周围的社会习俗、宗教偏见发生了尖锐的矛盾。人家教他念《圣经》，他天真地按《圣经》行事，却偏偏引起惊世骇俗的后果，他总结说："我每天都发觉，那本书（指《圣经》）不叫人做的事，大家做了不知多少，叫人做的，大家倒一件没做。"这里，矛盾不在于天真汉对《圣经》特别认真，而在于《圣经》所宣扬的"宗教德行"，教会从来不付诸实行，只不过是骗人的招牌而已。伏尔泰在做此描写时，并没有否定宗教，他只是以《圣经》为尺子，"以子之矛攻子之盾"，戳穿教会的虚伪。

天真汉纯朴的作风，在那样的社会很快就遭到悲剧性的结果。他和圣·伊佛相爱，他以为恋爱是"自己分内的事"，但别人告诫他必须通过双方的家长。特别成为他们爱情不可逾越的障碍的，是天真汉在受洗入教时，选了圣·伊佛主持洗礼，根据教会的规定，这个少女就成了天真汉的"教母"，和"教母"恋爱，那就是"犯天大的罪孽"。人家告诉他，要破例结婚就必须得到教皇或国王的"开恩"，天真汉觉得"这简直可笑得莫名其妙"。伏尔泰通过天真汉的爱情矛盾，把资产阶级人道主义思想体系中的"朴素的理性"、"自然的人性"作为宗教清规戒律和封建道德的对立面提了出来，以资产阶级"人性"和"常情"为出发点，嘲笑了宗教戒律的荒谬和不合理。

小说还通过天真汉与圣·伊佛的爱情悲剧，揭露和控诉了封建专制官僚机构和教会的黑暗腐朽。为了能够和圣·伊佛结婚，天真汉不得不到凡尔赛宫去请求国王"开恩"，在路上碰见了几个新教徒，和他们一起非议了教会，便被教会特务向他们的头子——国王的忏悔师告了密。天真汉一到，就被抓起来投入了巴士底狱。和他同牢房的是一个不同教派的修士，只因为"认为教皇不过是个主教，和别的主教一样"，就在黑暗的牢房里受了多年的苦，而且毫无重见天日的希望。通过这样的情节，伏尔泰揭露了教会的特务统治和专制政体司法的黑暗。

天真汉入狱后，他的叔父企图通过教会的门路营救他，但在腐朽的教会官僚机构面前完全碰了壁：他去找国王的忏悔师，这个"国内第一贵人""正在招待杜·德隆小姐"；他去找巴黎总主教，"总主教正和美丽的德·莱提几埃太太商量教会公事"；他赶到另一个主教那里，"这主教正和德·莫雷翁小姐审阅琪雄太太的《神秘之爱》"。伏尔泰这简单的几笔，把教会官场中腐败淫乱的内幕完全揭示开来。圣·伊佛也到凡尔赛去搭救天真汉，她走大臣的门路，权势极大、"能善能恶"的朝臣答应她释放天真汉，但无耻地提出以牺牲圣·伊佛的贞操为条件。这个少女在绝望中不得不满足这个卑鄙的要求，她救出了天真汉，但自己不久就在悲愤痛苦中死去了。这个少女的悲剧故事是对黑暗腐朽的专制政体的控诉。至此，世俗的、教会的官僚机构狰狞丑恶的面目，在伏尔泰笔下完全暴露无遗了。但是，伏尔泰的揭露和鞭挞是有严重局限的，他把封建专制政体的黑暗、罪恶，和这个政体的象征——路易十四割裂开来，把这些罪恶归之于国王手下的人为非作歹，通过人物之口说国王"受人蒙蔽"，并歌颂路易十四是"伟大的国王"。在暴露性很强的圣·伊佛悲剧故事的结尾，伏尔泰又涂抹了人性论的几笔，最后又把害死圣·伊佛的那个淫恶的朝臣，写成"并非天生的恶人"，"只是繁忙的公事与享乐，像潮水般淹没了他的灵魂"，在圣·伊佛的遗体面前居然"掉下了几滴眼泪，后悔了"。这有意护短的几笔严重地损害了整个作品的揭露力量。

在小说中，伏尔泰以赞赏的笔调写天真汉的"纯朴的德性"、"自然的人情"，但他不像卢梭那样提出"回到自然"的思想，而认为"纯朴的人"应该"文明化"。因此，小说写天真汉在监狱里学习了各种知识，发展成一个有哲学头脑的人。伏尔泰把自己一些思想赋予了这个人物，这里有文明的民族高于未开化民族的思想——这是针对卢梭否定文明而发的，其中还特别称颂了中国古老的文明；有反对教会进行愚民教育的思想；还有历史的批判精神，如认为在历史上，"大人物不过是一班恶毒的野心家"，而"安分守己与清白无辜的人在庞大的舞台上一向就没有立足之地"。这些都表现了伏尔泰本人世界观的积极方面。在伏尔泰的笔下，天真汉最后成为一个"天性淳朴"、"见识自然合理"、具有高度文化素养的人物，是伏尔泰心目中理性主义的人的标本。同样，伏尔泰世界观中的缺陷也在天真汉身上打下了烙印。当他听到同伴讲起"开明君主"时，他也赞颂起来，表现出他也是一个开明君主迷。在宗教问题上，他也是伏尔泰的影子，持自然神论。对于教会，他说"我们要拥护教士，也要限制教士"。可见，在一些根本的问题上，天真汉有浓厚的保守色彩，不是一个反抗的人物。虽然他受过专制政体的迫害，他的恋人也是这种罪恶制度的牺牲品，但小说的最后，"由于德·洛伏大人的提拔，天真汉成为一个优秀的军官，得到正人君子的赞许"。也就是说，他被统治阶级笼络过去，成为了上流社会的一员，而这个社会本来是与他纯朴的性格完全对立的。伏尔泰最后让贵族资产阶级的"文明社会"同化了主人公的天真，天真汉和现实社会的妥协，也正反映了伏尔泰思想上的妥协。

第五章　狄德罗

第一节　狄德罗与百科全书派

狄德罗（Denis Diderot，1713~1784），18 世纪启蒙思想家中最杰出代表人物之一，著名的《百科全书》的组织者和主编。对他一生的活动，恩格斯曾经给予这样的评价："如果说，有谁为了'对真理和正义的热忱'……而献出了整个生命，那么，例如狄德罗就是这样的人。"[1]

狄德罗生于法国外省的小城朗格尔。父亲是一个制刀师傅，家境富裕。狄德罗是长子，父母希望他当神甫，很早就送他到耶稣会的学校受教育，后来送他上巴黎的阿尔古公学，毕业后，又让他去学法律。但是，他钻研数学、语言学、艺术和哲学的兴趣远比神学和法学来得浓厚。当他父亲发现他没有循着规定的道路发展时，便停止对他的接济。从这时起，狄德罗长期过着贫穷的生活。为了维持生计，他曾当家庭教师，替传教士起草布道稿，为书店翻译历史、医学、伦理学等方面的书籍。在这穷困的 10 年中，他刻苦学习，成为一个博学的人，同时，他也结交了一些优秀的知识分子，如卢梭、孔狄亚克、马布莱等。

---

[1]　恩格斯：《费尔巴哈和德国古典哲学的终结》，《马克思恩格斯选集》第四卷，第 228 页。

1746 年，他发表第一部作品《哲学思想录》(*Penées philosophiques*)。这本书以随感的形式，论证天主教关于上帝的迷信是荒谬的，指出上帝的形象残忍可怕、没有善心，揭露宗教思想对人的精神奴役，并且宣称"最正直的人是会倾向于愿他（指上帝）不存在……认为上帝不存在的思想，从不曾使任何人感到恐怖"。这本书虽然没有明确主张无神论，但巧妙地启发人们对宗教的基础产生根本的怀疑，因此，巴黎法院很快就判决把它销毁，巴黎警察局也建立了狄德罗的专门档案，把他称为"极端危险的人"。

狄德罗追求真理的精神不屈不挠，事隔一年，他又写成《怀疑论者的漫步》(*Promenade du sceptique, ou les allées*，1747)，宣传无神论思想。由于有人告密，这本书遭到警察当局没收。1749 年，他又写了著名的《论盲人书简》(*Lettre sur les aveugles à l'usage de Ceux qui voient*)，明确地站在无神论的立场上，证明上帝是不存在的。他通过描写一个盲人数学家对物质世界的感觉，阐明客观世界是物质的，人可以通过感觉器官去认识它，从根本上为无神论提供了唯物主义的哲学基础。这本书更加触犯了统治阶级，狄德罗被投入了监狱，经过多方营救，三个月以后，他被释放了出来。

出狱后，狄德罗以最大的热情主持《百科全书》(*Encyclopédie*)的编纂。出版商普鲁东原来的意图，只不过是要把英国的大辞典翻译成法文，但到了狄德罗手里，却变成了对科学艺术发展成果全面的总结和对唯物主义启蒙思想大规模的宣传，其目的正如狄德罗自己所说："是要改变人们普遍的思维方式。"参加这个工作、为《百科全书》撰稿的，几乎包括了当时所有的先进思想家和各个知识领域中一切杰出的代表人物。《百科全书》的出版从 1751 年至 1772 年，持续了整整 20 年，共出版了三十七卷。它对封建社会从政治制度到法律机构的整个上层建筑，对贵族阶级从宗教迷信、法权观念到文学艺术等全部意识形态，进行了大规模的批判，给予了毁灭性的打击；它宣扬政治平等、宗教容忍和思想自由，为新兴资产阶级大造舆论。以《百科全书》的出版为中心，形成了法国启蒙思想运动的高潮，参加了《百科全书》的编写工作、有共同的唯物主义启蒙思想的人士，在历史上被称为百科全书派。

百科全书派的领袖人物是狄德罗。另外几个启蒙思想家都是《百科全书》的主要合作者：孟德斯鸠和伏尔泰为它撰写过文艺批评和历史的稿件，卢梭则是《百科全书》音乐方面的专题作家。百科全书派另一个重要的核心人物是达朗伯（Jean Le Rond d'Alembert，1717～1783），他是《百科全书》两个主编之一，是著名的唯物主义哲学家、声望很高的数学家。

这个学派其他几个重要成员是：

孔狄亚克（Etienne Bonnot de Condillac，1715～1780），他虽然是一位修道院长，但在宗教上主张自然神论，在哲学上继承和发展了英国哲学家洛克的感觉论，对法国18世纪唯物主义哲学的发展起了积极的作用。他与爱尔维修同为《百科全书》哲学方面的撰稿人。

爱尔维修（Claude-Adrien Hélvétius，1715～1771），他是法国唯物主义哲学的杰出代表人物之一，其主要著作是《精神论》（*De l'esprit*）和《论人》（*De l'homme*）。他反对宗教，捍卫无神论，他还把唯物主义运用于社会生活方面，提出了"人的一切差别都是后天获得的"、"人是环境的产物"的著名原理。

霍尔巴赫（Paul-Henri Holbach，1723～1789），他是18世纪唯物主义哲学流派另一位重要代表人物，著名的《自然体系》（*Le Système de la nature*，1770）和《袖珍神学》（*Théologie portative ou dictionnaire abrégé de la religion chritienne*）的作者，前一部论著概括了18世纪法国唯物主义和无神论的世界观，后一部著作机智地对宗教和教会进行了辛辣的讽刺。

《百科全书》从一开始就被统治阶级仇视，不止一次遭到政府的干涉和查禁。在当局的压力下，有的人退缩了，如达朗伯；有的人疏远了，如重农主义的代表人物杜尔哥等。狄德罗在种种困难面前，始终以坚强的毅力和巨大的热情坚持工作，他不仅是全书的组织者，而且为该书工艺、哲学、美学、伦理学等方面撰写了一千多篇文章或条文，为新兴资产阶级完成这个意识形态的巨大建设工程，献出了他一生的主要精力。

在为《百科全书》进行大量工作的同时，狄德罗在哲学理论方面也留下了杰出的成果，其中主要的是：《达朗伯和狄德罗的谈话》（*Entretien entre D'Alambert et Diderot*，1769）、《对自然的解释》（*Pensées sur l'interprétation de la nature*，1754）、《关于物质和运动的哲学原理》（*Principes philosophiques sur la matière et le mouvement*，1770）。在这些论著里，狄德罗承认物质的第一性，把时间和空间看成是物质存在的形式，认为物质和运动是不可分的。在认识论上，他坚持反映论的思想，认为对客观物质的感觉是认识的第一阶段，而思维则是在感觉的基础上产生的。狄德罗这些思想构成了法国18世纪唯物主义哲学的完整体系，虽然他的唯物论基本上是机械的、形而上学的，但和同时代其他唯物论者比较，却多少含有一些辩证法的因素，列宁这样评价说："狄德罗非常接近现代唯物主义的看法。"[1]

此外，在编纂《百科全书》期间，狄德罗在美学、艺术批评、戏剧理论和小说创作方面，也写出了出色的作品。

狄德罗的唯物主义哲学思想大大超过了他同时代的思想家；但他的社会政治思想，并没有超出他的前辈伏尔泰、孟德斯鸠的水平，没有脱离唯心史观的樊笼。他迷信理性，以为体现了理性的法律和政体可以保证社会的幸福。因而，他寄希望于"开明君主"，他在《百科全书》里这样写道："把一个君主和哲学家结合起来，那就可以得到一个最完善的君主。"狄德罗政治思想的这个缺陷，使他受了俄国女

---

[1] 列宁：《唯物主义和经验批判主义》，《列宁全集》第十四卷，第24页。

皇叶卡捷林娜二世的利用。这个残酷的封建农奴制国家的统治者，为了给自己涂上开明君主的色彩，长期用经济上的小恩小惠对狄德罗进行拉拢，并邀请他到俄国去装点她的宫廷。1773 年，狄德罗来到俄国。在彼得堡的宫廷里，他成为王公贵族猎奇的对象，女沙皇也不过是把他当作清谈的门客，当狄德罗向她建议进行政治改革的时候，她轻蔑地回答说："你那些伟大的原则，可以写出漂亮的著作，但用来办事，会把事情搞得一团糟。"1774 年 4 月，狄德罗离开彼得堡回国，在这个专制的黑暗的国家，他只待了 7 个月。

晚年，狄德罗无所作为。他逝世于 1784 年。

第二节　狄德罗的美学和戏剧理论

狄德罗是一个杰出的美学理论家、艺术批评家，他对各种艺术形式有广泛的兴趣和精湛的研究，特别在美学、绘画和戏剧理论三个方面，有不少深刻的论述，构成了狄德罗完整的现实主义文艺理论体系，在文艺批评史上占有重要的地位。

1. 美学思想

1750 年，狄德罗写出了他最早、也是最系统的长篇美学论文《美之根源及性质的哲学研究》（*Recherches philosophiques sur l'origine et la nature du beau*），同时，他为《百科全书》写过一些零星的美学文章。他还应他的好友格里姆之约，为手抄杂志《文学、哲学与批评通讯》写评介巴黎绘画雕刻展览的文章。这种展览每两年举行一次，从 1751 年一直持续到 1781 年，狄德罗共写了十多篇评介，这便是他的著名艺术评论《沙龙随笔》（*Salon*），其中以 1761、1763、1765、1767 诸年的最为重要。1765 年写的《画论》（*Essai sur la peinture*），可以看做他对造型艺术研究的总结。这篇论文第一次发表，就得到欧洲一些杰出文艺家的高度评价，歌德称它为"是画家的一支有力的火炬"，莱辛说："他的每一句名言如电光一闪，照耀着艺术的奥秘。"

狄德罗的美学思想，是他唯物主义哲学思想的一部分。他给"美"下了一个著名的定义："我把凡是本身含有某种因素，能在我的悟性之中唤醒'关系'这个观念的，称之为外在于我的美；凡是唤醒这个观念的一切，称之为关系到我的美。"什么是"外在于我的美"？他解释道："当我说凡是本身含有某种因素，能在我的悟性之中唤醒'关系'这个观念的，或一切唤醒这种观念的东西之时，就该仔细区别一下对象中的各种形式和我对各种形式具有的概念。我的悟性没有给事物添一点东西进去，没有去掉一点东西。不管我想到或一点也没有想到卢浮宫的门面，其一切组成部分照旧有这种或那种形式，其各部分间也照旧有这种或那种安排。不论有人无人，卢浮宫的门面并不减其美"，这就是不以人的主观为转移的美，是一种客观存在的性质。至于他所谓的"关系到我的美"，则是指因人而异的美。这样，狄德罗就把某一事物所具有的美的客观属性和不同的人对某一事物认为美或认为不美的不同反应区分了开来。应该肯定，这是一种唯物主义的理解。狄德罗在建立他这一美学原理的时候，对当时形形色色的主观唯心主义美学思想进行了批判，同时也阐述了不同时代、不同民族、不同地域、不同年龄的人们，由于"利害"、"感情"、"成见"、"习惯"、"风俗"、"政府"、"教派"的不同，对同一事物的美感不同，审美判断就有差异。

那么，美的标准是什么呢？怎样才算美？狄德罗提出了真善美的统一论。他在《画论》中这样说："真善美是紧密结合在一起的。在真和善之上加以一种难得而出色的情状，真或善就变成了美。"在狄德罗的美学思想里，美是以真和善为基础的，而这种"真"、"善"又是有具体的内容的，按狄德罗的说法，就是"满足理性"、"颂扬伟大美好的行为"、"尊敬遇难受冤的有德者"、"揭发和谴责成功得意的恶劣行为"、"威吓残民以逞的统治者"，对暴君、对神祇"提出判决"，指出"宗教谎话的传布者"的危害等等，可见，他心目中"真"、"善"的具体内容，"美"的标准，就是他的资产阶级人道主义启蒙思想，就是新兴资产阶级为反对封建社会而提出的那些政治思想口号。狄德罗说："美总是以实用为基础的。"他的真善美的统一论，正是从资产阶级的利益出发，为这个阶级反封建的斗争服务。

"艺术中的美，跟哲学中的真理具有同一基础。真理是什么？是我们的判断和事物本身的吻合。模仿的美是什么？是描绘跟事物本身的吻合。"狄德罗把哲学中的唯物认识论运用于艺术创作，得出了上述艺术美在于真实反映客观现实的深刻原理，并且在这个原理的基础上，建立了比较完整的现实主义创作论。首先，他把"模仿自然"当作艺术创作的标准，提出"模仿得愈完善愈能符合各种原因，我们就会愈觉得满意"。在如何模仿自然上，他认为要选择现实生活中可能有和必然有的题材，而不能凭想象臆造现实生活中不可能的事物；不仅要表现事物的一般情势，而且还要表现事物的个别特征，注意细节的真实；作品的形象应该丰富多彩，但"要这些形象像在自然中一样自己走入画布去，要它们一齐指向同一效果"，服从艺术的典型化的要求；为了达到真实模仿自然的目的，他主张艺术家应该精心观察和研究自然，而反对师法固定的格式，他甚至强调，如果艺术家对自然没有感受和体验，"那么，就请他搁笔吧"！

狄德罗这些现实主义的主张，完全是针对 17 世纪以来统治着文艺界的古典主义。古典主义也曾提出"模仿自然"的口号，但它所说的"自然"，是指封建贵族的物质生活和精神文明，或者是封建文明化了的自然。狄德罗针锋相对，他嘲笑在艺术中表现贵族阶级的繁文缛节和他们装腔作势的形象。他反对贵族阶级的不健康的艺术趣味和纤细繁复、形式主义的洛可可艺术，他批评时髦画家布歇（François Boucher，1703～1770）"简直是滥用才能、浪费时间"，因为这个画家迎合贵族的趣味，甚至笔下的牧童牧女从服饰到气质都像贵族男女。他明确提出扩大艺术表现范围、凡在自然中占有地位的皆可入画的主张，他特别推崇夏尔丹（Jean-Baptiste Siméon Chardin，1699～1779），因为这个画家以市民家庭的日常生活为创作题材。可见狄德罗的表现自然、扩大题材的主张，其核心是为了表现资产阶级。

狄德罗所强调的自然，包含着他的一种美学理想，那就是对"原始的"、"粗犷的"美的向往，他说："诗人需要的是什么呢？粗糙的自然还是经过教养的自然？动荡的自然还是平静的自然？他宁愿要哪一种美，纯净肃穆的白天里的美，还是狂风暴雨、雷电交加、阴森可怕的黑夜里的美呢？诗需要的是一种巨大的粗犷的野蛮的气魄。"他还把处于原始状态的自然人作为艺术创作中"强有力"的形象。他这种抽象的向往，一方面表现了他对封建贵族苍白无力的精神文明的厌弃，另一方面也表明，作为资产阶级的美学家，狄德罗提不出其他积极明确的以现实生活为基础的美学理想。

2. 戏剧理论

1757 年至 1758 年这两年，狄德罗努力进行一种尝试，即打破古典主义戏剧的框框，建立一种新的戏剧类别："严肃喜剧"或"正剧"。他写作了《私生子》（*Un fils naturel*，1757）和《一家之长》（*Père de famille*，1758）两个"严肃喜剧"，同时，还写了两篇总结他的创作经验和宣传他的戏剧主张的论文《关于〈私生子〉的谈话》（*Entretiens sur〈le fils naturel〉*，1757）和《论戏剧诗》（*De la poésie dramatique*，1758）。他的两个剧本是不成功的，但这两篇论文以及他晚年写的《演员奇谈》（*Paradoxe sur le Comédien*）所阐述的戏剧理论，却在法国戏剧理论发展史上，标志着一个新阶段。

17 世纪以来，法国戏剧一直是古典主义占统治地位。古典主义根据封建专制主义的规范化要求，规定悲剧与喜剧之间有不可逾越的界限：悲剧用来表现崇高的事件，喜剧则是讽刺世态人情。因此，要表现正面的理想人物只可能采用悲剧的形式。然而，古典主义又规定悲剧必须用韵文，趣味必须"高雅"，其中出现的人物必须是帝王将相、王公贵族。这样，悲剧就成了为封建阶级服务的文学工具。随着时代的发展、随着第三等级最后夺取权力的时日愈益临近，资产阶级表现自己、为自己大造舆论的需要就更为迫切。已经程式化的古典主义悲剧根本容不下资产阶级的形象，而它又不甘心在喜剧中充当可笑的角色。正是在这种阶级要求下，狄德罗主张打破悲剧、喜剧的界限，建立新的剧种。他从 17、18 世纪之交英国出现的"感伤剧"得到启发，这种剧用散文的语言表现普通人的日常生活，说教气息浓、情调感伤，法国人称之为"泪剧"。狄德罗总结了这种戏剧形式，并从理论上加以概括和提高，系统地提出了建立新剧种的主张。

狄德罗认为，在悲剧与喜剧之间，应该有一个新的"中间类别"，这就是他主张的"严肃剧种"或"严肃喜剧"。他的理论根据是："人不总在痛苦之中，也不总在喜悦之中"，而且，现实的日常生活也不能在悲剧和喜剧中得到表现，只有这种"情节简单、家常、接近现实"的新剧种才能胜任。狄德罗对这种新剧种的最高要求是："严格表现自然"、"接近现实生活"。因此，在题材上，他主张"表现自然中发生的一切"，接触和讨论各种社会问题，"使全国人民严肃地考虑问题而坐卧不安"。在人物形象的塑造上，他认为古典主义戏剧把人物性格描写成类型化，如吝啬、伪善等是不够的，而强调人物性格"各有不同"，特别是主张表现人物的社会身份，也就是表现人物性格的社会内容。他还反对用简单的对照的方法去突出性格，而要求把人物放在"他们一生中最动荡、最颠沛的时候"，"把他们安置在最大的困境中"，也就是放在尖锐的戏剧冲突中去刻画他们的性格。在情节上，他要求"真实"、"自然"，应该"摈弃奇迹"。在语言上，他反对用韵文，主张用散文，要求"台词应该逼真"，"每个性格有一种与它相适应的语气"。此外，在布景、服装和演技等方面，他都提出了真实表现生活的要求，反对古典主义戏剧的夸张、富丽、矫揉造作。他所反对的，是古典主义戏剧中不符合生活真实的东西，对古典主义大师，他是称赞的，对古典主义戏剧中可取的东西，如强调情节的集中，他也是继承的。

狄德罗的新剧种，就是市民剧，也就是后来所谓的"正剧"。它以家庭的题材与宫廷的题材对立；以市民形象与贵族人物对立；以市民的重视道德和贵族的腐化堕落对立。其目的在于正面表现资产阶级市民的形象或资产阶级的理想人物，证明这个阶级在思想上、道德上高于没落的贵族阶级。狄德罗自己写作的"严肃喜剧"样本《私生子》就体现了这种目的。这个剧本写两个市民阶级的青年人同时爱上一个少女，一个为了忠于友谊，宁可自己失恋，甚至企图自杀以成全朋友的爱情；另一个得知真相，也要以高贵的行为报答好友，最后由于意外的原因，发现前者原来是那个少女的哥哥，最后，两个青年都得到了满意的婚姻，各自娶了对方的妹妹。这个剧本又名《道德的考验》，它显然是要歌颂市民阶级人物"道德高尚"、"忠于友谊"，以与当时贵族的丑恶虚伪对照。因此，剧本在 1757 年发表后，遭到封建统治阶级的"肆行迫害"，直到 1771 年才得以上演。

狄德罗的戏剧理论另一个重要部分，是对表演艺术的论述，这集中在对话体的长篇论文《演员奇谈》中。狄德罗的中心思想是：演员表演不能凭兴之所至、凭灵感，而应该通过刻苦钻研人物的性格，反复琢磨表演的分寸。他认为凭一时的感情演戏，"演技就有高有低，忽冷忽热，时好时坏"，"不能指望从他们的表演里看到什么完整性。"他理想的演员则应该是这样的："表演时要凭思索，凭对人性的钻研，凭经常模仿一种理想的范本，凭想象和记忆……一切都事先在他头脑里衡量过，配合过，学习过，安排过……他不是每天换一个样子，而是一面镜子，经常准备好用同样的准确度，同样的程度和同样的真实性，把同样的事物反映出来。"这里，狄德罗把演戏当作对自然的一种艺术模仿，当然就要求模仿者对客观对象做深入的观察、体验和钻研，这就把表演艺术建立在唯物主义的基础上，和他整个的美学思想是完全一致的。但狄德罗只强调学习钻研，而完全否定了演员的感情的作用，不免流于偏颇，有机械论的倾向。

启蒙运动思想家中，狄德罗在文艺理论上的成就最高。他在反对古典主义美学方面，态度比伏尔泰明确、先进；他也批判封建贵族的精神文明，但没有像卢梭那样笼统地否定文学艺术；而且，他反映了资产阶级的要求，提出了一整套适应这个阶级的利益的现实主义艺术论，这使他成为新兴资产阶级在美学理论上的代表人物。他的文艺理论的实质是，以要求表现人性来为表现资产阶级性开辟道路，以要求表现自然来为资产阶级在文艺中争地盘，其理论核心是人性论。

第三节　狄德罗的小说作品

狄德罗作为文学家的地位，是由他的三部小说奠定的，这就是《修女》《拉摩的侄儿》和《定命论者雅克和他的主人》。这几部作品在宣传启蒙思想、富于哲理性上，与其他启蒙运动作家的小说作品是完全相同的，而在真实描绘现实生活和人物形象上，又显出了自己的特色。狄德罗要求小说创作遵循现实主义的原则，强调细节描写的真实。他实践了自己的主张。在 18 世纪小说中，他的作品有较多的日常生活图景和接近现实的细节描绘，对于现实主义小说艺术的发展有一定的贡献。

1.《修女》

《修女》（*La Religieuse*）写于 1760 年前后，狄德罗生前未发表，

1796 年才问世。

　　小说的故事梗概是这样的：苏姗是一个律师的女儿，在父母的强迫下被送进了修道院。她不愿过这种牢笼般的生活，进行了顽强的反抗。修道院阻碍她、迫害她，她诉之于法律，这不仅无济于事，反倒使她处境更糟，在修道院里受到更残酷的虐待，几乎被折磨死去。最后，她逃出了修道院，但这使她成为一个不受法律保护的人，她不得不隐姓埋名、隐瞒身份，在巴黎当了女工。为了得到社会的认可，她把自己不幸的经历写给一个开明贵族科瓦马尔侯爵，期望得到他的搭救。整个小说就是苏姗写给侯爵的自述。

　　小说集中表现苏姗渴望自由的愿望与修道院幽禁生活的尖锐矛盾。在 18 世纪法国，修道院无异于妇女的监狱，是宗教禁欲主义的集中体现。小说对修道院阴森可怕的内幕和修女们不幸的生活做了真实的揭露：在这里，修女过着与世隔绝的生活，向上帝忏悔、穿苦衣、用苦鞭鞭打自己、严格遵循严酷的宗教纪律和戒条，这就是她们生活的全部内容。她们是教会上层分子的奴隶，是修道院长肆行淫威的对象，要忍受种种"刻毒的虐待"、"阴险残暴的手段"，如果"犯了规"，修道院对她们就可以"擅自审判、擅自定罪、擅自处决"。苏姗这样控诉说："修道院比囚禁盗匪的监狱还要可怕千百倍"，一个无辜的少女一踏进修道院的门，等待她的是"40 年到 50 年绝望的悲惨处境或一种无穷无尽的痛苦"，她们"不到 50 岁就死去"，其中还有不少在此前"就变成疯癫、痴呆或发了狂的修女"。受害者的控诉戳穿了教会关于修道生活的欺骗言词和虚伪说教，使人们看到修道院里的黑暗情景。

　　小说还表现出修道院里的种种黑暗受到封建社会舆论的掩护，得到官方法律的默默支持。整个社会和修道院一样，是无辜者难以冲破的牢笼。苏姗逃出了修道院，但还没有最后逃脱法律的追究。作者通过这些描写，表现了在封建压迫和宗教迫害下的窒息感，这是对整个封建社会的控诉。

作品还通过苏姗在三个修道院的经历，勾画了几个教会人士丑恶不堪的脸谱：一个修道院长为了得到 1000 块钱膳宿费的收入，千方百计阻止苏姗出院，甚至用最恶毒的方式折磨她，想把她置于死地；另一个修道院长对待修女非常严厉，自己却淫邪放荡，是个变态的色情狂；还有一个充当苏姗的"精神导师"的神甫，假意帮助苏姗逃出修道院，实际上是要拐骗奸污她。狄德罗这些描写，无情地揭示出宗教禁欲主义的背后是荒淫无耻，修道院对修女是监牢，而对教会的当权人物却是谋利和淫乐的场所。

小说还反映了当时一个重要的社会现象：资产阶级家庭的财产关系。苏姗名义上是一个富有的律师的女儿，实际上是她母亲的私生女。这表现了上流社会道德风气之败坏：在当时巴黎，私生子的数目几乎占初生婴儿总数的三分之一。资产阶级家庭关系的丑恶还表现在财产关系上，苏姗的父母为了使两个大女儿得到财产继承权而决意牺牲苏姗的一辈子，把她打发到修道院去。她的两个姐姐为了防止苏姗分享财产，也希望她要求还俗的起诉失败。即使苏姗声明自己得到胜诉后宁愿放弃她应得的一份财产，还是得不到她姐姐的信任和帮助。从这里可以看到马克思、恩格斯所深刻揭示的社会现象："资产阶级撕下了罩在家庭关系上的温情脉脉的面纱，把这种关系变成了纯粹的金钱关系。"①

在《修女》中，狄德罗严厉批判禁欲主义对"人性"的窒息、对人的正常生活的破坏。他反对把人当作牺牲品的宗教戒条，反对修道院里违反人道的生活，这些都是资产阶级个性解放要求的表现。

2.《拉摩的侄儿》

《拉摩的侄儿》（*Le Neveu de Rameau*，1761 ~ 1821）是马克思、

---

① 马克思、恩格斯：《共产党宣言》，《马克思恩格斯选集》第一卷，第254页。

恩格斯特别喜爱的作品，1869 年 4 月，马克思写信给恩格斯说："今天我偶然发现家里有两本《拉摩的侄儿》，所以寄一本给你。这本无与伦比的作品必将给你以新的享受。"[1]恩格斯在《反杜林论》里，也把这部作品称为"辩证法的杰作"[2]。

这部中篇小说写于 1762 年前后，但直到 1823 年发现原文本，才第一次在法国出版。

小说采用对话体裁，写主人公拉摩的侄儿和第一人称"我"在咖啡馆里的谈话。拉摩的侄儿实有其人，是狄德罗早年贫困生活中在巴黎街头咖啡馆里认识的一个潦倒的文人。他的叔父拉摩是法国 18 世纪著名的音乐家，他本人长期过着流浪生活，以教唱为生，后来死在流浪汉收容所。狄德罗对生活中的原型进行了典型化的艺术加工，塑造出一个具有深刻社会意义的形象。

狄德罗笔下的拉摩的侄儿，"瘦削憔悴"、"穿着破衬衣、破裤子，衣衫褴褛，差不多光着脚"。他每天很多时间都在咖啡馆里闲荡，"早晨起来，他第一件心事就是到哪里去吃午饭，午饭后又要想到哪里去吃晚饭"。夜晚，他经常没有宿处，要请求马车夫让他睡在稻草上。他有出色的歌喉和音乐才能，知识相当丰富，见解非常深刻，还是一个技艺高明的演员，但他没有职业，是流落在咖啡馆里那些为数众多的落魄文人的一个典型。他有时也能到贵族家里去教点音乐，但不足以糊口，他经常要设法到某些大人先生家充当食客。在那里，他要不停地讲些机智戏谑的笑话给主人逗乐，要向他们卑躬屈膝、阿谀逢迎，还要像弄臣小丑一样，嬉皮笑脸接受主人的侮骂，凡此种种，都是为了能够在餐桌上狼吞虎咽地饱吃一顿，或者得到一点"资助"。在他顺利的时候，他完全是另外的形象："他扑着粉"、"鬈

----

① 马克思：《1869 年 4 月 15 日给恩格斯的信》，《马克思恩格斯全集》第三十二卷，第283 页。

② 恩格斯：《反杜林论》，《马克思恩格斯选集》第三卷，第 59 页。

着头发，穿着漂亮的衣服，昂首阔步，神气十足"。呈现在人们面前的，就是这样一个既悲惨又可耻的复杂形象。

这个形象的复杂性还在于，他并不单纯像恶棍坏蛋一样认为他所过的生活是正当的、合理的，他非常清醒、非常自觉地认识到自己的生活肮脏卑鄙；他骂自己是"不识羞耻的、懒惰的可怜虫"，"一个极端的无赖、骗子、一个贪食者"；他谈起自己的生活，都是用极刻薄的嘲讽口吻和最自我菲薄的语气；他有时还表现出一些"理性"、"诚实"和"尊严"，但所有这些又不妨碍他继续自觉地"采取蠕虫的方式"过着卑污的生活。狄德罗这样评论他说："使我惊讶的是，这样的精明和这样的卑鄙在一起；这样正确的思想和这样的谬误交替着；这样邪恶的感情，这样极端的堕落，却又有这样罕见的坦白。"

那么，这种性格是如何形成的？狄德罗进一步挖掘了它的社会原因。在小说里，拉摩的侄儿用深刻的语言，对他的时代社会做了分析和描绘。他看到了那个社会的不平，他说："这是何种鬼制度，有些人吃厌了一切东西，而其他的人也和他们一样，有急不可待的胃口，会经常饥肠辘辘，但却没有东西放在牙齿底下。"他看到了人与人关系的残酷："在社会中，各种地位的人互相吞噬"，富人都是"强盗"，人们"像狼一样贪婪"、"像虎一样残忍"。他还看到社会风气的败坏："黄金就是一切"，正义不能伸张、德行一钱不值，"无数正直的人并不快活，还有无数的人，他们快活，但并不正直"，是非完全颠倒，"白的将是黑的，黑的将是白的"，"人格"、"尊严"都微不足道。面对这样的社会环境，拉摩的侄儿这样发问道："难道不是由于我偶尔表露了理性和诚实，所以弄到今天晚上没有吃晚饭的去处吗？"因此，他的结论就是："和我同胞的习俗相配合"，去做"最蛮横无耻的流氓"。他把那些富人视为强盗，而自己又下决心去做"打劫"强盗的"强盗"。他的方式不外是：赖在有钱人家里不走、大吃大喝；教音乐时"用卑劣的手段和不名誉的小诡计"对付贵族太太；或者帮助夫人与人私通，替小姐偷递情书以增加自己的"外快"等等。总之，他看出在那个社会里人对人是狼、是窃贼，因而他自己也以狼的方式、窃贼的方式去对待别人。狄德罗通过拉摩的侄儿之口对时代社会的评论，不仅是当时封建专制社会中人与人关系的真实写照，而且也深刻地触及了当时已经成为社会现实的资本主义关系的某些本质特征，而拉摩的侄儿就是这样一个封建资本主义人与人关系的畸形产物。

《拉摩的侄儿》作为"辩证法的杰作"，主要在于作者以辩证的方法挖掘和表现了主人公性格中尖锐的矛盾，特别是这种矛盾着的性格所反映的社会现实生活中的尖锐矛盾。通过这个人物，狄德罗对18世纪下半期的法国社会进行了深刻的批判，正如马克思所引证的黑格尔对这本书的评论所说："意识到自己的支离破碎状态并把这种支离破碎状态表露出来的意识，是对于现有的存在以及对于整体的错综杂乱状况和对于自己本身的一种刻薄的嘲笑；同时它是这整个的错综杂乱状况的还可以辨认得出的反响。"[1]

由于狄德罗对人物与社会现实的关系有深刻的辩证的理解，他笔下的拉摩的侄儿就表现了较高的社会概括性，具有一定的典型意义。这个人物和过去贵族豢养的封建文人不同，是资本主义关系发展以后的新产儿，他的身上充分表现出资产阶级世界观中某些最本质的方面。他有极端的个人主义，他宣称："如果我没有份，即令最完美的世界也是毫不足取的。"他为了达到个人主义卑微的目的而不顾廉耻；他的人生观是彻底的享乐主义，他准备一旦发财就要去过穷奢极欲、肆无忌惮的生活；他是一个虚无主义者，心目中没有任何神圣的事物，他不承认祖国，不承认社会职责、对朋友的义务、对儿女的责任、对妻子的爱情；他的思想浸透了悲观主义，他不相信人类的进步、历史的发展，不相信正义能够伸张，是非曲直会要恢复原来的面目。

---

[1] 黑格尔：《精神现象学》，转引自《马克思恩格斯论艺术》第二卷，第207～208页。

在小说中，第一人称的"我"和拉摩的侄儿进行了辩论，向他宣传启蒙思想，如人的生活应该有理性、有道德、尽社会责任等。具有讽刺意味的是，"我"这些言论却被拉摩的侄儿以社会现实为依据加以反驳，在拉摩的侄儿那种赤裸裸的言论面前，启蒙思想的说教倒显得软弱无力。

作品的最后，拉摩的侄儿结束和"我"的辩论说："但愿我再经历40年的这种不幸吧。最后笑的人是笑得最好的。"40年后，启蒙思想家为之奔走呼号的资本主义秩序已经建立，但他们的说教和鼓吹的理想却成为泡影，而拉摩的侄儿那种无耻人物以及他们的无耻哲学却充斥了整个资本主义社会。

小说的篇幅不长，完全由对话组成，只插有很少的简短叙述。主人公的生活经历、思想性格以及对社会现实的反映和描写，都通过人物个性化的生动语言表现出来，显示出了作者的艺术技巧。

3.《定命论者雅克和他的主人》

《定命论者雅克和他的主人》（*Jacques le Fataliste et son maître*，1773～1796）是狄德罗晚年所写的最后一部重要作品。生前只以手抄本流传，狄德罗死后的第二年，德国诗人席勒把其中一部分译成德文。在法国，该书直到1796年才第一次印行。

小说的形式也是采用对话体。雅克和他的主人漫无目的到处游历，一路上漫谈各种话题，讲述各自的经历和恋爱故事。整部小说没有贯穿全书的情节和严谨的结构，是由两个人物带有哲理性的谈话、他们一路上的所见所闻，再加上他们讲述的一些故事所组成的。小说的笔调诙谐滑稽，风格与《巨人传》类似。

主人公雅克是一个头脑灵活、办事能干的仆人，他机智诙谐，有天真的哲学头脑，经常发表一些精彩的哲理议论。但狄德罗又把他写成一个定命论者，他的一句口头禅就是："一切都是上天安排好的。"

他用似乎认真，但又带有嘲讽的口吻说："世界上人们所遭到的一切幸和不幸的事情都是天上写好了的。"统治阶级的思想是统治的思想。封建教会用来麻痹欺骗人民的宿命论思想，出自雅克这样一个普通仆人之口是不奇怪的。狄德罗把这种思想放在雅克身上，并不是肯定它，而恰巧是要用作品中具体的形象去加以否定。每当雅克念起这个口头禅，完全是用冷面滑稽的口吻，而且往往是在发生了最偶然、最荒唐可笑的事情的时候，在闹剧般的场合之下，因此，雅克这句口头禅就成为对宗教宿命论的绝妙讽刺。狄德罗还经常用一些极不合理的事件来反衬这种思想的荒唐，如雅克替主人找回了丢失的钱包和表，却被主人打了一顿，这时雅克就讽刺地念这句口头禅来解嘲。作者通过这些手法启发人们的思考，使人对宗教宿命论思想产生根本的怀疑。

小说通过主仆二人路上的见闻和穿插的故事，广泛描写了 18 世纪封建社会的现实，暴露出这是一个黑暗的时代。这里，一对农民夫妇悲叹"年头不好，粮食贵得吓人……债权人贪婪狠心令人胆战心惊"；一个老乡在大路上呼天抢地："我是再也不能养活我女儿和我儿子了"；一个女仆打碎了主人的大瓮，坐在道旁哭诉："我这一个月完了，在这个月里谁来养活我可怜的孩子们呢？心比石头还硬的管家是不会减免我一个钱的"；资产阶级市民也受封建压迫，一个糕饼铺的老板，妻子被大贵族府上的总管占有，还被这个总管加以政治陷害，几乎家破人亡。这些苦难和不平是如何来的？当雅克讽刺地念着"一切都是上天安排好的"的同时，狄德罗用形象的描写回答了这个问题：他揭露统治阶级穷奢极欲的生活，贵族太太喂一条狗的食品"足够做两三个穷人的粮食"；他描写警官如何与贵族、神甫勾结、为非作歹；他表现高利贷盘剥的狠毒、拆白党骗子的横行，这些构成了封建社会中阶级剥削和阶级压迫的阴暗景象。狄德罗通过人物之口这样说："人民都是暴君压迫下的奴隶。"更指出了当时人民不幸的根本原因，表现了作品真正的主题。

　　小说批判揭露的矛头集中指向贵族阶级和教会。穿插在小说里的一些故事主要都服从这个目的。其中阿西侯爵的故事最为有名：阿西侯爵引诱了一个贵族妇女，后来又抛弃了她。这个女人怀恨在心，伙同两个娼妓设下圈套，使这个花花公子最后娶了妓女做正式的妻子，充分暴露出贵族阶级的荒淫腐朽。小说透过贵族男女那些文雅的谈吐，把他们厚颜无耻的真面目、诡谲阴险的心理描写得淋漓尽致。另一个于特生神甫的故事暴露性也很强。于特生是一个淫邪恶毒的教会当权派，他道貌岸然，用最严格的禁欲主义戒条管束他的下级，自己却过着最无耻的生活，甚至和妓女鬼混。他的放荡无行被教会另一派政敌抓住，当作教派争权夺利的炮弹。于特生阴险无比，买通了警察，设下圈套，倒打一耙，击败了对手，反而更加飞黄腾达。这个故事写出了教会的腐败和它内部的钩心斗角。狄德罗对教会的憎恶，使他在小说的其他故事里也没有忘记对它加以揭露：阿西侯爵的故事里，写了一个卑鄙无耻替贵族拉皮条的教士；雅克的爱情故事里，也有一个面目可憎的副本堂神甫。对封建教会的批判揭露，可以说是这本小说主要的基调。

　　小说关于雅克和他主人关系的描写是颇有寓意的。雅克出身农民，他精力充沛，身上还有一股粗野的乡土气息，他诙谐乐观的精神，有点像拉伯雷的人物，而他聪明机智的特点又和司卡班相近。他的主人是个贵族老爷，整天死气沉沉、迷迷糊糊，"他的表、他的鼻烟和雅克这三样东西是他生命的主要源泉，他的生命就是在吸鼻烟、看时间和问问雅克问题中消磨过去的"，他缺乏基本的生活能力，离开雅克几乎寸步难行，是一个寄生虫的形象。狄德罗通过两人的关系，表现了这样的寓意，那就是平民的雅克比贵族主人有充实得多的精神力量，在现实生活中起决定作用的，是雅克而不是贵族老爷。特别有意思的是，雅克不止一次和他的主人争平等的地位。一次，雅克针锋相对和他主人争吵了一顿之后，向这条寄生虫做了一次富有哲理意味的谈话，论证主人必须要有雅克，而雅克可以没有主人，最后的结论是：雅克应该领导他的主人。狄德罗以此预示着，腐朽没落的贵族阶级是没有前途的，而被它统治的平民将成为生活的主人。随着资产阶级革命的日益临近，这样一个第三等级的代表战胜贵族人物的主题，在博马舍的剧本里又有了进一步的发展。

第四节　布丰

布丰（Georges Louis Leclere de Buffon，1707～1788）以卷帙浩繁的《自然史》（*Histoire Naturelle*）而闻名。资产阶级文学史家根据气质、性格等次要原因，把布丰视为与启蒙运动作家"截然不同"、"游离于 18 世纪之外"的作家。但是，从布丰所宣传的唯物宇宙观、重思想内容的文艺思想，以及属于人文主义传统的社会政治理想来说，他与 18 世纪的启蒙运动是完全合拍的。他虽然在自然科学方面以他自己的方式进行工作，不是百科全书派的同道，但他的贡献汇入了启蒙思潮这股时代精神的主流。他的《自然史》，以其基本的唯物主义思想和巨大的规模，和狄德罗主编的《百科全书》有某些相似，当然，其战斗性远远不能和《百科全书》相比。

布丰生于法国勃艮第省孟巴尔城一个律师家庭，他的父亲是法院的推事，以继承关系获得采地，成为一个"穿袍贵族"。布丰从小受教会学校的教育，但他爱好自然科学，特别是数学。中学毕业后，他还学过法律和医学。1703 年，他结识了一个年轻的英国公爵，一同在法国南部、瑞士和意大利游历。他在这个公爵的家庭教师、德国学者辛克曼的影响下，开始研究博物学。1732 年，他回巴黎以后，勤奋学习、刻苦钻研，1733 年进入法国科学院，翻译了英国学者关于植物学的论著和牛顿的《微积分术》。1739 年，他担任皇家御花园的总管，一直到他去世。他利用御花园的条件，毕生进行博物学研究。1748年，他开始写作《自然史》。他在几个助手协助下，辛勤地工作，每天埋头著书，数十年如一日。最后，完成了三十六册的巨著。

《自然史》的头三册出版后，由于它用唯物主义的观点解释了世界的起源，被巴黎大学神学院斥责为"离经叛道"，险遭"宗教制裁"。布丰采取了妥协的态度，恭敬地写信给神学院，声明自己"无意'反驳'《圣经》"，但此后，他在《自然史》中仍坚持自己的唯物主义立场。这部论著在布丰生前就给他带来了巨大的声誉。1753年，他当选为法兰西学院院士，他入院时发表的那篇演说，就是著名的《论风格》（*Discours sur le style*）。

《自然史》是一部博物志，但它的语言优美，又不乏艺术的形象描绘，因而也有文学价值。它包括《地球形成史》《动物史》《人类史》《鸟类史》等几大部分，对整个自然界做了唯物主义的描述和解释，清除了宗教迷信和无知妄说。如在地球的形成和人类的起源问题上，它离宗教之道、叛《创世记》之经，描写从太阳分裂出来的火团如何冷却为地球，地球上物质如何变化而有了植物与动物，最后有了人类；人类的发展也不是像《圣经》所说，是由于亚当、夏娃偷吃了智慧之果，而是在生产斗争中增长了才智。在整个《自然史》中，上帝是不存在的。把上帝从宇宙的解释中驱逐出去，这是《自然史》的一大贡献。由于布丰坚持以唯物主义解释世界，而且，他进行研究是根据大量的实物标本得出结论，反对先验主义的臆断和猜测，因此，他在科学上提出了不少有价值的创见。他是现代地质学的先行者，他关于生物的描述，对后来的进化论有直接的影响。在物种起源方面，达尔文称他为"现代以科学眼光对待这个问题的第一人"（《物种起源》1859年序）。

布丰是资产阶级人文主义思想的继承者、宣传者。在他所描绘的世界图景里，上帝不是主人，主人是人；一切不决定于上帝，而是决定于人的双手。他这样热情洋溢地唱着人的颂歌：

> 凭着他的智慧，许多动物被养驯，被驾驭，被制服，被迫着永远服从他了；凭着他的劳动，沼泽被疏干，江河被防治，险滩急流被消灭，森林被开发，荒原被耕作；凭着他的思考，时间被计算出来，空间被测量出来，天体运行被识破，被联系起来了；凭着他的由科学产生出来的技术，海洋被横渡，高山被跨越，各地人民之间的距离缩短了，一个个新大陆被发现，千千万万孤立的陆地都置于他的掌握之中；总之，今天大地的全部面目都打上了人力的印记……大自然之所以能够全面发展，之所以能逐步达到我们今天所看到的这样完善，这样辉煌，都完全是借助于我们的双手。

这种热烈的赞颂，反映了当时新兴资产阶级积极进取的精神面貌。

《自然史》中有文学价值和较高的艺术性的，是对动物的描绘。布丰不是用完全客观主义的态度去介绍这些动物，而是带着亲切的感情，用形象的语言替它们画像，因而描写生动具体、饶有兴味。在他笔下，小松鼠善良可爱，大象温和憨厚，鸽子夫妇相亲相爱。布丰还往往把动物拟人化，赋予它们某种人格，马像英勇忠烈的战士，狗是忠心耿耿的义仆，都受到布丰的赞扬；啄木鸟像苦工一样辛勤劳动，得到作者的同情；海狸和平共处、毫无争斗，引起他的向往；他把狼比喻为凶残而又怯懦、"浑身一无是处"的暴君，他把天鹅描绘为和平的、开明的君主。布丰通过资产阶级人性论的眼光，将动物拟人化，反映了他的社会政治观点，表现了他对封建专制主义政治的不满，寄托了他对"开明君主"的理想。他的动物肖像具有寓言的含义，而其中的寓意又渗透了他的立场和观点。

　　布丰的《论风格》，是一篇有名的古典文论。它论述的是作品的风格与作家思想的关系。布丰强调内在的义理决定风采体貌，他认为，文章"需要言之有物，需要有思想，有义理"，而风格"仅仅是作者放在他的思想里的层次和气势"，因此，布丰提出了"风格就是人的本身"这句名言。这句话，过去译为"文如其人"并不确切。布丰不仅仅是讲文章的风格像作者的人格，而且讲风格就是作者思想的表现形式，就是作者本人的印记和标志，即因内而符外，两者是不可分的。布丰强调思想内容对艺术形式的决定作用，这是针对封建文艺的言之无物、装腔作势、无病呻吟而发的，在当时有积极的意义。但他忽视了艺术形式的相对独立性，没有看到艺术形式对思想内容的反作用，这是不足之处。

第六章　卢梭

卢梭（Jean-Jacques Rousseau，1712～1778）是法国 18 世纪最杰出的思想家之一，也是一位具有深远影响的文学家。他的一生是被侮辱与被损害的一生。他的出身和生活经历比孟德斯鸠和伏尔泰较为接近人民，因而思想也更为激进。他是封建社会愤慨的抗议者。他反映了小资产阶级的某些愿望。在后来的资产阶级革命中，他的论著成为激进民主派的精神向导。

第一节　卢梭的生平

卢梭于 1712 年 6 月 28 日生于日内瓦一个小资产阶级钟表匠的家庭。他的祖先是法国血统，信奉加尔文新教，为逃避天主教的宗教迫害，在 16 世纪中叶移居日内瓦，并取得了"公民"的资格。他在这个民主政体的共和国、新教的中心城市度过了他的童年，对它感情很深，他一生都以"日内瓦公民"自诩。

他自幼丧母，父亲对他从不束缚和管教，对他的教育不外是和他一道读文艺小说。父子二人读起来往往通宵不眠，"直到第二天清晨听到燕子呢喃的时候"。卢梭在他童年时代所读过的大量书籍中，最喜爱的是普卢塔克的《希腊罗马名人传》。他后来回忆说，那些古代的历史人物，使他"形成了自由思想和民主精神，以及不愿忍受奴役和束缚的骄傲性格"。

卢梭很小就寄人篱下，14 岁被迫外出谋生。他在店铺里当过学徒，受尽了老板的折磨。但这不仅没有使他不羁的性格就范，倒是更激起他的反抗。一次，他到郊外游玩，乐而忘返，最后城门已闭，他不愿意回去受东家的惩罚，决然不辞而别，离开了日内瓦，开始了他的流浪生活。这时，他还不到 16 岁。

他流浪过很多地方。因衣食无着，他被送进都兰的宗教收容所。天主教会用哄骗和逼迫的办法使他改变了原来对新教的信仰，成了天主教徒，但他一生对天主教都很反感。他在店铺里当过伙计，后无缘无故被赶走；他做过贵族家庭的随从，不久，他宁可与流浪汉到自由天地里去游历，放弃了向上爬的前程；他进过宗教学校，实在不能忍受那种"监牢式的生活"，于是一走了事。他在流浪中，广泛接触了社会生活的实际，他亲眼看到农民是如何受压榨，平民是如何被损害，从统治阶级的横行霸道中，他痛感在那个社会里"强权即公理"；他在受苦的生活里，受尽富贵人家的白眼和虐待，却得到劳动人民的照顾和帮助，深切体会到"在人民中，纯朴的感情到处可见，而在上等阶级里，只讲利害与虚荣"。所有这一切在他心里"种下了反对不幸的人民所遭受的苦难的根苗"，使他后来在自己的论著里对这个时代、社会发出了激愤的抗议。

他流浪生活开始不久，就认识了华伦夫人。每当遇到困境，他便去投靠她。从 1732 年起，他先在尚贝里华伦夫人的家里过了几年，学习了音乐，成为音乐教师。1736 年，他们又移居到阿尔卑斯山麓一个小村庄夏默特，在这里，他广泛学习了数学、天文学、历史、地理，系统地钻研了唯物主义哲学。他特别喜爱当时刚出版的伏尔泰的《哲学通讯》，他说："这部作品引起了我对学术的极大热情。"他还参加田园劳动，在葡萄熟了的时候，与农民一起分享收获的愉快。他常年生活在山区优美的景色中，培养了他以后在文学作品中表现得很动人的对大自然的美感。

1741 年，他前往巴黎，口袋里带着他所发明的音乐简谱法。他把简谱法呈给法兰西学院，当时学院被保守迂腐的学究所控制，完全否定了他的发明创造。他谋得驻意大利使馆秘书的职务，不久又因与上司不合而丢了饭碗。他回巴黎后，以抄写乐谱为生，同时，应狄德罗、达朗伯之约，替《百科全书》写音乐方面的稿子。他和狄德罗友谊很深，狄德罗被捕入狱，他上书要求释放，并声称愿意陪同过监狱生活以示抗议。1749 年，在从巴黎到范赛纳监狱去探望狄德罗的路上，他看到第戎学院公开征文的广告，题目是"科学与艺术的复兴是否有助于改良风俗"。在狄德罗的鼓励下，卢梭写了《论科学与艺术》这篇论文去应征，中选后，他的名声很快传遍了法国。1755 年，第戎学院又以"人类不平等的起源"为题公开征文，卢梭再一次撰文应征。他的论文虽然没有中选，但出版后影响更大，这就是他著名的《论人类不平等的起源》。卢梭不仅在这两篇文章里表现了惊世骇俗的激进思想，而且在生活为人上，也表现出独立不羁、与贵族统治阶级不同流合污的反抗态度。宫廷演出他的歌舞剧《乡村卜师》（1752）时邀他出席，他故意不修边幅以示怠慢。国王要亲自"赐给"他年金，他为了洁身自好，"以后敢于讲人格独立、主张公道的话"，而不去接受。他非常厌恶"巴黎的繁华和上流社会的奢侈"，从 1756 年起，他隐居到巴黎近郊的蒙特莫朗西森林的附近，直到 1762 年。在这里，他发表了他的《就戏剧问题给达朗伯的信》（1758），出版了《新爱洛绮丝》（1761）、《社会契约论》（1762）、《爱弥儿》（1762）三部重要的作品。也是在此期间，他强烈的个人主义和落落寡合的性格，使他与狄德罗以及百科全书派的朋友产生裂痕；他因对戏剧意见不一，和伏尔泰、达朗伯也进行了激烈的争论。

他的为人和论著，早为统治阶级所嫉恨。1762 年《爱弥儿》出版后，大理院下令焚烧，并要逮捕作者，卢梭不得不逃往瑞士。瑞士当局同样下令烧他的书，他不得不逃到普鲁士的属地莫蒂业。教会发表文告宣布卢梭是上帝的敌人，他在莫蒂业又无法容身而不得不流亡到圣彼得岛。该岛所辖的伯尔尼政府命令他离开，他又被迫到英国去找哲学家休谟。在封建政府和教会迫害下，卢梭的精神受到莫大的刺激，几乎失常。他到英国后不久和休谟发生了争吵，只好化名回到法国，长期在外省各地辗转逃避，直到 1770 年才重返巴黎。在这漫长的逃亡生活期间，他发表了他多年编成的《音乐辞典》；为了答复敌人的攻击和污蔑，他写了《山中来信》（*Lettres de la Montagne*，1764），这更引起了教会对他的嫉恨。从 1765 年起，他着手写他的自传《忏悔录》。

卢梭的晚年是孤独、不幸的。他仍受到封建统治阶级严密的监视。在街上，贵族的车辆故意去撞他或溅他一身泥。他过着清贫的生活。在完成《忏悔录》之后，他又写了自传的续篇《一个孤独的散步者的遐想》（*Rêveries d'un Promeneur Solitaire*）。1778 年 7 月 2 日，他悲愤的一生结束了。法国资产阶级革命后，1794 年，他的遗体在隆重的仪式下移至巴黎的先贤祠，在伏尔泰的旁边。

第二节　卢梭的理论著作

卢梭的理论著作是革命前夕资产阶级舆论准备的一个重要组成部分。这些论著猛烈地抨击了整个封建主义的意识形态、上层建筑，同时，从理论上回答了资产阶级革命前夕所提出的一系列社会、政治问题，明确地提出了反映资产阶级要求的口号和政治方案，直接为资产阶级革命服务，因而，在人类思想发展史上，占有重要的地位。卢梭的理论著作数量不少，主要的有以下几部：

1.《论科学与艺术》

《论科学与艺术》（*Discours sur les sciences et les arts*，1750）是卢梭第一篇重要的论文。它是应第戎学院公开征文而写的，对征文的题目"科学与艺术的复兴是否有助于改良风俗"给了完全否定的答复。论文分两部分：第一部分论述科学与艺术在历史上的消极作用；第二部分论述科学与艺术何以"有害"。

这篇论文虽然笼统否定科学与艺术，缺乏科学的具体分析，但它一开始就表现出一种敢于反对"人人尊敬的一切事物"的战斗精神和傲视传统观念的叛逆态度。当卢梭一笔否定科学与艺术的时候，实际上矛头是指向统治阶级的文明，指出封建贵族的繁文缛节、虚伪的谈吐、华丽的辞章、轻佻的文学艺术。他认为这些文明掩盖了社会的罪恶，在文明的"虚伪的面目"下边，是"猜忌、恐怖、冷酷、戒备、仇恨与奸诈"，而这些文明又"束缚人们的精神"，"不断强迫着"、"命令着人们""遵循这些习俗而永远不能遵循自己的天性"。因此，他得出这样的结论：私有制产生以后的文明，其作用就在于"把花冠缀在束缚着人们的枷锁之上"，从根本上清算了包括了他自己那个时代的整个阶级社会的意识形态。与此同时，卢梭热情赞颂劳动人民的朴实自然，他这样说："只有在庄稼人的粗布衣服下面，而不是在廷臣的绣金衣服下面，才能发现有力的身躯。装饰与德行是格格不入的，因为德行是灵魂的力量。"卢梭这篇论文中对统治阶级文明的批判和对劳动人民的同情，给他以后的论著和创作定下了激进的基调。

但卢梭没有脱离历史唯心主义，他从抽象的人性中去找寻产生文化的根由。他认为："天文学诞生于迷信"、"几何学诞生于贪婪"、"甚至道德本身都诞生于人类的骄傲"。他把社会意识、道德文明视为造成社会罪恶和历史倒退的原因，根本颠倒了社会意识形态、道德习俗决定于经济基础、政治制度的关系，因而，他的论证就不能不陷于矛盾，并且不能看到进步的科学艺术与统治阶级文明的根本区别。

卢梭的《就戏剧问题给达朗伯的信》（*Lettre à d'Alembert sur les spectacles*，1758）重复了他在《论科学与艺术》中的基本思想。达朗伯在替《百科全书》写的《日内瓦》一文中，对这个城市自加尔文新教占统治地位后禁止演戏表示惋惜，并且建议日内瓦政府修建一个剧场。卢梭对此表示反对，就写了这封有名的信。他完全否定文学艺术的教育作用，认为戏剧作品对道德风俗毫无好处：悲剧刺激人们的感情，喜剧培养嘲讽的情绪。他以高乃依、拉辛、伏尔泰的作品为例，偏激地加以指责。在他看来，戏剧作品已经是要不得了，如果修建剧场、上演剧本、演员出现在街头，那就更会带来奢侈淫逸的风气，引起社会道德沦于败坏。他主张以健康有益的娱乐代替演戏，如全民节日的庆祝活动、乡村婚礼中的舞会等等。卢梭对戏剧的偏激观点，与其他启蒙思想家伏尔泰、狄德罗等认为戏剧可以提高道德、加强理性的观点是抵触的，这一次争论，引起了卢梭和他们关系的破裂。

2.《论人类不平等的起源》

《论人类不平等的起源》（*Discours sur l'origine et les fondements de l'inégalité parmi les hommes*，1755）是卢梭最重要的一部理论著作，是他理论体系的核心。这部论著以其所提出问题的重大和论述的深刻，在整个欧洲思想史上，占有重要的地位。

在论著的第一部分里，卢梭把人类的原始状态当作人类的黄金时代加以描绘。在他看来，那时因为没有私有制和不平等，人类的生活简单、思想纯朴，还不知道什么是"恶"，只有"本能的同情心"，因此，和平共处，没有争斗。同时，卢梭把阶级社会产生以后的"文明人"和"原始人"进行对比，认为人类在脱离自然状态进入文明社会以后，就有了"不平等"和"奴役"，人与人的关系就变得虚伪、罪恶。卢梭把人类的原始社会加以理想化，歌颂人类的自然状态，一方面说明他不能根据社会发展的规律向前看，另一方面正表现了他对阶级社会的否定和批判。

论著的第二部分，指出人类不平等的起源在于私有观念的产生和私有财产的出现。卢梭说："第一个用围墙围起一块土地的人想出说：这是我的。并且找到颇为简单的人相信那是他的，这个人就是文明社会的真正创始人。"卢梭认为，有私有财产就产生贫富差别，富人和强者为了保护私有财产，就制造了法律和执行法律的官吏、国家和政府，就出现了掠夺财富的战争，在人与人的关系中，平等不存在了，代之而来的是"奴役"和"压迫"。卢梭把私有财产的产生称为人类不平等的第一阶段；而国家机器的出现，又使人类不平等更为加深，这是第二阶段；最后，不平等的第三阶段，是专制的形成、暴君统治的出现，这是不平等的顶点。在这里，卢梭对专制暴政进行了尖锐的批判，他指责在暴政之下，不再有美德，也没有诚实可言，而只有奴隶们"极盲目地服从"。

卢梭在考察人类不平等的起源和发展时，运用了辩证的方法，达到了深刻的结论。卢梭把生产力有了发展、私有财产出现以后不平等的产生看做是进步；但是，这种进步否定了人类的自然状况，同时也是退步。而文明每向前进一步，不平等也就向前进一步。在这个过程里，人类社会为自己建立的各种制度，就转变为它们原来的目的的对立物。卢梭举例说："人民设立封建领主是为着保护自己的自由"，但这些封建领主后来又成为了人民的压迫者，最后形成了专制暴政。在暴政面前，人人都是奴隶，一切个人又成为平等的成员。而且，专制君主既然可以用暴力进行统治，同样"当他被驱逐的时候，他是不能抱怨暴力的"，"暴力可以支持他，暴力也可以推翻他"，这样一来，暴力统治的不平等又转变为使用暴力的平等。卢梭这些论述充满了辩证法的精神，恩格斯在《反杜林论》中称赞它"几乎是堂而皇之地把自己的辩证起源的印记展示出来"。[1]

卢梭写作这部书带有很明显的启蒙意图。他说，他要"戳穿一些人的卑劣的谎言"，他以封建主义的意识形态为他的对立面。他批判了那种认为上帝创造人类以后不平等就是天经地义的宗教思想，批判了自由可以转让的封建理论，他论述人生来是平等的，自由是天赋的人权，因而，从根本上否定了封建专制和奴役的合法性。他把矛头指向那些在封建社会中被视为神圣的事物和原则，他根本否认贵族世袭制是"神圣的永恒的权利"，指出它只是不平等产生后的一个"恶果"；他剥去统治阶级加在专制制度上的"天赋王权"之类神圣不可侵犯的外衣，指出那是不平等的顶点，最违反"善的观念"、"正义的原理"，并且论证了"以暴抗暴"原则的合理性。所有这些，就给即将到来的资产阶级推翻封建专制制度的斗争提供了充足的理论根据。因此，卢梭这部论著是反封建专制的启蒙和号召，它后来在资产阶级革命的准备和进行过程中，都起了很大的作用，革命高潮中，马拉就曾在巴黎的街头宣读过这部论著。

卢梭在这部著作里固然写出了一些深刻的理解，但他的历史观基本上是唯心主义的，他根本不可能认识"在不同的所有制形式上，在生存的社会条件上，耸立着由各种不同情感、幻想、思想方式和世界观构成的整个上层建筑"[2]。他的研究不是以物质生产的实践活动为出发点，而是从抽象的人性本能出发。他声称："必须从人的性质本身来推论"，他用人的本能来解释私有观念的产生，又从私有财产产生后人性的恶性发展去说明阶级社会中种种纷争和罪恶，这样，他所描述的阶级社会的产生和发展，就成为了一部"观念决定观念"的历史。他一方面歌颂人类的原始状态，一方面又承认不平等的产生是一个进步；因而在理论上陷入了不能自圆其说的矛盾。

---

① 恩格斯：《反杜林论》，《马克思恩格斯选集》第三卷，第179页。
② 马克思：《路易·波拿巴的雾月十八日》，《马克思恩格斯选集》第一卷，第629页。

3.《社会契约论》

《社会契约论》（*Le Contrat Social*，1762）是卢梭为资产阶级革命提出的政治方案，是世界政治学说史上最著名的古典文献之一。

"人生来是自由的，但却无往不在枷锁之中。"人类社会这个矛盾是如何形成的？这是卢梭在《论人类不平等的起源》中讨论的课题。这个问题如何解决？他进一步在《社会契约论》里系统地阐述他的主张。他与当时法国封建专制的现存秩序针锋相对，提出了资产阶级民主共和国的理想。他认为，为了使人类摆脱不幸，必须推翻封建专制制度，建立以社会契约为基础的政体，即民主共和的政体。

在提出他这个主张的时候，卢梭批判了强力可以产生特权、奴役天生合理之类的封建法权观念，而认为只有全体社会成员共同的约定"才可以成为人间一切合法权威的基础"，因而，国家只应该是自由的人民所订立的社会契约的产物，也就是全体社会成员民主协商的结果。这里，卢梭把"民主"当作人类社会政治生活的基本准则，以此和封建主义的"专制"相对抗，并且以此作为他共和政治主张的理论基础。

在《社会契约论》里，卢梭以很大的热情鼓吹"自由"、"平等"的口号。他作为资产阶级的思想家，适应资产阶级反封建的利益，号召用暴力"打破自己身上的桎梏"，"恢复自己的自由"。他以自由平等为理想，宣扬他所主张的民主共和政体是自由平等的，在这里，"由于社会契约而人人平等"，每个人失去了"天然的自由"，但得到了"约定的自由"，还"可以任意处置这种约定所留给自己的一切财富和自由"，因而，是一种比人类原始状态更高、更理想的自由平等。卢梭规定国家和政府必须接受社会契约的制约，否则人民就可以予以否决，但如果公民不服从社会契约，国家就有权强迫其服从。卢梭并不否定法律的作用和国家的镇压职能，他认为，背叛了国家的人应该受到惩罚。为了加强公民的职责观念，卢梭还主张建立一种"公民的宗教"，规定"对坏人的惩罚"和"社会契约与法律的神圣性"为这种宗教的"积极的教条"。

卢梭在《社会契约论》里企图向全人类提出社会政治改革的方案，但实际上，他提出的方案，不过是资产阶级的理想王国。而且，他的方案不仅不解决私有制产生后人类社会的根本矛盾，相反，它肯定了私有制的永恒性。卢梭承认私有财产权神圣不可侵犯，还提出"居高位者的一方必须节制财富与权势，而弱小者的一方必须节制贪婪与妄想"，"富而不骄、贫而知足"，正式肯定"彻底平等"在他的理想国里"是不相宜的"。卢梭的主张反映了小私有者的某些愿望，但归根到底，只能导致以资本主义的不平等代替封建专制的不平等。

《社会契约论》虽然表现了局限性，但它反对封建专制、要求建立资产阶级民主共和国，在当时历史条件下是符合社会发展的要求和人民的愿望的。它对法国资产阶级革命影响很大，在革命中成为资产阶级激进派雅各宾党人的政治纲领，它的天赋人权、自由平等、主权在民的思想，都写进了 1789 年法国革命的《人权宣言》中。《社会契约论》对美国的独立战争也有影响，美国的《独立宣言》也表现了这部著作的精神和理想。

卢梭的理论著作不仅有丰富的思想内容，而且说理细致、议论精微，不时闪耀出思想的火花。他的笔端饱含感情，有雄辩的激昂慷慨，也有抒情的娓娓动听，在严密的推理中，精辟的见解从生动的语言和形象的比喻中喷涌而出，在风格上呈现出丰富多姿，所有这些使卢梭的理论著作具有优美的散文特点。

第三节　卢梭的文学著作

卢梭主要的文学作品是：《新爱洛绮丝》《爱弥儿》和《忏悔录》。和《忏悔录》同一类型的自传性作品还有《山中来信》和《一个孤独的散步者的遐想》。卢梭三部主要作品的特点和形式各不相同，但都是他宣传和表现启蒙思想的工具，和他的理论著作一样，也表现了强烈的反封建主义的精神。

1.《新爱洛绮丝》

《新爱洛绮丝》（*Julie ou la Nouvelle Héloïse*，1761）是卢梭著名的书信体小说。小说借用12世纪青年女了爱洛绮丝与她的老师阿贝拉尔的爱情故事为标题，写18世纪法国一对青年人朱丽和圣普乐的恋爱悲剧。

圣普乐是一个平民知识分子，在贵族家担任家庭教师，和他的学生贵族小姐朱丽发生了恋爱。朱丽的父亲阶级成见很深，不许朱丽和圣普乐结婚，仅仅因为这个青年人不是贵族出身。圣普乐被迫离开。朱丽也被迫嫁给了贵族服尔玛，婚后她向丈夫坦白了自己过去与圣普乐的恋爱。服尔玛表示信任，把圣普乐接到家里以宾客相待。朱丽与圣普乐朝夕相见，彼此都压抑内心的感情，感到非常痛苦。最后，朱丽因重病而死，死前再次袒露对圣普乐的感情，并要求他教育她的儿子。

卢梭对这个恋爱悲剧倾注了全部同情，他把这对青年人的爱情表现得真挚动人、合情合理。在卢梭看来，"真诚的爱情的结合是一切结合中最纯洁的"。但是，封建等级制度阻碍了这一对青年结合在一起，成为了他们不幸的根源。在这里，卢梭站在资产阶级人道主义的立场上，提出了以真实自然的感情为基础的婚姻理想和以门当户对的阶级偏见为基础的封建婚姻对立，并通过这个悲剧的爱情故事对封建等级婚姻提出了抗议。

在卢梭的笔下，圣普乐是一个品学兼优、才貌双全的知识分子，就其实际条件来说，比他周围的人要优秀得多，根据卢梭的人权主义原则，他是"完全应该得到朱丽的爱情"的。然而，他们的恋爱却得不到社会的承认。那个社会只承认"高贵的血统"和贵族的头衔。朱丽的父亲就是这样一个封建卫道者，他根本不从实际的德才去衡量一个人的价值，因此他顽固地反对自己的女儿嫁给平民出身的圣普乐，而强迫女儿嫁给他自己的贵族朋友。由此，卢梭提出了一个问题：究竟贵族的头衔有什么实在的价值？他在小说第一卷第 62 封信里做了回答。在这有名的章节里，代表开明思想的爱德华爵士和朱丽的父亲进行了激烈的争论，卢梭通过人物之口这样彻底否定了整个贵族阶级：

> 贵族，这在一个国家里，只不过是有害而无用的特权，你们如此夸耀的贵族头衔有什么可令人尊敬的？你们贵族阶级对祖国的光荣、人类的幸福有什么贡献！你们是法律和自由的死敌，凡是贵族阶级显赫不可一世的国家，除了专制的暴力和对人民的压迫以外，还有什么？

小说还通过圣普乐在巴黎的见闻，批判了贵族上流社会的种种习俗风尚，和小说对华莱山区人民纯朴的思想感情、道德风俗的赞美，形成鲜明的对照，表现了卢梭否定贵族阶级文明、歌颂人类"自然状况"的一贯思想，使小说对现实的批判不限于狭隘的爱情问题，而有了比较广泛的社会内容。

《新爱洛绮丝》是资产阶级反封建斗争时期争取爱情自由的一部代表作。它的两个主人公都有某种反封建的精神。圣普乐不承认封建道德，而把自由恋爱视为一种基本的人权，不断向朱丽证明他们的爱情本身就具有"美德的品格"。朱丽的思想较多地受阶级地位的束缚，因而内心有更多的矛盾：爱情与名誉、与门第观念、与封建礼教的矛盾等等。但她经过激烈的斗争，终于接受了圣普乐的爱情。当她那专制粗暴的父亲强迫她嫁给他自己的朋友时，她对封建家长发出了愤慨的控诉："我的父亲把我出卖了，他把自己的女儿当作商品和奴隶，野蛮的父亲，丧失人性的父亲啊！"然而，整个小说立足于资产阶级个性解放的思想，因此主人公对封建社会的反抗是很有限的。起初，他们不敢公开自己的爱情；当封建家长逼迫他们时，虽然有人向他们提供了到美洲去生活的物质条件，他们却没有勇气冒封建社会之大不韪，不敢采取激烈的反抗方式离家出走；后来，朱丽成了贵族家庭的"贤妻良母"，以宗教思想压抑自己内心深处的感情，圣普乐也按礼教行事处世。总之，他们的行为基本上没有越出封建道德的规范。他们不是封建社会的反抗者，而是封建社会的牺牲品，这也反映了作者在思想上看不出这种爱情的前途。

小说的故事在人物的通信中展开，情节进展缓慢。书信体的形式使作者能够让主人公大量倾诉自己的感情，对自己在爱情不自由、受尽压抑和束缚的处境中的种种痛苦、委屈、矛盾、失望、顾虑做细致的刻画和尽情的渲染，加上主人公缺少行动以及他们的爱情以悲剧告终，使整个作品具有一种感伤主义的情调。而作者对华莱山区、莱蒙湖畔、克拉伦乡间自然景色的描绘，则又在小说里留下一些清新优美的篇章。

2.《爱弥儿》

《爱弥儿》（*L'Emile*，1762）的副标题是《论教育》，是一部讨论教育问题的哲理小说。全书共分五卷，前四卷分述爱弥儿在婴儿、幼年、少年和青年四个时期的成长，最后一卷，爱弥儿与苏菲结婚，成立了家庭。

卢梭的教育思想是他整个社会改革思想的一部分。他认为教育的目的是造就有用的人才，是要防止人在恶浊的社会环境中变坏。穷人接近自然状态，"没有进行教育的必要"，而富人则相反，因其阶级偏见背离自然状态，故必须进行教育。卢梭有意识地把爱弥儿虚构为一个贵族子弟，在他的教育下成长，这意味着他把贵族阶级视为一个必须加以改造的对象，而他对爱弥儿的教育，处处又是针对这个阶级的种种恶习。这表现了卢梭民主主义的思想立场。

卢梭的教育思想体系，同时反映了卢梭的哲学、政治思想观点中的精华与缺陷。他认为人性本善，只是在社会环境里才变坏的，因此，他提出教育不外是"顺乎天性"，让人的本性避免社会偏见和恶习的影响而得到自由的发展。为了达到这个目的，在教育的环境上，他使爱弥儿远离城市，住在乡下，让他光着头、赤着脚在大自然中尽情地奔跑跳跃。在这里，爱弥儿整日"和质朴浑厚的农民接触"，和教师一道参加体力劳动，疲倦了就休憩在耕耘了的松软的土地上。在智育的内容上，卢梭主张摆脱"奴隶的偏见"，不让爱弥儿读那些帝王将相的历史以免受其毒害，也不用统治阶级的道德礼教去束缚他的思想，甚至不让他玩金、银、水晶制作的玩具，以免形成爱慕虚荣和钱财的心理。在教育方法上，卢梭从唯物主义认识论出发，认为人的观念只能来源于对客观对象的感知，人的认识产生于具体的经验，因此，他总是通过实物教育、直观教育的方法，使爱弥儿在生活实践中获得知识。爱弥儿把窗户打破了，就让他夜晚睡在这屋子里，他被寒风吹醒，自然就会觉悟到自己的错误。当爱弥儿不愿意学习地理知识的时候，他就让他通过在森林里迷路的经验，明白地理知识的重要性。在教育的态度上，他对爱弥儿是引导，而不是压制，并且和爱弥儿结成平等相待的师生关系。

卢梭对爱弥儿的教育，表现了他对人的理想。他不让爱弥儿成为一个文弱苍白的贵族，而要他锻炼出强健的身体，培养他吃苦耐劳的精神；他反对贵族阶级的矫揉造作，而要爱弥儿形成朴实自然的作风；他针对封建专制的精神奴役，培养爱弥儿崇尚理性、独立思考、绝不盲从；他的教育使爱弥儿清除了封建等级观念，"在他眼里，仆人和帝王都是平等的"；他培养爱弥儿的民主思想，使他对普通人"富有同情"。爱弥儿应该成为什么样的人？卢梭一反把儿童培养成脱离实际、完全寄生的人的贵族教育，以"自食其力"的劳动者要求爱弥儿，他培养爱弥儿不仅会务农，而且成为一个职业的木工。卢梭所有这些理想和标准，都是以贵族教育、贵族偏见为对立面的。他还特别强烈反对贵族阶级、教会对儿童进行宗教毒害、灌输神的观念，他认为这会使人"走上邪路"，"成为宗教狂"。在第四卷中，他假借一个乡村教士之口，抒发了泛神论思想，这种思想否定了一个至高无上的神的存在，实际上是无神论思想的一种表现形式。正因为《爱弥儿》一书具有强烈的反封建统治和反宗教的精神，所以出版后，封建政府立即下令焚毁，卢梭也长期受到残酷的迫害。

卢梭的教育思想的最终目的美其名曰是培养对社会有用的人才，其实是培养驾凌于群众之上的个人主义者，如在第四卷中，卢梭公开提出应该教育儿童"鄙视群众"。第五卷关于女子教育的论述，也没有摆脱封建思想的影响，表现了"男子中心论"的思想和妇女应该屈从夫权的偏见。

3.《忏悔录》

自从《爱弥儿》出版后，卢梭遭到统治阶级残酷的迫害，被恶毒咒骂为"疯子"、"野人"。在悲惨的流亡生活中，他感到有为自己辩护的必要，于是，怀着激愤的心情写了自传《忏悔录》（*Les Confessions*，1778），回忆了从他出生到1766年被迫离开圣彼得岛之间50多年的生活经历。

这是一个平民知识分子在封建专制压迫面前维护自己的人权和尊严的作品，是对统治阶级迫害和污蔑的反击。卢梭自信他比那些攻击和迫害他的大人先生、正人君子来得高尚纯洁、诚实自然，因而，一开始他就悲愤地向他的时代社会问道："把和我同类的人群召集在我身边，让他们听我的忏悔……让他们每个人都像我这样坦率地把自己的内心祖露出来，有谁敢说：'我比这个人（指卢梭自己）更好？'"

在《忏悔录》里，卢梭讲述自己"本性善良"，家庭环境充满柔情，古代历史人物给了他崇高的思想，"若能继续下去，当然会决定我一生的性格"。但是，社会环境的恶浊、人与人之间关系的不平等，也使他受到了沾染。他偷过东西，撒过谎，做过损人利己的事。他想以这样的叙述说明他著名的人性论哲理：人性本善，但罪恶的社会环境却使人变坏。在这里，卢梭历数了他儿童时代寄人篱下所受到的粗暴对待，入世后所遭遇的虐待，以及他耳闻目睹的种种不平。他愤怒地揭露那个社会的"弱肉强食"、"强权即公理"。这部自传名为"忏悔"，实则"控诉"，另一方面，它对那些被侮辱、被损害的卑贱者，也倾注了深切的同情。

《忏悔录》是以一种坦率的风格写出来的，卢梭这样说："我以同样的坦率讲述我的美德与罪过，我没有掩饰半点坏处，也没有添加丝毫德行……我完全按本来面目把自己表现出来，或可鄙、可恶，或善良、慷慨、高尚，都一一按当时的真实情况来讲述。"卢梭企图以这种坦然的作风，表明自己高于当时虚伪的封建道德。而且，他是站在人性论的立场上，把自己作为"人"的一个标本来进行剖析、对自我进行热烈的赞赏的。"但是，人的本质并不是单个人所固有的抽象物。在其现实性上，它是一切社会关系的总和。"[1]卢梭所描绘的自我的个性，同样是受非常具体的阶级关系所决定的。他为了和宗教的"神道"对立，竭力推崇自己身上的"人性"，肯定自己作为人的自然要求，如爱情自由的要求；但同时也把自己某些资产阶级性当作正当的"人性"加以肯定。他以感情丰富自诩，把感情视为个人行动的动力，把理智视为个人衡量一切、评判一切的标准，肯定自我的活动

---

① 马克思：《关于费尔巴哈的提纲》，《马克思恩格斯选集》第一卷，第18页。

是独立自主的，以反对宗教对人的精神奴役。但同时，他又把自己一些低俗的冲动和趣味美化为符合"人性"的动因。他提倡个性自由，反对宗教信条和封建道德的束缚，他傲视一切地宣称"这个时代的习俗、礼教和偏见不值一顾"，并把自己描绘成这样一个典型；但同时，他又把这些思想推向极端，宣扬他以个人为中心、以个人的意志和兴趣为出发点的"一任兴之所至"的个人主义人生态度。他把个性自由、人格独立、个人尊严作为基本人权来加以捍卫，要求社会以品德才能作为衡量人的标准，反对等级偏见，在他看来，心地纯洁的妓女，要比王公贵族高尚得多。他认为完美的品德应该是热爱"真"、"善"、"美"，待人善良和富有同情心；但同时他自己却并不以这些德行来要求自己，甚至反其道而行之：他不止一次偷过东西，诬赖过无辜者，从不负责抚养他的儿女，等等。他特别强调人的感情，主张感情的袒露和表现，以他自己这个特点自豪，但他同时又加以绝对化，走向了个人主义的感情放纵。总之，《忏悔录》所表现出来的卢梭的个性，就是反封建的资产阶级个性，这部自传是卢梭人生观的自白，是他资产阶级人道主义、人性论思想体系的集中体现，是一部个性解放的宣传书，它既表现出反封建、反宗教的积极意义，又显露了资产阶级意识形态的局限性。

卢梭在回忆自己生平经历的时候，对当时的社会生活和各阶层人物也做了广泛的描述，给他的时代提供了一幅真实的素描。他在第二卷里描写宗教收容所黑暗得像监狱；在第四卷里写农民在苛捐杂税的盘剥下、在贪官污吏的骚扰下不得安宁的生活；在其他一些章节里暴露贵族男女的腐化堕落、教士神甫的丑恶虚伪，其批判的矛头直接指向当时的统治阶级，触及了当时社会的主要矛盾。

在《忏悔录》里，卢梭常抒写他对大自然的感情。他在那个恶浊的社会里，总是感到厌恶和苦恼，只要他一投入大自然的怀抱，他就感到心胸开阔，精神爽朗。如有一次，他在里昂城郊外过着风餐露宿的流浪生活，面对着优美的夜景，完全忘记了他的贫困无助，竟然自得其乐，充满了乐观的情绪。卢梭通过这些叙述，提出了"回到大自然去"的口号。他这种对大自然的热爱，使他作品中有不少诗情画意的篇章。

《忏悔录》虽然是一部自传，但它思想内容丰富，人物形象鲜明，对社会生活有广泛的描写，情节生动真实，完全像一部小说，是卢梭文学创作中最为重要的作品。

卢梭的文学创作虽然数量不多，但在 18 世纪文学中具有鲜明的特色：它表现了强烈的个性解放的精神，把自我提高到超越一切的地位；它重视对感情的描写，整部作品充满一种激情的力量；它还表现了作者对大自然深沉的热爱，其中有不少情景交融的篇章。以上三个方面，构成了卢梭文学创作的特点，这些特点对后来 19 世纪欧洲浪漫主义文学产生了很大影响，卢梭成为这个文学思潮的先驱。因此，德国浪漫主义诗人歌德说："卢梭开始了一个新时代。"

卢梭是一个具有多方面文艺才能的作家，他在音乐方面有很深的造诣。他发明了简谱法，编纂了《音乐辞典》（*Dictionnaire de musique*，1767），早年写过歌剧《风流诗神》（*Les Muses galantes*，1745）和《乡村卜师》（*Le Devin de village*，1752），还发表过一篇著名的音乐评论《论法国音乐的信》（*Lettres sur la musique française*，1753），这篇评论彻底否定当时的法国音乐，引起贵族和宫廷对他的激烈攻击。

第四节　卢梭影响下的作家

卢梭在 18 世纪末期已经产生了明显的影响，一些作家从卢梭文学作品中的不同方面汲取营养，写出了一些有名的作品，他们是贝那丹·德·圣皮埃尔、拉布勒托纳和拉克洛。

1. 贝那丹·德·圣皮埃尔

和卢梭一样，圣皮埃尔（Bernandin de Saint-Pierre，1737～1814）少年时也过着流浪生活，后来成为土木工程师。为了谋求职业和追逐机遇，他到过荷兰、俄国、波兰和法兰西岛。1771年回到法国后，他与晚年的卢梭结识，成为卢梭的朋友。这时，他开始以他在国外游历的见闻为基础进行写作，1773年出版了第一部作品《法兰西岛游记》（*Voyage à l'Ile de France*）。1784年出版《大自然研究》（*Études de la Nature*），获得很大的名声。1787年，他的小说《保尔与维吉妮》（*Paul et Virginie*）出版，轰动一时，成为法国文学史上最有名的畅销书之一。

圣皮埃尔虽然一直被视为卢梭的信徒，但他的思想格调不能和卢梭相比，他一生都在追逐名誉地位。大革命时期，他担任过植物园的总管，而在拿破仑时代，更是名利双收。他没有继承卢梭对统治阶级的批判精神，而是把卢梭某些抽象的人性论思想和模糊的口号接过来加以发展，如人性本善的观点，"回到大自然去"的口号，以及"幸福在于根据自然和美德来生活"的说教。他的《保尔与维吉妮》就是企图表现这些思想。

保尔和维吉妮生活在印度洋中莫理斯小岛上，从小青梅竹马，感情很深。他们远离法国的文明社会，思想纯洁，生活幸福。后来，维吉妮被一个有钱的姑母接到法国去居住，两人都感受到离别的痛苦。最后，维吉妮又从法国回来，但眼见即将抵岸，突然遇上风暴，葬身海底，不久，保尔也忧伤地死去。小说某些方面显然是模仿《新爱洛绮丝》，但它孤立地描写一个毫无社会内容的爱情故事，而且人物形象也不真实。故事发生的环境莫理斯岛，当时被称为法兰西岛，是法国的殖民地，但被作者描写成一个淳朴安乐的世外桃源。保尔与维吉妮两家中，主人与黑人奴仆的关系，也被描写得相亲相爱。

圣皮埃尔的作品的主要特点是对大自然景色的描绘。这是他对卢梭的仿效。他的《大自然研究》一书，主要都是景物描写。他善于描写热带风光和海洋景色，这给法国文学第一次带来热带绚烂的色彩。这种异国情调投合了当时法国海外殖民的社会心理，这是他的作品畅销一时的原因。但是，作者的景物描写是为他反对无神论服务的，他用大自然的景象来证明上帝的存在，因此，特别被 19 世纪贵族浪漫主义作家夏多布里昂、拉马丁等人高度赞扬，奉为样板。

2. 拉布勒托纳

拉布勒托纳（Restif de la Bretonne，1734 ~ 1806）是一个农家子弟，青年时期在排字房里做学徒，后来在巴黎当工人，成为印刷厂的老板。革命时期，他一直为资产阶级政府效劳，领取津贴，在政治上是个狂热的雅各宾派，后来他又效忠于拿破仑，成为一个警探。

他以自己的生活经验为基础进行写作，是一个多产作家，作品多至两百卷以上。其中较为有名的是长篇小说《走邪路的农民或城市的危险》（*Le paysan perverti, ou les dangers de la ville*，1775）。这部书信体小说，写一个青年农民来到城市，受城市坏风气的腐蚀而道德败坏，犯罪杀人，最后自己也投身于车轮之下自杀。作者通过这个故事企图表现他的卢梭式的思想："城市是危险的"、"乡村的纯朴状态才有幸福"、"应该防止乡下人大量流入城市"等等。他另一部十六卷的长篇小说《尼古拉先生或揭穿了的人心》（*Monsieur Nicolas, ou le coeur humain dévoilé*，1794 ~ 1797）也较有名。这是作者按照卢梭的《忏悔录》的风格写的自传体小说，记载了他从农村到城市的种种经历，虽然也反映出当时一些社会情况，但男女关系描写过多，其思想性和社会意义远不能和《忏悔录》相比。

他比较有价值的作品是 1788 年至 1794 年间断断续续写成的《巴

黎之夜》(*Les nuits de Paris*)。这部作品为作者赢得了现实主义者的声誉。全书共十六卷，前十四卷写资产阶级革命前旧制度统治下巴黎的种种情景，表现了"一个民族的风貌"。后两卷实际上是作者从 1789 年至 1794 年之间的日记，记录了资产阶级革命高潮中巴黎的动荡和斗争，是当时历史发展、社会气氛的真实写照。此外，他四十二卷的小说集《当代妇女》(*Les Contemporaines*，1780～1783)，也反映了资产阶级革命前夜法国各阶层的生活状况。

拉布勒托纳在作品中把纯朴的农村生活和罪恶的城市对照起来，表现了类似卢梭那种否定统治阶级文明的批判精神，但他文笔放纵，追求色情描写，糟粕较多。他主要作品的真正价值在于广泛而真实地反映了 1789 年革命前后法国的城市生活，具有某种历史资料的意义。

与拉布勒托纳有些相似的作家是梅尔西埃(Louis Sébastien Mercier，1740～1814)，他也参加了法国大革命，在革命中站在资产阶级温和派的立场上。他最有名的作品是《巴黎景象》(*Tableau de Paris*，1781)。这是对封建专制制度崩溃前夕巴黎的大型的素描和随笔。全书共十二卷。它写的不是巴黎的风光，而是城市人民的风俗习惯，特别是"人们的精神状态和流行的思想"。梅尔西埃以他这部作品成为法国文学史上新闻随笔的先驱，拉布勒托纳的《巴黎之夜》就是在他这部作品的启发下写作的。此外，梅尔西埃还有表现乌托邦理想的小说《二四四〇年可能实现的梦想》(*L'an 2440, rêve, s'il en fut Jamais*，1770)和一些历史题材的剧本，如描写宗教迫害的《里士欧的主教约翰·安愚埃》(*Jean Hennuyer, évêque de Lisieux*，1772)、表现专制暴政的《西班牙国王菲利普二世画像》(*Portrait de Philippe II, Roi d'Espagne*，1785)。

3. 拉克洛

以长篇书信体小说《危险的关系》(*Liaisons dangereuses*，1788)

而闻名的拉克洛（Choderlos de Laclos，1741～1803），是贵族阶级的贰臣逆子，是卢梭的批判精神和暴露笔法的继承者。他出身于贵族。在他一生中，军事生活和政治活动占着首要的地位。青年时期，他参加了军队，20 岁时成为炮兵少尉。1780 年至 1782 年在军旅生活之暇，写作了小说《危险的关系》。1785 年出版了《论妇女教育》（*De l'éducation des femmes*）。资产阶级革命期间，他是激进民主派雅各宾俱乐部的成员，在政治斗争中十分活跃，起了积极的作用，在军队里历任军事委员、参谋长等要职。1795 年出版了回忆录《战争与和平》（*De la guerre et de la paix*）。

《危险的关系》是一部无情揭露贵族阶级道德沦丧、生活糜烂的作品。主人公梅尔兑侯爵夫人是一个邪恶的女人，原来是贵族日尔古的情妇。日尔古抛弃了她去追求杜尔维太太，梅尔兑侯爵夫人怀恨在心，制订了一个报复的计划：要自己的追求者瓦尔蒙子爵唆使骑士当瑟里去引诱日尔古的未婚妻谢茜勒，还要瓦尔蒙自己去破坏杜尔维太太的贞操，其目的都是要使日尔古成为笑柄。同时，她许诺瓦尔蒙，一旦事成，自己就充当他的情妇。瓦尔蒙是一个卑鄙无耻的淫棍，和梅尔兑侯爵夫人同为 18 世纪腐朽的贵族阶级的典型，他在执行梅尔兑侯爵夫人的报复计划过程中，奸污了谢茜勒，成为了杜尔维太太的情夫。当他要求梅尔兑侯爵夫人把诺言兑现时，梅尔兑侯爵夫人责备他对杜尔维太太"真动了感情"而和他破裂，自己又成为了当瑟里的情妇。后来，当瑟里因为受瓦尔蒙的要弄和他决斗并把他杀死，瓦尔蒙临死前后悔充当了梅尔兑侯爵夫人的工具，把他和梅尔兑侯爵夫人的全部通信交给了当瑟里。梅尔兑侯爵夫人的面目遭到彻底的暴露，她在得了一场天花病容貌被毁坏后，躲藏到国外去了。杜尔维太太也因受刺激而死，谢茜勒进了修道院，当瑟里出了家。

小说通过复杂的故事情节和人物关系，把整个上流社会的一片淫乱无情地揭露出来，展现出 18 世纪末法国贵族阶级已经完全糜烂透顶。作者还以小说的结局预示着，这样一个丑恶不堪、腐朽没落的社会，必然以毁灭性的灾难而告终。整个小说表现了卢梭式的对上流社会彻底否定的立场，作者对贵族阶级荒淫无耻生活的揭露，笔端无情，态度严肃，不追求色情的描写，而是以复杂周密的情节、鲜明的人物性格和细致的心理分析，构成艺术的力量，因而，更增加了小说暴露的效果，在法国 18 世纪文学中，是一部值得重视的作品。

小说出版后，统治阶级非常恼怒，作者遭到一片訾骂和非议，整个巴黎上流社会的客厅都拒不接待他。到 19 世纪，资产阶级政府也因为这部作品无情地揭露了上流社会，而一直把它列为禁书。

第七章　博马舍

第一节　博马舍的生平

博马舍（Beaumarchais，1732～1799）是法国 18 世纪后期最重要的戏剧作家。他活动在资产阶级革命爆发前后的关键历史时刻。他的作品虽为数不多，但其名著《费加罗的婚礼》却充分反映了资产阶级革命前夕阶级关系和阶级斗争的特点。

博马舍在行将崩溃的封建社会里的经历，是一部资产阶级个人主义奋斗史，充满了向上爬的冒险和与封建统治阶级的矛盾斗争。他出身于巴黎一个钟表匠家庭，本名奥古斯特·卡隆（Pierre-Auguste Caron）。他父亲原来信奉新教，由于新教没有合法地位，后又改信天主教。他从小没有受过系统的教育，跟随父亲学钟表技术，业余读了一些书，对他有影响的是文艺复兴时期人文主义著作中反对恶势力的斗争精神以及伏尔泰、狄德罗作品中的启蒙思想。20 岁时他成为杰出的匠师，有所发明创造。为了向上爬，他与宫廷拉关系，献给显赫的权贵蓬巴杜夫人一只特制的手表，路易十五也向他订货，由此，他在宫廷立下了脚跟，并成了国王几个女儿的竖琴教师。他还参加当时大金融家、大包税商巴黎士－杜维尔奈的投机活动，成为一个富翁。1761 年，他用巨款买得王室书记官的职位，并利用与一个富孀的婚姻，获得贵族姓氏"博马舍"。对于自己这样追求贵族称号，他说：

"既然我改变不了社会成见，我就只好服从它。"

1764 年，他因家庭事务到西班牙待了一年，在那里，写了有名的《致德·拉华里耶尔公爵书》。1767 年，他的第一个剧本《欧仁妮》问世，1770 年，他又写作了第二个剧本《两朋友》。同年，他的同伙巴黎士－杜维尔奈死去，其继承人拉·布拉什拒不承认对博马舍的债务，并控告他伪造证件。1773 年，他与一个公爵因私事纠纷发生殴斗，以"竟动手打了一个公爵和大臣"的罪名被关进了监狱，拉·布拉什趁机取得了胜诉，没收了博马舍的全部财产。博马舍继续上诉，并向法官哥埃士曼的太太行贿，这个女人扣留了一部分贿赂，但哥埃士曼不仅判他败诉，还对他反咬一口，攻击他行贿造谣。博马舍为自己辩护，写了四篇《备忘录》，对司法当局的黑暗腐败做了彻底的揭露，博得了社会舆论的同情。

路易十五死去后，博马舍设法取得路易十六的信任，被派到国外执行秘密使命。由于财政困难，路易十六默许他向正在进行独立战争的美国贩卖军火。

博马舍精力充沛，经常同时进行多方面活动。为了保障剧作家和演员的合法权益，与剧院把头进行斗争，他组织了法国第一个戏剧家协会。他不顾政府的禁令，秘密出版了第一部《伏尔泰全集》，对这位启蒙哲学家的思想在欧洲的传播起了很大的作用。1772 年，他写出喜剧《塞维勒的理发师》；1778 年，完成了《费加罗的婚礼》；1787 年，写了歌剧《达拉尔》。

资产阶级革命前夕，他又成了大富翁。革命风暴来到时，他态度消极。革命时期，他为革命政府做过一些事，但也受过怀疑，曾被捕下狱，被剥夺了财产，流落在国外。1792 年，他写了最后的剧本《有罪的母亲》。1796 年，他回到法国，三年后在巴黎去世。

第二节　博马舍的前期作品

博马舍一方面由于生活在封建社会即将全面崩溃、启蒙思潮盛极一时的时代，又出身于受歧视的平民阶级；另一方面，早期的向上爬却是一帆风顺，他前期的作品便交织着资产阶级进步的启蒙思想与一个和宫廷有密切关系的上层资产者的局限性。

博马舍的启蒙思想，最初鲜明地表现在他 1764 年写给德·拉华里耶尔的信里。这封信批判了西班牙贵族阶级"假仁假义、堕落腐败"，也指责法国的封建秩序是"不幸的农民的巨大灾难"，还谴责法国宫廷出卖"空头拘票"、可以任意逮捕人、侵害了人民的人身自由。他这种对封建贵族阶级的不满，在第一个剧本《欧仁妮》（Eugénie，1767）中也有所反映。剧中英国陆军大臣的儿子克拉兰敦伯爵，是一个放荡无耻的人，他勾引了外省贵族少女欧仁妮，假装要和她结婚，实际上准备抛弃。他的仆人这样讽刺他说："我的主人比我年轻，但是比我卑鄙一百倍。"通过这些描写，博马舍从道德上否定了贵族阶级的人物，把他们置于比平民低的地位，表现了他启蒙思想的批判精神。但是，剧本的结局有严重的缺陷：克拉兰敦良心发现，成为一个有道德的人，他放弃了一门有钱的婚姻，而娶了欧仁妮。这个结局不符合人物性格和剧情的发展，由批判转为美化，表现了作者对贵族阶级仍存在幻想，这是他与宫廷贵族有密切关系的阶级地位在创作上的反映。

这个剧本的前面有一个序言，名为《论严肃戏剧》（Essai sur le genre dramatiqne sérieux）是戏剧理论史上一篇有名的文论。在这篇文章里，博马舍继承了狄德罗的戏剧理论，提倡"介乎英雄悲剧和轻快喜剧之间的中间类别严肃戏剧"，第一个把这种戏剧称之为"正剧"，亦即后来的话剧。博马舍的批评原则有两个：第一，认为戏剧应该"是人类社会中所发生的事情的忠实图画"；第二，认为戏剧应该使人"从它得到辉煌的道德教训"。从第一原则出发，他批评古典悲剧表现帝王将相，和当代普通人的生活距离太远，指出"真正的内心兴趣，真实的关系，总是存在于人与人之间，而不是存在于人与帝王之间"，由此，提出了"表现人"的思想。从第二个原则出发，他批评轻快的喜剧止于令人发笑，不能有力地感动人。总之，他认为悲剧和喜剧都有缺陷，只有正剧才能表现当代生活以使观众产生强烈的共鸣，获得深刻的教训。他所主张的正剧，首先"取材于日常生活"，表现"离我们的身份更近"的题材；在艺术形式上，它不用浮夸的台词，不用诗体，而用普通人的日常语言，总之，"它只能有一个自然的风格"。博马舍这些戏剧理论是启蒙思想家文艺思想的具体阐发，是进一步为表现资产阶级的内容服务的。

1770 年，他的第二个剧本《两朋友》（*Les deux amis*），就是表现和美化资产阶级的一次尝试。博马舍说过，他写作这个剧本"是为了向第三等级的人物表示敬意"。"第三等级"一词，虽泛指贵族和教会以外的一切非特权阶级，但在当时资产阶级思想家的心目中，指的就是他们的本阶级。剧本的主人公是一个商人，他遭到了破产，却得到他的朋友包税人墨拉克的援助，墨拉克后来也陷于困境，又由于另一个承包商的"慷慨无私"而得到解救。这三个资产者有的被作者称为"正直、坦率、诚实的人"，有的被写成是"令人尊敬的"，有的被美化为"有人情味的哲学家"。剧本的情节和人物的性格，显然是和资产阶级互相欺骗、互相吞食的本质相矛盾的，这些描写暴露出资产者博马舍对本阶级的偏爱。

博马舍尽管在向上爬中可以得意一时，但他的平民地位，使他在封建专制的社会里，有时仍不免受到损害和压迫。他 1770 年以后的一段经历便是这样，他出于自卫，不得不公开与封建当局搏斗。他为自己辩护的四篇《备忘录》（*Mémoires*，1774 ~ 1775），就是他和那个社会作你死我活斗争的忠实记录。

　　法国 18 世纪的司法制度极为腐败，法官的职务可以买卖，买得这种职位的人就以接受贿赂捞回原来付出的代价。路易十五为使法院更符合封建专制的意志，专门选用忠于他的官吏担任法官，但这经过"改革"的"皇上法庭"，除了体现专制者的淫威外，贿赂之风仍然很盛。哥埃士曼就是这样一个法官。博马舍的《备忘录》第一篇叙述了他为了要胜诉，向这个法官的太太贿赂了一笔财物，这个贪财的女人又以秘书的名义多索取了 15 个金币。博马舍败诉后，她退还了财物，但扣下了 15 个金币。通过这 15 个金币事件，《备忘录》把封建专制下司法机关的腐朽内幕都揭露了出来，同时还揭露了那些卖身求荣支持哥埃士曼和皇上法庭的文人记者。博马舍在《备忘录》中施展了他的文学写作才能，对那些反面人物的丑恶嘴脸和性格刻画得惟妙惟肖，特别是他和哥埃士曼太太公堂对质的段落写得生动出色、机智幽默而又击中要害。《备忘录》当时在整个法国和欧洲各国都引起很大的轰动，哥埃士曼成为最大的丑闻。伏尔泰在读了《备忘录》后，对其中的事件这样感慨："这是怎样的欺诈，怎样的丑恶，多么玷污我们民族啊！"

　　博马舍是一个善于利用社会舆论的作家，他的《备忘录》是资产阶级革命前夕给封建专制国家机器以沉重打击、使之名声扫地的战斗性的作品之一。恩格斯曾经把它作为了解 18 世纪的法官，"他们就是营私舞弊的体现"[1]的思想材料而加以引证。这部作品在当时激起了舆论的同情，封建政府不得不撤销哥埃士曼的职务，并对他的女人表示"谴责"，但同时也下令焚烧了《备忘录》。

---

[1] 恩格斯：《给卡·考茨基的信》（1889 年 2 月 20 日），《马克思恩格斯全集》第三十七卷，第 145 页。

第三节　费加罗三部曲

《塞维勒的理发师》与《费加罗的婚礼》《有罪的母亲》三个剧本，以同一主人公费加罗在不同时期的故事为内容，合称为"费加罗三部曲"。它们的背景是西班牙，但实际上，它们所反映的是法国的社会生活。前两个是喜剧，写于资产阶级大革命前，后一个是"正剧"，写于革命之后。在不同的时期，作者的思想有所变化，因此，反映在三个剧本中，批判精神和政治倾向也有很大的差异，经历了由斗争到妥协的变化。

1.《塞维勒的理发师》

《塞维勒的理发师》（*Le barbier de Séville*，1772）又名《防不胜防》（*La précaution inutile*）。全剧的戏剧冲突集中在少女罗丝娜争取恋爱自由与她的监护人霸尔多洛采取种种防范手段的冲突上。霸尔多洛是个好色的老头，企图把少女据为己有，为了防止她与外界接触，把她禁闭在深宅之中。罗丝娜不甘心这种奴隶生活，接受了年轻的阿勒玛维华伯爵的热烈追求，他们在伯爵过去的仆人费加罗的帮助下，用种种诡计骗过了霸尔多洛，最后结成了夫妇。

故事情节基本上与莫里哀的《太太学堂》相似，表现了主张以自由意志为基础的结合而反对封建包办的资产阶级婚姻观。博马舍还赋予这个传统的题材新的批判精神，这是因为他在写作这个剧本的时候，已经尝到了封建社会的苦楚。在剧本里，他把霸尔多洛作为一个维护旧秩序的封建顽固分子加以揭露。这个人物仇视一切新事物、新思想，反对社会进步，他这样抱怨说："我们这个时代产生过什么，值得我们赞扬它？各式各样胡说八道的东西：思想自由、地心吸力、电气、信教自由、种牛痘、金鸡纳霜、'百科全书'、悲喜剧……"他咒骂这个封建关系逐渐解体、新的资产阶级精神上升的时代是"野蛮的时代"。他还是一个封建特权思想的代表者，仆人和他讲理，他就声言："我是你们的主人，我，永远有理。"还说："只要我们承认这些下贱东西有理，你们不久就看见主人的权力会变成什么样子了。"

霸尔多洛还有一个狼狈为奸的同伙——音乐教师巴斯勒，这是一个在金钱面前随时可以出卖自己灵魂的人。他的信条是："黄金的和谐的声音能消除世界上一切不谐调，使万物和谐一致。"他还是一个卑劣的造谣诽谤者的形象，第二幕第八场中他宣扬如何炮制谣言的那段台词，概括了那些"有身份、门第、名望、地位和信用"的大人先生们所共有的、以诽谤置人于死地的卑鄙手段。这个人物身上，有那个贪污受贿、诽谤陷害的法官哥埃士曼的影子，博马舍曾经想把这个人物的名字改为哥埃士曼，只是担心剧本会因此遭到禁演，才没有采用。

剧本的主要成就还在于塑造了费加罗这个有深刻含义的艺术形象。这是一个充满活力的第三等级人物。他从事过很多职业，当过伯爵的仆人，写过剧本和流行小调，是一个末流文人。他还做过江湖郎中和理发师，是一个受压迫、为挣一口饭吃而到处奔波的平民，带有若干流浪汉的特点。他聪明、机智、诙谐乐观，集中了法国喜剧和小说中来自社会底层的仆人形象的特点，是司卡班、吉尔·布拉斯这一类仆人形象的发展。这个人物对封建社会有深刻的洞察，并在社会身份所允许的范围内，对这个社会进行了机智的嘲讽。他不仅像司卡班那样嘲笑一般的世态，而且讽刺封建社会中不平等的阶级关系。当伯爵为了求费加罗帮他与罗丝娜会面，不得不放下臭架子对他甜言蜜语时，他就趁机嘲讽说："您用得着我，就把我们两人的距离缩短了。"他对这班贵族老爷损害与侮辱下层平民感到深恶痛绝，他用巧妙的反讽揭露说："我相信大人不来伤害我们，就等于对我们施恩了。"他对在那样一个社会里平民被侮辱与被损害也有深切的体验，他这样概括他的生活经历："我对坏运气早已习惯。我忙于欢笑，怕的是有时被逼得不得不哭。"这几句辛酸的话，倾吐出封建社会里平民的受压抑感。

但是，在费加罗身上，同时有着一种为下层人民所特有的顽强和乐观的精神。他以这种精神对付一场场生活斗争，"碰上凶恶的人，偏要跟他们斗斗法宝"，如他和伯爵有过这样一番针锋相对的对话：

> 伯爵：我记得你伺候我的时候，是一个相当坏的家伙。
> 费加罗：唉，天呀，这是因为你们不许穷人有缺点。
> 伯爵：你懒惰、荒唐……
> 费加罗：照你们对仆人要求的品德，您见过多少主人配当仆役的？

在这里，他不仅在维护他个人的人格尊严，而且通过机智的反击表达了主人不及仆人、高贵者不如卑贱者的思想，这一段台词艺术地反映了当时第三等级在道德和精神上对贵族阶级的挑战。

费加罗来自社会下层，但他与处于社会最底层的农民和手工业工人还有所不同。他缺乏他们的纯朴，而是从复杂的经历中沾染了剥削阶级的思想作风。他具有资产阶级个人主义的一些特点。他为了赚钱，既可以使用不诚实的手段，也可以受雇于人。当伯爵害怕他泄露自己的秘密时，他这样毫不掩饰地声称："我绝不像别人那样不断用名誉和忠诚这类大字眼来做保证。我只消说一句话：我自己的切身利益就是最好的保证。"他对金钱相当崇拜，称之为"一切计谋中头等重要的东西"。他的人生态度，一方面是"要有利可图"，另一方面"在无利可图的地方，至少我要图个快活"。博马舍把自己的某些思想和精神赋予费加罗。博马舍有受封建社会压抑的一方面，也有唯利是图、向上爬的一面。费加罗的二重性，正反映了博马舍的二重性。

博马舍思想的局限还表现在对伯爵这个人物的描写上。他虽然也写了贵族老爷的阶级偏见，但基本上是把他当作正面人物来处理，写成一个感情热烈的青年恋人，写他宁可放弃"在马德里和宫廷寻欢作

乐的机会”，而不怕丧失名誉化装去追求一个普通门第的少女，并且
把资产阶级主张爱情自由、反对门第观念的新思想赋予他。这种美化
违反了人物的阶级本质，说明了博马舍在反封建的斗争高潮还未来到
的历史条件下，对贵族阶级还存在着幻想。

2.《费加罗的婚礼》及其他

《费加罗的婚礼》（*Le mariage de Figaro*）写于 1778 年，第一次
公演于 1784 年，正是资产阶级革命爆发的前夜。这时，封建王朝已
经虚弱到极点，国库空虚、财政赤字庞大，工农业面临巨大的危机。
《费加罗的婚礼》写出的前两年，企图进行一些改革以挽救局势的财
政总监杜尔哥被免职，他的继任者内克还试图做一次努力，也遭到同
样的结果，于 1781 年下台。至此，一切挽救封建专制政体的最后尝
试都归于失败，社会阶级矛盾达到空前尖锐的程度，封建旧制度全面
崩溃的历史条件已经成熟。博马舍敏锐地感觉到这些局势，带着资产
阶级的激情，把“山雨欲来风满楼”的紧张政治气氛，艺术地再现在
《费加罗的婚礼》里。

在新的政治形势下，为了表现新的主题，博马舍把《塞维勒的
理发师》中的人物故事加以发展。在《费加罗的婚礼》中，阿勒玛维
华伯爵是一个淫邪堕落的人物，他与罗丝娜结婚后喜新厌旧，追求刺
激。当费加罗即将与伯爵夫人的使女苏姗娜结婚的时候，他威吓利
诱，企图败坏苏姗娜的清白，破坏费加罗的婚事。他的阴谋遭到费加
罗的反对，苏姗娜也坚决抵制。费加罗在苏姗娜的帮助下，争取伯爵
夫人站在他这一边，还把伯爵所利用的人一个个拉过来，设下圈套，
使伯爵的阴谋失败，当众出丑。最后，喜剧在费加罗的婚礼的狂欢中
结束。剧本又名《狂欢的一日》，突出了费加罗对伯爵的胜利，在封
建势力不可挽救的颓势的历史背景上，表现了老爷输给跟班、平民战
胜高贵者的主题。

伯爵不仅是道德腐朽的贵族典型，而且是封建权力的化身。在家庭里，他是封建夫权的形象，对自己的妻子也虚伪专横。在庄园里，他是粗暴的、为所欲为的封建主，利用自己的地位糟蹋农家妇女，甚至幼女也不能幸免。他维护封建的特权，把可耻的初夜权称为"可爱的权利"，口头声明放弃，实际上要偷偷赎回。他还代表着封建统治的权力机器，是"全省的首席法官"，他纵容收税员非法征收租税，对农民进行额外剥削；他公开维护贵族的法外特权，在法庭上宣布文学作品"最好是贵族署名，诗人动笔"。他为了霸占苏姗娜，利用了他掌握的一部分权力机器，对费加罗进行迫害。对这样一个封建权力的化身，作者有意让他最后败在仆人的手里。通过伯爵的失败，博马舍表现出了在旧制度全面崩溃的前夕贵族阶级丑恶虚弱的本质。

费加罗的形象较在《塞维勒的理发师》中，有了很大的发展。博马舍曾强调指出："费加罗和喜剧中通常出现的仆人不同。"这个人物身上有着鲜明的政治色彩。他最突出的一个特点，是不承认传统的观念，不承认存在了几百年的那种可耻的封建特权，而坚决维护自己的基本人权和荣誉，表现了平民对贵族老爷自觉的反抗精神。第五幕第三场中，费加罗有一大段著名的独白，他对伯爵的阴谋极为愤慨，讲出了这样一段话：

> 因为您是个大贵族，您就自以为是伟大的天才！门第、财产、爵位、高官，这一切使您这么洋洋得意！您干过什么，配有这么多的享受？您只是在走出娘胎的时候，使过些力气，此外，您还有什么了不起的……至于我呢？湮没在无声无息的广大人群中，单为了生活而不得不施展的学问和手腕，比一百年来统治整个西班牙的还多。而您想跟我来争夺果实。

这是对贵族阶级特权地位提出挑战的声音，它无情地撕下了贵族阶级门面上的种种装饰品，对它表示了极度的轻蔑，把这个阶级的特权从根本上加以否定。它出自一个穿着仆人外衣的第三等级人物之口，实际上反映了资产阶级的情绪，表现出资产阶级的英雄史观，它不甘于"湮没在无声无息的广大人群中"，它要向贵族的统治地位挑战，要与贵族"争夺果实"，它自信在实际能力上高于贵族，决心要取而代之。作者赋予这个婚礼故事一种更为深刻的政治含义，他在剧本的最后说："这部喜剧描写的是懂得生活的善良人民的生活。受着压迫，他诅咒，他怒吼，他用种种方式行动起来：所有一切都在歌声中结束。"作者力图写出第三等级人物一曲胜利的凯歌，但我们不能笼统说这是"善良人民"的胜利，费加罗也不是全体"受苦人类"的代表。他对贵族的斗争完全是为了"争夺果实"，因此，他的胜利实际上只象征着资产阶级向贵族进行争夺的胜利。拿破仑曾经这样评价说："《费加罗的婚礼》，就是进入行动的革命。"这个"革命"指的就是用资产阶级统治取代贵族阶级统治的社会变革，作者在剧中所表现的，正是对这一社会变革即将来临的模糊的预感。

《费加罗的婚礼》深深渗透了一种反对派的思想情绪，作者通过主人公之口对封建社会进行了全面的指责，在这个意义上，费加罗是博马舍的传声筒。他当着伯爵的面，无情揭露了贵族政治的黑暗："不管像不像，装个要人，布置间谍，收容奸细，偷拆漆印，截留书信，明明苦于应付，却用事情的重要性来夸大铺张。整个政治就是这样的。"他一针见血指出："政治也好，阴谋也好……我认为它们有点像孪生姐妹。"他狠狠嘲笑那些贵族大人"本事平常，只要会爬，什么地位都爬得上"。他指责为专制统治服务的法律"对大人物宽容，对小人物严厉"，他在法庭上嘲笑司法人员贪污，司法程序"样样都要收费"。他讽刺封建统治下言论不自由："只要我的写作不谈当局、不谈宗教、不谈政治、不谈道德、不谈当权人物、不谈有声望的团体、不谈歌剧院、不谈任何一个有点小小地位的人，经过两三位检查员的审查，就可以自由付印。"他揭露只要作品稍微触及现实问题，就要被焚烧，作者就要被关进"一所坚固的堡垒"，"在堡垒的进口失去了希望和自由"，这就是黑暗的巴士底狱。所有这些台词集中地对封建专制政权做出了严厉的判决，在专制政体即将崩溃的前夕，具有强大的革命舆论作用。当路易十六读了这个剧本时，他这样惊呼："此人（指博马舍）嘲笑国家中所有一切应该被尊敬的事物，这个剧本上演将产生危险影响，它会导致拆除巴士底狱！"他禁演了这个剧本，他的弟弟匿名发表文章进行攻击，博马舍也被投入了监狱。他在社会舆论的声援下恢复自由后，为剧本的演出进行了顽强的斗争，把剧中的小调传播到整个巴黎，使人们关心这个剧本，并利用宫廷的矛盾，使剧本在禁演了 6 年之后，第一次得以公演。《费加罗的婚礼》在舞台上的演出和轰动，是资产阶级革命前最为重要的文艺事件。

在这个剧本里，费加罗的性格比在前一个剧本里更为复杂。他虽然以一个仆人的身份出现，但他身上却体现着第三等级中资产阶级的思想特点。对他的经历，《费加罗的婚礼》又做了新的补充：他的父亲原来就是《塞维勒的理发师》中有钱的医生霸尔多洛，他从小流落在强盗窝里，后来从事过各种职业，不仅当过仆人、理发师、江湖郎中等，而且当过赌场老板，他这种复杂的经历，使他的思想完全不像劳动人民。他深谙那个社会里向上爬的道路上自由竞争的规律，他说："人这么多，谁都想跑，互相拥挤，你推我，我撞你，有的摔倒了，谁有能耐谁就能走到头里。"他从自己的经历出发这样发问："既然在我周围每一个人都你抢我夺，偏要我做正人君子，这岂不是逼我寻死？"他认为"要挣钱，人情世故比学问更有用"，因此，学得了一套为自己谋利而无诚实可言的手段，他自称："我同时进行两桩、三桩、四桩诡计也不在乎，纠缠一起的、错综复杂的全行。我是天生当政客的。"而他"当政客的秘诀"，就是"收钱、拿钱、要钱"这三句话。他骗取了霸尔多洛 100 块银币，还有管家婆（后来证明是他母亲）马尔斯琳的 2000 银币。他和伯爵的斗争，一方面是维护自己的人权，另一方面又想利用伯爵对自己未婚妻的邪念，设下圈套"骗他上钩，把他的钱弄到我的口袋里来"。他的未婚妻一针见血说出了他的性格："捣鬼和弄钱，这正是你的拿手好戏。"他这种"拿手好戏"是在长期自由竞争的过程中锻炼出来的，他自信他这种"学问和手腕""比一百年来统治整个西班牙的还多"。这些描写使费加罗成为一个穿着仆人外衣的资产阶级个人主义冒险家的形象，这也是作者本人的精神在舞台上的投影。费加罗在斗争中那种优越于对方、有把握战胜对方的自信，正反映了当时这个新兴的剥削阶级取代没落的剥削阶级的意志。作者以资产阶级的热情写出这个人物对贵族的胜利，站在资产阶级立场上欣赏这个人物身上那些狡诈的特点和无诚实可言的种种手段，并且对剥削阶级的花花世界、豪华糜烂的生活也颇有渲染，由此，整个剧本发散出相当浓厚的资产阶级思想的气息。

博马舍以上两个喜剧，特别是《费加罗的婚礼》，在艺术上相当完整。情节合乎逻辑，结构紧凑，对话生动、机智、幽默，人物性格刻画得较细致，不仅主要人物有典型性，而且次要人物也写得很鲜明，其中还穿插了一些像民间小调的歌曲和节日的舞蹈，形式比较活泼。在地点、环境和人物衣着的描写交代上，也很具体真实，现实主义的因素比较突出，对以后欧洲现实主义戏剧的发展有所贡献。

《费加罗的婚礼》是博马舍创作的顶峰。自此以后他没有写出成功的作品。这个剧本上演以后的第二年，博马舍创立了巴黎饮水公司，发了大财，巴黎民众讥讽他"用穷家小户的铜板盖起高楼"，宫廷又继续对他进行拉拢，社会地位的变化使他 1787 年写成的歌剧《达拉尔》（*Tarare*）出现了脱离现实的倾向。歌剧虽然重复了启蒙思想家关于人类平等的思想，描写了人民推翻暴君阿达尔，但同时却宣扬了开明君主政治。剧本的最后，得到人民拥护的达拉尔取代了阿达尔成为国王。博马舍这种开明君主的理想，在资产阶级革命即将爆发的前一年已经落后于时代潮流，只为妥协性较严重的上层资产阶级所信奉。而且，剧本以虚构的东方古代故事为题材，采用了古典主义诗剧的形式，这也是作者从他主张戏剧真实反映当代生活的现实主义立场向后倒退一步的表现。特别是在资产阶级革命爆发后的 1790 年，博马舍还给诗剧加上达拉尔登基加冕的一场，以人们对达拉尔的歌颂为结束："国王啊，我们把自己置于你崇高美德的脚下，请你用法律和正义管理敬爱你的人民吧。"这就更暴露出大资产阶级代表博马舍在革命高潮中的向右转化。

这种转化，到 1792 年写出的费加罗三部曲的第三部《有罪的母亲》(*La Mère coupable*) 中，更有恶性的发展。1792 年是法国资产阶级革命第二阶段，共和时期开始的一年，这年 8 月 10 日的人民起义推翻了君主立宪制，国王被逮捕并于次年被判处死刑。在这样的历史背景下，博马舍在剧本里一反过去对阿勒玛维华伯爵的批判而极力加以美化，写他在政治上开明进步，房间里挂着华盛顿的半身像，他过去那种腐朽堕落的品质不见了，一变而为"具有深刻、动人的道德感"，他以人道主义精神原谅了自己不贞的妻子，接受了她的私生子。博马舍还竭力粉饰贵族家庭中腐朽的关系，写早年与人私通的伯爵夫人"真诚的"悔恨，写伯爵的"父性、善良和宽容"最后医治了这个家庭的"不幸"。费加罗的形象也有了根本的不同，他成为伯爵忠心耿耿的仆人，还对自己早年的"行为不检"感到惭愧。这个剧本完全背离了前两部喜剧的战斗精神，也违反了生活的真实，在资产阶级激烈的反封建斗争的高潮中，成为对封建统治阶级的缅怀和赞颂。费加罗由反抗者变成了忠仆，正表现了博马舍由反封建转而向贵族阶级妥协的立场。这正是他作为一个大资产者的阶级地位所决定的。

第八章　18 世纪诗坛和安德烈·谢尼埃

第一节　诗坛上的众诗人

在 18 世纪，由于时代历史发展的趋势，思想交流、精神传播、理性张扬成为时代的最大需要，说理、辨析、批判、阐述则是精神文化领域里人们最乐于也最经常采用的方式，智者才子纷纷追求思想泰斗、哲人导师的地位与境界，哲理与散文大行其道，诗韵不再是最激励人奔赴的目标，议论盖过了咏唱，理性压倒了感情，说明与思辨的文字胜过了诗律，于是 18 世纪成为法国文学史上散文、哲理的世纪，很自然，也成了诗歌创作力相对萎缩、疲软的世纪。

这并不是说，18 世纪的法国诗坛完全一片荒芜，事实上，各种各样的诗歌形式，史诗、颂歌、哀歌、抒情诗、讽刺诗、寓言诗、科学诗、神话诗等等，在这里皆应有尽有，致力于诗歌创作的，亦不乏其人，其中数得上名字、略有成就的诗人也比比皆是，兹举数例：

让－巴蒂斯特·卢梭（Jean-Baptiste Rousseau，1671~1741），他是一个鞋商的儿子，其父设法使他受到了良好的文学教育，年纪很轻即有诗名，并曾获得过古典主义大师布瓦洛的指点，后任达官贵人的随从。1705 年被选入题铭学院，除了写诗外，也写过几个喜剧，但均不成功，后又因竞选法兰西学院院士而陷入与对手及其追随者的党争，事情越闹越糟，树敌甚多，甚至被当局加以责罚，逐出了巴黎。

他被迫先后流落在瑞士、维也纳等地，后又定居于布鲁塞尔，在这里，他得遇伏尔泰，但两人不欢而散。他为自己获准回巴黎而奔走，最后以失败告终，晚年穷困潦倒，郁郁寡欢，悔恨交加，客死于布鲁塞尔。

卢梭被视为18世纪出色的抒情诗人，在同时代的诗人群中，他要算佼佼者，是写短歌行的能手，在当时名声甚为响亮。他的诗音律和谐、节奏悦耳，其中有名的佳作是《致命运之神的短歌行》（*Ode à la fortune*）与《致吕伯爵的短歌行》（*Ode au Comte de Luc*），这两首诗都是他在流年不顺的逆境中得遇贵人相助，有感而发，情词真切。

路易·拉辛（Louis Racine，1692 ~ 1763），17世纪悲剧诗人拉辛的第七子，他很早就写诗，并得到过古典主义诗艺大师布瓦洛的指点。他从事律师职业，但有遁世的精神倾向，曾退隐到修道院，其名诗《神恩》（*La Grâce*）即作于其间，故有浓厚的宗教修行的气息。其得掌玺大臣的赏识，26岁时，即被选入题铭与美术学院，此后仕途甚畅，长期在外省任要职，1746年返回巴黎后，比较专注于文学写作。除诗作外，他为其父写过一部传记《关于让·拉辛的生平与创作的回忆》（*Mémoires sur la vie et les ouvrages de Jean Racine*，1747），还写过一部《诗艺沉思录》（*Refléxions Sur La Poésie*，1747），他文化修养颇为深厚，精通古希腊语与拉丁文，还曾将英国诗人弥尔顿的《失乐园》译为法文，他的诗作修辞讲究，但意趣褊狭，颇有说教味道。

勒·法朗·德·朋皮尼昂（Le Franc de Pompignan，1700 ~ 1784）与路易·拉辛有相似之处，其诗往往流于宗教宣传，他有的短歌行写得甚好，如《爱泽希哀的预言》（*Le Prophétie d'Ezechiel*）与《悼让－巴蒂斯特·卢梭》（*L'Ode sue la mort de Jean-Baptiste Rousseau*），后者常被收入后世的法国诗选。

弗洛里扬（Florian，1755 ~ 1794）是伏尔泰的侄孙，10岁时，遇见了这位叔祖，从他那里得到了一本拉封丹的寓言诗集以及从事文学创作的鼓励，他后来成为 18 世纪的寓言诗人，其根由就在于此。他青年时期在军界里混过，后来才全心全意投入文学创作，写过剧本，翻译过《堂·吉诃德》，从这部西班牙名著中得到启发，也写过小说，但使他免于默默无闻的，还是他的寓言诗，他于 1792 年出版了自己的寓言集。在大革命后，他也受过冲击，虽未死于非命，但也逝于 30 多岁的英年，他无疑是拉封丹寓言诗的继承者，其寓言诗语言流畅、形象清晰、道德寓言切实明晓，虽然成就并不很高，但在文学史上也有一席地位。

圣－朗贝尔（Saint-Lambert，1716～1803）是一个又穷又小的贵族，且侯爵的头衔来路不正。早年投靠宫廷贵族，并开始文学写作，其诗作颇得伏尔泰的赞赏，他与百科全书派的关系也很好。1757 年后，他脱离军界，专注于文学创作，他的《四季诗》（*Les Saisons*）给他带来甚高的声誉，其他的诗作还有《朝与暮》（*Le Matin et le soir*）等，他的诗描写与说明四时节令，颇有科学与哲理味道，故在当时很受百科全书派的欢迎，大革命期间，游离退隐，得以苟全性命于大革命恐怖之中。

埃古夏·勒布伦（Ecouchard Lebrun，1719～1807）以写颂歌见长，法国历史上的大人物，他都以诗歌颂过，从路易十五、路易十六、罗伯斯庇尔到拿破仑，他的诗颇有气势，但内容贫弱，语言流于晦涩。

鲁歇（Roucher，1745～1794）是一个喜爱描写大自然的诗人，其代表作是《月份》（*Les Mois*），与圣－朗贝尔的《四季诗》相比，更有诗情画意。大革命中，他与另一个著名诗人安德烈·谢尼埃同被处决于断头台。

帕尔尼（Parny，1753～1814）出身于一个富有的家庭，在巴黎念完中学与神学院，进入了军界；很早就对诗歌写作感兴趣，1777 年开始发表诗作，显示出了诗才，次年即出版了他的第一部诗集。他的一生虽没有大悲大喜的跌宕起伏，却也有不少变故曲折。不论怎样，他的诗歌创作一直没有停止，这种状态使他成为 18 世纪一位名副其实的抒情诗人。在抒情诗人中，他要算突出的一人。他的诗歌，情感浓厚、风格优雅、音律和谐、抒发真情，颇有 19 世纪浪漫派大诗人拉马丁之风。

对于 18 世纪的诗人们来说，他们的头上都横亘着古典主义诗艺这样一个强势的传统，这种诗艺的鼎盛时期毕竟刚过去不久，甚至只有短短几十年，而且 18 世纪显露头角的诗人中，直接接受过古典主义诗艺大师的影响与指点的不乏其人。强大传统的余晖以及某种程度的传承关系，对于后一时期的诗人来说，尤疑都是束缚其活跃诗情与创造性灵感的因素，加之新的 18 世纪又是一个散文、哲理大张扬、大发展的时代，在这里，诗神颇有退避三舍之势。这就是法国 18 世纪诗歌领域显得贫弱、黯淡的原因。即使如此，法国 18 世纪诗歌中，仍有一个闪闪发光的亮点，那就是安德烈·谢尼埃，他对这个世纪的诗坛，实起了使之蓬荜生辉的作用。

第二节　安德烈·谢尼埃的生平与诗歌创作成就

1. 谢尼埃的生平

安德烈·谢尼埃在法国文学史上有两个方面特别令人瞩目：其一，他在诗歌创作与诗歌理论上都有出色的业绩，达到了很高的成就，因而不仅在 18 世纪，而且在整个法国诗歌史上，都要算是一个大诗人，一个杰出的诗人；其二，恰逢大革命恐怖时期这一"乱世"，他不明智地越出自己诗艺的天地，投身于充满暴风骤雨的政治斗争领域，不识时务地逆潮流而动，在一定程度上咎由自取招来了杀身之祸，死得很惨，他这两个方面形成强烈的对照，构成了他作为历史文化人物的复杂性。

安德烈·谢尼埃（André Chénier，1762～1794）出生于君士坦丁堡，其父是法国的一名外交官，其母是一个貌美而又博雅多才的希腊女子。安德烈兄弟姐妹共 8 人，他排行第七，后来在大革命中甚为著名的作家玛丽－约瑟夫·谢尼埃是他的弟弟，在母亲的培育下，安德烈从小就学会了古代希腊语，熟悉并喜爱古希腊的文化艺术。

1773 年，他 11 岁时，随父母回到巴黎，在拉伐尔中学上学。其母对文艺颇有修养，亦不乏写作才能，曾发表过介绍希腊文化的著述；她还是美术与雕刻鉴赏家与收藏者，对科学文化有广泛的兴趣；她在巴黎的沙龙是当时一些作家、艺术家、学者、文化人经常造访的场所。耳濡目染的熏陶，开始把安德烈造就成一个诗人，14 岁时，他就翻译了希腊著名抒情诗人阿那克里翁与萨福的作品，希腊诗人古朴优雅、真挚情深的风格，对他深有潜移默化的影响，大有惠于他后来的诗歌创作。

20 岁时，他进入军队，获少尉头衔，赴斯特拉斯堡服役，担任该城的防务，但几个月后，就以肾绞痛为借口告病离开军队。回到巴黎后混迹于文化圈子，与作家、艺术家为友，其中有诗人弗洛里扬、勒布伦、画家大卫等人。在这个圈子里，他是闻人大户华诞上的常客，是贪恋种种享乐的大玩家，生活不免荒唐，但同时也显露出了诗歌创作的才华，他的《爱的艺术》（*Art d'aimer*）作于此时，他的酗酒生活则在他的《哀歌》（*Les Elégies*）中得到反映。他过着优哉游哉的生活，常出入社交界，悠闲地吟诗撰文，不求发表，但他读书研习甚为用功，并非随意浏览，而是专注治学，上至希腊罗马的文化艺术典籍，近至十六七世纪的法国诗艺，均是他钻研的对象。

1783 年后，他不止一次出国旅行，到过瑞士、意大利等地，后又去伦敦，在法国驻英大使馆给大使拉·吕泽尔伯爵当秘书。在英国期间，他不仅广泛阅读了英国作家、诗人的作品，而且对政治理论书籍很感兴趣，涉猎甚丰，特别醉心于英国君主立宪制的政治自由。1789年法国爆发革命后，他虽然身在国外，但已卷入了国内的政治斗争，站在温和保守派的立场上，对国内的发展趋势与时事变化公开在报刊上发表政见，如他1789年发表的《劝法兰西人民认识他真正的敌人》（*Avis au peuple français sur ses véritables ennemis*）与《论党派精神》（*Refléxions sur l'esprit de parti*），他强调人民应享受自由的权利，为此，必须防范革命后走极端、侵犯人民的自由权，而党派的偏激精神与非常的政治手段都是自由权利之敌，应予摒拒。

1791年，他从英国回到法国，英国君主立宪制在他身上打下了深刻的烙印，他以此种政治理念来看待眼前法国大革命愈演愈烈的进程，自然而然持政治异见与敌对情绪，因此，不断发表一些逆革命进程的言论。他主张法国应该像英国一样保留国王，他猛烈攻击过激的雅各宾党人，就连温和的共和派吉伦特党他也不能容忍。他还进行了政治活动，与一些人联合成立了政治团体"立宪之友社"，要营救被推翻、被囚禁的国王路易十六。在报纸上，他公开发表《代拟路易十六致国民议会议员代表书》（*Le Projet d'une lettre de Louis XVI aux députés de la Convention*）。

与此同时，他也没有忘记把诗歌当作工具表抒自己的政治感受。1792年路易十六面临着上断头台的下场时，他写了《致凡尔赛的颂歌》（*Versailles*），对过去王室和大贵族麇集的这个"王家胜地"尽情咏唱，无限缅怀。在他心目中，这个王宫具有至高无上的地位，一想起它就"使我宁静，遗忘了忧烦"。他惋惜王权的崩溃："车水马龙，王家的豪华非凡，而今都烟消云散。"他怀着没落阶级的情绪伤今吊古，"凡尔赛的庭院，现在只有从未有过的荒凉与沉寂"，并恨恨地对结束了贵族阶级好日子的革命政权和人民加以诅咒。1793年初，路易十六被处死，他公开为这个历史罪人鸣冤叫屈。同年，马拉被害后，他写了一首诗《颂夏洛特·科尔兑》（*Ode à Marie-Anne-Charlotte Corday*），为杀害马拉的凶手喝彩叫好。

1792 年 8 月 10 日，革命恐怖时期开始。次日，他赶紧逃离巴黎，躲在鲁昂与拉佛尔，避开了 9 月的大屠杀。但不久，他又潜回巴黎，在凡尔赛住了一段时间，由于偶然的原因，于 1794 年 3 月被拘捕。在狱中，他写了一系列《讽刺诗》（*Iambes*），咒骂雅各宾派专政，为被镇压的人叫屈，把反对革命的思想感情倾泻无遗。但是，正像他诗中描写的那样："在断头台下，拨弄着自己的竖琴，也许不久就轮到我结束生命。"他被判决为"人民的敌人"后，于 7 月 20 日死在断头台上。他死后仅两天，革命恐怖政权雅各宾派专政垮台，恐怖时期宣告结束。

2. 谢尼埃的诗歌创作

安德烈·谢尼埃只活了 32 岁，从青少年时期就开始写诗，一直到被捕入狱后仍未停止，诗歌数量不在少数，但生前只发表过两首，其余诗稿都保存在其弟玛丽－约瑟夫·谢尼埃手里，直到 1819 年才得以零星结集出版，其全集的问世，则是在 1862 年。作为一个诗人，他是身后才获得承认并奠定其重要地位的。

从诗歌类型而言，谢尼埃的诗可分为哀歌（Elégies）、牧歌（Bucoliques）、田园诗（Idylles）与古讽刺诗（Iambes）四种，但从诗歌的具体内容性质而言，则可分为说理诗、模拟诗与抒情诗。

谢尼埃的说理诗有两类。一类是以诗论自然史、世界史、述说世界、地球的发展变化与实际状况，这一类的代表作有《赫耳墨斯》与《美洲》。长诗《赫耳墨斯》的标题意为希腊神话中司畜牧、道路、体操、论辩与商业的神，实际是指整个世界的系统，整个诗篇的内容甚为丰富，从地球的形成、构造与演化，植物与动物的出现，歌咏到人类的诞生、人的形体，心理与精神以及人的社会发展、宗教起源、政治变迁、科学进步等等;《美洲》的规模亦甚为宏大，其内容从种种探险到美洲的发现以至新大陆的物质气象与人文景观，致力于表现人类精神与智慧的成长，全诗原打算写到一万多行。虽然这两首长诗均未完全写完，但其规模与宏大的气势，已构成了史诗的格调。18世纪是哲理的世纪，不止一个诗人都曾写过说理诗，而从世界观、自然观而言，谢尼埃说理诗中的知识与观念，基本上没有超出百科全书派与布丰的自然史观，但由于谢尼埃以学者的认真态度钻研过有关的学问与知识，更重要的是他不流于抽象的说理与说教，而重视并着力进行形象表述，因此，有的文学史把他的说理诗誉为法国文学史上优秀的哲理诗之一。

谢尼埃说理诗的另一类是以诗论诗，也就是用诗歌形式阐述对诗歌的理念，对诗歌的继承与创造等问题的见解。其代表作就是《创造》（*L'Invention*）与《书简诗》（*L'Epitre*）。在这方面，谢尼埃之前有古典主义诗艺大师布瓦洛的《诗的艺术》这个先例，但谢尼埃不仅作诗，而且撰文阐述自己的诗歌观，如《论艺术兴衰之缘由》。更为重要的是，谢尼埃所表述的思想超出了古典主义的窠臼，颇有新意与创见，给18世纪诗坛带来了新的理解，也为19世纪的法国诗歌创作提供了思路。他的诗歌创作主张，概括起来就体现在这样一句诗里："在新思想之上，吟古代的诗韵。"

他这种诗歌创作观，明显是由两个不可分割的方面组成。一个方面是极力推崇古希腊的诗歌艺术，把它当作继承效法的对象。在法国诗人中，谢尼埃由于儿时环境与希腊母亲的影响，无疑是古希腊的文化艺术的学养最为深厚的一人，他对从荷马、阿里斯托芬直到希腊抒情诗人的认知与喜爱，已深入到他自己的神髓，这种热爱又延伸到古罗马的诗艺。他认为古代诗歌结构完整、音律和谐、形象鲜明、言语凝练，具有高度的音乐美与雕塑美，对于后世来说都是宝贵的营养、巨大的财富，后人应该继承、借鉴，甚至不应耻于模仿与"剽窃"，以借用古人的"色彩"表现今人的思想，引用古人的"诗歌火焰"，点燃今人的"火炬"。总之，对古代诗歌形式美的继承是当今诗歌创作的一个重要的条件。另一方面，他对诗歌创作之根本有足够的认知，他强调创造者的心灵与生活、激情与抒情性才是诗歌真正的源泉，为此，他特别重视诗人的激情与诗歌抒情性，他主张借用古人的形式美正是为了更好地表达今人的心灵与生活。对这两个方面辩证的认知与自觉的运用，是安德烈·谢尼埃在诗歌创作上达到了较高成就的一个重要的原因。

安德烈·谢尼埃诗歌作品的第二大类是模拟诗，这是他在诗歌创作上的继承观与创造观有机结合、绝妙运用的产物，可谓"旧瓶装新酒"的妙招。这一类诗很多都采用牧歌与田园诗的形式，这正是安德烈·谢尼埃最得心应手、最娴熟精通，因而运用得也最多的形式，其创作量在他的诗歌创作中占有较大的份额与比重。在这些诗里，他往往很自觉地以古希腊、古罗马的诗人为榜样，从他们的作品中汲取灵感，借鉴其格调，取法其意境，甚至还直接从《伊利亚特》《奥德赛》以及其他古典作品中借用题材，以进行自己的创造、描绘与咏唱。其著名的代表作有抒写荷马的《盲诗人》（*L'Aveugle*）、歌唱母爱力量的《年轻的病人》、表现自由向往的《自由》、描述亲情恩情的《乞丐》，这些诗中不仅大量借用了古代的神话与传说，而且也独创地描绘了古代的生活画面，展示了古希腊的风物景观。此外，诗人还以田园诗的形式，写了不少短小精炼、美妙精巧的诗。从其描绘来说，都是一幅幅风情画；从其抒情来说，则是一阕阕真挚动人的心曲，如《塔兰托少女》《尼埃尔》等。

在这些诗歌创作里，谢尼埃充分显示出了自己的优势条件、出色才能与独创性。得益于他的家庭影响与经历以及学者般的研读，他深得古希腊罗马文学的精髓，因而，他的诗作酷似古代经典文学的神韵与格调，且青出于蓝而胜于蓝。与其说他是着眼于模拟，更应该说他是致力于创造，他不仅追求音乐美，而且追求绘画美，他是构图、描绘、调色、铺陈的高手。他把古代异域的景色，大自然的风光，民间的神话与传说，希腊人的健美体格、言谈姿态有机调配在一起，使他的诗具有多方面的历史文化韵味，具有立体的雕塑美。而且，在这些画面里，诗人还注入了深沉真挚的抒情与感慨，如《年轻的病人》写一个青年人为一个美丽的姑娘害相思病，郁郁寡欢难度时日，其母不胜忧虑，祈求阿波罗神怜悯自己的儿子。慈母至诚，金石为开，她终于把姑娘带到儿子跟前，让两人成婚，救了儿子的性命。诗中的生死恋情与慈母爱心均深挚感人，整个诗篇实为 18 世纪诗歌中难得的诗情画意杰作。

安德烈·谢尼埃另一类重要的诗作，是他的抒情诗，这些诗大多都是被捕后在狱中写的，其中爱情诗占一定比例，这些情诗都献给法妮，她是诗人从巴黎逃避到凡尔赛时相识的，其真实姓名是洛朗·勒库特夫人。这段令人遗憾的不果之爱，使他感念之至、缠绵难忘，吟哦咏唱之下，就留下了这些凄清哀婉、十分感人的诗篇（《致法妮》），它们是安德烈·谢尼埃抒情诗中的精华，其中有的足以与 19 世纪闻名遐迩的浪漫主义大诗人拉马丁缠绵悱恻的爱情诗名篇媲美，同为情诗中的明珠。

除情诗外，还有相当一大部分抒情诗是写在狱中的见闻、观感与体验，有愤怒的抗议，有激越的指责，有刻薄的讽刺，有面临断头台前景的哀叹，有求生的向往，有对狱友的同情，总的思想内涵明确而强烈，都是指向当前的革命恐怖。这些诗所占的比例亦不小，它们构成了对安德烈·谢尼埃做思想倾向评价与历史定位的复杂性，但不论怎么讲，这些诗毕竟是在断头台下迸发而出的，其感情之真挚强烈显而易见，确能引发后人对于一个优秀诗人误陷历史无情车轮之下而粉身碎骨的悲叹。

安德烈·谢尼埃以他古朴的异国情调、凸显的形象描绘、真挚的抒情咏唱，超出了 17 世纪古典主义以来的法国诗坛，带给了法国诗歌清新浪漫的气息，他实际上开了法国浪漫主义诗歌的先河，在 19世纪受到了不少大诗人的一致赞誉。

第九章　萨德

第一节　萨德的生平

　　萨德侯爵（Donatien Alphonse François, Marquis de Sade, 1740 -1814）出身于一个古老的贵族世家，从小在阴暗的城堡中长大，其父是一个高级外交官，曾任法国驻俄大使，后又在政界历任要职。萨德自幼师从其叔——一个学识渊博的修道院长，受到了优良的文化教育，10 岁又入著名的路易大帝中学学习，打下了坚实的文化基础，培养了他对文艺，特别是戏剧的爱好。

　　他 15 岁入军界，在国王的御林军中先后任少尉与中尉之职，参加过"七年战争"，表现英勇。从军队时期开始，萨德逐渐染上放荡淫邪的习性，1763 年与小贵族家庭出身的蒙特娄伊小姐结婚，但婚外男女关系混乱，有性虐待与性受虐的恶癖，婚后不到半年，就因性丑闻而被关进监狱，不久经其父的努力，由国王签署了命令而被保释，出狱后，热衷戏剧。1765 年，又因"骇人听闻"的性丑闻被监禁，1768 年恢复自由后，放浪淫邪的旧习仍然未改，1772 年又因在马赛犯下惊人的淫秽丑事并涉嫌谋害人命并在缺席审判中被地方法院判处死刑。不久被捕，关押在奥兰炮台，1773 年越狱逃回自己的家乡。在躲避当局追究的过程中，仍不断有秽闻传出，1775 年因举行色情集会事件不得不潜逃。1777 年，终又被捕归案，开始囚禁于文森。1784

年又作为重罪犯转移到巴士底狱。在巴士底狱，萨德开始写作小说。

革命前夕，当局因将要处决一批巴士底狱的犯人而担心他煽动作乱，又将他转押到夏朗通监狱。革命爆发后，萨德获释，在大革命中，他参加了一些社会活动与工作，他的作品也得以出版，在雅各宾专政时期，他由于有违当局恐怖政策的温和政见而被捕，并已被列入要处决的名单。1794 年热月政变，雅各宾派垮台后，他又重获自由。在此后几年的时间里，他出版了几乎所有的作品与论著。1801 年，执政府以淫秽作家的罪名，将他关进监狱，后他辗转多处，于 1814 年病死在狱中。

第二节　萨德作品的思想内容

萨德的作品分两类：一类是小说，一类是论说。小说作品中比较著名的有《朱斯蒂娜或淑女蒙尘记》（*Justine ou les infortunes de la vertu*）、《朱斯蒂娜或淑女劫》（*Justine ou les malheurs de la vertu*）、《情罪》（*Les crimes de l'amour*）、《索多玛的一百二十天》（*Les 120 journées de Sodome*）、《趣闻、故事与传奇》（*Historiettes, contes et fabliaux*）、《闺房哲学》（*La philosophie dans le boudoir*）、《恒河侯爵夫人》（*La marquise de Gange*）等，论说作品有《反对上帝的言论》（*Discours contre Dieu*），但这两类作品有时界限并不明显，如《闺房哲学》看似一本对话体的小说，实际上倒像是发议论的论说作品。

萨德的主要代表作《淑女蒙尘记》与《淑女劫》，均写于巴士底狱，前者是作者于 1787 年用短短几天写成的。从 1788 年起，他将小说故事加以扩充、增补、丰富而成为后者，这是两部大同小异的作品，后者以前者为基础，篇幅更大，情节内容更详尽，特别是议论部分更为充实丰富。

女主人公朱斯蒂娜是一个集种种美德于一身的淑女，她洁身自好，遵纪守法，信仰虔诚，慷慨大方，乐于助人，见义勇为，慈善为怀，但她入世后却屡遭凌辱劫难，在她的十次经历中，她所遇到的是吝啬、抢劫、同性恋干扰、无人道、强奸、奴役、忘恩负义、偷窃、诬告、栽赃陷害这十大人世罪恶，作者在小说中是用如此明确的文字表述主人公的十大经历的：

一、"女主人公越需要帮助，就越没有人帮助，或者只有人对她提供一些可耻的、侮辱性的帮助，这是有德者第一次受到惩罚"。

二、"一个高利贷者教唆她偷窃，她拒绝了，高利贷者发了财，而她却几乎被绞死，这是有德者第二次受到惩罚"。

三、"有德者第三次受到惩罚，因为她拒绝追随一班强盗，他们想在邦迪森林里强奸她"。

四、"有德者第四次受到惩罚，原因是她拒绝毒害德·布鲁萨克夫人"。

五、"有德者第五次被惩罚：她阻止外科医生犯一桩可怕的罪行，却被切去了脚趾，被打上了烙印"。

六、"第六次，有德者因宗教信仰虔诚而受到惩罚，她本想领受圣体，却被强奸了"。

七、"她因慈悲济贫而第七次被惩罚"。

八、"她因把一个人从濒死境地中救了出来的善行而第八次被惩罚"。

九、"她的善行第九次被罚：由于不肯偷窃，反而被人偷了"。

十、"她的第十次善行受到惩罚：从火灾中救一个孩子，却因此引起一场诉讼"。

作者把女主人公当作美德的化身，让如此多的罪恶偏偏都叫她碰上，这样一个故事就带有明显的缩影性、寓意性、象征性了。在这个意义上，这部小说可以称为"人世历程"，在这里，作者的视野是整个人世，他是在致力于提供一幅宏观的社会图景，他力图诠释这样的意蕴：在社会现实中，善与德遭了殃，恶与罪行肆虐，社会是认同恶而不认同善的。从这里，作品带有明显的愤世嫉俗的性质，带有对社会现实、对恶浊社会环境中丑恶人性的批判与申诉。

社会批判与现实抗议的思想倾向，不仅体现在整部作品的构架中，而且存在于作者大量的议论以及通过人物之口发表的议论中。在萨德的作品里，议论多、哲理多、思想观点表述多，几乎可以说是一个最为显著的特点。事实上，萨德的作品，并不如世间所传闻、所想象的那样，首先是充斥了色情描写。以《淑女劫》而言，在开篇以后很长的篇幅里，读者所读到的主要是结合社会黑暗、暴行丛生的现实而发的议论抨击。而他的作品中，这些议论、哲理与思想观点，都带有鲜明的社会批判倾向，可以说，封建专制社会时代那些至高无上的法权与精神原则都遭到了质疑与针砭。

如，贫富不均秩序下被视为天经地义的"勿偷盗"的原则，在他这里遭到了轻鄙："偷盗是有益的，因为它建立了一种平衡，贫富不均则完全打破了这种平衡"；"合法的富人冷酷无情，穷人就会有不轨的行为"。

如，备受尊崇的道德在他这里受到了诘难："道德只不过是一种行为方式，这种方式随着环境而变化，因此，它不具有任何实实在在的东西，仅此一点，就让人看出了它毫无意义"；"地球上没有两个民族具有完全相同的道德标准，所以道德没有任何实在的东西，没有任何好的东西，没有任何值得我们崇拜的东西"。

又如，凛然不可侵犯的法律，其消极后果被他毫不留情地指出："只要人们依法处死窃贼与凶犯，偷盗就会永远附带着凶杀。"

至于在封建时代作为君权神授的理论基础与一切社会行为的规范的宗教，更是遭到他特别激烈无情的攻击："一切宗教都是出自一个虚假的原则，造物主从来就不存在"；"宗教值得去尊重吗？有哪种宗教不带有欺骗与荒谬的标记？我在所有的宗教中看到的是什么呢？

是使理智发抖的奥义，是违反自然的教条，是只能使人嘲笑和厌恶的仪式"；"最应该蔑视的人、最笨拙的无赖、最呆傻的骗子，这就是上帝，这就是与其父一样的圣子"。在他笔下，一部基督兴盛史不过是这样的："这个卑鄙无耻的宗教终于登上了宝座，这是一个虚弱的、残忍的、无知的、狂想的皇帝，他被皇家的布条包裹着，却污染了地球的两端。"

这些言论显然都表现了作者愤世嫉俗的抗议精神，这是当时 18 世纪大革命爆发前社会下层对危机四伏、黑暗腐败的封建法兰西，对已经衰朽了的封建政体的绝望情绪的反映，不失一定的挑战性与反抗性。

萨德在自己的小说作品里，宣讲思想、见解与哲理的兴趣显然要大于他展示情节与故事的兴趣，可以说，思索与发表哲理见解，似乎是他写小说的第一迫切需要，这正是他有意识力求成为思想家而不是"淫秽作家"的标志，他在这方面的意愿是如此强烈，以至他让他几乎所有的出场人物都是"议论者"、"思想家"、"哲学家"，把各种哲理见解塞在他们的嘴里。如果说，萨德要叙述情节时总是念念不忘自叙者的身份、品格、条件的限定性，而力求把叙述的内容、分寸、程度、倾向、色彩维持在自叙者的限定性范围之内的话，那么，萨德要宣讲观点哲理时，却较少照顾人物的身份、教养与文化水平的限定性，而往往把自己的哲理让某些身份不适合的人来表述。于是，就形成了这样的情况：他的小说作品里几乎到处都是哲理与议论。

萨德称得上是人类文化史上一位思想家，他的作品充分显示了哲理的丰富性、思辨性与深刻性。就其丰富性而言，其中宗教、道德、政治、法律、社会关系、人文、心理以及性等等，无所不涉，而且非浅涉而已，其议论与阐述还相当展开，因而，有些段落篇章几近于丰富酣畅的理论文字。就其思辨性而言，萨德经常把苏格拉底、柏拉图等古哲人常用的哲理对话、辩论、诘难引进了他的小说，让不同的人物持不同的观点、见解，做不同的立论，一正一反，一矛一盾，互相辩驳，使事物对象的各个方面在对话中得到了全面的观照与探讨，整个问题也就在思想观点的对立、碰撞、交锋中得到了辩证的表述、深化的阐释。这正显示出了萨德作为哲人的精微的思辨性，它明显带给萨德的小说在人类社会若干重大问题上反复思考的性质。至于萨德哲理的深刻性，只要是读了萨德作品的人，都是很容易感受到的。它正是萨德作为一个哲人对社会与人类事物透彻的认识，是他不回避、不绕弯、不掩饰、敢于直言其事的勇敢精神与他强有力的思辨能力所带来的，仅举他对宗教的哲理为例，且看这样精辟的议论：

> 宗教不过是人与上帝的一种关系，是人以为应该对人之创造者的一种崇拜；一旦这个创造者的存在被证明是虚幻的，宗教也就消亡了。早期的人类被使得他们震惊的现象吓破了胆，不得不承认有一个至高无上的存在，他们所不了解的存在，指挥这些现象的进程及其影响。软弱的实质在于想象或者害怕某种力量。人类的思想在幼稚阶段还不能在自然的内部寻找并找到运动的规律（这个运动是使得他们感到惊讶的全部机制的唯一动力），就以为为这个自然设想出一个动力比把自然看做一个动力更为简单，它没有料到创立并确定这个巨大的主宰比在对自然的研究中找到使他们感到惊奇的原因困难得多，它接受了这个主宰万物的神灵，使世人对他顶礼膜拜。在这个时候，各民族均根据自己的习俗、知识与气候，造就了类似的神灵。很快，地球上有多少个民族，也就有了多少种宗教；有多少个家庭，就有多少个上帝。不过，在所有这些偶像下面，很容易认出这个荒诞不经的幽灵——人类愚昧无知的第一个结果。

这无疑是一种严肃的、理智的、科学的、唯物的论述，即使在宗教研究史上，也算得上是一种有分量的见解，这一类真知灼见、精辟议论，在萨德的作品里几乎到处都是！正是这些闪亮的思想内容，使得萨德终于冲出了几个世纪以来斥之为"淫秽作家"的恶评之重围，而在 20 世纪赢得了思想家、哲人的定评。

第三节　萨德作品的道德倾向

应该注意，由于萨德是表现一个美德化身在人间饱受凌辱的故事，在朱斯蒂娜不断被强奸、施暴、猥亵、虐待的经历中，小说的相当一部分就是对性关系、性行为情节的叙述，这是萨德的小说长期被视为"不道德"的一个重要原因。

然而，如果对萨德的代表作做一番具体分析，则不难得出不同的印象与评语，其关键就在于萨德选择了主人公自叙的方式，更重要的是他所选择的自叙者是一个特定的美德化身，作者这个叙述上帝所要叙述的一切，都要通过这个人物。如果作者还在意并重视叙述的真实性的话，那么，他可能叙述的内容、所采取的叙述角度、所叙述出来的程度与分寸以及叙述的基调、色彩、倾向、立场，都必须限定在自叙者的身份、职业、地位、性格、品行所允许的框架之内。这是自叙体作品的叙述铁律，不容背离。萨德在小说叙述中服从了这个铁律。他十分尊重朱斯蒂娜这个自叙者的自然权利，让他的这个生性贞淑、心灵纯真的少女在讲述自己的所遭所遇、所见所闻时，完全按其本性行事。他几乎念念不忘这个淑女根深蒂固的贞操观，她对宗教信仰的绝对忠诚，她那近于禁欲主义的对性行为的冷漠、厌烦与憎恶。于是，在萨德这本由朱斯蒂娜的通篇自叙所构成的小说里，对种种性关系、性行为以及人在性行为中的感受与表情的形容与描写，都带有非常明确、非常鲜明的道德谴责的倾向，用词几乎无一不是否定式的，如"邪恶"、"野蛮"、"暴行"、"凶残"、"淫秽"、"残酷的癖好"、"无耻的快感"、"下流的动作"、"堕落得如此之深"等等。而且，作者萨德还经常不忘记这样一个贤淑女子所必然有的"薄脸皮"与羞涩，甚至古板，让她在叙及性行为与性场面时耻于启口，她总是及时打住，充当自动删节者的角色："请允许我向您隐去这个令人恶心场面的淫秽细节。"这样，作者萨德容许这个人物叙述出来的性情节，往往就只有梗概而无细节，她所描绘出来的性场面只有概观而无声色。总之，萨德的朱斯蒂娜这个人物在相当大的程度上保证他小说的道德基调、道德色彩与道德倾向，使这部小说至少在文本这个层次不存在一个"不道德"问题。而且，这个朱斯蒂娜是一个人格完全一元化的淑女，她在性问题上，没有"人格分裂"，因而，她的叙述也就是完全单元化、道德化的，而不存在某些作品中自叙主人公常有的复调，即好淫语调与诲淫语调同时并存的"复调"。

当然，起最终作用的还是作品的叙述上帝——萨德本人，他决定叙述出哪些事实，读者就会看到哪些事实；他决定展示多少人间的淫秽行为，读者就会看到多少人间的淫秽行为。问题就出在这里。糟糕的是萨德不仅决定展示人间的一般性行为，而且决定展示出一些扭曲的、病态的、反常的、骇人听闻、令人发指的虐待狂性行为，相比之下，被一般人视为不正常性关系的同性恋，只不过是小巫见大巫而已。萨德似乎要把自己的小说变成反常性行为的展览馆，在这里，他违反了故事情节须合情合理的要求而尽可能地罗列变态性行为种种违反人性、违反人道的形式，从荆条、苦鞭、戒尺、棍棒一直到狗咬，似乎务必求全，唯恐有所遗漏。而且，他还让那些变态者现身说法，解释自己的性变态（如布雷萨克伯爵对朱斯蒂娜大谈同性恋的一席话），宣称"我们唯一的快乐就是违背人道"。问题就出在这里。虽然所有这一切都有目击者兼叙述者朱斯蒂娜从旁以严厉言词加以抨击，用"令人作呕"、"肝肠欲断的悲痛"、"泪流如注"、"羞耻得无地自容"、"全身被泪水湿透"、"绝望与愧疚"这样一些形容语来表现当事者的痛苦，而使上述种种淫秽行为的展示成为性犯罪、性灾难的大图景，而从其客观效果来说，这种性苦难、性罪恶的图景也只可能引起性厌恶、性恶心的效果。凡此一切，尽管如此，但萨德毕竟展示出了一般人所未见、一般人所少见的种种病态的性行为，对于一般的读者来说，也并非绝无消极"诲淫"作用，这是应该正视和承认的。

不过，又应该看到，这些反常的病态终归是人性中的客观存在，而不是萨德的臆造发明。对于思想家、哲学家、心理学家、精神分析学家来说，指出这些病态，描述其病症以及在精神上的病理，就如同医学家研究与说明梅毒与癌症一样，既是必要的，也是应该的。萨德实际上是在起哲学家、心理学家、精神分析家的作用，他的书无异于人性病理学的病理报告。这样一份惊世骇俗的病理报告，自18世纪问世以来，一直是令人侧目而视、令人震惊、令人避之唯恐不及的，但是，随着对人性病态研究的加深与普及化，愈来愈多的人士发现了、认识了、赞同了萨德病理报告的真实性与准确性以及其医疗价值，20世纪人文科学的发展，也愈来愈证明了萨德病理报告的超前性，萨德那种直面人性恶瘤的现实态度、敢于触及人性脓疮的科学精神、不畏人言、甘冒天下之大不韪的勇气，也就愈来愈被学术界所认同。萨德以自己的书，证明了他是一个关心人类的思想家、心理学家、精神分析家。

同样，在萨德另一部代表作《情罪》里，萨德也表明了他鲜明的道德倾向，甚至往往显示出了一种明显可见的道德示意，这部代表作的下列几个名篇莫不如此：

《法克斯朗吉》揭示了世俗的婚姻心理，提供了利欲熏心的嫁娶可能导致何种恶果的一个也许是极端的例证。法克斯朗吉小姐的父亲本是生活富裕的中产者，却看上了作风阔绰、金玉其表的一个骗子强盗，拆散了女儿与恋人的关系，将她嫁给了这个行骗抢劫、杀人越货的恶棍弗朗洛，结果害得女儿九死一生，终于仍不免早逝，活活断送了一生，正如她自己所说，"为贪图荣华富贵而付出高昂的代价"。这篇小说的副标题名为《野心误》，萨德在故事的结尾明确地指出："法克斯朗吉小姐之死，向天下贪财的父母与爱慕荣华的女儿昭示了一个惨绝人寰的实例。"而且，他在这篇小说的初稿中，还开门见山地这样说："但愿看官即将读到的这篇故事，使天下嫁女儿的父母懂得，不要指望对象的财产与门第血统给女儿带来幸福，而应该指望品行与感情。"这里，表现出了作者一种急切的道德说教热情。

瑞典故事《恩奈斯蒂娜》像《法克斯朗吉》那样，也是一场惊心动魄的婚姻争夺战。地位显赫的奥克斯梯伯爵为了占有美貌贤淑的恩奈斯蒂娜，与家财万贯的寡妇舒尔茨太太联手，玩阴谋、耍奸计，硬要把恩奈斯蒂娜从其未婚夫赫尔马纳的手里夺过来，其阴谋奸计之恶毒令人发指，导致了赫尔马纳死于冤狱。这一个恶人夺艳的故事与《野心误》中强盗骗走美人的格局有点相似，所不同的是，在《野心误》中，法克斯朗吉小姐虽有贪心的父母在怂恿，毕竟自己的虚荣心颇重，自愿入瓮；而在瑞典故事里，恩奈斯蒂娜却贤淑坚贞，竭力抗拒，"宁可清白地死，不愿蒙耻地苟活"，最后被施暴奸污，又被耍弄诳骗、阴差阳错地死在自己父亲的剑下。这个悲剧里，除了恶人外，应该负罪的仍是有贪欲之心的长辈——恩奈斯蒂娜的父亲桑德斯。他不仅重视钱财，而且贪图名望地位，这个致命的弱点在悲剧里起了助纣为虐的作用。萨德狠狠惩罚了这个贪心的父亲，让他被奥克斯梯牵着鼻子走，还中了奸计失手把自己的女儿一剑刺死。在这篇故事里，萨德授予的一课，显然要比在《法克斯朗吉》里更为严厉无情，他的道德训诫是针对这种贪心长辈的。

意大利故事《罗朗丝与安东尼奥》，则是一首对坚贞爱情、纯洁美德的颂歌。罗朗丝与安东尼奥是一对才貌双全、感情深挚、品德出众的青年恋人，安东尼奥的父亲查理却是一个恶魔般的人，生性放荡，品性恶劣，一心要破坏儿媳的贞操，将她据为己有，并不惜毁掉自己的亲生儿子。罗朗丝虽然落入了他的魔掌，但在他种种卑鄙恶毒的阴谋诡计面前，拼死保全了自己的清白，最后，年轻的夫妇终于冲破牢笼，获得了幸福，恶棍父亲得到罪有应得的下场。这篇故事尽管没有由作者出面提出某种训诫，但其中对安东尼奥优良的品性、高尚的心地、宽厚善良的胸怀、英气勃勃的活力与才干的描写充满了赞赏之情，对罗朗丝的纯洁、天真、温柔、贞节、坚强等美德的描写，更是充满了颂扬，表现了萨德对具有美德的人的理想。在这篇小说里，读者会很惊奇地发现，一贯"臭名昭著"的萨德竟有如此热烈的对道德的向往。

《欧叶妮·德·弗朗瓦尔》是经常被研究者视为萨德小说中品位最高的一个中篇小说。小说开宗明义的第一段话是这样的："本篇唯一的宗旨是要教育人与匡正人的品行。但愿看官掩卷之后能深知那些为满足私欲而无所不为者，其实每走一步都潜藏着莫大的危险，但愿他们能老老实实相信，倘若良好的教育、万贯家财、才华天赋缺了谨慎谦虚、明智端正的行为作为支撑或依托，那么它们就只能引人走上歧途，这就是我们要用故事来证明的真理。"萨德在这里所讲的这个故事，可真有些触目惊心、骇人听闻。德·弗朗瓦尔家境富足，收入丰厚，又娶了一个温柔美貌的妻子，但他却向往放荡的生活。他外貌俊美、多才多艺、聪明透顶，却不把聪明才智用于正道，而是养成了一种乱伦的恶癖，居然精心地把自己亲生的女儿欧叶妮调教成一个乱伦的女子，父女成奸之后，他又指使欧叶妮把自己的生母当作情敌杀死。犯了重罪的少女天良发现，与母亲同时毙命。最后，这个邪恶之徒也悔悟过来，自杀身亡。在弗朗瓦尔自尽的那一场景中，萨德特意安排他临终前做了大段的忏悔，这与其说是出于对人物性格做客观描写的需要，不如说是为了借人物之口来达到警世劝世的目的。要知道，在 18 世纪法国，淫靡之风甚炽，乱伦是当时一种并不罕见的败德现象，甚至有不止一部小说毫无道德是非感地把乱伦加以描写渲染。萨德则与之不同。他在自己的作品里，毫不含糊地将乱伦作为一种恶习来处理，并且向世人提出了明确的告诫。

《弗洛维尔与古瓦尔》也是以乱伦悲剧为题材。古瓦尔是一个正派人，前妻淫荡下贱，早已携子私奔出走，女儿弗洛维尔也在幼年时丢失。原来，弗洛维尔是被其母抛弃的，幸亏得到德·圣普拉夫妇的收养，成年后，她俏丽娇艳而又品格端庄，但在寄居德·泛甘太太家时，被引诱失身于一个名叫森纳瓦的青年军官，并生了一个私生子。事隔多年，当她进入中年的时候，遇见了 17 岁的德·圣安吉骑士，小青年对她产生了热烈的爱情，在他强行求欢之时，她失手刺死了他。在旅途中，她又遇见一个 50 多岁的女人因争风吃醋，杀死了情敌，她的作证导致这个老妇被判死刑。最后，她来到了巴黎，正遇上了要续弦的古瓦尔，两相不知，经人撮合而结成为夫妻。一天，一个青年人求见古瓦尔先生，证明了自己就是与古瓦尔失散多年的儿子。这时，弗洛维尔发现此人正是她多年前委身的森纳瓦。而且，她从森纳瓦那里得知她最初是被其母抛弃给德·圣普拉夫妇的；她所误杀的圣安吉骑士就是她与森纳瓦的私生子；而由于她的作证才被处死的那个老妇，正是她的母亲；更惨的是，她发现自己现在的丈夫正是她的生父。在极度痛苦之中，她自杀身亡了。

这是一个比俄狄浦斯王的悲剧更惨厉的悲剧。在这个悲剧里，父亲娶了女儿，哥哥占有了妹妹，儿子向母亲施以性暴力，而从兄、嫁父、杀子、害母的罪过，更是都集中在弗洛维尔这个女人身上。如果说，在萨德的其他故事里，罪行过错往往是个人品质与道德状况的结果，在这篇小说里，落进乱伦罪恶深渊中的人在道德上都是无辜者，甚至他们都是正派人，特别是最惨的这一对父女，更堪称有道德的人，他们的每一个行动，在他们自己的主观上都出于在理有德的考虑，但在客观上却走向罪恶。既然他们客观的罪恶并非来自他们主观的过错，那么，他们的悲剧是如何造成的？萨德给小说加上了一个副标题《宿命》，然而，萨德是一个宿命论者吗？他果真相信冥冥之中有一只至高无上的手在拨弄芸芸众生的命运？实际上，对萨德来说，宗教只是一种信仰与观念形态，而不是一种迷信神话，倒是他在小说里悲叹主人公的命运时笔下流露出来的感慨颇值得注意，如"人生在世实在凄惨"，"一个人只能在进入黑暗的坟墓后才能得到安宁，在尘世，世人的钩心斗角，本人的七情六欲，尤其是命中注定的厄运，让人永远得不到安宁"，等等，不论怎样，萨德总算触及到了个人悲剧的社会根由，这是值得特别重视的。

的确，在萨德看来，不道德的行为与罪恶，往往是人因身上的七情六欲而犯下的，在这个小说集的每一篇小说里，都有恶魔式的人物，如骗取了美人的强盗弗朗洛、造成冤案的奥克斯梯伯爵与舒尔茨太太、害子夺媳的查理、引诱女儿乱伦的弗朗瓦尔，他们都是因为身上滋生出了乖僻谬误的"情"与"爱"，才犯下了骇人听闻的罪行的，因此，萨德把这部小说题名为《情罪》（原文直译应为《爱情的罪行》）。也正因为不道德的行为与罪恶和人的七情六欲有关，就成为了一个社会性的问题，而萨德正是把不道德与罪恶作为一个社会现象来思考、来加以处理的。他看到了不道德与罪恶对人类社会的巨大祸害，他反对在意识形态上对不道德与罪恶的纵容与诱导，他毫不含糊地主张维护道德、提倡美德与善，他在《弗洛维尔与古瓦尔》中借一个人物之口这样说："罪恶的鼓吹者，都是些心术不正的坏人与绝望的人，他们中间没有一个真心实意，没有一个人肯讲真话，承认他们有毒的言论与危险的著作只以七情六欲为指南。确实，什么人能心平气和地说，道德的基础可以动摇而不至于造成恶劣的结果？什么人有脸否认做好事、求完整是人类非追求不可的真正目的？只干坏事的人怎能期望在社会上得到幸福呢？因为，社会最强大的趋向，就是求得善的不断发展。"

　　至于如何解决作为社会问题的恶行与犯罪，萨德也给予了相当的关注，提出了自己的方案，并把它形象地表现在《恩奈斯蒂娜》这篇小说里。在这个故事的结尾，将桑德斯父女害得家破人亡的贵族恶棍奥克斯梯被判处了终身苦役，但是，桑德斯却请求赦免了他，后又让他在自己的剑下免于一死。对这样异乎寻常的宽宏大量之举，他这样解释说："我想以德报怨，您现在受的罪能弥补我的痛苦吗？我能因为看到您痛苦而高兴吗？把您囚禁起来能抵消您残暴地让多少人流淌的鲜血吗？要是我也这样想的话，我就会跟您一样残忍，一样不公正，一个人坐牢能补偿他给社会造成的灾难吗？倘若要让他补救错误，就应该释放他，在这种情况下，没有一个人不会不改恶从善的，没有一个人不愿从善而宁可在枷锁下偷生。"桑德斯以德报怨的条件是要求奥克斯梯"尽量多做好事来弥补过去犯下的种种罪行"，他的施恩果真收到了效果，从此，恶魔般的奥克斯梯变成了一个行为端正的善人，他以"成百上千件、一件比一件更大方、更辉煌的善举，弥补了他过去的罪孽"。萨德结束这篇小说时援引此例做出结论说："这证明了并非只有靠暴政、靠以牙还牙的报复才能使人改邪归正、循规蹈矩。"不论萨德所提出的这种宽大无边、以德报怨、以恩感化的桑德斯方式在法律学、社会学的意义上的可行性如何，但毕竟是出于对这个社会问题的严肃关注、认真思考与善良愿望。

第四节　萨德作品中的善恶观

　　萨德不是一个主恶论者，而是一个主善论者，但是，他在自己的作品里又毫无疑问地是在致力于表现恶。他不仅表现恶人恶事，而且让每一个作恶的人振振有词道出各自一套完整的恶的"道理"、恶的哲学，如"偷窃有理"论、"同性恋有理"论、"科学实验有权残害人"论等等。这是萨德在为恶张本？为恶辩护？在宣传恶？从小说的基本倾向来看，当然不存在这个可能，萨德之所以几乎把每一种恶的谬论写得淋漓尽致、头头是道，显然是要把恶人恶事表现到真实自然的地步，表现出恶人恶事之所以为恶人恶事。恶既然是人身上的一种宿疾，它必然有其特殊的观念形态与视角、思路。对于某些恶人来说，他需要援引自我存在的某种理由，他需要有对自我存在权利的确信，需要在面对社会道德威逼力量的时候进行自我辩解、自我开脱、自我护卫，也需要有用来抵消自己良心良知谴责的借口与倚仗，以及用来缓解某些时候内心里某种程度的矛盾不安的精神"清凉油"。如果恶始终只与自卑自责相伴，它就不会在人世中如此肆虐逞顽；如果恶人生活在忏悔不安之中，自然也会开始异化而不再成其为恶人了。萨德很懂得这一点，他并不把恶表现为简单化的、脆弱的恶，而把恶表现为有深度、有其人性病态根由的顽固而严峻的恶；他并不把恶人表现为没有思维能力与制造观念形态的能力，而只有残忍野性的莽撞的野兽，他把恶人表现为不仅有残酷的兽性，而且善于以谬论来维护自己，证明其存在的合理性，因而也更为可怕的恶人。总而言之，萨德把恶表现到了极致，对他来说，这不仅是为了认识恶人之为恶人，而且也是为了深入而充分地探讨作为人性问题与社会问题的恶，从恶的产生根由、恶的存在形态、恶的运作方式、恶的观念与哲理，直到恶的抑制与清除，等等。

在萨德看来，恶之产生与存在不外两个根由：一是人性的根由，一是社会的根由。人性的根由，总起来说，就是他说的"七情六欲"的病态发作，他笔下的吝啬鬼迪·阿潘因为贪财而对朱斯蒂娜进行诬陷是突出的一例，德·布鲁萨克侯爵因同性恋恶癖受阻而对自己的母亲下毒手更是触目惊心的一例。对此，萨德在小说中指出："肉体上的道德败坏，必然窒息内心里的善，这是常有的事。道德败坏通常会使人变成铁石心肠，因为绝大部分的放荡行为都需要灵魂麻木。"而在拉斐尔神甫的修道院里，正是好色使一伙神职人员不仅成为了邪恶的淫棍，而且成为杀人灭口、无恶不作的魔鬼。

至于恶的社会根由，在萨德的笔下，至少有两个方面是写得相当深刻的。首先是社会财富的严重不均。对于富人来说，是骄奢淫逸产生恶："一个人拥有的财富比他生活所需的多三倍，当然就难以保证他不会再巧取豪夺；一个人周围都是阿谀逢迎的人或者都是百依百顺的奴隶，就难以不产生谋杀的歹念；一个人陶醉在享乐之中，供他享用的都是美酒佳肴，再要节欲或节制饮食，当然就很困难了。"而对穷人来说，则是"以恶抗恶"产生恶，正如落草为寇的拉·杜布瓦所说的："我们被人蔑视，因为我们穷，我们被欺辱，因为我们软弱，我们在整个地球上只能找到苦胆与荆棘，只有犯罪能给我们打开生活的大门"；"大自然使人人生而平等，如果命运任意打乱这一普遍的法则，我们就应该去纠正命运的任性，应该用我们的机智去向强者索回他们巧取豪夺的东西"；"有钱人的狠毒心肠，使穷人的卑微劣迹成为合理而又合法的了，只要富人的钱包向我们的需要开放，只要他们的心里有'人道'二字，那么，道德也就可以植根于我们的心中……我们的犯罪，完全是他们造成的"。社会矛盾如此尖锐，世人往往期望法律起到主持公正、协调关系、缓解矛盾、抑制恶、惩治恶的作用，但糟糕的是，法律却助纣为虐、激化矛盾、雪上加霜。朱斯蒂娜在被迪·阿潘诬陷而吃官司时这样说："法院认为道德与贫穷不能同时并存，只要你贫穷，法院就认定你肯定有罪；还有一种不公正的偏见，认为可能犯罪的人一定是犯过罪的，一切都根据你的身份地位来做判决，只要你的身份与财产不能确定你是一个正直的人，你的罪名马上就成立了。"正是在这种不公正法律的判决下，善良与美德的化身朱斯蒂娜不止一次被判重罪，而恶人恶事反倒逍遥法外、逞凶得意。

萨德的全部作品，是萨德这样一个极其复杂、极其矛盾的人物的必然产物。在他身上，无疑具有多种精神层面与复杂人格：他既是具有深厚的历史与人文学养并不乏社会正义感的思想者，又是一个生活放荡、染有恶淫习癖的浪子，也是一个长期没有人身自由的囚徒。他的作品就是带着思想者的修养积淀、浪子的经验见闻，作为服刑者在监狱中写成的。其中，深刻的思想哲理、人世的腐败现象、丑陋恶癖与囚徒戴罪之身的道德说教杂然纷呈。尽管他的作品中存在着糟粕杂质，但瑕不掩瑜，时至现当代，其中的精华闪光之处已愈来愈被世人所认同与赏识。

第十章　资产阶级革命时期的文学

　　法国 18 世纪资产阶级革命，是人类历史上一次伟大的革命。在革命时期，激烈的政治斗争要求意识形态与它紧密配合，不同的阶级、政党、派别都充分利用文学作为斗争的武器。这一时期的文学与政治比任何时候都结合得更紧，文学表现出鲜明的政治性和党派性，成为了本阶级的喉舌，也成为革命过程形象的真实的记录。

第一节　革命诗歌

　　1789 年 7 月 14 日，以巴黎民众攻陷巴士底狱为标志，资产阶级革命正式爆发了。对于这次革命，马克思曾经这样评价说："18 世纪法国革命的巨大扫帚，把所有这些过去时代的垃圾都扫除干净，从而从社会基地上清除了那些妨碍建立现代国家大厦这个上层建筑的最后障碍。"[1]

　　革命爆发后的第一阶段，是君主立宪制，在这时期，立法权由大资产阶级君主立宪派的制宪议会掌握。制宪议会于 8 月 26 日发表了著名的《人权宣言》，但仍保留了国王，行政权由路易十六行使。1792 年 8 月 10 日的人民起义，推翻了君主立宪，开始了由资产阶级共和派吉伦特党人进行统治的第二阶段。1793 年 5 月 31 日的人民起

---

[1]　马克思：《法兰西内战》，《马克思恩格斯选集》第二卷，第 372 页。

义，又推翻了吉伦特党的政权，建立了资产阶级民主激进派雅各宾党人的专政，继续把革命向纵深推进。

法国 18 世纪革命是一次彻底的资产阶级革命，在这次革命里，"为了取得即便是那些在当时已经成熟而只待采集的资产阶级的胜利果实，也必须使革命远远地超出这一目的"[1]。领导这次革命的是资产阶级，但是，人民群众，包括无产阶级和那些不属于资产阶级的城市居民阶层，在革命中起了伟大的作用，尽管他们"还没有与资产阶级不同的任何单独的利益"，"只不过是为实现资产阶级的利益而斗争"[2]。1789 年 7 月 14 日由工资劳动者、工匠、小商贩、城市贫民构成的巴黎"长裤汉"30 万人攻陷封建专制的象征巴士底狱，同年 10 月 5 日成千上万的巴黎妇女、工人和国民自卫军向凡尔赛的著名进军，1792 年 8 月 10 日人民起义推翻君主制、逮捕路易十六的斗争，1793 年 5 月 31 日武装的巴黎人民推翻吉伦特党的政权并建立雅各宾专政的起义，以及整个革命期间前线士兵抗击外国干涉的英勇战斗，所有这些，都是保证革命取得胜利并不断深入发展的重大历史事件。

"人民，只有人民，才是创造世界历史的动力。"[3]法国人民群众的斗争，推动了历史从封建专制到资产阶级共和国的飞跃，同时，他们在斗争中，创造了战斗的革命歌曲，歌唱斗争的胜利，嘲笑封建统治阶级的失败灭亡。

这些歌曲的曲调，都是原来的民间小调或舞曲，由人民群众填进了新的歌词。革命期间，这种歌曲为数不少，其中流传最广、最为著名的有《一切都会好》和《卡尔玛纽拉》。

《一切都会好》（Çaira，1790）原来是一支轻快的舞曲。它的歌词这样说：

---

[1] 恩格斯：《〈社会主义从空想到科学的发展〉英文版导言》，《马克思恩格斯选集》第三卷，第392页。

[2] 马克思：《资产阶级与反革命》，《马克思恩格斯选集》第一卷，第 320～321 页。

[3] 毛泽东：《论联合政府》，《毛泽东选集》合订本，第932页。

一切都会好，一切都会好，

人民不断重复说，

一切都会好，

尽管有叛乱，一切都会好，

敌人乱成一堆啦，

我们高唱：阿莱露雅。

……

一切都会好，一切都会好，

根据《福音书》教导，

一切都会好，一切都会好，

有了立法者，一切都会安排好，

高贵者，我们要把他打倒，

卑贱者，我们要把他抬高，

……

一切都会好，一切都会好，

让我们高兴吧，美好的日子将来到，

人民过去受苦受压，

今天贵族该悔罪啦，

一切都会好，一切都会好，

教会悲叹失去财产啦，

根据正义，国家把它没收了，

……

一切都会好，一切都会好，

法国人民英勇投入战斗了，

不怕战火纷飞，

我们即将胜利啦，

> 人民不断重复说，
>
> 一切都会好，一切都会好。

这个歌曲虽然没有摆脱宗教思想的影响，对资产阶级革命后的社会有不切实际的幻想，但它反映了人民对反封建斗争取得初步成果的欢欣鼓舞的感情以及他们对斗争前景的乐观情绪。这时，贵族阶级并没有完全被打倒，人民要求把革命继续进行下去，颠倒高贵者与卑贱者的关系。后来，随着革命的深入发展，有的段落的歌词改成为："一切都会好，一切都会好，贵族吊在路灯上，我们要把贵族都上吊。"充分表现出"全部法兰西的恐怖主义"，乃是用来"消灭专制制度、封建制度以及市侩主义的一种平民方式"[1]，因此，被封建贵族咒骂为"血腥的歌曲"。这支歌在当时极为流行，人民在街头上、在剧院里都经常唱。1790 年 7 月 14 日，巴黎举行全国大联合大会时，全体高唱这首歌曲，增添了节日的盛况；1792 年革命军队在瓦尔米击溃优势的普鲁士干涉军的战斗中，也是高唱这支歌曲，更振奋了英勇作战的精神。

《卡尔玛纽拉》（*Carmagnole*，1792）是一支讽刺路易十六夫妇的歌曲。巴士底狱被攻克后，路易十六不得不接受宪法，由封建专制君主成为立宪制君主。但他并不甘心，在王后玛丽－安东奈特和宫廷贵族的支持推动下，暗中与外国封建君主勾结。1791 年 6 月 21 日，路易十六夫妇化装出走，企图逃往外地发动叛乱或引进外国干涉军以扑灭革命，但很快就被人民群众发现并押回巴黎。《卡尔玛纽拉》就是在这一事件之后开始流传的。它轻蔑地以"维多先生"、"维多太太"称呼路易十六夫妇，对他们封建势力复辟的企图进行了无情的嘲笑：

> 维多太太曾经有话，

---

[1] 马克思：《资产阶级与反革命》，《马克思恩格斯选集》第一卷，第321页。

　　要把巴黎全都扼杀，

　　幸亏有了人民的炮手们，

　　这话才成为泡影，

　　大家来跳卡尔玛纽拉，

　　歌声万岁，万岁歌声，

　　万岁万岁大炮声。

　　维多先生曾经有话，

　　说要永远，忠于国家，

　　但他失信了，

　　我们大家都来，

　　来跳卡尔玛纽拉，

　　歌声万岁，万岁歌声，

　　万岁万岁大炮声。

　　歌曲还讽刺了外国干涉者、巴黎的大贵族和保王派。歌曲的每一节都以"歌声万岁，万岁歌声，万岁万岁大炮声"的叠句结束，充满了战斗的气氛和欢乐的情调。

　　当时，还有一首也很流行的歌曲《红色的自由帽》（*Bonnet rouge*）。在革命期间，巴黎的群众时兴戴红色小帽以示拥护革命，这首歌曲以幽默的情调，唱出了革命人民的自豪和自信：

　　红色的自由帽，

　　给善良的法国人戴上多荣耀，

　　红色的自由帽，

　　戴在我们头上多美好，

　　要是贵族给戴上，

那就一副恶心样。

有了这红色的小帽，

法兰西的胜利就可靠，

有了这红色的小帽，

法兰西会得到凯旋的荣耀，

嫉恨你光荣的敌人，

全部都会赶跑，

因为有红色的自由帽。

法国革命爆发后，欧洲封建专制君主们对它极端仇视，把它视为对自己的严重威胁。1791 年，奥地利皇帝与普鲁士国王开始组织反法联盟，对法国进行干涉。自此，法国革命在国内外极端困难的情况下进行，"不管资产阶级社会怎样缺少英雄气概，它的诞生却是需要英雄行为、自我牺牲、恐怖、内战和民族战斗的"。①战争爆发后，立法议会宣布"祖国在危急中"，各地纷纷组织志愿军开赴前线。在保卫资产阶级革命果实的民族战争中，充满了高昂的爱国主义精神。从这民族战斗中，产生了像《马赛曲》和《出征歌》这样著名的优秀歌曲。

《马赛曲》(*La Marseillaise*，1792) 的作者鲁杰·德·李勒（Claude Joseph Rouget de Lisle，1760~1836），是革命军中的一个工兵上尉。1792 年 4 月 20 日法国政府向干涉法国革命的奥地利宣战，4 天之后，李勒在他的驻地斯特拉斯堡创作了这首歌的词和曲，当时叫做《莱茵河军队的战歌》(*Chant de guerre pour l'armée du Rhin*)。后来，一支 500 多人的马赛志愿军把它当作自己的战歌，从一个城市到一个城市沿途高唱。1792 年 7 月，正当立法议会宣布"祖国在危急中"的时候，马赛志愿军又把这支歌带到了巴黎，从此传播更广，人

---

① 马克思：《路易·波拿巴的雾月十八日》，《马克思恩格斯选集》第一卷，第604页。

们称之为《马赛人之歌》，简称《马赛曲》。

在资产阶级革命处于被扑灭的危急时刻，《马赛曲》把笼罩着整个法国的激昂的情绪和气氛，表现为战斗的音乐旋律和激动人心的号召：

> 起来，起来，祖国的孩子们，
> 光荣的日子已经来到！
> 专制者在反对我们，
> 他们扯起了血腥的旗号，（重复）
> 你听，在我们的家园，
> 那些凶残的干涉军在嚎叫，
> 他们一直逼到我们跟前，
> 把我们的妻子和儿子都扼死了，
> 公民们，拿起武器来，组织起战斗队伍，
> 前进，前进，
> 让侵略者污秽的血液灌溉我们的田地。　（第一节）

歌词中的"祖国"与"自由"，在当时反封建、反外国干涉的正义战争中，都是激动人心的口号。歌词充满了对干涉者强烈的仇恨，充满了对反侵略的正义战争的热情。曲调明快、雄壮、自然，在当时的历史条件下，起到了团结和激励法国人民的作用。他们高唱着《马赛曲》，在战场上顽强战斗，战胜了外国干涉者，保卫了资产阶级革命。拿破仑曾经说："《马赛曲》是共和国最伟大的将军，它所创造的奇迹是不可思议的。"

1792 年 10 月，这支歌曲被革命政府宣布为共和国之歌，1879 年又被定为法国国歌。在整个欧洲资产阶级革命时期，各国的革命人民在反封建、反专制的斗争中都唱过这支歌曲。

《马赛曲》之后，还有著名的《出征歌》（*Le Chant du Départ*,

1794），歌词的作者是当时另一个革命诗人、剧作家约瑟夫·谢尼埃（Marie-Joseph Chénier，1764～1811）。歌词表现了强旺的斗志：

> 自由引导着我们的步伐，
> 从南到北，响彻了雄壮的号角，
> 宣告着战斗时刻的来到。
> 喝足了血、骄傲自得的君主们
> 你们这些法兰西的敌人，战栗吧！
> 至高无上的人民在胜利前进，
> 专制君主们，你们去寿终正寝！

此外，当时还有一位著名的诗人厄古夏（Ponce Denis Ecouchard, dit Lebrun-Pindare，1729～1807），他与德·李勒和约瑟夫·谢尼埃，同为革命时期三个革命诗人。他的反封建诗歌中，比较杰出的是《复仇者》（*Vengeur*）。

第二节　党派斗争中的雄辩演说词与政论

革命期间，在领导革命的阶层中，一直进行着激烈的派别斗争，斗争的中心是要不要把革命进行到最彻底的程度。在这个过程中，"立宪派统治以后是吉伦特派的统治；吉伦特派统治以后是雅各宾派的统治。这些党派中的每一个党派，都是以更先进的党派为依靠。每当某一个党派把革命推进得很远，以致它既不能跟上、更不能领导的时候，这个党派就要被站在它后面的更勇敢的同盟者推开并且送上断头台。革命就这样沿着上升的路线行进。"[1]

在激烈的党派斗争中，雄辩演说和新闻政论是重要的斗争手段。

---

[1] 马克思：《路易·波拿巴的雾月十八日》，《马克思恩格斯选集》第一卷，第625页。

每一个党派的主要活动家，几乎都是出色的雄辩演说家或者是著名的政论家。他们的文章、演说与激烈的政治斗争、党派斗争紧密结合，是这一斗争的真实记录，是有意义的历史文献，同时，也具有一定的文学价值。

1. 雄辩演说词

最重要的雄辩演说家有：米拉波、维尼奥、丹东和罗伯斯庇尔。

米 拉 波（Gabriel-Honoré de Riquetti, Comte de Mirabeau, 1749～1791），贵族出身，他的父亲米拉波侯爵是重农学派改良主义政治家杜尔哥的信徒。他从小受过多方面的教育，积累了丰富的学识。年轻时，他曾因家庭纠纷和写作了一些自由主义的政治、历史论著而不止一次被囚禁。革命爆发时，他参加竞选三级会议的代表，贵族阵营排斥他，他便转向第三等级，成为这个等级出席三级会议的代表。1789 年 6 月 23 日，当路易十六下令解散国民议会时，米拉波挺身而出说："我们是根据人民的意志在这里开会，刺刀也不能把我们解散。"从 1789 年到 1791 年，他是国民议会和制宪议会中最有号召力的一个政治活动家。他最早一篇重要的演说是 1789 年 2 月 3 日主张出席三级会议的第三等级代表总数应为第一、二两个等级之和的演说，在其中，他为第三等级力争与贵族、教会的平等地位，并且提出了这样的口号："特权者将灭亡，人民是永恒的。"此外，他 1789 年 9 月 1 日论否决权，1790 年 5 月 20 日论战争与和平大权，10 月 21 日主张三色国旗等演说，在当时都很著名。米拉波是自由主义的贵族，在政治上主张君主立宪，代表上层资产阶级的利益，带有浓厚的改良主义色彩。后来，他逐渐倾向于路易十六，因而在人民中日益丧失声望。

米拉波的演说词立论坚实，有严密的逻辑和中肯的论证，他广博的学识又增加了演说词的说服力，加之他演说时感情充沛、声音洪亮，掌握了演讲的艺术，具有一种雄壮的力量，他同时代人称誉他的演说像"天上的雷鸣"。但他的演说词有浓厚的贵族趣味，如典故过多、形象堆砌、语言夸张等。

维尼奥（Pierre-Victorien Vergniaud，1753～1793）本是律师，被选为第三等级的代表后，成为立法议会和国民大会中吉伦特派的领袖人物。吉伦特派反对君主专制，主张共和，认为私有财产绝对不可侵犯，对人民群众采取敌视的态度，是革命中大资产阶级的政治代表。维尼奥作为吉伦特派的发言人，在君主制没有推翻时，有一定的革命性；在欧洲专制君主干涉法国革命时，也做过抨击欧洲君主政治、号召抵抗侵略者的充满爱国主义精神的演说，如1792年7月3日关于"祖国在危急中"的演说、9月16日号召"公民们，参军去"的演说。但是，当革命发展到一定阶段，他作为资产阶级既得利益者的政治代表，就企图使革命止步。1792年12月审判路易十六时，他反对判以死刑，他在国民大会上阻挠处死国王的演说，是用动听的辞藻掩盖吉伦特派保王图谋的代表作。吉伦特派垮台之前，他在为自己辩护、对罗伯斯庇尔进行攻击的演说（1793年5月31日）中说："有人力图用恐怖完成革命，而我宁愿用爱来完成革命。"暴露出他反对用革命的暴力将革命进行到底的立场。吉伦特派失败时，他被雅各宾派送上了断头台。

维尼奥的演说词明晓流畅，在关键之处，也善于用强调重复的语句、铺陈论点、表现激情，但他缺乏深刻的思想，论述也并不精彩，有时滥用形容词、同义语而流于浮夸。

丹东（Georges-Jacques Danton，1759～1794）出身于法官家庭，革命爆发前担任过律师。革命后，是议会中著名的雅各宾派政治活动家；在立法议会期间，担任过司法部长；在国民大会期间，负责掌管国防，并领导过实际上是革命政府的公安委员会。在革命危急时期，丹东发表了一些激动人心的演说。1792年9月，法军在前线失利、局势异常紧张的时候，他在立法议会中发出了这样坚定、雄壮的声音：

"应该向人民宣传祖国将会得救，这样做，作为自由民族的部长们才合格相称。全国振奋起来了，行动起来了，都渴望着战斗——即将敲响的警钟绝不是告急的信号，而是对祖国之敌的进攻！为了战胜敌人，我们需要勇气，需要勇气，再需要勇气！这样，法兰西就会得救。"丹东是一个优秀的即兴演说家，他态度坦率、激情充沛，演说词中不时闪现思想的火花和深刻的语句。他的风格与米拉波有些相似，当时人们称他为"平民的米拉波"。

吉伦特派失败后，丹东在政治上开始腐化起来，成为发国难财的奸商和投机分子的政治代言人，他要求革命政府对这些破坏国民经济、为非作歹的坏人采取宽大温和的态度，鼓吹要"怜惜人类的鲜血"，反对革命的恐怖手段。雅各宾政府逮捕了丹东和他的同党，并把他们送上了断头台。

罗伯斯庇尔（Maximilien-Marie-Isidore, Robespierre, 1758～1794）是法国革命时期伟大的资产阶级革命家、资产阶级民主激进派雅各宾派的主要领袖、雅各宾专政时期革命政府的领导人。

他出身于律师家庭，从小深受启蒙思想的影响。大学毕业后，从事律师职业。1789 年被选为家乡阿尔土瓦省第三等级出席三级会议的代表，后又担任国民议会和制宪议会的议员。在这期间，他虽然主张君主立宪，但曾经多次发表重要演说，反对封建专制法权，要求制定合理的法律，建立维护第三等级利益的陪审法庭。1792 年 8 月 10 日，巴黎人民的起义推翻了君主制，这对罗伯斯庇尔影响很深，从此他成为一个坚定的共和主义者。

1792 年审判路易十六时，国民大会中雅各宾派与吉伦特派发生了激烈的斗争，斗争的实质是要不要消灭已经打翻在地的贵族阶级的政治势力，要不要杜绝君主制卷土重来的可能。罗伯斯庇尔坚决主张立即判处路易十六死刑。他发表了两篇著名的长篇演说，戳穿了吉伦特派企图用提交全民讨论的手法来阻挠判处国王死刑的图谋，揭露了这些当权者虚伪的面目：

> 你们要召开基层议会，要让每一个基层议会各自去审理自己旧日国王的命运，也就是说，你们想要把所有的县议会，所有的市区都变成混乱的舞台……谁能比这些阴谋分子，这些"正人君子"，也就是旧制度下的，甚至新制度下的骗子们更谨慎、更狡猾、更机灵呢？他们将何等巧妙地先说些反对国王的漂亮话，然后从中做出有利于国王的结论啊！他们将如何娓娓动听地宣布人民的主权和人类的权利，然后又恢复保王主义和贵族政治啊，但是，公民们，人民将能出席这些基层议会吗？庄稼人能抛开自己的田地吗？手艺人能丢开维持他日常生活的工作来翻阅刑法典和在吵吵闹闹的大会上讨论判处路易·加贝的刑罚种类吗？

罗伯斯庇尔是资产阶级革命民主主义政治家，1793 年后，他所领导的雅各宾政府颁布了资产阶级革命中最民主的宪法，部分解决了农民的土地问题，取得了城乡劳动群众的支持。对国内外封建势力、投机奸商的猖狂破坏，他实行了革命专政，对敌人进行恐怖统治。在这期间，他在国民大会中发表了一系列重要的演说，如关于"改组革命法庭"、关于"革命政府的各项原则"、关于"政治道德的各项原则"、关于"重新改组革命法庭"等重大问题的演说，这些演说阐述了雅各宾派政府的方针、政策，其中关于恐怖手段，他做过这样一些著名的论述：

> 一切暴君从国外来包围你们，而暴君的一切朋友则在国内进行阴谋活动；在犯罪行为没有失败之前，他们将不会停止阴谋活动。必须镇压共和国内外的敌人，不然就会与共和国同归于尽。

在目前的情况下，你们政策的第一条，应当是依靠理智来管理人民，借助恐怖来统治人民的敌人。

……恐怖是迅速的、严厉的、坚决的正义，因而它是美德的表现，与其说它是特殊原则，毋宁说它是从祖国在极端困难时期所采用的民主一般原则中所得出的结论。

这里有人说，恐怖是专制政体的工具。这样说来，你们的政体不像专制制度吗？是的，在自由的英雄手中闪闪发光的宝剑很像暴政信徒用来武装自己的凶器。当专制君主借助恐怖统治自己愚昧的臣民的时候，作为暴君，他需要这样做；你们用恐怖使自由的敌人驯服，作为共和国的创立人，你们也必须这样做。革命政体就是自由对暴政的专制。

……不使犯罪行为遭到毁灭，就必然使美德遭到毁灭。有一些人叫嚷要对保王党徒宽大，对恶棍们仁慈。不！要对无辜者仁慈，要对弱者仁慈，要对不幸者仁慈，要对人类仁慈！

贵族政治和温和主义是怎样企图用他们给我们规定的可怕规则来束缚我们啊！惩罚人类的压迫者即为仁慈，宽恕他们就是野蛮。暴君的残暴只可能出自残暴，而共和国政府的残暴则是由热心为善引起的。

本着这种思想，罗伯斯庇尔一方面组织了对干涉军的英勇抗击，一方面对国内反革命势力进行无情镇压。在革命恐怖的问题上，罗伯斯庇尔在雅各宾派内部进行了尖锐的斗争，把以丹东为首的反对专政的右翼集团送上了断头台。罗伯斯庇尔以上述一系列革命措施使革命转危为安，列宁对此曾做了很高的评价："法国伟大的资产阶级革命家在 125 年以前就对一切压迫者、地主和资本家采取了恐怖手段，而使革命成了伟大的革命。"[①]

---

① 列宁：《大难临头，出路何在》,《列宁选集》第三卷，第 161～162 页。

1794 年 7 月，大资产阶级发动了阴谋策划已久的"热月政变"，罗伯斯庇尔在关键时刻没有坚决依靠人民，他遭到敌人的逮捕，于 7 月 28 日和他的战友圣茹斯特、古通等，一道牺牲在反对派的屠刀下。当 26 日他在国民大会中受到敌人的围攻时，他发表了最后一次演说，演说的结尾给巴黎人民留下了一句悲剧性的名言："当骗子手的匪帮还占统治地位的时候，自由卫士只能受到放逐。"

罗伯斯庇尔作为一个演说家，首先以他的思想深刻取胜。他的演说不像米拉波和丹东那样凭即兴灵感，而是事先经过充分的思考和准备。他的演说词立论严正，逻辑性强，论证周密，措辞准确，风格严谨，字里行间也不时流露出革命家的激情和个性。

法国革命时期的资产阶级雄辩演说家，都是启蒙思想家的信徒，他们的政治主张和在演说中对革命问题的阐述，都是启蒙思想的具体运用。但他们政治倾向不同，因此各自从理论倾向不同的启蒙思想家那里吸取营养。革命初期君主立宪派占统治地位时，起重大影响的是有贵族化倾向的资产阶级思想家孟德斯鸠的理论。君主立宪派的政治演说家，如米拉波等，就是孟德斯鸠的三权分立说的宣传者、实践者。在大资产阶级共和派占统治地位时，狄德罗起了重大的影响。这位启蒙思想家的理论体系，反映了他那个时期工商资产阶级由于求本阶级的发展而要求破坏封建秩序的愿望，也反映了它要求巩固自己在工商业的发展中所取得的胜利的愿望，因而合乎革命期间大资产阶级共和派的政治需要。他们一方面反对封建复辟，另一方面满足于自己的既得利益，不想把革命继续向前推进。吉伦特派的演说家和从雅各宾派分化出来的丹东，就表现了这种政治倾向。在革命继续深化、资产阶级民主激进派占统治地位的时期，卢梭的理论成了指导思想。罗伯斯庇尔、圣茹斯特这些激进的资产阶级革命家，经常重复卢梭关于自由与平等的口号，作为自己政治纲领的理论基础。这些对法国革命有重大影响的启蒙思想家都是资产阶级的思想家，遵循与运用这些理论的资产阶级活动家的主张和言论，也都是资产阶级性质的，即使部分反映了人民大众要求的雅各宾派也是如此。他们在演说中热情宣扬的那些"自由"、"平等"、"博爱"、"全人类解放"的口号，在反封建斗争过程中起了重要的历史作用，一旦资产阶级取得革命的胜利，这样的口号"很快就变成了一句纯粹是自作多情的空话而在革命斗争的火焰中烟消云散了"[1]。

法国革命时期的政治演说家，都求助于古代罗马共和国的亡灵。他们把古代罗马奴隶主民主政治的具体阶级内容抽掉，借用它的形式，引用那个时代政治生活的典故，运用那些著名历史人物的语言，把那个时代作为自己时代的一个典范。他们把封建专制君主比喻为古罗马破坏共和制的暴君，把忠于共和国、热爱自由的革命者比喻为古罗马的加图、布鲁图斯、汉普顿，并且对这些古代共和派的历史人物竭力加以美化，用来激起当代人的热情。总之，正如马克思所深刻指出的，他们"都穿着罗马的服装，讲着罗马的语言来实现当代的任务，即解除桎梏和建立现代资产阶级社会"[2]。

2. 新闻政论

在封建专制制度统治下，法国只有一些文艺、科学的杂志，革命爆发后，才产生了政治性的日报。特别是在《人权宣言》宣布了保证言论自由后，新闻事业有了更大的发展。当时的报纸种类很多，政治倾向各不相同。《使徒行传》等一些寿命很短的报纸是反对革命的贵族阶级的读物，米拉波经常撰稿的《外省邮报》代表君主立宪派的政治态度，马拉主编的《人民之友》是资产阶级民主激进派的喉舌，德穆兰主编的《老哥尔德利时报》反映资产阶级共和派的观点，巴黎的

---

[1] 恩格斯：《〈英国工人阶级状况〉1892年德文第二版序言》，《马克思恩格斯选集》第四卷，第277页。

[2] 马克思：《路易·波拿巴的雾月十八日》，《马克思恩格斯选集》第一卷，第64页。

"长裤汉"则从雅各宾极右派艾贝尔主编的《杜歇老爹报》中找到自己的语言。后来，这些报纸都随着革命的结束而消亡。

在激烈的阶级斗争、党派斗争中，新闻政论是重要的斗争工具。当时在报纸上比较活跃并有重大影响的政论家、新闻记者，有马拉和德穆兰。

马拉（Jean-Paul Marat，1743～1793）是著名的资产阶级革命民主派政治家，杰出的思想家，巴黎革命人民忠实的朋友。

他生于瑞士一个贫穷教员的家庭，来到法国后，与百科全书派交往，深受他们的影响。他早年从事医生的职业，也写过一部题目为《波多斯基公爵的奇遇》的小说，暴露当时的封建政府。1774年，他发表重要的政论著作《奴隶的枷锁》（*Chaines d'esclavage*），批判法国的君主专制政体和教会的愚民教育，指责财富集中于少数人之手。1775年，他发表《犯罪法提纲》，发挥他前一部政论中的思想。1789年，当革命即将爆发的时候，他发表了《致法国第三等级》，提出取消国王的专制特权、保证民族利益高于一切、保证人民享有自由的要求。巴黎革命人民攻打巴士底狱时，他积极参加了行动。同年9月，他创办《人民之友》，这份报纸观点激进、旗帜鲜明，马拉在这份报纸上发表了很多捍卫革命、揭露种种破坏革命的阴谋的政论。在创刊号上，他最先提出了革命必须采取行动的思想；在革命初期，他发表政论，揭露路易十六的颇有自由主义声望的财政总监内克企图用改良主义来挽救王权的本质（《控诉内克》），戳穿当时很有迷惑作用的上层资产阶级政治代表拉法耶特敌视武装的巴黎人民、企图使革命流产的真正嘴脸；在君主立宪制还比较稳固的时候，他最先提出反对君主制、建立共和国的主张。马拉以他先进的政治立场和与人民群众的紧密联系，得到巴黎革命人民的爱戴，他们尊称他为"人民之友"。

1792年8月10日人民起义后，马拉被选为国民公会代表。在吉伦特派统治时期，他不断用政论揭露大资产阶级政治代理人保护和勾结革命的敌人、企图使革命止步的种种阴谋伎俩，发挥了巨大的革命作用。反革命势力非常嫉恨马拉，1793 年 7 月 13 日，与吉伦特派有过勾结的保王分子夏洛特·科尔兑用卑劣的手段暗杀了他。马拉的被害使革命人民十分悲痛，在他死后的第二天就出现了纪念他的剧本。国民大会的全体代表参加了他的葬礼。他的遗体葬于伟人公墓。

在革命过程中，马拉始终是一个站在时代前列的政论家、思想家，他在一系列重大原则问题上提出的先进、深刻的思想，适应了时代的潮流，并且和革命人民的斗争结合起来，成为推动革命不停顿向前发展的精神力量。

首先，马拉以深刻的眼光，看到被打倒的封建统治阶级必然要把复辟的愿望变成复辟的行动，因此提出了彻底消灭封建残余势力、警惕和防止君主专制复辟的思想。早在 1790 年 7 月，他在有名的政论《我们被出卖了吗？》中，就提出了这样的告诫：

> 各种年龄和各种社会地位的公民们！……如果你们不立刻拿起武器来，如果你们不再次显示你们的英雄主义，像 7 月 14 日和 10 月 5 日那样两次拯救了法兰西，你们就将一败涂地。赶快到圣克鲁去，否则就太晚了，把国王和太子带回囚禁起来，把他们看管住。在即将发生的事变中，他们就是你们手中的人质，把奥地利女人和她的小叔子关起来，使他们不至于制造更多的阴谋……赶快，赶快，否则就太迟了，敌人众多的纵队就会压到你们头上；很快你就会看到特权阶级再次起来，而暴政，可怕的暴政将比过去更为可怕地复活。

这时，路易十六复辟专制君主政体的阴谋尚未败露，他"忠于宪法"的誓言还迷惑着很大一部分人，而马拉却看出了问题的本质。

这篇政论写出一年后，路易十六夫妇出逃，企图勾引外国势力扑灭革命，完全证实了马拉的预见。

其次，马拉最先提出了革命专政的思想，他是革命恐怖手段最先的创导者、宣传者。他在 1790 年 7 月 30 日一期的《人民之友》上这样说：

> 我再重复一遍，如果以为那些一百年以来一直掌握着权势、毫无报应地申斥我们、掠夺我们、压迫我们的大人先生们，会甘心情愿和我们平等相处，那简直就是疯狂到了极点。他们只要存在一天，就永远会要反对我们，如果我们不做出抉择、采取必要的不宽容的措施，就免不了要打内战，最后我们就会遭到屠杀。

他在另一篇政论中还这样写道：

> 本来，砍掉五六百颗头颅就可以保证你们的和平、自由和幸福。但是，一种用错了地方的人道主义捆绑了你们的手臂，挡回了你们的拳头，而这将要用你们成百万个兄弟的性命来作为代价……你们的敌人只需有一瞬间的优胜，你们的血就会流成河。他们将毫不怜悯地杀害你们，他们将剖开你们妻子的腹腔，为了在你们胸中窒息对自由的热爱；他们血腥的手搜索你们子女的肚肠，为的是找出他们的内脏。

对于建立革命专政采取什么态度，是领导革命的党派间斗争的一个焦点。马拉批判了温和派反对革命专政的思想，表现了激进的政治立场。

马拉还热烈地维护人民的权利。《人民之友》创刊后不久，他就在一篇政论中提出人民权利至上的思想："至高无上、绝对而无限制的权力，只能存在于人民这个实体中。"他针对立宪议会关于必须拥有一定财产才有选举资格的规定，从根本上对贵族、资产者的私有财产权加以否定：

> 你们的财富几乎都是用令人憎恶的手段取得的，都是通过奸诈和暴力从穷人那里掠夺的，你们根据什么神圣的名义占有这些财富。

马拉同时对人民大众政治上的无权提出了抗议，一针见血地指出贵族、资产阶级占统治地位的国家是不属于人民的：

> 那些一无所有的人民，不可能有所希冀的人民，从社会公约中得不到任何利益的人民，何处是他们的祖国？

马拉深刻地看出从1789年革命中获得实际利益的是资产阶级，而不是人民大众，从而把同时包括了资产阶级和劳动人民的第三等级的内部的不同阶级利益指了出来，把资产阶级启蒙思想家、政治活动家所鼓吹的"全人类利益"的资产阶级本质暴露了出来，这是他的杰出之处。虽然马拉的世界观从根本上没有超出资产阶级的范围，但他的政论中这些思想观点，在资产阶级革命的历史条件下，放射出革命民主主义的光辉，表达了人民大众的某些思想情绪。

恩格斯曾经高度评价了马拉的政论，他说："我们在许多方面都不自觉地仅仅是模仿了真正的（不是保皇党人伪造的）《人民之友》的伟大榜样；一切的怒叫，以及使人们在几乎一百年中只知道马拉的完全被歪曲了的形象的那种全部历史捏造，只不过是由于，马拉无情地扯下了当时那些偶像——拉斐德、巴伊等人的假面具，揭露了他们已经成了十足的革命叛徒的面目，还由于，他也像我们一样不认为革命已经结束，而想使革命被宣布为不断的革命。"[1]

马拉的政论，文风严肃，论述明快，没有那些雄辩家常有的浮夸之词和典故的堆砌。对革命人民来说，他的政论通畅易读，因而，在人民中也有更大的影响。

德穆兰（Camille Desmoulins，1760～1794）是两条路线斗争中另一方面政论的代表作家。他出身于一个军官家庭，青年时研读法律，后担任巴黎法院的律师。革命一爆发，他积极投入了斗争，1789年7月12日，当路易十六正在策划扑灭革命的时候，德穆兰在街头向巴黎人民揭露王室的阴谋，鼓舞人民拿起武器。德穆兰是资产阶级共和派，被选为国民公会的代表后，担任内政部长丹东的秘书，是山岳党一个著名的成员，与吉伦特派作过一些斗争。丹东政治上腐化后，他追随丹东反对雅各宾派专政。他从1793年12月至次年2月，主编《老哥尔德利时报》，发表一系列文章攻击革命恐怖政策，提出建立"仁慈委员会"以结束流血的镇压。他在提出这个建议的政论中说："不！自由是从天上降下来的，它根本不属于红色的小帽、肮脏的衬衫和褴褛的衣裳……自由就是幸福，就是理智，就是平等，就是正义……敌人中勇敢的强有力者都已经流亡，他们毁灭在里昂或旺岱，剩下来的不值得你们动此大怒。"1794年，他作为丹东的同党被判处死刑。

第三节　革命戏剧与党派斗争

革命时期的戏剧呈现出一片生气勃勃的景象。立宪议会于1791年1月13日宣布取消封建的戏剧审查制度、允许演出自由后，巴黎的剧院数目猛增，达50多个。革命政府要求戏剧宣传革命，急剧的政治斗争和人们对斗争的关注，使戏剧与当时的时势结合得比较紧

---

[1]　恩格斯：《马克思和〈新莱茵报〉》，《马克思恩格斯选集》第四卷，第182页。

密，使这时期的革命戏剧成为革命意志的表现和政治斗争的工具。当时上演的革命戏剧主要可分为两类：一类是时事剧，一类是以古喻今的悲剧。

1. 时事剧

时事剧直接以当时重大的政治社会事件为题材，或者把故事放在这些事件的背景上，密切结合现实，是当时人民喜闻乐见的一种戏剧形式。

革命时期的时事剧数量很多，据统计，从 1789 年 7 月到雅各宾派专政结束的 5 年时间里，在巴黎上演了 150 部左右，仅在雅各宾派专政不到一年的时间里，就有 60 部之多。作者有一些是职业剧作家，也有人民中的无名氏、革命政府里的成员，还有历史事件的参加者，如一位参加了摧毁巴士底狱的革命者，就以自己"亲身在这个可怕的堡垒下参加了战斗"的经历，写出了当时著名的《巴士底狱的攻陷》一剧。

革命过程中的重大历史事件，在时事剧中几乎都得到生动的表现，如记述 7 月 14 日革命的《巴士底狱的攻陷》(*La Prise de La Bastille*)、记述 8 月 10 日人民起义的《九二年八月十日这一天》(*Journée du 10 août 1792*)、描写国王出逃后被人民抓回的《乌尔蒙旅馆》(*L'Hôtellerie de Worms*)、反映抗击外国侵略军的胜利的《土伦的攻克》(*Prise de Toulon*)、反映马拉被害的《人民之友》(*Ami du peuple*) 和《马拉之死》(*La Mort de Marat*) 等。用戏剧的形式演出这些事件，实际上成为了革命的欢庆和典礼。在这里，可以看到一幕幕动人的斗争场面：战争的枪炮声，警钟的号召，公民们手里拿着锄头或在制作火药，群众高唱《马赛曲》和《一切都会好》，人民代表向军队发表演说进行革命宣传，士兵们进行操练或种植自由之树，志愿军开赴前线，他们的刺刀尖上装饰着人民赠送的光荣的桂枝……这些场面是革命年代中历史的忠实写照，蕴含着人民高昂的斗志和炽热的感情，当时的革命观众往往是带着欣喜若狂的情绪，看着自己的历史在舞台上这样再现，在高潮之处，他们就全场起立高唱《马赛曲》。

在革命时事剧里，对阶级关系的变化有鲜明的反映。英雄人物再不是帝王将相，而是爱国者、共和主义者、巴黎的"长裤汉"。他们被描写为高大的形象，具有非凡的力量、高尚的道德和英勇的精神。如在《国王会议》（*Le Congrès des rois*）一剧里，正当国王们在俄国宫廷里开会讨论瓜分法国领土时，一个巴黎的"长裤汉"闯了进来，把他们轰散了，成为了胜利者。在《八月十日的盛会》（*La Réunion du 10 août*）一剧中，象征着法国人民的巨人，杀死了一个名为"封建"的可怕的怪物。在《共和主义者丈夫》（*L'époux républicain*）中，一个公民得知自己的妻子准备携带儿子逃亡国外，就大义灭亲向政府揭发了他们。在《青年英雄阿格利哥尔·维雅拉》（*Agricole Viala*）中，主人公抵抗敌人时英勇牺牲，临死时说："我为自由而死，死得高兴。"他的母亲也说："我的儿子为祖国而死，我不需要任何安慰。"创造了历史的普通人民成为了舞台的主人，这是革命给文学带来的有意义的深刻变化。同样有意义的是，过去垄断舞台的"高贵人物"，在这些戏剧里都成为讽刺和嘲笑的对象。特别是他们在剧烈的社会变革中不得不改头换面、进行伪装的丑态被描写得淋漓尽致：侯爵夫人见风使舵，追求英武的平民；男爵夫人用自己的色相进行投机，向攻克巴士底狱的胜利者献媚；公爵装出一副平民的派头；贵族假惺惺宣称，为了祖国自己要放弃贵族的称号；教士也脱下了黑袍，戴上红色的小帽；遁入空门的信女纷纷还俗，去追求轻骑兵。舞台上这些景象，生动地表现了革命后阶级力量对比的变化，也反映了作为胜利者的人民愉快幽默的心情。

这些革命时事剧对封建君主的鞭挞最为无情。如勒布伦－多沙的《乔治的疯狂》（*La Folie de Georges ou l'ouverture du Parlement* d'Angleterre）一剧，假想伦敦人民推翻了君主立宪、宣布成立共和国，处死了首相庇特，把国王乔治三世关进了疯人院。再如马勒夏尔的《对世界君主最后的审判》（*Le Jugement dernier des rois*）一剧，以幻想的形式，预言那些封建统治者的可耻下场：根据由各国"长裤汉"组成的全欧国民大会的命令，俄国女沙皇、西班牙国王、教皇、世界上所有的国王和皇帝以及一切"头戴冠冕的强盗"，都被流放到一个海岛上，像动物园里的动物一样，囚禁在一起，他们互相吞食，为了抢夺一块饼干，互相用王笏殴打，最后火山爆发把他们埋葬在熔岩之下；他们在大难临头时丑态百出，西班牙国王大叫"我要是能逃出去，我一定做一个'长裤汉'"，教皇嚷着"要能免此浩劫，我保证还俗娶老婆"，而女沙皇则发誓"我要能得救，我一定参加雅各宾党"。这个剧本在当时很受欢迎，在巴黎就销售了 3000 本。

时事剧充满了生气，是对历史事件和人民情绪的直接反映，具有某种历史文献的价值。但它们还受传统形式的束缚，有些剧本还采用诗体，而且艺术上锤炼加工不够，流于粗糙简陋。

2. 进步悲剧

革命时期，剧院里上演了不少悲剧，其中一类是民族题材的悲剧，最著名的是玛丽－约瑟夫·谢尼埃的《查理九世》。另一类是以罗马共和国的故事为题材的悲剧，其中有当时剧作家的创作，如阿尔诺（Arnault，1766～1834）的《马里乌斯在曼丢尔勒》（*Marius à Minturne*，1791）和《卢克莱斯》（*Lucrèce*，1792）、勒古维（*Gabriel Legouvé*，1764～1812）的《刚图斯·法比乌斯》（*Quintus Fabius*，1795）等；也有革命前的剧作家的创作，如伏尔泰的《布鲁图斯》、勒米叶（*Lemierre*，1723～1793）根据席勒的剧本改编的《威廉·退尔》等，这些作品在过去没有得到成功，但在革命后新的政治形势下却大受观众的欢迎。伏尔泰的《布鲁图斯》于 1790 年上演时，剧中主人公的共和主义精神使巴黎的观众情绪大为激昂，君主立宪派的巴黎市长贝野急忙调兵以防发生革命骚动。充满抗暴精神的《威廉·退尔》上演时，观众义愤填膺，在台下高呼："把暴君吊死。"不论是哪一类悲剧，它们之所以受到观众的欢迎，都是因为它们"以古喻今"，"请出亡灵来给他们帮助，借用它们的名字、战斗口号和衣服，以便穿着这种久受崇敬的服装，用这种借来的语言，演出世界历史的新场面"。[1]

革命时期最重要的悲剧作家是玛丽-约瑟夫·谢尼埃。

他是《出征歌》的作者，生于君士坦丁堡，父亲是法国驻土耳其总领事。他在巴黎受完中学教育后，到军队里服役了两年，从此开始写作。1785 年写出两幕正剧《爱德加》和悲剧《阿采米尔》，这两个剧本都不成功。1787 年开始写历史悲剧《查理九世》(*Charles IX*)，剧本于次年写出，经过与封建势力的斗争，于 1789 年 8 月第一次上演。此后，约瑟夫·谢尼埃又写作了悲剧《亨利八世》(*Henri VIII*, 1791)、《卡拉事件》(*Jean Calas*，1791)、《卡依乌斯·格拉库斯》(*Caïus Gracchus*，1792)、《费纳龙》(*Fénelon*，1793)、《第莫里翁》(*Timoiéon*，1794)。他在国民公会期间、热月政变以后以及拿破仑时期都是议员。1803 年后，他在巴黎大学任教，1806 年至 1807 年，他写了《菲利普二世》(*Philippe II*)、《布鲁图斯》(*Brutus*)、《卡西乌斯或最后的罗马人》(*Cassius ou les derniers Romains*)和《第伯尔》(*Tibère*)等悲剧，同时还写了喜剧《尼禄》(*Ninon*)和《家庭肖像》(*Les portraits de famille*)。

历史悲剧《查理九世》以法国 16 世纪"圣巴托罗缪之夜"对新教徒的大屠杀为题材。在剧本里，国王查理九世昏庸无能、毫无主见，被太后、大主教和吉斯公爵包围操纵，他们以巩固他的王位为由，怂恿他根绝一切新教徒。查理九世害怕风险，有所犹疑，最后

---

[1]　马克思:《路易·波拿巴的雾月十八日》,《马克思恩格斯选集》第一卷，第603页。

被大主教说服，出于一种宗教狂热，同意进行屠杀。1572 年 8 月 24 日，正是圣巴托罗缪节，新教徒的重要人物聚集巴黎，参加其领袖的婚礼，吉斯公爵趁机率领武装部队进攻，杀死新教徒 2000 余人。事后，查理九世对这事件的后果感到恐惧，剧本以他慌乱地跌倒在王位前结束。

剧本把黑暗的君主专制政体作为历史上这件导致大规模长期内战的著名惨案的祸根而加以抨击，对教会的阴谋和宗教狂热进行了揭露。剧本写成后，于 1788 年提交审查，当时的王室戏剧审查官以"其中的攻击侮辱了国家与教会"的罪名予以禁演。该剧本不仅有一般的批判揭露的意义，而且也有明显的影射，查理九世昏庸的性格正是路易十六的写照，路易十六这个无能的国王，同样被王后玛丽-安东奈特为首的宫廷贵族所包围左右，成为他们封建统治阶级意志的代理人。剧本中查理九世的宰相也是以路易十六的财政总监内克为蓝本，其他剧中人物也都有所影射。这样一个剧本在革命爆发前一年写出，表现了作者鲜明的反封建专制的政治立场。由于剧本符合时代的需要，它成为革命后第一个上演的历史悲剧，在革命的第一阶段发挥了反封建王权的作用。其在 1789 年 11 月 4 日演出时，制宪议会中的著名政治活动家米拉波、丹东、德穆兰都出席助威，巴黎观众表示了狂热的欢迎。丹东在剧终时这样说："《费加罗的婚礼》致贵族阶级于死命，《查理九世》将致君主政体于死命。"

约瑟夫·谢尼埃的其他剧本也都具有鲜明的进步色彩。《卡拉事件》以 1762 年著名的宗教迫害案为题材，揭露了教会的阴谋和惨无人道。《亨利八世》写的是英国 16 世纪的历史故事，表现了反对宗教狂热的主题。《卡依乌斯·格拉库斯》是约瑟夫·谢尼埃另一个重要的悲剧，剧中的主人公是罗马著名的护民官，他发誓要把人民被元老院剥夺了的权利归还给人民。他向平民宣传正义与自由，元老院对他进行控诉，他的朋友也纷纷抛弃他，最后他因被人出卖而自杀。这个剧本充满了为自由斗争的精神，1792 年 8 月，国民公会曾经下令，规定这个剧本与伏尔泰的《布鲁图斯》以及勒米叶的《威廉·退尔》是巴黎剧院每周必须上演一次的三个革命悲剧。《费纳龙》的主人公是法国 17 世纪著名的主教、作家，作者把他描写成一个同情人民的苦难、具有宗教宽容精神、谴责君主们的罪恶的人物，通过他的故事，宣传了人道主义的思想。

约瑟夫·谢尼埃剧本的艺术性不高，他仿效伏尔泰的风格，但不成功。他表现人物性格，不是通过戏剧冲突，而是用大段冗长的台词，其语言又往往不精炼，这是他的剧本未能长久流传的原因。

3. 党派斗争在戏剧中的反映

革命时期的戏剧，也反映了资产阶级内部不同党派的斗争。1793 年以后，雅各宾派内部以罗伯斯庇尔为首的资产阶级民主激进派与以丹东为首的资产阶级保守势力的斗争日益激化。斗争的焦点是对革命恐怖手段的态度问题，斗争的实质是使革命进行到底还是带上温和的色彩。在这场斗争中，资产阶级保守派对革命的专政和激进派进行了攻击，这在戏剧中有着鲜明的反映。

1793 年 1 月，在巴黎，上演了拉雅（Laya）的剧本《法律之友》（*L'Ami des lois*）。虽然作者一直是站在革命方面，但在这部作品里，却要求"符合秩序的自由"、"社会的安宁与和平"，把矛头指向雅各宾激进派的革命主张，把他们描写成卑劣的投机分子，其中的两个人物影射罗伯斯庇尔与马拉。上演时，爱国者表示强烈抗议，保守派却热烈欢迎。

马拉被害后，上演了马特兰（Mathelin）的剧本《马拉在哥尔德利叶俱乐部》（*Marat dans le souterrain des Cordeliers ou la journée du 10 août*），作者基本上肯定了马拉，但在丹东集团的思想影响下，却把这位极力主张革命专政的人民之友，歪曲为仁爱忍耐的化身。

1794 年初，写过革命悲剧的勒古维，发表历史剧《埃比查理斯与尼禄》（*Epicharis et Néron*），剧本表面上是揭露罗马历史上有名的暴君尼禄的罪恶，实际上却影射罗伯斯庇尔。丹东集团马上看中了这个剧本，由于他们的支持，剧本逃过了审查而得以上演，成为丹东集团的政治工具。

在这股思潮影响下，约瑟夫·谢尼埃也写出了一个坏剧本《第莫雷翁》，内容是一个独裁者被他的兄弟，一个"维护自由的斗士"杀死的故事。其中的独裁者，当时被认为是影射罗伯斯庇尔，因此遭到禁演，但热月政变后却被搬上了舞台。

这些作家与丹东集团思想共鸣，把矛头指向激进的雅各宾党人，实际上就是反对"法兰西恐怖主义"这一粉碎革命敌人的平民手段，暴露出他们资产阶级世界观的局限性。

第四节　文学中反对革命的悲鸣

在革命不断深入的过程中，始终存在着被打倒的贵族阶级的挣扎和反抗。激烈的阶级搏斗，在作为观念形态的文学艺术中，有异常尖锐的表现。贵族阶级在文艺领域中的势力，用各种形式发出抗议，咏唱挽歌，但他们的声音，注定要被历史前进的车轮声所淹没。

演词方面，保王党的代表人物是莫里神甫（L'abbé Maury，1746~1817），他在立宪议会期间，发表了一些维护王权、反对革命的演说。在政论方面的代表是里瓦罗尔（Antoine Rivarol，1753~1801），他在革命前就有些名气，得到法国和普鲁士宫廷的赏识。革命爆发后，他经常在 1789 年至 1792 年之间出现的多种保王党报纸上，写反动政论，他的《大革命名人年鉴》（*Petit almanach des grands hommes de la Révolution*）对当时的进步政治家进行了恶毒的攻击。为了逃避革命的惩罚，他后来流亡国外。1793 年后，雅各宾派实行专政，贵族势力不可能再公开利用演说和政论反对革命，其斗争的方式就变得较为隐蔽。

戏剧领域中的斗争始终没有停止。革命初期，君主立宪的思想还很有市场，国王在一些保王党的剧作里仍然是受尊敬的偶像。1791 年路易十六出逃事件后，立宪议会把国王软禁起来，剥夺了他的权力，人们开始把路易十六视为"民族的叛徒"。7 月 16 日，资产阶级共和派公开要求对他进行审判。在君主立宪制也面临彻底崩溃的形势下，9 月 26 日，路易十六故作姿态，亲临法兰西喜剧院观剧，休息时，乐队奏起了保王党的乐曲。不久以后，巴黎的剧院里就相继上演了两个歌颂王权的新剧本：《卡斯托耳与波吕丢刻斯》（*Castor et Pollux*）和《理查王》（*Richard*）。在后一个悲剧里，有一段歌颂王权的台词，而演员又把原来台词中的"理查"改为"路易"，露骨地表现了对路易十六的歌颂："啊，我的国王路易，你受到我们的爱戴，我们心里的一条法律，就是忠实于你，我们将粉碎你身上的铁链，把你的王冠归还给你。"这两个剧本演出时，一小撮保王党在剧院里狂热高呼"国王万岁，王后万岁"的口号。

1792 年，封建残余势力在戏剧中的反扑，集中表现在对革命文艺的攻击上。当时，演出了皮埃尔·内热（Pierre Léger）的《时髦作家》（*L'Auteur d'un moment*），该剧把革命作家约瑟夫·谢尼埃当作污蔑攻击的目标，同时出现的还有咒骂《查理九世》的讽刺剧《查尔洛》（*Charlot*）。这些剧本通过攻击革命文艺达到攻击革命的目的，因而受到保王党的喝彩，他们在剧场中高叫"打倒雅各宾"的口号。

在雅各宾派专政时期，封建残余势力用戏剧的形式进行的反革命宣传并未停止。暗杀马拉的凶手科尔兑上断头台那天，就有人上演了一个影射的剧本《仁爱胜暴力》（*Mieux fait douceur que violence*），起了为反革命分子鸣冤叫屈的作用。王后玛丽－安东奈特被处死前不久，也出现了一出反革命剧本《阿戴勒·德·沙茜》（*Adèle de Sacy*），剧中一个被暴君囚禁的妇女，期待她的亲人来解救自己，影射玛丽－安东奈特等待着流亡在国外的王室残余力量的搭救，对王权的复辟满怀希望。

热月政变后，反革命资产阶级上台，戏剧中出现了明显的反动倾向。有一些资产阶级作家在革命时期写过拥护革命的作品，这时纷纷大幅度地向右转。戏剧中的反动集中表现在对前一时期革命恐怖手段的反攻倒算和对雅各宾党人的丑化、污蔑，那些被镇压、管制的封建贵族和资产阶级分子成为了戏剧中的正面人物。从热月政变后到1795年10月成立执政府的不到一年的时间里，巴黎共上演近50个剧本，其中有一半是间接或直接攻击雅各宾专政的。这些剧本的故事情节虽然不同，但都尽情发泄对革命群众的刻骨仇恨。《菲多街的音乐会》（*Concert de la rue Feydeau*）一剧中，一个人物这样咒骂道："暴君，窃贼，谋杀犯，总而言之，这就是雅各宾派。"勒墨尔锡（*Népomucène Le mercier*）的《伪革命者》（*Le Tartuffe révolutionnaire*）则把雅各宾党人描写成莫里哀笔下达尔杜弗那样道貌岸然、阴险毒辣的伪君子。嚣锡叶（Hector Chaussier）的《雅各宾党人在地狱中》（*Les Jacobins aux enfers*），更是把革命者丑化为地狱魔君也不愿接纳的"恶鬼"。